BIBLIOTHEEK‹BREDA

D0433941

De cliënt

3019

Van dezelfde auteur

Advocaat van de duivel
Achter gesloten deuren
De jury
Het vonnis
De rainmaker
In het geding
De partner
De straatvechter
Het testament
De broederschap
De erfpachters
Winterzon
Het dossier
De claim

Bezoek onze internetsite www.zwartebeertjes.nl
voor informatie over al onze boeken.

John Grisham

BIBLIOTHEEK·BREDA

Wijkbibliotheek West

De cliënt

Zwarte Beertjes
Utrecht / Amsterdam

Voor Ty en Shea

BIBLIOTHEEK
CENTRUM

Oorspronkelijke titel: The Client
© 1993 by John Grisham
All rights reserved
Vertaling: Jan Smit
© 2003 A.W. Bruna Uitgevers B.V., Utrecht
Dit is een uitgave van A.W. Bruna Uitgevers B.V.
in samenwerking met Zwarte Beertjes.

ISBN 90 449 3019 2
NUR 313

Niets uit deze uitgave mag worden openbaar gemaakt en/of verveelvoudigd door middel van druk, fotokopie, microfilm of op welke andere wijze dan ook zonder voorafgaande schriftelijke toestemming van de uitgever.

1

Mark was elf en al sinds zijn negende rookte hij zo nu en dan een sigaretje. Hij wilde niet stoppen, maar hij had ook geen zin om verslaafd te raken. Hij gaf de voorkeur aan Kools, het merk van zijn ex-vader, maar zijn moeder rookte twee pakjes Virginia Slims per dag, en gemiddeld wist hij per week zo'n tien tot twaalf sigaretten van haar te stelen. Ze was een vrouw met een druk leven en veel problemen, en ze stond nogal naïef tegenover haar jongens. Het kwam geen moment bij haar op dat haar oudste al op zijn negende met roken was begonnen.

Soms kocht Mark voor een dollar een pakje Marlboro's van Kevin, een boefje aan de overkant van de straat, maar meestal moest hij zich behelpen met de dunne saffies van zijn moeder.

Die middag had hij er vier in zijn zak toen hij met zijn drie jaar jongere broertje Ricky over het pad naar de bossen achter het caravanpark liep. Ricky was zenuwachtig: zijn eerste sigaret! De vorige dag had hij Mark betrapt toen die de sigaretten in een schoenendoos onder zijn bed verstopte en hij had gedreigd zijn broer te verraden als hij zelf geen sigaret zou krijgen. En dus slopen ze nu over het bospad, op weg naar een van Marks geheime plekken, waar hij zich heel wat eenzame uurtjes had geoefend in het inhaleren en het blazen van rookkringen.

De meeste andere jongens uit de buurt experimenteerden met bier en softdrugs, maar daar wilde Mark niets mee te maken hebben. Hun ex-vader was aan de drank en hij had de twee jongens en hun moeder herhaaldelijk in elkaar geslagen als hij te veel bier op had. Mark had de gevolgen van alcohol gezien en aan den lijve ondervonden. En voor drugs was hij ook bang.

Ze verlieten het pad en waadden door het hoge gras. 'Ben je verdwaald?' vroeg Ricky, typisch het jonge broertje.

'Hou je kop,' zei Mark, zonder zijn pas te vertragen.

Hun vader was alleen thuisgekomen om te zuipen, te slapen en hen te mishandelen. Hij was nu vertrokken, goddank. Vijf jaar lang had Mark voor Ricky moeten zorgen. Hij voelde zich als een elfjarige vader. Hij had zijn broertje voetballen en fietsen geleerd. Hij had hem alles verteld wat hij over seks wist. Hij had hem gewaarschuwd voor drugs en hem tegen grotere jongens beschermd. En hij voelde zich schuldig dat hij hem nu zou leren roken. Maar nou ja... het was maar een sigaret. Het had veel erger kunnen zijn.

Door het hoge gras kwamen ze bij een grote boom. Aan een dikke tak bungelde een touw. De struiken maakten plaats voor een kleine open plek, met daarachter een overwoekerde zandweg die over de heuvel verdween. In de verte was het geluid van een snelweg te horen.

Mark bleef staan en wees naar een boomstronk bij het touw. 'Ga zitten,' beval hij. Ricky liet zich gehoorzaam op de stronk zakken en keek zenuwachtig om zich heen, alsof hij bang was voor de politie. Mark keek hem aan als een strenge legerofficier en haalde een sigaretje uit zijn borstzak. Hij hield het tussen de duim en wijsvinger van zijn rechterhand en probeerde een nonchalante indruk te maken. Hij keek op Ricky neer. 'Je kent de regels,' zei hij. Er waren maar twee regels, die hij in de loop van de dag al tien keer had herhaald. Ricky wilde niet als een klein kind worden behandeld. Hij rolde met zijn ogen en zei: 'Ja. Als ik het aan iemand vertel, sla je me in elkaar.'

'Precies.'

Ricky sloeg zijn armen over elkaar. 'En ik mag er maar één per dag roken.'

'Ja. Als ik erachter kom dat je meer rookt, zul je nog wat beleven. En als ik ontdek dat je bier drinkt of drugs gebruikt, dan...'

'Ja, ja, dat weet ik al. Dan sla je me nog eens in elkaar.'

'Zo is dat.'

'Hoeveel rook jij er per dag?'

'Maar één,' loog Mark. Soms was het er inderdaad één, maar soms waren het er drie of vier, afhankelijk van de aanvoer. Hij stak het filter tussen zijn lippen, met de houding van een gangster.

'Ga je dood als je er één per dag rookt?' wilde Ricky weten. Mark haalde de sigaret weer tussen zijn lippen vandaan.

'Voorlopig niet. Eentje kan niet veel kwaad. Maar als je er meer rookt, wordt het link.'

'Hoeveel rookt ma er per dag?'

'Twee pakjes.'

'Hoeveel is dat?'

'Veertig.'

'Zo! Dan heeft ze dus een probleem.'

'Ma heeft nog wel andere problemen. Over sigaretten maakt ze zich niet druk.'

'En hoeveel rookt pa?'

'Vier of vijf pakjes. Honderd per dag.'

Ricky grijnsde even. 'Dus die gaat snel de pijp uit?'

'Dat hoop ik. Zuipen en kettingroken, dan ben je binnen een paar jaar dood.'

'Wat is kettingroken?'

'Als je de volgende sigaret met je vorige aansteekt. Ik wou dat hij tien pakjes per dag rookte.'

'Ik ook.' Ricky wierp een blik over de kleine open plek en het zandpad. De zon scheen fel, maar onder de grote boom was het koel en donker. Mark pakte het filter tussen duim en wijsvinger en zwaaide ermee voor zijn mond. 'Ben je bang?' vroeg hij honend, echt als een oudere broer.

'Nee.'

'Volgens mij wel. Hé, zo moet je hem vasthouden, oké?' Hij zwaaide met de peuk onder Ricky's neus en stak het filter toen met veel bravoure weer tussen zijn lippen. Ricky keek aandachtig toe.

Mark stak de sigaret aan, blies een rookwolkje uit, nam hem weer uit zijn mond en keek er goedkeurend naar. 'Je moet de rook niet doorslikken. Daar ben je nog niet aan toe. Voorzichtig zuigen en uitblazen. Klaar?'

'Word ik er misselijk van?'

'Wel als je de rook doorslikt.' Hij nam twee snelle trekken en blies, voor het effect. 'Zie je, er is niks aan. Later leer ik je wel hoe je moet inhaleren.'

'Oké.' Ricky stak zenuwachtig zijn hand uit en Mark drukte de sigaret zorgvuldig tussen zijn duim en wijsvinger. 'Ga je gang.'

Met trillende hand stak Ricky het natte filter tussen zijn lippen. Hij nam een klein trekje en blies de rook weer uit. Nog een trekje. De rook kwam niet verder dan zijn voortanden. Nog een trek. Mark keek gespannen toe, hopend dat Ricky een hoestbui zou krijgen en blauw zou aanlopen. Als hij flink misselijk werd, zou hij nooit meer een sigaret aanraken.

'Geen kunst aan,' zei Ricky trots. Hij nam de sigaret uit zijn mond en keek er bewonderend naar.

'Nee, het stelt niks voor.'

'Het smaakt wel raar.'

'Ja, ja.' Mark ging naast hem op de boomstronk zitten en haalde nog een sigaret uit zijn zak. Ricky nam een paar snelle trekken. Mark stak hem ook op en zwijgend rookten ze hun sigaretje onder de grote boom.

'Dit is leuk,' zei Ricky, bijtend op het filter.

'O ja? Waarom trillen je handen dan zo?'
'Ze trillen niet.'
'Welles.'
Ricky negeerde hem. Hij leunde naar voren, met zijn ellebogen op zijn knieën, nam een lange trek en spuwde toen
in het zand, zoals hij Kevin en de grote jongens achter het
caravanpark had zien doen. Helemaal niet moeilijk!
Mark opende zijn mond in een perfecte cirkel en probeerde
een rookkring uit te blazen. Dat zou wel indruk maken op
zijn broertje. Maâr het mislukte en de grijze rook loste op.
'Ik vind je nog te jong om te roken,' zei hij.
Ricky zat druk te roken en te spuwen, genietend van deze
belangrijke stap op weg naar mannelijkheid. 'Hoe oud was
jij dan toen je begon?' vroeg hij.
'Negen. Maar ik was veel volwassener dan jij.'
'Dat zeg je altijd.'
'Omdat het zo is.'
Ze bleven onder de boom zitten, rokend in stilte, turend naar
het zonnige grasveldje verderop. Mark was inderdaad volwassener geweest dan Ricky toen hij acht was. Volwassener
dan al zijn vriendjes trouwens. Dat was hij altijd al geweest.
Toen hij zeven was, had hij zijn vader met een honkbal-
knuppel geslagen. Dat was niet prettig voor hem afgelopen,
maar in elk geval was die dronken idioot opgehouden hun
moeder te slaan. Er werd altijd gescholden en geslagen in
huis, daarom had Dianne Sway haar heil gezocht bij haar
oudste zoon. Ze hadden elkaar getroost en manieren bedacht om te overleven. Ze hadden samen gehuild als ze
weer waren afgetuigd. Ze hadden geprobeerd Ricky te beschermen. Toen hij negen was, had Mark zijn moeder ervan
overtuigd dat ze een scheiding moest aanvragen. Hij had de
politie gebeld toen hun vader stomdronken het huis binnen
was gestormd nadat hij de scheidingspapieren had ontvan-

gen. Hij had voor de rechtbank een getuigenverklaring afgelegd over verwaarlozing en mishandeling. Hij was heel volwassen voor zijn leeftijd.

Ricky hoorde de auto het eerst. Uit de richting van het zandpad klonk een laag, brommend geluid. Mark hoorde het ook en hield op met roken. 'Blijf zitten,' zei Mark zacht. Ze bewogen zich niet.

Een lange, zwarte, glanzende Lincoln verscheen over de top van de lage heuvel en reed langzaam hun kant op. Het onkruid op de zandweg kwam tot aan de voorbumper. Mark liet zijn sigaret op de grond vallen en zette zijn schoen erop. Ricky deed hetzelfde.

De auto remde af toen hij de open plek naderde en draaide een rondje, waarbij hij de takken van de bomen raakte. Toen stopte hij, met zijn neus naar de weg toe. De jongens zaten er recht achter, buiten het zicht van de bestuurder. Mark liet zich van de boomstronk glijden en kroop door het hoge gras naar een rij struiken aan de rand van de open plek. Ricky volgde hem. De achterkant van de Lincoln was tien meter bij hen vandaan. Ze tuurden naar de auto. Hij had een nummerbord uit Louisiana.

'Wat doet hij?' fluisterde Ricky.

Mark waagde een blik tussen het onkruid door. 'Ssst!' Hij had in het caravanpark verhalen gehoord over jongens die naar het bos kwamen om met een meisje te vrijen of pot te roken, maar niet in zulke dure auto's. De motor zweeg en de auto bleef roerloos in het gras staan. Na een minuut ging het portier open. De bestuurder stapte uit en keek om zich heen. Het was een gezette man in een zwart pak. Hij had een dikke bolle kop, bijna kaal, afgezien van een paar keurig geplakte haren boven zijn oren, en een zwart met grijze baard. Hij liep struikelend naar de achterkant van de auto, rommelde wat met zijn sleuteltjes en opende de kofferbak. Hij haalde er een tuinslang uit, stak één uiteinde in de uitlaat en duwde de andere kant door een kier van het linker portierraampje naar binnen. Toen gooide hij de kofferbak weer dicht, keek nog eens om zich heen alsof hij verwachtte dat iemand hem in de gaten hield en stapte weer in de auto.

De motor sloeg aan.

'Jezus,' zei Mark zachtjes. Met een lege blik staarde hij naar de auto.

'Wat doet-ie?' vroeg Ricky.

'Hij probeert zich van kant te maken.'

Ricky tilde zijn hoofd een paar centimeter op om beter te kunnen zien. 'Waar heb je het over, Mark?'

'Blijf liggen! Zie je die tuinslang? De uitlaatgassen komen nu door de slang in de auto terecht, en die zijn dodelijk.'

'Zelfmoord, bedoel je?'

'Ja. Ik heb het eens in een film gezien.'

Ze bogen zich wat verder naar de struiken en tuurden naar de tuinslang die vanaf de uitlaat naar het raampje van het achterportier liep. De motor snorde soepel in zijn vrijstand.

'Waarom wil hij zelfmoord plegen?' vroeg Ricky.

'Hoe moet ik dat nou weten? Maar we moeten iets doen.'

'Ja. Wegwezen. En gauw ook.'

'Nee, stil nou even.'

'Ik ga hier weg, Mark. Jij mag blijven kijken tot hij dood is, maar ik ga ervandoor.'

Mark greep zijn broertje bij de schouder en duwde hem omlaag. Ricky haalde moeizaam adem en ze zaten allebei te zweten. De zon verdween achter een wolk.

'Hoe lang duurt dat?' vroeg Ricky met onvaste stem.

'Niet zo lang.' Mark liet zijn broertje weer los en ging op handen en voeten zitten. 'Blijf jij maar hier, oké? Als je je verroert, trap ik je verrot.'

'Wat ga je doen, Mark?'

'Blijf nou maar hier. Ik meen het.' Mark drukte zijn magere lijf zo dicht mogelijk tegen de grond en kroop op ellebogen en knieën door het onkruid naar de auto toe. Het droge gras stond meer dan een halve meter hoog. Hij wist dat de man hem niet kon horen, maar misschien zou hij het gras zien bewegen. Mark bleef recht achter de auto en gleed als een slang vooruit, tot hij in de schaduw van de kofferbak lag. Hij stak een hand uit, trok de tuinslang voorzichtig uit de uitlaat en liet hem op de grond vallen. Toen kroop hij weer terug, sneller dan op de heenweg. Een paar seconden later zat hij weer naast Ricky gehurkt en tuurde naar de auto vanuit het gras en de struiken onder de langste takken van de boom. Als de man hen zou zien, zouden ze langs de boom kunnen vluchten, over het pad waarlangs ze gekomen waren. De man was te dik om hard te kunnen lopen.

Ze wachtten. Er verstreken vijf minuten, maar het leek wel een uur.

'Denk je dat hij dood is?' fluisterde Ricky schor, met trillende stem.

'Geen idee.'

Opeens ging het portier open en stapte de man weer uit. Huilend en mompelend wankelde hij naar de achterkant van de auto. Toen hij de tuinslang in het gras zag liggen, begon hij te vloeken en stak hem weer in de uitlaat. Hij had een fles whisky in zijn hand. Met een verwilderde blik keek hij nog eens om zich heen. Toen stapte hij mompelend weer in en gooide het portier achter zich dicht.

De jongens keken vol afgrijzen toe.

'Hij is geschift, die vent,' zei Mark zacht.

'Laten we nou weggaan,' drong Ricky aan.

'Dat kan niet! Als hij zelfmoord pleegt, en wij hebben het gezien of wij wisten ervan, dan kunnen we grote moeilijkheden krijgen.'

Ricky tilde zijn hoofd op alsof hij zich wilde terugtrekken. 'Dan zeggen we het tegen niemand. Kom mee, Mark!'
Mark greep hem weer bij de schouder en duwde hem tegen de grond. 'Blijf uit het gezicht! We gaan pas weg als ik het zeg!'
Ricky kneep zijn ogen stijf dicht en begon te huilen. Mark schudde minachtend zijn hoofd, zonder de auto een seconde uit het oog te verliezen. Kleine broertjes, je had er alleen maar last van. 'Hou nou op,' gromde hij met opeengeklemde kaken.
'Ik ben bang.'
'Best, maar hou je stil, oké? Hoor je me? Verroer je niet, en hou op met huilen.' Mark liet zich op zijn ellebogen zakken, diep tussen het onkruid, en wilde weer door het hoge gras kruipen.
'Laat hem maar doodgaan, Mark,' fluisterde Ricky snikkend.
Mark keek hem over zijn schouder nijdig aan en kroop naar de auto toe. De motor liep nog steeds. Hij volgde hetzelfde spoor van geplet gras, zo langzaam en voorzichtig dat zelfs Ricky, die was opgehouden met huilen, hem nauwelijks kon zien. Ricky staarde naar het portier van de bestuurder. Hij verwachtte dat die gek ieder moment naar buiten zou stormen om Mark te vermoorden. Ricky stond al half in sprinthouding, klaar om meteen te kunnen vluchten door het bos. Hij zag Mark onder de achterbumper opduiken. Steun zoekend bij een van de achterlichten trok hij langzaam de slang uit de pijp. Het gras ritselde zacht, het onkruid bewoog en Mark zat weer naast hem, hijgend en zwetend – en zelfs met een grijns, zag Ricky tot zijn verbazing.
Ze bleven als twee insekten onder de struiken gehurkt zitten, turend naar de auto.
'Als hij nou weer naar buiten komt?' vroeg Ricky. 'En als hij ons ziet?'

'Hij kan ons niet zien. Maar als hij deze kant uit komt, volg je mij. Dan zijn we verdwenen voordat hij twee stappen heeft gedaan.'

'Waarom gaan we nou dan niet?'

Mark keek hem woedend aan. 'Ik probeer zijn leven te redden, oké? Misschien, heel misschien, merkt hij dat het op deze manier niet lukt en zet hij het voorlopig uit zijn hoofd, of zo. Waarom is dat zo moeilijk te begrijpen?'

Mark schudde gefrustreerd zijn hoofd, en opeens ging het portier weer open. De man kwam wankelend uit de auto, grommend en pratend in zichzelf. Hij stampte door het gras naar de kofferbak, greep het uiteinde van de slang en staarde ernaar alsof hij zijn ogen niet geloofde. Speurend keek hij om zich heen. Hij ademde zwaar en hij stond te zweten. Zijn blik gleed langs de bomen aan de rand van de kleine open plek. De jongens drukten zich plat tegen de grond. De man keek omlaag en verstijfde. Blijkbaar drong het nu pas tot hem door. Het gras achter de auto was platgetrapt. Hij liet zich door zijn knieën zakken alsof hij naar sporen zocht, maar toen stak hij de slang weer in de uitlaat en liep haastig terug naar het portier. Het kon hem kennelijk niet meer schelen of iemand hem in de gaten hield. Hij wilde dood. En snel.

De twee hoofden kwamen gelijktijdig boven de struiken uit – een paar centimeter, meer niet. De broertjes tuurden een tijdje door het hoge gras. Ricky hield zich gereed om de benen te nemen, maar Mark dacht na.

'Mark, laten we nou gaan! Alsjeblieft,' smeekte Ricky. 'Hij had ons bijna gezien. Misschien heeft hij wel een pistool of zo.'

'Dan had hij zich wel voor zijn kop geschoten.'

Ricky beet op zijn lip en de tranen sprongen weer in zijn ogen. Hij had nog nooit een discussie van zijn broer gewonnen, en dit zou niet de eerste keer worden.

Nog een minuut verstreek, en Mark werd zenuwachtig. 'Ik zal het nog één keer proberen, goed? Als hij het dan niet opgeeft, gaan we ervandoor. Dat beloof ik je. Oké?'

Ricky knikte met tegenzin. Zijn broer liet zich weer op zijn buik in het onkruid zakken en verdween door het lange gras. Ricky veegde met vuile vingers de tranen van zijn wangen.

De advocaat sperde zijn neusgaten open en inhaleerde diep. Langzaam ademde hij weer uit en staarde door de voorruit, terwijl hij probeerde vast te stellen of het dodelijke gas al in zijn bloed was doorgedrongen en zijn werk begon te doen. Naast hem op de stoel lag een geladen pistool. In zijn hand hield hij een halflege fles Jack Daniels. Hij nam nog een slok, schroefde de dop erop en zette hem op de stoel. Langzaam zoog hij de lucht in zijn longen en sloot zijn ogen om de smaak van het gas te proeven. Zou hij gewoon wegzweven? Zou het pijn doen of branden? Zou hij moeten braken voordat hij stierf? Het briefje lag op het dashboard boven het stuur, naast het flesje met pillen.

Hij huilde en praatte in zichzelf, wachtend op de uitwerking van het gas. Waarom ging het niet sneller, verdomme? Anders zou hij het pistool moeten gebruiken. Hij was een lafaard, maar een vastbesloten lafaard, en hij zweefde liever snotterend weg dan de loop van een pistool in zijn mond te steken. Hij nam een slok whisky en maakte een sissend geluid toen de alcohol brandend door zijn slokdarm gleed. Ja, het begon eindelijk te werken! Nog even, en dan was het allemaal voorbij. Hij glimlachte tegen zichzelf in het spiegeltje omdat het gas zijn werk nu deed. Hij was stervende. En hij was geen lafaard, want hier was lef voor nodig.

Huilend en mompelend schroefde hij de dop van de whiskyfles voor nog één laatste slok. Hij verslikte zich, en de drank droop langs zijn kin in zijn baard.

Niemand zou hem missen. Die gedachte zou hem pijn moeten doen, maar voor de advocaat was het juist een geruststelling dat geen mens verdriet om hem zou hebben. Zijn moeder was de enige in de wereld die van hem had gehouden en zij was al vier jaar dood, dus haar kon hij niet meer kwetsen. Hij had een kind uit zijn eerste, rampzalige huwelijk – een dochter die hij al in geen elf jaar meer had gezien, maar hij had gehoord dat ze bij een sekte was gegaan en net zo geflipt was als haar moeder.

Veel mensen zouden niet op zijn begrafenis komen. Een paar bevriende advocaten en misschien één of twee rechters in donkere pakken, die gewichtig met elkaar zouden fluisteren als de ingeblikte orgelmuziek door de bijna lege kapel zweefde. Geen tranen. De advocaten zouden op hun horloges kijken als de dominee – een vreemde – de standaardfrasen afraffelde voor dierbare overledenen die nooit de kerk hadden bezocht.

Een dienst van tien minuten, zonder franje. In het briefje op het dashboard had hij gevraagd om een crematie.

'Wow!' zei hij zacht, en zette de fles weer aan zijn mond. Hij nam een grote slok en keek in het spiegeltje. Het gras achter de auto bewoog.

Ricky zag het portier opengaan nog voordat Mark het hoorde. Het zwiepte open alsof iemand het een trap had gegeven, en het volgende moment sprong de grote, zware man met het rode gezicht naar buiten. Hij hield zich aan de auto vast toen hij grommend door het gras rende. Ricky kwam overeind, geschrokken en doodsbang, en plaste in zijn broek.

Mark had juist zijn hand op de bumper gelegd toen hij het

portier hoorde. Een moment lang lag hij als verstijfd. Hij overwoog nog even om onder de auto weg te kruipen, en die aarzeling werd hem noodlottig. Zijn voet gleed uit toen hij overeind wilde komen om te vluchten, en de man had hem te pakken. 'Hé, jij! Kleine rotzak!' schreeuwde hij toen hij Mark bij zijn haren greep en hem tegen de kofferbak van de auto smeet. 'Vuil ettertje!' Mark schopte en spartelde, maar de man sloeg hem met zijn dikke hand in het gezicht. Hij trapte nog eens, wat minder hard, en weer kreeg hij een tik.

Mark staarde naar het woeste, rood aangelopen gezicht vlak bij het zijne. De ogen waren rood en nat. De neus en de kin dropen van het vocht. 'Kleine klootzak!' gromde de man met opeengeklemde, vuile tanden.

Toen hij Mark stevig beet had, stak de advocaat de slang weer in de uitlaat, tilde de jongen aan zijn kraag van de motorkap af en sleepte hem door het gras naar het linkerportier, dat nog openstond. Hij smeet Mark naar binnen, over de zwartleren bekleding heen.

Mark deed een greep naar de portierhendel en de vergrendeling aan de andere kant, maar de man liet zich al achter het stuur vallen. Hij sloeg het portier achter zich dicht, wees op de portierhendel en schreeuwde: 'Afblijven!' Daarna sloeg hij Mark met de rug van zijn hand keihard tegen zijn linkeroog.

Mark gilde van pijn, sloeg zijn handen voor zijn ogen en klapte dubbel, totaal verdoofd. Hij begon te huilen. Zijn neus deed vreselijk pijn en zijn mond nog erger. Hij voelde zich duizelig en hij proefde bloed. Hij hoorde de man huilen en grommen. Hij rook de whisky en staarde met zijn rechteroog naar de knieën van zijn vuile spijkerbroek. Zijn linkeroog zwol op en alles leek vaag.

De dikke advocaat nam nog een slok whisky en keek opzij

naar Mark, die nog steeds voorovergebogen zat, bevend over zijn hele lichaam. 'Hou op met janken,' snauwde hij.

Mark likte zijn lippen en slikte wat bloed door. Hij wreef over de buil boven zijn ogen en probeerde diep adem te halen. Nog steeds staarde hij omlaag naar zijn spijkerbroek. 'Hou op met huilen,' zei de man weer. Mark probeerde het. De motor liep nog. Het was een grote, zware, geruisloze auto, maar Mark hoorde de motor zachtjes zoemen, ergens heel ver weg. Langzaam draaide hij zich om en keek naar de slang die door het raampje achter de bestuurder naar binnen kronkelde als een nijdig reptiel, klaar voor de aanval. De dikke man lachte.

'Ik vind dat we maar samen moeten sterven,' verklaarde hij, opeens heel beheerst.

Marks linkeroog begon steeds meer op te zwellen. Hij draaide zijn schouders en keek de bestuurder recht aan. De man leek nog groter nu. Hij had een vlezig gezicht met een warrige baard. Zijn roodomrande ogen staarden Mark aan als een duivel in het donker. Mark huilde. 'Laat me eruit, alstublieft!' Zijn lip trilde en zijn stem brak.

De bestuurder zette de fles aan zijn mond en bracht hem omhoog. Hij maakte een grimas en smakte met zijn lippen. 'Sorry, knul. Je was toch zo flink? Je wilde je neus toch in mijn zaken steken? Laten we dan maar samen sterven. Oké? Alleen jij en ik, jochie. Samen naar sprookjesland. Om de grote tovenaar te ontmoeten. Droom maar prettig, knul.'

Mark snoof eens en zag toen het pistool dat tussen hen in lag. Haastig wendde hij zijn blik af en keek nog eens toen de man weer een slok uit de fles nam.

'Wil je het pistool?' vroeg de man.

'Nee, meneer.'

'Waarom kijk je er dan naar?'

'Dat deed ik niet.'

'Lieg niet, joh, want dan vermoord ik je. Ik ben stapelkrank-
zinnig en ik vermoord je zo! Begrepen?' Hoewel de tranen
over zijn wangen stroomden, klonk zijn stem heel rustig.
Hij haalde diep adem en vervolgde: 'Als we vrienden willen
worden, moet je eerlijk tegen me zijn, knul. Eerlijkheid is
heel belangrijk, begrijp je? Nou, wil je dat pistool of niet?'
'Nee, meneer.'
'Zou je het pistool willen pakken om mij neer te schieten?'
'Nee, meneer.'
'Ik ben niet bang om te sterven, jongen. Begrijp je dat?'
'Jawel, meneer, maar ik wil niet dood. Ik zorg voor mijn
moeder en mijn broertje.'
'Ach, wat aardig! De man in huis.'
Hij schroefde de dop weer op de whiskyfles, greep opeens
het pistool, stak de loop diep in zijn mond, kromde zijn lip-
pen eromheen en keek naar Mark, die al zijn bewegingen
volgde – half hopend dat hij de trekker zou overhalen en
half hopend van niet. Langzaam trok de man het pistool
weer uit zijn mond, kuste de loop en richtte het toen op
Mark.
'Ik heb dit ding nog nooit afgevuurd,' zei hij, bijna fluisterend. 'Ik heb het een uur geleden gekocht in een pandjes-
huis in Memphis. Denk je dat het werkt?'
'Laat me eruit, alstublieft.'
'Je mag zelf kiezen, knul,' zei de man terwijl hij de onzichtbare dampen inhaleerde. 'Ik kan je voor je kop schieten, dan
is het meteen voorbij. Of je kunt wachten op het gas. Zeg
het zelf maar.'
Mark keek niet meer naar het pistool. Hij snoof de lucht op
en dacht even dat hij iets rook. De loop van het pistool bevond zich vlak bij zijn hoofd. 'Waarom doet u dit?' vroeg
hij.
'Dat gaat je geen flikker aan, joh! Ik ben gestoord, oké? Zo

lijp als een deur. Ik wilde in alle rust zelfmoord plegen – in mijn eentje, met een tuinslang en misschien een paar pillen en wat whisky. Zonder pottekijkers. Maar jij moest je er zo nodig mee bemoeien. Kleine klootzak!' Hij liet het pistool zakken en legde het voorzichtig op de stoel. Mark wreef over de bult op zijn voorhoofd en beet op zijn lip. Zijn handen trilden en hij klemde ze tussen zijn benen.

'Over vijf minuten zijn we dood,' verklaarde de man plechtig. Hij bracht de fles weer naar zijn mond. 'Jij en ik samen, knul. Op weg naar de grote tovenaar.'

Eindelijk durfde Ricky zich te bewegen. Zijn tanden klapperden en zijn spijkerbroek was nat, maar hij kon weer nadenken. Hij liet zich vanuit zijn gehurkte houding op handen en knieën in het gras zakken en kroop op zijn buik naar de auto, huilend en op zijn tanden bijtend. Ieder moment kon het portier openvliegen en zou die krankzinnige kerel – die zo dik was, maar ook zo snel – hem bij zijn nek grijpen, net als Mark. En dan zouden ze alledrie sterven in die lange, zwarte auto. Langzaam, centimeter voor centimeter, zocht hij zijn weg door het hoge gras.

Voorzichtig tilde Mark het pistool op, met twee handen. Het was zo zwaar als een baksteen. Het trilde in zijn handen toen hij het op de dikke man richtte, die zich ernaartoe boog totdat de loop nog maar twee centimeter bij zijn neus vandaan was.

'Haal de trekker over, jongen,' zei hij met een glimlach. Zijn natte gezicht gloeide en beefde van zalige verwachting. 'Haal die trekker over! Dan ben ik dood en heb jij je vrijheid terug.' Mark kromde zijn vinger om de trekker. De man knikte, boog zich nog verder naar voren en beet met blikkerende tanden in de loop. 'Toe dan!' brulde hij.

Mark sloot zijn ogen en klemde de kolf van het pistool tussen zijn handpalmen. Hij hield zijn adem in. Op het moment dat hij de trekker wilde overhalen, griste de man het wapen uit zijn handen. Hij zwaaide het woest heen en weer voor Marks gezicht en haalde de trekker over. Mark gilde toen het raampje achter zijn hoofd in duizend stukken barstte, maar zonder te breken. 'Het werkt! Het werkt!' schreeuwde de man. Mark dook omlaag en drukte zijn handen tegen zijn oren.

Ricky begroef zijn gezicht in het gras. Hij was nog maar drie meter bij de auto vandaan toen hij een knal hoorde en Mark begon te gillen. De dikke man schreeuwde ook, en Ricky plaste weer in zijn broek. Hij sloot zijn ogen en klauwde naar het gras. Zijn maag kromp ineen en zijn hart bonsde luid. Een minuut na het schot durfde hij zich nog steeds niet te bewegen. Hij begon te huilen om zijn broer, die was doodgeschoten door een krankzinnige.
'Hou op met huilen, verdomme! Ik heb er genoeg van!'
Mark sloeg zijn handen om zijn knieën en probeerde zich kalm te houden. Zijn hoofd bonsde en hij had een droge mond. Hij stak zijn handen tussen zijn knieën en boog zich voorover. Hij moest ophouden met huilen en een plan bedenken. In een televisieserie had hij eens een gek gezien die van een gebouw wilde springen. Maar een koelbloedige politieman was tegen hem blijven praten tot die gek eindelijk iets terugzei. Het eindigde er natuurlijk mee dat de man niet was gesprongen. Mark snoof nog eens of hij gas rook en vroeg toen: 'Waarom doet u dit?'
'Omdat ik dood wil,' zei de man rustig.
'Maar waarom?' vroeg Mark weer, met een blik op het keurige ronde gaatje in zijn portierraampje.
'Waarom stellen kinderen zoveel vragen?'

'Omdat we kinderen zijn. Waarom wilt u dood?' Hij kon zijn eigen woorden nauwelijks verstaan.

'Luister, knul, over vijf minuten zijn we dood. Jij en ik, op weg naar de tovenaar.' Hij nam een slok uit de fles, die bijna leeg was. 'Ik voel het gas al, jongen. Jij ook? Het werd tijd.'

In het zijspiegeltje, door de barsten in het raampje, zag Mark het gras bewegen. Hij ving een glimp op van Ricky die door het gras sloop en tussen de struiken bij de boom verdween. Hij sloot zijn ogen en zei een schietgebedje.

'Ik moet eerlijk toegeven dat ik je gezelschap op prijs stel, jochie. Niemand wil eenzaam sterven. Hoe heet je?'

'Mark.'

'En verder?'

'Mark Sway.' Hij moest blijven praten. Misschien zou die idioot dan niet schieten. 'En hoe heet u?'

'Jerome. Zeg maar Romey. Zo noemen mijn vrienden me, en jij en ik zijn al dikke vrienden. Dus noem me maar Romey. Verder geen vragen meer, oké?'

'Waarom wil je dood, Romey?'

'Geen vragen meer, zei ik! Voel je het gas al, Mark?'

'Dat weet ik niet.'

'Nou, het zal niet lang meer duren. Zeg je gebeden maar.' Romey liet zich onderuit zakken in de stoel, met zijn dikke kop naar achteren en zijn ogen dicht, volkomen op zijn gemak. 'We hebben nog ongeveer vijf minuten, Mark. Wat zijn je laatste woorden? Heb je nog iets te zeggen?' Hij had de whiskyfles in zijn rechterhand, het pistool in zijn linker.

'Ja. Waarom doet u dit?' vroeg Mark, met een blik in de spiegel, speurend naar zijn broertje. Hij haalde snel en oppervlakkig adem, door zijn neus, maar hij rook en voelde nog altijd niets. Ricky had natuurlijk de slang losgetrokken.

'Omdat ik gek ben – de zoveelste gestoorde advocaat. Ze

hebben me gek gemaakt, Mark. En hoe oud ben je?'
'Elf.'
'Heb je weleens whisky gedronken?'
'Nee,' antwoordde Mark naar waarheid.
Opeens hield de man hem de whiskyfles voor. Mark pakte
hem aan. 'Neem maar een slok,' zei Romey zonder zijn
ogen te openen.
Mark probeerde het etiket te lezen, maar zijn linkeroog zat
bijna dicht, zijn oren gonsden nog van het pistoolschot en
hij kon zich niet concentreren. Hij zette de fles op de stoel
en Romey pakte hem zwijgend terug.
'We gaan dood, Mark,' zei hij, bijna in zichzelf. 'Niet zo
makkelijk als je elf bent, maar zo is het nu eenmaal. Niets
aan te doen. Wat zijn je laatste woorden, grote knul?'
Mark prentte zich in dat Ricky de slang uit de uitlaat had
getrokken, dat er geen gas in de auto stroomde en dat zijn
nieuwe vriend Romey dronken en gek was. Als hij het er
levend vanaf wilde brengen, moest hij blijven denken en
praten. De lucht was schoon. Hij haalde diep adem en verzekerde zichzelf dat hij het zou overleven. 'Waarom bent u
gek geworden?'
Romey dacht even na en vond het eigenlijk wel geestig. Hij
snoof en grinnikte zelfs een beetje. 'O, dit is geweldig! Perfect. Ik weet al weken iets dat niemand in de hele wereld
weet, behalve mijn cliënt... een etterbak van het zuiverste
water. Weet je, Mark, advocaten krijgen allerlei vertrouwelijke zaken te horen waar ze niet over mogen praten. Strikt
geheim, begrijp je? We mogen nooit vertellen wat er met
het geld is gebeurd, wie met wie naar bed is geweest of waar
het lijk is begraven. Kun je me volgen?' Hij zuchtte diep,
met duidelijk genoegen, en liet zich nog verder onderuit
zakken. Nog steeds had hij zijn ogen dicht. 'Het spijt me
dat ik je moest slaan.' Hij kromde zijn vinger om de trekker.

Mark sloot zijn ogen en voelde niets.

'Hoe oud ben je, Mark?'

'Elf.'

'O ja, dat zei je al. Ik ben vierenveertig. We zijn allebei nog te jong om te sterven, vind je ook niet, Mark?'

'Ja, meneer.'

'Maar toch gaat het gebeuren, makker. Voel je het al?'

'Ja, meneer.'

'Mijn cliënt heeft een man vermoord en het lijk verborgen, en nu wil hij mij ook vermoorden. Dat is het hele verhaal. Ze hebben me gek gemaakt. Ha, ha! Dit is geweldig, Mark. Prachtig. Zwijgplicht, m'n reet! Ik zal jou eens precies vertellen... vlak voordat we samen wegzweven... waar het lijk verborgen is. Ongelooflijk! Eindelijk kan ik het tegen iemand zeggen.' Hij opende zijn ogen en keek Mark scherp aan. 'Dit is verdomd grappig, Mark!'

Mark zag er de humor niet van in. Hij wierp een blik in het spiegeltje en toen op het portierslot, dertig centimeter bij hem vandaan. De hendel zat nog dichterbij.

Romey zakte weer onderuit en sloot zijn ogen alsof hij wanhopig probeerde een dutje te doen. 'Het spijt me echt, kerel. Heus. Maar zoals ik al zei, ik stel je gezelschap zeer op prijs.' Langzaam zette hij de fles op het dashboard naast het briefje. Hij bracht het pistool van zijn linker- naar zijn rechterhand over, streelde het zacht en gleed met zijn wijsvinger over de trekker. Mark probeerde niet te kijken. 'Het spijt me allemaal vreselijk, knul. Hoe oud ben je?'

'Elf. Dat hebt u me al drie keer gevraagd.'

'Houd je smoel! Ik kan het gas nu voelen, jij ook? Zit niet zo te snuiven, verdomme! Het is reukloos, stom rund. Je kunt het niet ruiken. Als jij niet zo'n bemoeial was geweest, zou ik nu al dood zijn en kon jij weer cowboytje spelen. Je bent niet erg slim.'

Een stuk slimmer dan jij, dacht Mark. 'Wie is er dan vermoord door uw cliënt?'

Romey grijnsde, maar zonder zijn ogen te openen. 'Een Amerikaanse senator. Ik ga het zeggen! Ik ga het zeggen! Lees je weleens een krant?'

'Nee.'

'Dat verbaast me niets. Senator Boyette uit New Orleans. Daar kom ik vandaan.'

'Wat doet u dan in Memphis?'

'Verdomme, joh! Je wilt wel alles weten, he?'

'Ja. Waarom heeft uw cliënt senator Boyette vermoord?'

'Waarom, waarom, waarom? Wie, wie, wie? Je bent een vervelend ventje, Mark.'

'Dat weet ik. Waarom laat u me niet gaan?' Mark keek snel in het spiegeltje en toen naar de slang op de achterbank.

'Misschien schiet ik je wel door je kop als je je bek niet houdt!' Zijn baardige kin zakte omlaag, bijna tot op zijn borst. 'Mijn cliënt heeft heel wat mensen vermoord. Zo verdient hij zijn geld, door mensen te vermoorden. Hij is lid van de maffia in New Orleans, en nu wil hij mij ook vermoorden. Jammer, knul. We zijn hem vóór. Hij staat voor lul.'

Romey nam een flinke slok uit de fles en keek Mark aan.

'Stel je voor, knul. Barry, of Barry het Mes zoals ze hem noemen... al die maffiatypes hebben vreemde bijnamen... zit nu op me te wachten in een sjofel restaurant in New Orleans, waarschijnlijk met een paar van zijn makkers achter de hand. Na het eten wil hij natuurlijk een eindje gaan rijden, om over zijn zaak te praten of zo. Dat is het moment waarop hij zijn mes tevoorschijn haalt... daarom noemen ze hem het Mes... en me mijn strot afsnijdt. Daarna ontdoen ze zich van mijn dikke lichaam, zoals ze ook het lijk van senator Boyette hebben geloosd, en New Orleans heeft er weer een onopgeloste moord bij. Maar wij hebben hun die kans niet gegeven, hè knul? Wij zijn hen te slim af geweest.'

Hij begon langzamer te praten en zijn tong werd dikker. Terwijl hij sprak, schoof hij het pistool over zijn dijbeen heen en weer, met zijn vinger nog steeds om de trekker.

Houd hem aan de praat. 'Maar waarom wil die Barry u vermoorden?'

'Weer een vraag. Ik begin al te zweven. Jij ook?'

'Ja. Het voelt wel lekker.'

'Om een heleboel redenen. Doe je ogen dicht, jongen. Zeg je gebeden.'

Mark hield het pistool in de gaten en keek naar het portierslot. Eén voor één drukte hij zijn vingertoppen tegen zijn duimen, zoals hij op de kleuterschool had leren tellen. Zijn coördinatie was perfect.

'En waar ligt dat lijk?'

De man snoof en zijn kin zakte weer naar voren. Hij was nauwelijks te verstaan. 'Het lijk van Boyd Boyette? Wat een vraag. De eerste Amerikaanse senator die in functie is vermoord, wist je dat? Vermoord door mijn dierbare cliënt Barry het Mes Muldanno, die hem vier keer door het hoofd heeft geschoten en daarna het lijk heeft laten verdwijnen. Geen lijk, geen rechtszaak. Begrijp je dat, joh?'

'Niet echt.'

'Waarom huil je niet meer, knul? Een paar minuten geleden zat je nog te blèren. Ben je niet bang?'

'Ja, ik ben bang en ik wil weg. Het spijt me dat u dood wilt en zo, maar ik moet voor mijn moeder zorgen.'

'Roerend, heel roerend. Maar hou nu je kop. Zie je, knul, de FBI heeft een lijk nodig om te kunnen bewijzen dat er een moord is gepleegd. Barry is hun verdachte... hun enige verdachte, omdat hij de dader is en dat weet de FBI ook... maar ze hebben geen lijk.'

'Waar is het dan?'

Er schoof een wolk voor de zon en het was opeens veel donkerder op de open plek. Romey bewoog het pistool zachtjes langs zijn been, alsof hij Mark wilde waarschuwen geen onverhoedse bewegingen te maken. 'Het Mes is niet de slimste boef die ik ooit heb ontmoet. Hij vindt zichzelf een genie, maar eigenlijk is hij nogal stom.'

Nee, jij bent stom, dacht Mark weer. In een auto gaan zitten met een tuinslang aan de uitlaat! Hij wachtte, zo roerloos mogelijk.

'Het lijk ligt onder mijn boot.'

'Uw boot?'

'Ja, mijn boot. Hij had haast. Ik was de stad uit en daarom heeft mijn dierbare cliënt het lijk naar mijn huis gebracht en het in vers cement onder mijn garage begraven. Het ligt er nog steeds, hoe is het mogelijk! De FBI heeft half New Orleans afgegraven om het te vinden, maar ze hebben nooit aan mijn huis gedacht. Misschien is Barry toch zo stom nog niet.'

'Wanneer heeft hij u dat verteld?'

'Ik krijg genoeg van al die vragen, joh.'

'Ik wil liever weg.'

'Kop dicht. Het gas begint te werken. We zijn er geweest, jongen. Finito.' Hij liet het pistool op de stoel vallen.

De motor zoemde zacht. Mark keek naar het kogelgat in het raampje, naar de miljoenen barstjes die zich eromheen hadden verspreid, en naar het rode gezicht en de zware oogleden van de man. Romey maakte een geluid alsof hij snurkte en zijn hoofd zakte weer op zijn borst.

Hij raakte bewusteloos! Mark keek naar hem en zag zijn dikke pens op en neer gaan. Zo had hij zijn ex-vader wel honderd keer gezien.

Mark haalde diep adem. Het portierslot zou geluid maken

en het pistool lag te dicht bij Romey's hand. Mark kreeg kramp in zijn maag en zijn voeten waren gevoelloos.

Het rode gezicht produceerde een zwaar, traag geluid en Mark wist dat dit zijn laatste kans was. Langzaam, heel langzaam, bracht hij zijn trillende vinger naar het portierslot toe.

Ricky's ogen waren bijna zo droog als zijn mond, maar zijn spijkerbroek was kletsnat. Hij zat onder de boom, in het donker – zo ver mogelijk bij de struiken, het hoge gras en de auto vandaan. Er waren vijf minuten verstreken sinds hij de slang uit de uitlaat had getrokken. Vijf minuten sinds het pistoolschot. Maar hij wist dat zijn broer nog leefde, want hij was vijftien meter verder langs de bomen gelopen, tot hij een glimp had opgevangen van het blonde hoofd dat achter het raampje van de grote auto bewoog. Daarom was hij opgehouden met huilen en begonnen met bidden.

Hij liep weer terug naar de boomstronk. Toen hij zich bukte en naar de auto tuurde, wanhopig verlangend naar zijn broer, vloog het rechterportier open en zag hij Mark naar buiten springen.

Romey's kin viel op zijn borst. Op het moment dat hij weer begon te snurken sloeg Mark met zijn linkerhand het pistool naar de vloer terwijl hij met zijn andere hand het portierslot opende. Hij gaf een ruk aan de hendel en ramde zijn schouder tegen het portier. Het laatste dat hij hoorde toen hij zich uit de auto liet vallen was het zware snurken van de advocaat.

Hij kwam op zijn knieën terecht en klauwde naar het hoge gras om bij de auto vandaan te komen. Hij hees zich overeind, begon gebukt te rennen en binnen een paar seconden had hij de plek bereikt waar Ricky zwijgend en vol ontzetting zat toe te kijken. Hij bleef bij de boomstronk staan en draaide zich om, in de verwachting dat de advocaat achter hem aan zou komen met het pistool. Maar er kwam niemand uit de auto. Het portier stond nog open en de motor liep. De uitlaat was vrij. Mark durfde weer adem te halen, voor het eerst in een minuut. Langzaam draaide hij zich naar Ricky toe.

'Ik heb de slang eruit getrokken,' zei Ricky met een schril stemmetje, hijgend van de zenuwen. Mark knikte, maar hij zei niets. Opeens voelde hij zich veel kalmer. De auto stond vijftien meter bij hen vandaan. Als Romey hen nu nog wilde grijpen, zouden ze meteen het bos in kunnen vluchten. Zelfs als hij zijn pistool zou gebruiken konden ze dekking zoeken achter de boom en het struikgewas.

'Mark, ik ben bang. Laten we gaan,' zei Ricky, nog steeds met een hoog stemmetje. Zijn handen trilden.

'Nog even,' zei Mark, die scherp naar de auto tuurde.

'Toe nou, Mark. Ik wil hier weg.'

'Nog even, zei ik!'

Ricky keek naar de auto. 'Is hij dood?'

'Dat denk ik niet.'

De man leefde dus nog, en hij had een pistool. Maar Ricky zag dat zijn grote broer niet langer bang was. Hij had iets in de zin. Ricky deed een stap naar achteren. 'Ik ga ervandoor,' mompelde hij. 'Ik wil naar huis.'

Mark verroerde zich niet. Hij ademde rustig uit en hield de auto in de gaten. 'Zo meteen,' zei hij, zonder naar Ricky te kijken. Zijn stem had weer gezag.

Ricky bleef staan en boog zich voorover, met twee handen op zijn natte knieën. Hij keek naar zijn broer en schudde langzaam zijn hoofd toen Mark voorzichtig een sigaret uit zijn borstzakje haalde. Nog steeds tuurde hij naar de auto. Hij gaf zichzelf vuur, nam een lange trek en blies de rook

omhoog naar de takken. Voor het eerst zag Ricky zijn gezwollen oog.

'Wat is er met je gezicht gebeurd?'

Mark dacht er ook weer aan. Hij wreef zachtjes over zijn
oog en daarna over de buil op zijn voorhoofd. 'Hij heeft
me een paar keer geslagen.'

'Het ziet er niet best uit.'

'Het valt wel mee. Weet je wat ik ga doen?' zei hij, zonder
een antwoord te verwachten. 'Ik sluip weer terug om die
slang in de uitlaat te steken. Dat heeft hij verdiend, die
klootzak.'

'Jij bent nog gekker dan hij. Dat meen je toch niet, Mark?'

Mark nam bewust nog een trekje. Opeens vloog het linkerportier open en kwam Romey struikelend de auto uit, met
het pistool in zijn hand. Luid mompelend wankelde hij naar
de achterkant van de auto en zag de slang weer onschadelijk
in het gras liggen. Hij keek omhoog en slingerde een paar
vloeken de lucht in.

Mark dook ineen en hield Ricky vast. Romey draaide zich
op zijn hakken om en keek speurend in de richting van de
bomen rond de open plek. Hij vloekte nog eens en begon
toen luid te huilen. Het zweet droop uit zijn haar. Zijn zwarte jasje was kletsnat en zat tegen zijn rug geplakt. Snikkend
stampte hij om de achterkant van de auto heen, pratend
tegen zichzelf en schreeuwend tegen de bomen.

Opeens bleef hij staan, hees zijn logge gestalte op de kofferbak en schoof als een verdoofde olifant achteruit totdat hij
met zijn rug tegen het raampje zat. Zijn dikke benen staken
voor hem uit. Hij miste een schoen. Hij pakte het pistool –
niet langzaam en niet snel, bijna alsof het routine was – en
stak de loop diep in zijn mond. Zijn woeste, bloeddoorlopen
ogen keken nog eens rond en bleven één seconde op de
boom boven de twee jongens gericht.

Toen opende hij zijn lippen en klemde zijn grote, vuile tanden om de loop. Hij sloot zijn ogen en haalde met zijn rechterduim de trekker over.

2

De schoenen waren van haaieleer en de vanillekleurige zijden sokken liepen door tot aan de knieën, waaronder ze de nogal harige kuiten streelden van Barry Muldanno, Barry het Mes of kortweg het Mes, zoals hij graag werd genoemd. Het donkere pak had de groene glans van een hagedis, een leguaan of een ander slijmerig reptiel. Maar bij nadere beschouwing was het niet van slangeleer maar van gewoon polyester. Het jasje had dubbele revers met twee rijen knopen en het sloot perfect om zijn goedgevormde torso. Het viel heel soepel toen hij stoer naar de telefoon achter in het restaurant liep. Het was geen ordinair kostuum, maar wel opvallend. Barry Muldanno zou voor een goedgeklede drugssmokkelaar of een geslaagde bookmaker uit Las Vegas kunnen doorgaan en dat vond hij best. Hij was immers het Mes en hij wilde opvallen. Het succes moest van hem afstralen, zodat de mensen eerbiedig en angstig een stap opzij deden als ze hem zagen aankomen.
Zijn haar was zwart en dik, bijgeverfd om de eerste grijze punten te verhullen. Hij droeg het strak achterovergekamd, met veel gel en een fraai staartje in zijn nek dat precies op de kraag van zijn donkergroene polyester jasje viel. Hij besteedde uren aan zijn haar. In zijn linker oorlel glinsterde de onvermijdelijke diamanten oorring, zoals het hoorde. Om zijn linkerpols droeg hij een smaakvolle gouden armband onder de diamanten Rolex. Om zijn andere pols blonk een fraai gouden kettinkje, dat zachtjes rinkelde als hij liep.

Hij bleef staan voor de telefoon, in een smal gangetje achter in het restaurant bij de toiletten. Zijn ogen namen de omgeving scherp op. Voor de gemiddelde mens was die doordringende, messcherpe, agressieve blik van Barry het Mes al voldoende om ieder verzet de kop in te drukken. Hij had donkerbruine ogen, die zo dicht bij elkaar stonden dat het leek alsof hij scheel keek – hoewel niemand hem zo lang durfde aan te staren om dat te kunnen constateren. Hij was ook niet scheel. Een keurige haarlijn liep laag over zijn massieve voorhoofd, zonder enige onderbreking voor het kuiltje boven de vrij lange en scherpe neus. Hij had pafferige bruine wallen onder zijn ogen – de onmiskenbare bewijzen dat deze man van de drank en van het snelle leven hield. De duistere ogen waren de getuigen van talloze katers en nog heel wat andere zaken. Het Mes hield van zijn ogen. Ze waren legendarisch.

Hij toetste het nummer van zijn advocatenkantoor en zei haastig, zonder op een antwoord te wachten: 'Ja, met Barry. Waar is Jerome? Hij is te laat. Hij had hier al veertig minuten geleden moeten zijn. Waar is hij? Heb jij hem gezien?'

Zijn onaangename stemgeluid had de dreigende ondertoon van de geslaagde gangster uit New Orleans die al heel wat armen had gebroken en er graag nog een zou breken als je hem voor de voeten liep of niet snel genoeg antwoord gaf. Het was een onbeschofte, arrogante en intimiderende stem en de arme secretaresse aan de andere kant van de lijn kende de ogen, de gladde pakken en het staartje dat erbij hoorde. Ze slikte even, haalde diep adem, dankte haar gesternte dat hij aan de telefoon was en niet met zijn knokkels op haar bureau stond te trommelen en vertelde meneer Muldanno dat meneer Clifford om een uur of negen van kantoor was weggegaan en daarna niets meer van zich had laten horen. Het Mes smeet de hoorn erop, rende het gangetje door, beheerste zich toen en liep rustig en soepel tussen de tafeltjes en de eters door. Het restaurant begon vol te lopen. Het was bijna vijf uur.

Hij had zijn advocaat uitgenodigd voor een etentje, om onder vier ogen de situatie te bespreken. Een hapje en een drankje, dat was alles. De FBI hield hen in de gaten. Jerome begon paranoïde te worden. Hij was bang dat zijn kantoor werd afgeluisterd, had hij de vorige week nog tegen Barry gezegd. Daarom hadden ze in dit restaurant afgesproken, om rustig te kunnen eten zonder zich zorgen te hoeven maken over luistervinken of verborgen microfoontjes. Ze moesten nodig eens praten. Jerome Clifford, strafpleiter in New Orleans, was nu al vijftien jaar advocaat van kwade zaken. Hij verdedigde iedereen – gangsters, dealers, politici – en hij had een indrukwekkende staat van dienst. Hij was sluw, corrupt en bereid om iedereen om te kopen die te koop was. Hij dronk een borrel met de rechters en hij sliep met hun vriendinnetjes. Hij stopte politiemensen steekpenningen toe en bedreigde juryleden. Hij sloot deals met politici, in ruil voor financiële steun. Jerome wist hoe het systeem werkte. Als een rijke, ongure verdachte hulp nodig had, kwam hij uiteindelijk altijd terecht bij het kantoor van W. Jerome Clifford, jurist en advocaat. In dat kantoor vond hij een vriend die graag in de drek roerde en door dik en dun loyaal bleef.

Barry's verdediging was echter een heel ander geval. Het was een grote zaak, die met de minuut groter werd. Het proces zou over een maand beginnen en hing als een donkere schaduw boven Barry's hoofd. Het werd zijn tweede proces wegens moord. De eerste keer was hij pas achttien geweest. Toen had een plaatselijke officier, met de hulp van slechts één zeer onbetrouwbare getuige, proberen aan te tonen dat hij een rivaal de vingers had afgehakt en daarna zijn keel had doorgesneden. Barry's oom, een gerespecteerde en door de wol geverfde gangster, had hier en daar wat geld rondgestrooid, waardoor de jury niet tot een uitspraak had kunnen komen en Barry zijn straf was ontlopen.

Later had Barry twee jaar in een aangename federale gevangenis doorgebracht op beschuldiging van afpersing. Zijn oom had hem opnieuw kunnen redden, maar Barry was inmiddels vijfentwintig en een paar jaar in de cel zouden hem geen kwaad doen. Dat stond goed op zijn conduitestaat. De familie was trots op hem. Jerome Clifford had het op een akkoordje gegooid met de officier en sinds die tijd waren ze bevriend.

Er stond een glas tonic met citroen op Barry te wachten toen hij zijn plaats bij de bar weer innam. De alcohol kon wel even wachten. Hij had een vaste hand nodig.

Hij perste de citroen uit en bekeek zichzelf in de spiegel. Hij wist dat er mensen naar hem keken. Op dit moment was hij waarschijnlijk de bekendste verdachte in het land. Nog maar vier weken tot het proces. Dus werd er naar hem gekeken. Zijn foto stond in alle kranten.

Dit proces zou heel anders gaan. Het slachtoffer was een senator, de eerste die ooit in functie was vermoord. *De staat versus Barry Muldanno.* Maar het lijk was nog steeds niet gevonden, en dat betekende een groot probleem voor de aanklager. Geen lijk, geen sectierapport, geen ballistische gegevens en geen bloederige foto's om de jury onder de neus te duwen.

Maar de druk werd te groot voor Jerome Clifford. Hij begon zich vreemd te gedragen. Zoals nu bijvoorbeeld. Hij was nog maar zelden op kantoor, hij beantwoordde zijn telefoontjes niet, hij kwam voortdurend te laat op zijn rechtszittingen, hij liep onverstaanbaar te mompelen en hij dronk te veel. Hij was altijd gemeen en vasthoudend geweest, maar

34

nu gooide hij er met de pet naar. De mensen begonnen te praten. En eerlijk gezegd wilde Barry een andere advocaat. Nog maar vier korte weken. Barry had meer tijd nodig. Uitstel, een verdaging, wat dan ook. Waarom maalden de justitiële molens opeens zo snel als je daar helemaal geen behoefte aan had? Hij had altijd op de rand van de wet geleefd en hij wist dat zaken soms jaren bleven slepen. Zijn oom was ooit eens aangeklaagd, maar na drie jaar van vermoeiende strijd had de regering de moed maar opgegeven. Barry was pas zes maanden geleden in staat van beschuldiging gesteld en hoppekee, het proces begon meteen! Dat was niet eerlijk. Romey deed zijn werk niet goed. Er moest een ander komen.

Natuurlijk, de aanklacht vertoonde een paar zwakke plekken. Niemand had de moord gezien. Alles wees wel in zijn richting en hij had een motief, maar er waren geen getuigen. De FBI had een tipgever, maar die was erg labiel en onbetrouwbaar. Waarschijnlijk zou hij een kruisverhoor niet doorstaan – áls hij al zou verschijnen. De FBI hield hem verborgen. Barry's belangrijkste troef was het ontbreken van het lijk, het kleine, tanige lichaam van Boyd Boyette, dat langzaam in het cement lag weg te rotten. Zonder dat lijk zou het Dominee Roy nooit lukken hem veroordeeld te krijgen. Barry glimlachte en knipoogde tegen twee geblondeerde meisjes aan een tafeltje bij de deur. Aan vrouwen had hij sinds de aanklacht geen gebrek gehad. Hij was beroemd.

Maar hoe zwak Dominee Roy ook stond, dat weerhield hem er niet van avond aan avond op de televisie te verschijnen, opgeblazen verhalen te houden over snelle rechtspleging en overmoedige interviews te geven aan iedere journalist die blasé genoeg was om hem te ondervragen. Hij was een officier van justitie met een zalvende stem, ijzeren longen, vrome denkbeelden, politieke aspiraties en een uitgesproken mening over alles en iedereen. Hij had zijn eigen persagent, een overwerkte ziel die de Dominee in de schijnwerpers moest houden in de hoop dat het grote publiek hem ooit in de Amerikaanse Senaat zou kiezen. En waar dat nog toe kon leiden, wist God alleen.

Het Mes verbrijzelde de ijsklontjes bij de weerzinwekkende herinnering aan Roy Foltrigg die met de aanklacht in zijn hand voor de camera's was verschenen, brallend dat het recht zou zegevieren en meer van dat soort onzin. Inmiddels waren er zes maanden verstreken en hadden Dominee Roy noch zijn loopjongens van de FBI het lijk van Boyd Boyette kunnen ontdekken. Ze schaduwden Barry dag en nacht. Waarschijnlijk stonden ze nu buiten het restaurant op hem te wachten, alsof hij zo stom zou zijn om na het eten een kijkje bij het lijk te gaan nemen, zomaar voor de lol. Ze hadden iedereen tipgeld betaald – alle dronkaards en zwervers omgekocht die beweerden dat ze iets wisten. Ze hadden in vijvers en meren gedregd. Ze hadden huiszoekingsbevelen voor tientallen huizen en gebouwen in de stad gekregen. Ze hadden een kapitaal uitgegeven aan graafmachines en bulldozers.

Maar het was nog altijd niet gevonden, het magere lijk van Boyd Boyette. Barry zou het graag willen verplaatsen, maar dat ging niet. De Dominee en zijn leger van engelen hielden hem scherp in het oog.

Clifford was nu al een uur te laat. Barry betaalde zijn twee glaasjes tonic, knipoogde naar de peroxyde-blondines in hun leren rokjes en vertrok. Op weg naar de uitgang vervloekte hij alle advocaten in het algemeen en dit exemplaar in het bijzonder.

Hij had een nieuwe advocaat nodig, iemand die zijn telefoontjes beantwoordde, die een borrel met hem ging drinken en die een paar juryleden omkocht. Een échte advocaat! En hij moest een verdaging zien te regelen, of een andere vorm van uitstel. Hij had meer tijd nodig om na te denken.

Hij stak een sigaret op en slenterde nonchalant over Magazine Street, tussen Canal en Poydras. De atmosfeer was drukkend. Cliffords kantoor lag vier straten verderop. Zijn advocaat had een snel proces gewild! De idioot. Niemand wilde ooit een snel proces, maar W. Jerome Clifford had andere ideeën. Nog geen drie weken geleden had Clifford hem uitgelegd dat een snel proces in hun voordeel was, omdat het lijk nog steeds niet was gevonden. Dus had de officier geen poot om op te staan, enzovoort, enzovoort. Als ze te lang wachtten, zou het lijk misschien boven water komen. Omdat Barry zo'n ideale verdachte was, en omdat het zo'n sensationele moord betrof, met zoveel druk op het Openbaar Ministerie... en omdat Barry de moord inderdaad had gepleegd, zoals ze allebei heel goed wisten... zouden ze dan geen schijn van kans meer hebben. Dus moesten ze opschieten. Daar was Barry wel van geschrokken. Het was een flinke ruzie geworden in Romey's kantoor en daarna was hun verhouding nooit meer hetzelfde geweest.

Op een bepaald moment tijdens die discussie was er een stilte gevallen en had Barry tegen zijn advocaat gepocht dat het lichaam nooit zou worden gevonden. Hij had zich al van zoveel lijken ontdaan, hij wist wel wat hij deed. In het geval van Boyette had hij erg veel haast gehad, en eigenlijk zou hij het lichaam van de kleine man liever naar een andere plaats overbrengen, maar voorlopig hadden ze niets te vrezen van Roy of de FBI.

Barry grinnikte bij zichzelf toen hij over Poydras Street liep.

'Waar is het lijk dan?' had Clifford gevraagd.

'Dat kun je maar beter niet weten,' had Barry geantwoord.
'Natuurlijk wil ik dat weten. De hele wereld wil het weten.
Vooruit, vertel het me dan als je het lef hebt.'
'Beter van niet.'
'Toe nou, zeg het maar.'
'Je zult het niet leuk vinden.'
'Vooruit.'
Barry schoot zijn peuk tegen de stoep en moest bijna hardop
lachen. Hij had het Clifford beter niet kunnen vertellen. Het
was kinderachtig geweest, maar ongevaarlijk. De man kon
een geheim bewaren – hij móést wel, als advocaat – en hij
was toch al in zijn wiek geschoten geweest toen Barry hem
niet meteen alle bloederige details had verteld. Jerome Clif-
ford was net zo verdorven en smerig als zijn cliënten, en als
ze bloed aan hun handen hadden, wilde hij ervan meege-
nieten.
'Herinner je je nog op welke dag Boyette is verdwenen?'
had Barry gevraagd.
'Natuurlijk. Op 16 januari.'
'En weet je nog waar jij die dag was?'
Romey was opgestaan en naar de muur achter zijn bureau
gelopen om zijn slecht leesbare maandelijkse agenda's door
te bladeren. 'In Colorado, op een skivakantie.'
'En ik had je huis geleend.'
'Ja. Je had een afspraakje met een vrouw van een dokter, of
zoiets.'
'Klopt. Maar zij kon die dag niet, dus heb ik de senator mee-
genomen.'
Romey verstijfde en staarde zijn cliënt met open mond en
half dichtgeknepen ogen aan.
'Hij arriveerde in de kofferbak en ik heb hem bij jou achter-
gelaten,' vervolgde Barry.
'Waar dan?' vroeg Romey ongelovig.

'In de garage.'
'Dat lieg je.'
'Onder die boot die al tien jaar niet van zijn plaats is geweest.'
'Je liegt het.'

De voordeur van Cliffords kantoor zat op slot. Barry rammelde eraan en vloekte door het raampje. Hij stak nog een sigaret op en liet zijn blik door de straat glijden, maar de zwarte Lincoln was nergens te zien. Hij zóú die dikke schooier vinden, al zou het hem de hele nacht kosten.
Barry had een vriend in Miami die ooit was aangeklaagd wegens drughandel. Zijn advocaat was een slimme vogel die het proces tweeënhalf jaar had weten uit te stellen, totdat de rechter ten slotte zijn geduld verloor en een geding gelastte. De dag voordat de jury werd benoemd doodde zijn vriend zijn eigen advocaat, zodat de zitting opnieuw moest worden verdaagd. Uiteindelijk had het proces nooit plaatsgevonden.
Als Romey onverwachts overleed zou het maanden, misschien wel jaren kunnen duren voordat Barry eindelijk moest voorkomen.

3

Ricky liep achteruit bij de boom vandaan, in de richting van het struikgewas. Zodra hij het smalle pad had gevonden begon hij te rennen. 'Ricky!' riep Mark. 'Hé, Ricky, wacht even!' Maar het hielp niet. Mark keek nog eens naar de man op de kofferbak van de auto, met het pistool nog in zijn mond. Zijn ogen waren halfopen en zijn voeten schopten nog heen en weer.

Mark had genoeg gezien. Hij rende nu ook naar het pad. 'Ricky!' riep hij weer. Zijn broertje liep voor hem uit, niet te snel en in een vreemde houding – half voorover en met zijn armen stijf langs zijn lichaam. Het onkruid sloeg hem in het gezicht. Hij struikelde, maar hij bleef op de been. Mark greep hem bij de schouders en draaide hem naar zich toe. 'Ricky, luister! Het is voorbij.' Ricky staarde hem aan als een zombie, doodsbleek en met glazige ogen. Hij ademde zwaar en snel en hij bracht een dof gekreun voort. Praten kon hij niet. Hij rukte zich los en rende weer verder, nog steeds kreunend toen de struiken zijn gezicht schramden. Mark volgde hem op korte afstand. Ze staken een droge kreek over, op weg naar huis. Het bos werd wat minder dicht, vlak voordat ze de rottende houten schutting bereikten die het grootste deel van het caravanpark omgaf. Twee kleine kinderen wierpen stenen naar een rij blikjes die netjes op de motorkap van een autowrak waren neergezet. Ricky begon sneller te lopen en kroop door een gat in de schutting. Hij sprong over een greppel, dook tussen twee caravans door en bereikte de straat. Mark rende twee passen achter hem. Ricky's ademhaling ging moeizaam en hij begon steeds luider te kreunen.

De stacaravan van de Sway's was vier meter breed en achttien meter lang. Hij stond op een smalle strook grond aan East Street, samen met veertig andere. Tucker Wheel Estates kende ook een North, South en West Street, die alle vier in een bocht liepen en elkaar op verschillende punten in alle richtingen kruisten. Het was een redelijk caravanpark met vrij schone straten, een paar bomen, veel fietsen en weinig autowrakken. Verkeersdrempels beperkten de snelheid. Bij te harde muziek of ander lawaai waarschuwde meneer Tucker meteen de politie. Zijn familie bezat alle grond en de meeste caravans, waaronder East Street nummer 17, die door Dianne Sway werd gehuurd voor tweehonderdtachtig dollar per maand.

De deur zat niet op slot. Ricky rende naar binnen en liet zich op de bank in de woonkamer vallen. Het leek of hij huilde, maar zijn ogen waren droog. Hij trok zijn knieën hoog op, alsof hij het koud had, en stak toen heel langzaam zijn rechterduim in zijn mond. Mark hield hem scherp in de gaten. 'Ricky, zeg eens wat,' zei hij, terwijl hij zijn broertje zachtjes aan zijn schouder heen en weer schudde. 'Je moet tegen me praten, man. Het is oké, Ricky. Het is oké.'

Zijn broertje zoog nog harder op zijn duim. Hij deed zijn ogen dicht, bevend over zijn hele lichaam.

Mark keek om zich heen door de woonkamer en de keuken. Er was niets veranderd sinds ze een uur geleden waren vertrokken. Een uur geleden? Het leek wel een paar dagen. De zon stond laag en het was vrij donker in de caravan. Hun schoolboeken en rugtassen lagen op hun vaste plek op de keukentafel. Op het aanrecht, naast de telefoon, lag het dagelijkse briefje van ma. Mark liep naar de gootsteen en vulde een schoon koffiekopje met water. Hij had een geweldige dorst. Hij dronk van het koele water en staarde door het raam naar de naburige caravan. Toen hij smakkende geluiden hoorde, draaide hij zich weer om naar zijn broer. Die duim... Hij had eens een televisieprogramma gezien over kinderen in Californië die na een aardbeving ook waren gaan duimzuigen. Allerlei dokters hadden zich ermee bemoeid. Een jaar na de aardbeving zogen die arme kinderen nog steeds op hun duim. Het kopje raakte een pijnlijke plek op zijn lip en hij herinnerde zich het bloed. Haastig liep hij naar de badkamer en bekeek zijn gezicht in de spiegel. Vlak onder de haarlijn zat een kleine, nauwelijks zichtbare buil. Zijn linkeroog was opgezwollen en zag er niet best uit. Hij liet de wasbak vollopen en waste het bloed van zijn onderlip. De lip was niet gezwollen maar begon nu wel te kloppen. Hij had er weleens erger uitgezien, na een vechtpartij op school. Hij kon wel tegen een stootje.

Hij haalde een ijsblokje uit de koelkast en drukte het stevig onder zijn oog. Toen liep hij naar de bank en keek nog eens goed naar zijn broertje, vooral naar die duim. Ricky sliep. Het was bijna halfzes, de tijd waarop hun moeder meestal thuiskwam na een werkdag van negen lange uren op de lampenfabriek. Zijn oren gonsden nog na van de pistoolschoten en de klappen die hij van wijlen zijn vriend Romey had gekregen, maar eindelijk kon hij weer helder denken. Hij ging bij Ricky's voeten zitten en wreef het ijsblokje langzaam rond zijn oog.

Als hij de politie niet belde, zou het dagen kunnen duren voordat het lijk gevonden werd. Door de loop in zijn mond te steken had Romey het dodelijke schot gedempt en Mark was er zeker van dat niemand iets had gehoord. Hij was al vaak op die open plek geweest en hij had er nog nooit een levende ziel gezien. Het pad lag veel te afgelegen. Waarom had Romey die plek eigenlijk uitgekozen? Hij kwam toch uit New Orleans?

Mark zag genoeg politieseries op de televisie om te weten dat ieder telefoontje op de band werd opgenomen. Dat wilde hij niet. Hij wilde niemand ooit vertellen wat hij zojuist had doorgemaakt – zelfs zijn moeder niet. En hij moest dringend met zijn broertje praten om af te spreken wat ze zouden zeggen. 'Ricky,' zei hij. Hij schudde zijn broertje bij zijn been, maar Ricky hield zijn ogen dicht en kromp nog verder ineen. 'Ricky, wakker worden!'

Ricky reageerde niet, behalve door heftig te rillen, alsof hij het ijskoud had. Mark haalde een plaid uit een kast, legde die over zijn broer heen, wikkelde toen een handvol ijsblokjes in een theedoek en drukte die voorzichtig tegen zijn eigen linkeroog. Hij had geen zin in vragen over zijn gezicht.

Hij staarde naar de telefoon en dacht aan wildwestfilms over lijken die in de zon lagen en snel moesten worden begraven voordat de rondcirkelende buizerds en gieren eropaf doken. Over een uurtje zou het donker zijn. Sloegen buizerds ook 's nachts toe? Dat had hij nog nooit in een film gezien.

De gedachte aan het lijk van die dikke advocaat met zijn pistool in zijn mond, één ontbrekende schoen en waarschijnlijk nog bloedend als een rund, was al gruwelijk genoeg, maar het vooruitzicht van buizerds die het lichaam met hun machtige klauwen aan stukken zouden scheuren werd Mark te veel. Hij pakte de telefoon, toetste 911 en schraapte zijn keel.

'Ja, er ligt een dode man in het bos, en... nou ja, iemand moet hem daar weghalen.' Hij zette zijn zwaarste stem op, maar vanaf de eerste lettergreep wist hij dat niemand zich daardoor zou laten misleiden. Hij zat te hijgen en de buil op zijn voorhoofd deed pijn.

'Mag ik uw naam weten?' Het was een vrouwenstem die klonk als een robot.

'Eh, dat zeg ik liever niet, oké?'

'We hebben je naam nodig, jongeman.' Verdomme, ze wist dus al dat hij een kind was. In elk geval hoopte hij dat ze hem een paar jaar ouder zou schatten.

'Wilt u wat over dat lijk weten of niet?' vroeg Mark.

'Waar ligt het precies?'

Geweldig, dacht hij, nu vertelde hij het dus al. En aan iemand die hij niet eens kon vertrouwen – iemand in uniform die bij de politie werkte. In gedachten hoorde hij al hoe de bandopname van het gesprek voor de jury werd afgespeeld, net als op de televisie. Ze zouden allerlei stemtests doen, totdat iedereen wist dat het Mark Sway was die had opgebeld over een lijk waar niemand anders iets van wist. Hij probeerde zijn stem nog dieper te laten klinken.

'In de buurt van Tucker Wheel Estates en...'

'Op Whipple Road?'

'Precies. In de bossen tussen Tucker Wheel Estates en Highway 17.'

'Het lichaam ligt in een bos?'

'Ja. Nou ja, het ligt eigenlijk op een auto, in het bos.'

'En het slachtoffer is dood?'

'Hij is doodgeschoten, oké? Met een pistool, in zijn mond. Ik weet zeker dat hij dood is.'

'Heb je het lijk zelf gezien?' De zakelijke stem van de vrouw klonk nu geïnteresseerd.

Stomme vraag, dacht hij. Of ik het zelf gezien heb? Ze probeerde natuurlijk tijd te winnen, zodat ze het gesprek konden traceren.

'Jongeman, heb je het lijk zelf gezien?' vroeg ze weer.

'Natuurlijk heb ik het gezien.'

'Ik moet je naam weten, knul.'

'Luister. Er loopt een smalle zandweg van Highway 17 naar een kleine open plek in het bos. De auto is groot en zwart en die dode vent ligt erbovenop. Als jullie hem niet kunnen vinden, dan is dat heel jammer. Tot ziens.'

Hij hing op en staarde naar het toestel. Het was doodstil in de caravan. Hij liep naar de deur en keek door de vuile gordijnen, half verwachtend dat er van alle kanten politiewagens het terrein op zouden stormen, met megafoons en arrestatieteams in kogelvrije vesten.

Hij probeerde kalm te blijven. Hij schudde Ricky nog eens door elkaar. Het viel hem op hoe klam de arm van zijn broertje aanvoelde. Ricky sliep nog steeds, met zijn duim

44

in zijn mond. Mark pakte hem voorzichtig om zijn middel en sleepte hem door het smalle gangetje naar hun slaapkamer, waar hij hem op bed legde. Ricky mompelde en spartelde wat, maar rolde zich meteen op toen hij in bed lag. Mark legde een deken over hem heen en deed de deur dicht. Toen schreef hij een briefje aan zijn moeder met de boodschap dat Ricky zich niet lekker voelde en lag te slapen. Ze moest hem maar niet storen. Zelf was hij over een uurtje weer thuis. De jongens hoefden niet thuis te zijn als hun moeder van haar werk kwam, maar dan moest er wel een briefje liggen.

Het geluid van een helikopter in de verte ontging Mark.

Hij stak een sigaret op toen hij weer over het pad liep. Twee jaar geleden was er een nieuwe fiets gestolen bij een huis in de buitenwijk, niet ver van het caravanpark. Het gerucht ging dat de fiets achter een van de stacaravans was gezien en dat hij door een paar jongens van het park was gedemonteerd en overgespoten. De kinderen uit de buitenwijk scholden de kinderen van het park altijd voor woonwagenbewoners uit. Ze zaten op dezelfde school en er waren dagelijks vechtpartijen tussen de twee groepen. De bewoners van het caravanpark kregen automatisch de schuld van alle criminaliteit en vandalisme in de buitenwijk.

Kevin, het kleine boefje uit North Street, had inderdaad de fiets gestolen en hem aan een paar vriendjes laten zien voordat hij hem had overgespoten. Mark had dat gezien. De politie hoorde de geruchten en kwam een kijkje nemen. Op een avond werd er op de deur geklopt. Marks naam was tijdens het onderzoek genoemd en een politieman kwam hem een paar vragen stellen. Hij was aan de keukentafel gaan zitten en had Mark een uur lang aan een kruisverhoor onderworpen – heel anders dan in televisieseries, waarin de verdachte het hoofd koel hield en de politiemensen spottend aankeek.

Mark had niets toegegeven, drie nachten niet geslapen en zich heilig voorgenomen nooit meer iets verdachts te doen. Maar nu zat hij tot aan zijn nek in de problemen. Daar was die gestolen fiets nog niets bij. Een dode man, die hem vlak voor zijn dood een belangrijk geheim had verteld. Had hij de waarheid gesproken? Hij was natuurlijk dronken geweest en totaal geschift met zijn verhalen over de grote tovenaar en zo. Maar waarom zou hij hebben gelogen?

Romey had een pistool gehad. Mark had het zelf in zijn handen gehouden en de trekker aangeraakt. En met dat pistool had de man zichzelf doodgeschoten. Natuurlijk was het een misdrijf om iemand zelfmoord te zien plegen zonder hem tegen te houden.

Nee, hij mocht het nooit tegen iemand zeggen! Romey kon het niet meer vertellen. Hij moest alleen Ricky nog waarschuwen. Toen met die fiets had Mark zijn mond gehouden en dat zou hij nu weer doen. Niemand zou ooit ontdekken dat hij in die auto was geweest.

Hij hoorde een sirene in de verte, gevolgd door het zwiepende geluid van de helikopter. Mark dook weg onder een boom toen het toestel laag overkwam. Gebukt kroop hij tussen de bomen en de struiken door, langzaam en voorzichtig, totdat hij stemmen hoorde.

Overal zag hij knipperlichten – blauwe van de politiewagens en rode van de ambulance. De witte auto's van de politie van Memphis stonden om de zwarte Lincoln heen. De oranje-witte ziekenwagen kwam juist aanrijden toen Mark tussen de bomen door gluurde. Niemand leek zenuwachtig of geschrokken.

Romey lag nog steeds op de kofferbak. Een van de agenten

nam foto's. De anderen lachten. Op de achtergrond was het geluid van de radio's te horen, net als op de televisie. Romey's bloed was onder zijn lichaam weggestroomd, over de roodwitte achterlichten. Hij had het pistool nog in zijn rechterhand, die op zijn dikke buik rustte. Zijn hoofd was naar rechts gegleden en zijn ogen waren gesloten. De ziekenbroeders liepen naar hem toe en bekeken hem. Ze maakten een paar grappen en de agenten lachten weer. De vier portieren van de Lincoln stonden open en de auto werd zorgvuldig onderzocht. Niemand maakte aanstalten om het lijk te verwijderen. De helikopter vloog nog één keer over de open plek en verdween toen uit het gezicht.

Mark zat diep in het struikgewas verscholen, een meter of tien vanaf de grote boom en de boomstronk waarop ze hun sigaretjes hadden gerookt. Hij had een goed uitzicht op de open plek en op de dikke advocaat, die als een dode koe op de auto lag, midden op de weg. Er arriveerde nog een politiewagen, even later gevolgd door een tweede ambulance. Mensen in uniform liepen elkaar voor de voeten. Kleine witte zakjes met een onzichtbare inhoud werden heel voorzichtig uit de auto gehaald. Twee politiemannen met rubberhandschoenen rolden de tuinslang op. De fotograaf hurkte bij elk van de vier portieren neer en maakte foto's. Zo nu en dan bleef iemand naar Romey staan kijken, maar de meeste agenten en verplegers dronken koffie uit plastic bekertjes en stonden met elkaar te praten. Een van de politiemensen legde Romey's schoen op de kofferbak naast zijn lichaam, stak hem toen in een witte zak en schreef er iets op. Een andere agent knielde bij het nummerbord en wachtte toen bij zijn radio op een antwoord van de centrale. Ten slotte kwam er een brancard uit de eerste ambulance, die naar de achterbumper werd gedragen en in het gras werd gelegd. Twee broeders pakten Romey's voeten en trokken hem voorzichtig naar voren, totdat twee anderen zijn armen konden grijpen. De agenten keken toe en maakten grappen over Cliffords omvang. Ze kenden inmiddels zijn naam. Ze vroegen of vier broeders wel genoeg waren om zijn dikke kont te tillen, of de brancard extra was verstevigd en of hij wel in de ambulance paste. Onder luid gelach lieten de broeders hem zakken.

Een agent borg het pistool in een zakje op. De brancard werd in de ziekenwagen getild, maar de deuren bleven open. Een takelwagen met gele zwaailichten kwam de zandweg af en reed achteruit naar de voorbumper van de Lincoln.

Mark dacht aan Ricky en aan het duimzuigen. Zou hij geen hulp nodig hebben? Hun moeder kon ieder moment thuiskomen. Als ze hem toch wakker zou maken en hij werd bang, wat dan? Mark besloot nog een minuutje te blijven kijken. Op weg naar huis kon hij zijn laatste sigaret oproken.

Hij hoorde iets achter zich, maar lette er niet op. Een krakend takje. Toen opeens voelde hij een hand in zijn nek.

'Wat doe jij hier, joh?'

Mark draaide zich schielijk om en keek in het gezicht van een politieman. Hij verstijfde en zijn adem stokte in zijn keel.

'Wat heb je hier te zoeken, jongen?' vroeg de agent terwijl hij Mark aan zijn kraag overeind sleurde. De man deed hem geen pijn, maar hij liet niet met zich spotten. 'Ga eens rechtop staan, knul. Je hoeft niet bang te zijn.'

Mark stond op en de agent liet hem los. De politiemannen op de open plek hadden het gehoord en keken om.

'Wat doe je hier?'

'Ik keek alleen maar,' zei Mark.

De agent wees met zijn zaklantaarn naar de open plek. De zon was al onder en over twintig minuten zou het donker zijn. 'Kom maar mee,' zei hij.

'Ik moet naar huis,' zei Mark.

De politieman legde een arm om zijn schouder en loodste hem door de struiken. 'Hoe heet je?'

'Mark.'

'En verder?'

'Sway. En hoe heet u?'

'Hardy. Mark Sway, hè?' herhaalde de agent peinzend. 'Woon jij niet op Tucker Wheel Estates?'

Dat kon hij moeilijk ontkennen, maar toch aarzelde hij even. 'Ja, meneer.'

Ze kwamen bij het kringetje van politiemensen, die hem zwijgend aankeken.

'Mensen, dit is Mark Sway, de jongen die ons heeft gebeld,' verklaarde Hardy. 'Dat is toch zo, Mark?'

Hij wilde liegen, maar ze zouden hem toch niet geloven. 'Eh... ja, meneer.'

'Hoe heb je het lijk gevonden?'

'Mijn broertje en ik waren hier aan het spelen.'

'Waar precies?'

'Hier in de buurt. We wonen daar.' Hij wees voorbij de bomen.

'Waren jullie een joint aan het roken?'

'Nee, meneer.'

'Weet je het zeker?'

'Ja, meneer.'

'Ga nooit aan de drugs, jongen.' Er stonden minstens zes politiemensen om hem heen en de vragen kwamen van alle kanten.

'Hoe heb je die auto gevonden?'

'Eh, we zagen hem toevallig.'

'Hoe laat?'

'Dat weet ik niet meer. We liepen gewoon door het bos. Dat doen we zo vaak.'

'Hoe heet je broer?'

'Ricky.'

'Zelfde achternaam?'

'Ja, meneer.'

'Waar waren jij en Ricky toen jullie die auto voor het eerst zagen?'

Mark wees naar de boom achter zich. 'Onder die boom.'

Een ziekenbroeder kwam naar hen toe en zei dat ze het lichaam naar het mortuarium zouden brengen. De takelwagen sleepte de Lincoln weg.

'Waar is Ricky nu?'

'Thuis.'

'Wat is er met je gezicht gebeurd?' vroeg Hardy.

Mark tastte automatisch naar zijn oog. 'O, niks. Een knokpartij op school.'

'Waarom hield je je in de struiken verborgen?'

'Dat weet ik niet.'

'Toe nou, Mark. Daar had je heus wel een reden voor.'

'Ik weet het echt niet. Het is een beetje eng allemaal. Een dode man en zo.'

'Had je nog nooit eerder een dode gezien?'

'Alleen op de tv.'

Een van de agenten glimlachte.

'Heb je die man ook gezien voordat hij zichzelf doodschoot?'

'Nee, meneer.'

'Dus je hebt hem gevonden zoals hij daar lag?'

'Ja, meneer. We liepen onder die boom door en zagen de auto, en eh... daarna die man.'

'Waar waren jullie toen je het schot hoorde?'

Mark wilde weer naar de boom wijzen maar bedacht zich toen. 'Hoe bedoelt u?'

'We weten dat je een pistoolschot hebt gehoord. Waar waren jullie toen?'

'Ik heb geen schot gehoord.'

'Weet je het zeker?'

'Ja. We liepen langs die boom en we zagen hem liggen. Toen zijn we naar huis gerend en heb ik de politie gebeld.'

'Waarom heb je je naam niet genoemd?'

'Dat weet ik niet.'

'Toe nou, Mark. Dat weet je best.'

'Echt niet. Ik was bang, denk ik.'

De agenten keken elkaar veelbetekenend aan, alsof dit een spelletje was.

Mark probeerde normaal adem te halen en zielig te kijken. Hij was nog maar een kind.

'Ik moet nu echt naar huis. Mijn moeder zal me wel zoeken.'

'Oké, nog één vraag,' zei Hardy. 'Liep de motor nog toen jullie de auto zagen?'

Mark dacht diep na, maar kon zich niet herinneren of Romey de motor had afgezet voordat hij zich door het hoofd had geschoten. 'Dat weet ik niet zeker,' antwoordde hij langzaam, 'maar ik geloof van wel.'

Hardy wees naar een van de politiewagens. 'Stap maar in, dan breng ik je thuis.'

'Dat hoeft niet. Ik loop wel.'

'Nee, het is al donker. Ik geef je een lift. Kom mee.' Hij pakte Mark bij de arm en trok hem mee naar de auto.

4

Dianne Sway had het kinderziekenhuis gebeld. Ze zat op de rand van Ricky's bed te wachten tot er een dokter zou terugbellen. Zenuwachtig beet ze op haar nagels. De verpleegster had gezegd dat hij binnen tien minuten zou bellen. Ze had erbij verteld dat er op de scholen een zeer besmettelijk virus rondwaarde en dat ze die week al tientallen kinderen hadden behandeld. Ricky had dezelfde symptomen, dus ze hoefde zich niet ongerust te maken. Dianne voelde aan zijn voorhoofd of hij koorts had. Ze schudde hem nog eens door elkaar, maar hij reageerde niet. Hij lag nog altijd met opgetrokken knieën en met zijn duim in zijn mond, maar zijn ademhaling klonk normaal. Dianne hoorde een portier dichtslaan en liep terug naar de woonkamer.

Mark stormde naar binnen. 'Hallo, ma.'

'Waar heb jij gezeten?' vroeg ze bits. 'En wat is er met Ricky?'

Brigadier Hardy verscheen in de deuropening. Dianne verstijfde.

'Goedenavond, mevrouw,' zei hij.

Ze keek Mark woedend aan. 'Wat heb je nu weer uitgevreten?'

'Niks.'

Hardy stapte naar binnen. 'Niets ernstigs, mevrouw.'

'Wat doet u dan hier?'

'Dat zal ik je vertellen, ma, maar het is een lang verhaal.'

Hardy deed de deur achter zich dicht. Ze bleven tegenover elkaar in de kleine kamer staan, een beetje verlegen met hun houding.

'Goed. Ik luister.'

'Nou, Ricky en ik waren vanmiddag in het bos aan het spelen toen we op een open plek een grote zwarte auto zagen staan. De motor liep nog. Toen we dichterbij kwamen, zagen we een man op de kofferbak liggen met een pistool in zijn mond. Hij was dood.'

'Dood!'

'Zelfmoord, mevrouw,' verduidelijkte Hardy.

'We zijn hard naar huis gehold en ik heb de politie gebeld.'

Dianne sloeg haar hand voor haar mond.

'De naam van het slachtoffer is Jerome Clifford. Mannelijk, blank,' meldde Hardy officieel. 'Hij komt uit New Orleans en we hebben geen idee wat hij hier te zoeken had. Hij is nu ongeveer twee uur dood, nog niet zo lang dus. En hij heeft een briefje achtergelaten.'

'Wat heeft Ricky gedaan?' vroeg Dianne.

'Toen we thuiskwamen, liet hij zich op de bank vallen en begon op zijn duim te zuigen. Hij wou niet meer praten. Ik heb hem op bed gelegd met een deken over hem heen.'

'Hoe oud is hij?' vroeg Hardy fronsend.

'Acht.'

'Mag ik hem even zien?'

'Waarom?' vroeg Dianne.

'Omdat ik ongerust ben. Hij heeft iets afschuwelijks gezien. Misschien heeft hij een shock.'

'Een shock?'

'Ja, mevrouw.'

Dianne liep snel de keuken en het gangetje door, met Hardy op haar hielen. Mark volgde hen. Hij schudde zijn hoofd en beet op zijn tanden.

Hardy trok de deken van Ricky's schouder en raakte zijn arm aan. Ricky had nog steeds zijn duim in zijn mond. Hardy schudde hem door elkaar en riep zijn naam. Heel even opende de jongen zijn ogen en mompelde iets.

'Zijn huid is koud en klam. Is hij ziek geweest?' vroeg Hardy.

'Nee.'

De telefoon ging en Dianne rende ernaartoe. Vanuit de slaapkamer hoorden Hardy en Mark dat ze Ricky's symptomen beschreef en de arts vertelde over het lijk dat de jongens hadden gevonden.

'Zei hij nog iets toen jullie dat lichaam vonden?' vroeg Hardy zacht.

'Nee, niet echt. Het ging allemaal zo snel. We... eh, we gingen er meteen vandoor toen we het hadden gezien. Op weg naar huis hoorde ik hem steeds kreunen en hij liep heel raar, met zijn armen stijf omlaag. Zo had ik hem nog nooit zien lopen. Toen we thuiskwamen, liet hij zich meteen op de bank vallen en kroop helemaal in elkaar. Daarna heeft hij niets meer gezegd.'

'Hij moet naar het ziekenhuis.'

Mark voelde zijn knieën slap worden en zocht steun bij de wand. Dianne hing op en Hardy liep naar de keuken om met haar te praten. 'De dokter wil hem opnemen,' zei ze in paniek.

'Ik bel wel een ziekenwagen,' zei Hardy. Hij liep al naar zijn auto. 'Pak wat kleren voor hem in.' Hij liet de deur open.

Dianne keek woedend naar Mark, die zich zo slap voelde dat hij moest gaan zitten. Hij liet zich op een stoel aan de keukentafel vallen.

'Heb je me wel alles verteld?' vroeg ze.

'Ja, ma. We hebben een lijk gezien en we zijn naar huis gerend. Ik denk dat Ricky er niet tegen kon.' Als hij nu nog de hele waarheid wilde vertellen, zou dat uren duren. Als ze weer alleen waren, zou hij er nog eens over nadenken en haar misschien vertellen hoe het werkelijk was gegaan, maar niet met die smeris erbij. Dat werd veel te ingewikkeld. Hij was niet bang voor zijn moeder en meestal biechtte hij alles eerlijk op als ze een beetje aandrong. Ze was pas dertig, jonger dan de moeders van zijn vriendjes, en ze hadden samen heel wat meegemaakt. Hun gezamenlijke gevecht tegen zijn drankzuchtige vader had een band gesmeed die veel hechter was dan een normale moeder-zoonrelatie. Mark vond het vreselijk dat hij nu tegen haar moest liegen. Hij zag dat ze bang en wanhopig was, maar de dingen die

Romey hem had verteld hadden niets met Ricky's toestand te maken. Opeens voelde hij een scherpe pijn in zijn maag en zag hij de kamer voor zijn ogen draaien.

'Wat is er met je oog gebeurd?'

'Een vechtpartij op school. Ik ben niet begonnen.'

'Nee, dat doe je nooit. Voel je je wel goed?'

'Ik geloof het wel.'

Hardy kwam weer binnen. 'De ziekenwagen is binnen vijf minuten hier. Welk ziekenhuis?'

'St. Peter's, zei de dokter.'

'Wie is uw huisarts?'

'We zijn bij de groepspraktijk van dokter Shelby. Zij zouden een kinderpsychiater waarschuwen, die naar het ziekenhuis komt.' Nerveus stak ze een sigaret op. 'Denkt u dat hij er weer bovenop komt?'

'Hij moet worden onderzocht. Misschien houden ze hem een paar dagen in het ziekenhuis. Ik heb dit wel eerder meegemaakt, mevrouw, bij kinderen die een schiet- of steekpartij hadden gezien. Dat is een traumatische ervaring en het kan wel enige tijd duren voordat hij eroverheen is. Vorig jaar was er een kind dat gezien had hoe zijn moeder door een crackdealer werd doodgeschoten in een van de oude wijken. Het arme joch ligt nog steeds in het ziekenhuis.'

'Hou oud was hij?'

'Acht. Nu is hij negen. Hij wil niet praten en niet eten. Hij zuigt op zijn duim en speelt met poppen. Heel droevig.'

Dianne had genoeg gehoord. 'Ik pak wel wat kleren voor hem in.'

'En voor uzelf ook, mevrouw. Misschien moet u bij hem blijven.'

'En Mark?' vroeg ze.

'Wanneer komt uw man thuis?'

'Ik heb geen man.'

'Neemt u voor Mark dan ook wat spullen mee. Voor het geval u de hele nacht in het ziekenhuis moet blijven.'

Dianne bleef in de keuken staan, met haar sigaret een paar centimeter van haar mond. Ze probeerde na te denken. Ze was bang en onzeker. 'Ik heb geen ziektekostenverzekering,' mompelde ze tegen het raam.

'St. Peter's behandelt ook mensen die het niet kunnen betalen. Pak uw koffer maar.'

Er verzamelde zich meteen een menigte toen de ziekenwagen voor East Street nummer 17 stopte. De mensen fluisterden en wezen toen de broeders naar binnen verdwenen.

Hardy legde Ricky op de brancard, met een deken over hem heen, en de riemen werden vastgemaakt. Ricky probeerde zich weer op te rollen, maar de zware klittenbanden hielden hem op zijn plaats. Hij kreunde twee keer, maar hield zijn ogen dicht. Voorzichtig maakte Dianne zijn rechterarm los, zodat hij zijn duim weer vrij had. Haar ogen waren vochtig, maar ze wilde niet huilen.

De toeschouwers weken terug voor de ziekenbroeders toen ze Ricky naar de ambulance brachten. Ze laadden hem achterin en Dianne klom ook naar binnen. Een paar buren vroegen bezorgd wat er aan de hand was, maar de chauffeur had de deur al dichtgeslagen voordat Dianne antwoord kon geven. Mark stapte voor in de politiewagen, naast Hardy, die een schakelaar overhaalde. Het zwaailicht begon te draaien en het blauwe schijnsel weerkaatste in de naburige caravans. De menigte deinsde achteruit en Hardy gaf gas. De ambulance volgde.

Mark was te ongerust en te bang om belangstelling te tonen voor de radio's, de microfoons, de wapens en alle technische snufjes. Hij staarde roerloos voor zich uit, met zijn lippen stijf opeengeklemd.

'Heb je me de waarheid wel verteld, jongen?' vroeg Hardy, opeens weer de politieman.
'Ja, meneer. Waarover eigenlijk?'
'Over wat je hebt gezien.'
'Ja, meneer. Gelooft u me niet?'
'Dat zeg ik niet. Ik vind het nogal vreemd, dat is alles.'
Mark wachtte een paar seconden, maar toen Hardy niets meer zei, vroeg hij: 'Wat vindt u vreemd?'
'Een paar dingen. Om te beginnen dat je hebt opgebeld zonder je naam te noemen. Waarom? Als jij en Ricky bij toeval dat lijk hebben ontdekt, waarom zou je dan je naam niet zeggen? In de tweede plaats: waarom ben je zo stiekem teruggekomen en heb je je tussen de struiken verborgen? Mensen die zich verbergen zijn bang. Waarom ben je niet gewoon naar ons toe gekomen om te vertellen wat je had gezien? En in de derde plaats: als Ricky en jij hetzelfde hebben gezien, waarom heeft hij dan een shock en ben jij nog zo rustig, als je begrijpt wat ik bedoel?'
Mark dacht een tijdje na, maar hij wist niets te verzinnen. Daarom hield hij zijn mond maar. Ze reden op de snelweg in de richting van het centrum. Het was leuk dat al het verkeer voor hen opzij ging. De rode lichten van de ambulance volgden hen op korte afstand.
'Je hebt nog geen antwoord gegeven op mijn vraag,' zei Hardy ten slotte.
'Welke vraag?'
'Waarom je je naam niet hebt genoemd toen je opbelde.'
'Ik was bang, oké? Ik had nog nooit een lijk gezien en ik was bang. Dat ben ik nog steeds.'
'Waarom ben je dan teruggekomen? En waarom probeerde je je te verbergen?'
'Ik was wel bang, maar ik wilde toch weten wat er gebeurde. Dat is toch geen misdaad?'

'Misschien niet.'

Ze verlieten de snelweg en zigzagden door het verkeer. De hoge flats van Memphis doemden voor hen op.

'Ik hoop maar dat je de waarheid hebt verteld,' zei Hardy.

'Gelooft u me dan niet?'

'Niet helemaal, nee.'

Mark slikte en keek in het zijspiegeltje. 'Waarom dan niet?'

'Zal ik je zeggen wat ik denk, knul? Wil je dat weten?'

'Ja,' zei Mark langzaam.

'Ik denk dat jullie in het bos een sigaretje hebben gerookt. Onder die boom met dat touw heb ik een paar verse peuken gevonden. Volgens mij zaten jullie te roken en hebben jullie alles gezien, vanaf het begin.'

Marks hart stond bijna stil en zijn adem stokte. Maar juist nu moest hij kalm blijven. Zijn schouders ophalen. Hardy was er niet bij geweest en had niets gezien. Hij merkte dat zijn handen trilden en ging erop zitten. Hardy hield hem in de gaten.

'Arresteren jullie soms kinderen omdat ze een sigaretje roken?' vroeg Mark, maar zijn stem klonk erg onvast.

'Nee. Maar kinderen die tegen de politie liegen kunnen grote problemen krijgen.'

'Ik heb niet gelogen, oké? Ik heb daar weleens een sigaretje gerookt, maar vandaag niet. We liepen gewoon door het bos... misschien dàchten we wel aan een sigaret... en toen zagen we die auto met Romey.'

Hardy aarzelde even en vroeg toen: 'Wie is Romey?'

Mark zette zich schrap en haalde diep adem. Hij wist dat het voorbij was. Hij had een fout gemaakt. Eén leugen te veel verteld. Hij had het nog geen uur volgehouden. Nee! Hij moest blijven nadenken.

'Zo heette die vent toch?'

'Romey?'

'Ja. Zo noemde u hem.'
'Nee hoor. Ik zei tegen je moeder dat hij Jerome Clifford heette en dat hij uit New Orleans kwam.'
'O. Ik verstond dat het Romey Clifford was, uit New Orleans.'
'Wie heeft er nou ooit de naam Romey gehoord?'
'Geen idee.'
Ze sloegen rechtsaf en Mark keek weer recht voor zich uit.
'Is dit St. Peter's?'
'Dat staat er op het bord.'
Hardy parkeerde aan de zijkant van het ziekenhuis en ze zagen de ambulance achteruit naar de ingang van de polikliniek rijden.

5

De weledelgestrenge J. Roy Foltrigg, officier van justitie van het zuidelijke district van Louisiana te New Orleans – en republikein – dronk keurig uit een blikje tomatensap en strekte zijn benen achter in zijn verbouwde Chevroletbus die geruisloos over de snelweg zoefde. Memphis lag vijf uur naar het noorden, via de Interstate 55. Hij had ook het vliegtuig kunnen nemen, maar er waren twee redenen waarom hij dat niet had gedaan. Om te beginnen de papierwinkel. Hij kon de reiskosten natuurlijk declareren in verband met het onderzoek naar de zaak Boyd Boyette. Met een beetje passen en meten zou dat wel lukken. Maar hij zou achttien verschillende formulieren moeten invullen en dan zou het nog maanden duren voordat hij het geld kreeg overgemaakt. In de tweede plaats, en dat was nog belangrijker: hij had een hekel aan vliegen. Hij had in New Orleans drie uur kunnen wachten op een toestel dat hem in

59

een uur naar Memphis zou vliegen, zodat hij daar om elf uur 's avonds zou arriveren, maar met de bus waren ze er om twaalf uur. Foltrigg kwam niet openlijk voor zijn vliegangst uit, maar hij wist dat hij een keer in therapie zou moeten om ervan af te komen. Voorlopig had hij zich op eigen kosten deze fraaie bestelbus aangeschaft en hem voorzien van alle denkbare gemakken, zoals twee telefoons, een televisie en zelfs een fax. Hij reed er het hele zuidelijke district mee rond, altijd met Wally Boxx achter het stuur. De bus was veel leuker en comfortabeler dan een limousine.

Langzaam schopte hij zijn instappers uit en tuurde door de duistere avond terwijl speciaal agent Trumann zat te telefoneren. Aan de andere kant van de gecapitonneerde bank zat zijn substituut, Thomas Fink, een trouwe Foltrigg-discipel die tachtig uur per week aan de zaak Boyette werkte en het grootste deel van het proces voor zijn rekening zou nemen, vooral het saaie graafwerk. Zijn baas zou zich pas in de rechtszaal laten zien als er eer te behalen viel. Fink zat zijn stukken te lezen, zoals gebruikelijk, terwijl hij met een half oor naar het gemompel van agent Trumann luisterde, die in een zware draaistoel tegenover hem zat. Trumann had de FBI in Memphis aan de lijn.

Naast Trumann, in een identieke draaistoel, zat speciaal agent Skipper Scherff, een beginneling die niet veel tijd aan de zaak had besteed maar toevallig beschikbaar was geweest voor dit plezierritje naar Memphis. Hij zat wat te tekenen op een notitieblok en zou dat de volgende vijf uur blijven doen, omdat hij binnen deze strenge hiërarchie hélemaal niets te zeggen had en niemand in zijn mening was geïnteresseerd. Daarom tuurde hij gehoorzaam op zijn notitieblok en noteerde de orders van zijn chef Larry Trumann en natuurlijk die van Dominee Roy, de generaal zelf. Scherff meed bewust ieder oogcontact met Foltrigg en probeerde tevergeefs te begrijpen wat Memphis aan Trumann te melden had. Het bericht van Cliffords dood was een uur geleden als een bom ingeslagen en Scherff wist nog steeds niet hoe en waarom hij in Roy's Chevrolet terecht was gekomen en wat het doel was van deze reis. Trumann had hem naar huis gestuurd om een koffer te pakken en zich daarna als de bliksem bij Foltriggs kantoor te melden. Dat had hij braaf gedaan en dus zat hij nu in de bus. Hij luisterde en maakte aantekeningen.

De chauffeur, Wally Boxx, was een afgestudeerd jurist, maar hij wist niet wat hij aan die studie had. Officieel was hij substituut, net als Fink, maar in werkelijkheid was hij Foltriggs loopjongen. Hij bestuurde de bus, droeg Foltriggs koffertje, schreef zijn toespraken en regelde de contacten met de media – wat hem de helft van zijn tijd kostte omdat zijn baas grote waarde hechtte aan zijn image. Boxx was niet dom. Hij had gevoel voor politiek, wist zijn chef handig te verdedigen en was de man zelf en zijn doelstellingen voor honderd procent toegewijd. Foltrigg had een glanzende toekomst en Boxx wist dat hij ooit met de Dominee over Capitol Hill zou lopen als zijn persoonlijk adviseur.

Boxx wist hoe belangrijk de zaak Boyette was – het belangrijkste proces uit Foltriggs illustere loopbaan, het proces waarvan hij had gedroomd en dat hem tot een nationale beroemdheid kon maken. Hij wist ook dat Foltrigg slapeloze nachten had over Barry het Mes Muldanno.

Larry Trumann was uitgesproken en hing weer op. Hij was een ervaren FBI-agent van begin veertig, met nog tien jaar te gaan tot zijn pensioen. Foltrigg keek hem vragend aan.

'Ze zetten de politie van Memphis onder druk om de auto vrij te geven, zodat we hem kunnen onderzoeken. Dat zal ongeveer een uurtje kosten. Het was niet eenvoudig om die mensen in Memphis het hele verhaal over Clifford en

Boyette uit te leggen, maar er zit nu schot in. Het hoofd van ons kantoor in Memphis is een zekere Jason McThune, een taai en vasthoudend type. Hij heeft nu een bespreking met de politiecommissaris van Memphis. McThune heeft Washington gebeld en Washington heeft weer contact opgenomen met Memphis. Over een paar uur zullen ze die auto wel vrijgeven. Clifford is overleden door een kogelwond in het hoofd die hij zichzelf heeft toegebracht. Blijkbaar had hij het eerst geprobeerd met een tuinslang aan de uitlaat van zijn auto, maar om de een of andere reden is dat mislukt. Hij heeft Dalmane- en codeïnepillen geslikt en die weggespoeld met Jack Daniels. De herkomst van het pistool is onbekend, maar het onderzoek is pas begonnen. Memphis trekt het na. Een goedkope .38. Hij dacht dus dat hij een kogel kon doorslikken...'

'Staat het vast dat het zelfmoord was?' vroeg Foltrigg.

'Absoluut.'

'Waar is het gebeurd?'

'Ergens in het noorden van Memphis. Hij is in zijn grote zwarte Lincoln een bos in gereden en heeft zich daar door zijn kop geschoten.'

'Geen getuigen, neem ik aan?'

'Blijkbaar niet. Een paar jochies hebben het lijk gevonden op een afgelegen plek.'

'Hoe lang was hij toen al dood?'

'Niet zo lang. Over een paar uur wordt er sectie verricht en kan het tijdstip van overlijden worden vastgesteld.'

'Wat had hij in Memphis te zoeken?'

'Geen idee. Als er een reden was, weten we die nog niet.'

Foltrigg dacht daar even over na en nam nog een slok tomatensap. Fink maakte aantekeningen. Scherff zat druk te schrijven. Wally Boxx luisterde scherp.

'En het briefje?' vroeg Foltrigg. Hij staarde uit het raam.

'Dat zou interessant kunnen zijn. Onze mensen in Memphis hebben er een goede kopie van. Over een paar minuten zullen ze die naar ons faxen. Het briefje was met de hand geschreven, in zwarte inkt, en het is redelijk leesbaar. Een paar instructies aan zijn secretaresse met betrekking tot de begrafenis... hij wil gecremeerd worden... en wat er met zijn kantoormeubilair moet gebeuren. Hij schrijft ook waar zijn testament te vinden is. Geen woord over Boyette natuurlijk, of over Muldanno. Daarna heeft hij kennelijk geprobeerd er nog iets aan toe te voegen met een blauwe balpen, maar die was leeg. Het is nauwelijks te lezen.'

'Wat schrijft hij dan?'

'Dat weten we niet. De politie van Memphis heeft het oorspronkelijke briefje, het pistool, de pillen en alle andere concrete bewijzen nog in bezit. Ze hebben alles uit de auto gehaald. McThune probeert er beslag op te leggen. Ze hebben ook die blauwe balpen gevonden waarmee hij heeft geprobeerd dat laatste zinnetje toe te voegen.'

'Hebben ze alles klaarliggen tegen de tijd dat wij in Memphis aankomen?' vroeg Foltrigg op een toon die duidelijk maakte dat er anders problemen dreigden.

'Ze doen hun best,' antwoordde Trumann. Technisch gesproken was Foltrigg niet zijn baas, maar dit was een strafvervolging, geen gewoon FBI-onderzoek, en daarom had de Dominee de leiding.

'Dus Jerome Clifford rijdt naar Memphis en schiet zich daar een kogel door zijn kop,' zei Foltrigg, starend uit het raampje. 'Vier weken voor het proces. Allemachtig. Wat kan er nog meer misgaan in deze krankzinnige zaak?'

Het was een retorische vraag. Iedereen zweeg en wachtte tot Roy weer wat zou zeggen.

'Waar is Muldanno?' vroeg hij ten slotte.

'In New Orleans. We houden hem in de gaten.'

'Nog vóór middernacht heeft hij een nieuwe advocaat en morgenmiddag heeft hij al tien verzoeken om uitstel ingediend omdat de tragische dood van Jerome Clifford ernstig inbreuk maakt op zijn grondwettelijk recht op een eerlijk proces en een goede verdediging. Natuurlijk zullen wij ons verzetten. Daarom zal de rechter beide partijen willen horen. Maar hij zal Muldanno in het gelijk stellen, zodat we nog zes maanden kunnen wachten voordat de zaak eindelijk voorkomt. Een halfjaar! Ongelooflijk.'

Trumann schudde nijdig zijn hoofd. 'Nou ja, dat geeft ons wat meer tijd om het lijk te vinden.'

Daar had hij gelijk in, zoals Roy ook wel wist. Eigenlijk kwam dit uitstel hem heel goed uit, maar dat kon hij niet toegeven omdat hij de aanklager was, de officier van het O.M., de strijder tegen misdaad en corruptie. Hij was de ridder zonder vrees of blaam, hij had het recht aan zijn zijde en hij moest klaarstaan om het kwaad op ieder moment en op iedere plaats te bestrijden. Voortdurend had hij op een snelle berechting aangedrongen, omdat hij wist dat Muldanno zou worden veroordeeld. Het O.M. zou dit proces gaan winnen! En Roy Foltrigg zou die overwinning binnenslepen. Hij zag de koppen al. Hij rook de inkt.

Maar dan moest dat vervloekte lijk van Boyd Boyette wel boven water komen, anders kon hij die veroordeling, de foto's op de voorpagina's, de interviews op CNN en de snelle opmars naar Capitol Hill wel vergeten. Hij had zijn medewerkers ervan overtuigd dat een veroordeling ook zonder lijk heel goed mogelijk was. Daar had hij wel gelijk in, maar hij wilde geen risico's nemen. Dat lijk móést gevonden worden.

Fink keek agent Trumann weer aan. 'Wij vermoeden dat Clifford wist waar het lijk zich bevond. Wist jij dat?'

Dat was nieuw voor Trumann. 'Waarom denken jullie dat?'

Fink legde zijn papieren op zijn schoot. 'Ik kende Romey al heel lang. Twintig jaar geleden hebben we samen rechten gestudeerd aan Tulane. Hij was toen al een vreemde vogel, maar wel slim. Ongeveer een week geleden belde hij me thuis op en zei dat hij over de zaak Muldanno wilde praten. Hij was dronken, hij sprak met dubbele tong en hij was moeilijk te volgen. Hij zei maar steeds dat hij van de zaak af wilde, en dat is nogal vreemd voor iemand die zo van grote processen houdt. We hebben wel een uur met elkaar gepraat. Hij kletste maar door...'

'Hij begon zelfs te huilen,' onderbrak Foltrigg hem.

'Ja, hij huilde als een kind. Eerst was ik stomverbaasd, hoewel je van Jerome Clifford alles kon verwachten – ook zelfmoord... Ten slotte hing hij op. De volgende morgen belde hij me om negen uur al op kantoor, doodsbang dat hij zijn mond voorbij had gepraat. Hij was duidelijk in paniek. Hij liet doorschemeren dat hij wist waar het lijk verborgen was en hij probeerde erachter te komen of hij met zijn dronken kop te veel had gezegd. Ik speelde het spelletje mee, bedankte hem voor de informatie die hij me de vorige avond had gegeven, hoewel hij me niets wijzer had gemaakt. Ik bedankte hem twee, drie keer en ik zag hem al zweten aan de andere kant van de lijn. Hij belde me die dag nog drie keer, eerst op kantoor en 's avonds nog eens thuis. Toen was hij weer bezopen. Het was bijna komisch, maar ik hoopte dat ik hem uit zijn tent kon lokken. Daarom zei ik tegen hem dat ik alles aan Roy had verteld, dat Roy de FBI had gewaarschuwd en dat die hem nu vierentwintig uur per dag in de gaten hield.'

'Toen ging hij helemaal door het lint,' vulde Foltrigg aan.

'Ja. Hij schold me verrot, maar de volgende dag belde hij me weer op kantoor. We gingen samen lunchen. Hij was knap zenuwachtig, maar hij durfde me niet rechtstreeks te vragen of wij iets over het lijk wisten en ik deed of mijn neus bloedde. Ik zei hem dat we zeker wisten dat we het lijk nog vóór het proces zouden vinden en ik bedankte hem opnieuw. Ik zag hem voor mijn ogen in elkaar schrompelen. Hij had niet geslapen en zich niet gewassen. Zijn ogen waren gezwollen en roodomrand. Tijdens de lunch dronk hij al te veel en begon hij me te beschuldigen van gemene trucs en allerlei vormen van onethisch gedrag. Het werd een pijnlijke scène. Ik betaalde de rekening en vertrok. Die avond belde hij me thuis, opvallend nuchter, en bood zijn excuses aan. Geen probleem, zei ik. Ik vertelde hem dat Roy ernstig overwoog een aanklacht wegens belemmering van de rechtsgang tegen hem in te dienen en toen had je de poppen aan het dansen. We konden niets bewijzen, riep hij. Misschien niet, antwoordde ik, maar toch zou hij worden gearresteerd, in staat van beschuldiging gesteld en berecht. Het was uitgesloten dat hij Barry Muldanno nog verder zou kunnen verdedigen. Hij begon te schreeuwen en te vloeken en na een kwartier hing hij weer op. Daarna heb ik niets meer van hem gehoord.'

'Dus hij weet... of wist... waar Muldanno het lijk heeft verborgen,' concludeerde Foltrigg met overtuiging.

'Waarom hebben jullie dat niet tegen ons gezegd?' wilde Trumann weten. 'Dat waren we van plan. Thomas en ik hebben er vanmiddag nog over gesproken, vlak voordat we het telefoontje kregen,' zei Foltrigg onverschillig, alsof Trumann hem niet met trivialiteiten moest lastigvallen. Trumann keek snel naar Scherff, die nog steeds naar zijn schrijfblok staarde en tekeningetjes van pistolen maakte.

Foltrigg dronk zijn blikje leeg en gooide het in de afvalbak. Toen sloeg hij zijn benen over elkaar. 'Jullie moeten uitzoeken hoe Clifford vanuit New Orleans in Memphis verzeild is geraakt. Welke route heeft hij genomen? Heeft hij daar ergens vrienden wonen? Waar is hij onderweg gestopt? Wie heeft hij in Memphis gesproken? Hij moet toch met iemand hebben gepraat tussen het moment dat hij uit New Orleans vertrok en het tijdstip waarop hij zelfmoord pleegde? Dacht je ook niet?'

Trumann knikte. 'Het is een lange rit. Ik ben ervan overtuigd dat hij ergens is gestopt.'

'Hij wist waar het lijk te vinden was en hij was van plan zelfmoord te plegen. Er is dus een kleine kans dat hij het aan iemand anders heeft verteld. Niet?'

'Misschien.'

'Denk eens na, Larry. Stel dat jij advocaat was, wat de hemel verhoede, en je zou een cliënt verdedigen die een Amerikaanse senator heeft vermoord. Laten we aannemen dat die moordenaar jou – zijn advocaat – vertelt waar hij het lijk heeft verborgen. Er zijn dus maar twee mensen in de hele wereld die dat geheim kennen. En jij, de advocaat, gaat over de rooie en besluit zelfmoord te plegen. Niet in een opwelling, maar heel bewust. Je weet dat je gaat sterven, oké? Je koopt pillen en whisky, een pistool en een tuinslang. En dan rijd je in vijf uur naar Memphis om zelfmoord te plegen. Zou jij je geheimpje dan niet aan iemand anders toevertrouwen?'

'Misschien. Dat weet ik niet.'

'Maar er is een kans.'

'Een kleine kans.'

'Goed, zelfs die kleine kans is een grondig onderzoek waard. Ik zou beginnen met zijn kantoorpersoneel. Probeer erachter te komen wanneer hij uit New Orleans is vertrokken. Controleer zijn creditcards. Waar heeft hij getankt? Waar heeft hij gegeten? Waar heeft hij dat pistool, de pillen en de drank gekocht? Heeft hij nog familie tussen hier en

Memphis? Oude vrienden of collega's? Zo zijn er duizend aanknopingspunten.'

Trumann gaf de telefoon aan Scherff. 'Bel ons kantoor en vraag naar Hightower.'

Het deed Foltrigg genoegen dat de FBI-agent zo prompt gehoorzaamde. Hij grijnsde tevreden naar Fink. Tussen hen in op de vloer stond een voorraadbox met dossiers, getuigenissen en documenten die verband hielden met de zaak Muldanno. Op kantoor hadden ze nog vier kisten staan. Fink kende de inhoud uit zijn hoofd, maar Roy niet. Hij haalde er een dossier uit en bladerde het door. Het was een lijvig verzoek van Jerome Clifford, twee maanden oud, waarop nog geen reactie was gekomen. Hij legde het terug en staarde naar het donkere landschap van Mississippi dat buiten het raampje voorbijgleed. Ze waren vlak bij de afslag naar Bogue Chitto. Waar kwamen zulke namen in godsnaam vandaan?

Het zou een snel bezoekje worden. Hij hoefde alleen te bevestigen dat Clifford dood was en zelfmoord had gepleegd. Hij wilde weten of er nog aanwijzingen waren ontdekt, of de man zijn hart had gelucht tegenover vrienden of onbekenden, of misschien nog meer briefjes had achtergelaten. Een kleine kans, meer niet. Maar ze hadden al zo vaak hun hoofd gestoten bij de speurtocht naar Boyd Boyette en zijn moordenaar. Dit zou de laatste keer niet zijn.

6

Een dokter in een geel joggingpak rende door de klapdeuren de gang binnen en zei iets tegen de receptioniste achter de vuile schuiframen. Ze wees, en hij kwam naar Dianne, Mark en Hardy toe, die bij een cola-automaat in een hoek van de ontvangsthal van St. Peter's Charity Hospital stonden. Hij stelde zich aan Dianne voor als dr. Simon Greenway. De politieman en Mark negeerde hij. Hij was psychiater, zei hij, en hij was opgeroepen door dr. Sage, de kinderarts van de familie. Of ze met hem mee wilde komen? Hardy zei dat hij bij Mark zou blijven.

Haastig vertrokken ze door de smalle gang, broeders en verpleegsters ontwijkend, zigzaggend tussen brancards en bedden door. Even later waren ze door de klapdeuren verdwenen. Het was druk in de ontvangsthal. Overal zaten zieke en zwakke patiënten, wachtend om te worden opgenomen. Er was geen stoel meer vrij. Familieleden vulden formulieren in. Niemand had haast. Ergens in het plafond zat een verborgen luidspreker die honderd artsen per minuut opriep.

Het was een paar minuten over zeven. 'Heb je honger, Mark?' vroeg Hardy.

Mark had geen trek, maar hij wilde hier wel vandaan. 'Een beetje.'

'Laten we naar de kantine gaan, dan krijg je een cheeseburger van me.'

Ze liepen de drukke gang door en daalden een trap af naar de kelder, waar een heleboel mensen zenuwachtig heen en weer liepen. Een volgende gang leidde naar een grote open ruimte en opeens stonden ze in de kantine, waar het nog drukker en rumoeriger was dan in de eetzaal op school. Hardy wees naar het enige lege tafeltje en Mark ging vast zitten.

Marks eerste zorg op dit moment gold zijn broertje. Hij maakte zich ongerust over Ricky's fysieke toestand, hoewel Hardy hem had gezegd dat er geen levensgevaar bestond. Een paar artsen zouden met hem praten om hem uit zijn verdoving te wekken. Maar dat kon wel enige tijd duren. Het was erg belangrijk dat de doktoren precies wisten wàt er was gebeurd, zei de politieman. Als Mark hun niet de hele waarheid zou vertellen, zou dat heel schadelijk kunnen zijn voor Ricky's geestelijke toestand. Dan moest hij misschien maanden of jaren in een inrichting worden opgenomen. De artsen konden hem alleen helpen als ze wisten wat de jongens hadden gezien.

Hardy was een goede vent, maar niet al te slim. Hij maakte de fout om Mark toe te spreken als een kind van vijf jaar. Hij beschreef een isoleercel met gecapitonneerde muren, hij rolde met zijn ogen en hij overdreef vreselijk. De patiënten werden met kettingen aan hun bed vastgeketend, fluisterde hij tegen Mark alsof hij een griezelverhaal bij het kampvuur vertelde. Mark kreeg er schoon genoeg van.

Toch moest hij steeds aan Ricky denken. Wanneer zou zijn broertje zijn duim uit zijn mond halen en weer gaan praten? Hij hoopte dat het snel zou gebeuren, maar hij wilde er wel bij zijn als Ricky voor het eerst zijn mond opendeed. Ze moesten een paar dingen afspreken.

Maar als de artsen of – nog erger – de politie het eerst met hem zouden spreken en Ricky hun het hele verhaal zou opbiechten, zodat ze allemaal zouden weten dat Mark gelogen had? Wat zou er dan met hem gebeuren? Er was natuurlijk een kans dat ze Ricky niet zouden geloven omdat hij een shock had gehad en een tijdje van de wereld was geweest. Maar het verschil tussen hun twee verhalen was wel érg groot.

Het was vreemd hoe de ene leugen de andere uitlokte. Je begon met een leugentje dat onschuldig leek, maar dan werd je in het nauw gedreven en moest je nog een leugen verzinnen. En daarna nog een. Eerst geloofden de mensen je en reageerden ze op je verhalen, en na een tijdje begon je te wensen dat je gewoon de waarheid had verteld. Hij had de politie en zijn moeder kunnen vertellen wat er werkelijk was gebeurd. Hij had uitvoerig kunnen beschrijven wat Ricky had gezien. Dan was Romey's geheim toch veilig geweest, want Ricky wist van niets.

Alles ging zo snel dat hij het niet in de hand kon houden. Hij zou zich het liefst met zijn moeder in een kamertje willen opsluiten om haar alles te vertellen voordat het nog erger werd. Als hij nu niets deed, zou hij misschien in de gevangenis terechtkomen en Ricky in een krankzinnigengesticht voor kinderen.

Hardy kwam terug met een blad met patat en cheeseburgers – twee voor hem en een voor Mark. Hij rangschikte het eten netjes op de tafel en bracht het blad terug.

Mark knabbelde op een frietje. Hardy beet in een burger.

'Wat is er met je gezicht gebeurd?' vroeg Hardy kauwend.

Mark wreef over de buil en herinnerde zich weer dat hij klappen had opgelopen. 'O, niks. Een knokpartij op school.'

'Met wie?'

Verdomme! Een smeris vraagt altijd verder. De ene leugen haalde de andere uit. Hij wilde niet meer liegen. 'U kent hem toch niet,' antwoordde hij en nam een hap van zijn cheeseburger.

'Misschien wil ik met hem praten.'

'Waarom?'

'Heb je moeilijkheden gekregen vanwege die vechtpartij? Ik bedoel, moest je bij het hoofd komen of zo?'

'Nee. Het was na schooltijd.'

'Je zei toch dat het op school gebeurde?'

'Nou ja, het begon eigenlijk op school. Tussen de middag hadden we al ruzie, maar we spraken af om het na schooltijd uit te vechten.'

Hardy zoog luid aan het rietje van zijn milkshake. Hij slikte

71

een paar keer, schraapte zijn keel en zei: 'Hoe heet die jongen?'

'Waarom wilt u dat weten?'

Hardy werd kwaad en hield op met kauwen. Mark weigerde hem aan te kijken. Hij boog zich over zijn eten en staarde naar de ketchup.

'Ik ben een smeris, joh. Het is mijn werk om vragen te stellen.'

'Maar moet ik ook antwoord geven?'

'Natuurlijk. Tenzij je iets te verbergen hebt en bang bent om te antwoorden. Dan zal ik met je moeder gaan praten en moeten jullie misschien mee naar het bureau voor een verhoor.'

'Een verhoor waarover? Wat wilt u precies weten?'

'Wie was die jongen met wie je gevochten hebt?'

Mark kauwde langzaam op het uiteinde van een lange patat. Hardy pakte de tweede cheeseburger. Er zat een spetter mayonaise in zijn mondhoek.

'Ik wil hem geen last bezorgen,' zei Mark.

'Wees maar niet bang.'

'Waarom moet ik dan zeggen hoe hij heet?'

'Ik wil het gewoon weten. Dat is mijn werk, oké?'

'U denkt zeker dat ik lieg?' zei Mark met een zielige blik naar het dikke gezicht van de politieman.

Hardy hield op met kauwen. 'Dat weet ik niet, jongen. Je verhaal rammelt aan alle kanten.'

Mark probeerde nog zieliger te kijken. 'Ik kan me niet alles precies herinneren. Het ging zo snel. U vraagt van die kleine dingetjes en die weet ik niet meer.'

Hardy propte een vorkje patat in zijn mond. 'Eet maar op. We moeten weer terug.'

'Bedankt voor het eten.'

Ricky lag in een eigen kamer op de achtste verdieping. Naast de lift hing een groot bord met het opschrift PSYCHIATRIE. Het was hier veel stiller. De lichten waren minder fel, de stemmen zachter en de mensen veel rustiger. De verpleegstersbalie bevond zich vlak bij de lift. Iedereen die uitstapte werd scherp opgenomen. Een bewaker stond met de verpleegsters te fluisteren terwijl hij de gang in het oog hield. Verderop, aan de andere kant van de zalen, was een kleine zitruimte met een televisie, frisdrankautomaten, tijdschriften en bijbels.

Mark en Hardy waren de enigen in de wachtruimte. Mark dronk een Sprite, zijn derde, en keek naar een herhaling van *Hill Street Blues* op de kabel, terwijl Hardy half zat te slapen op de veel te kleine bank. Het was bijna negen uur. Een halfuur geleden had Dianne hem meegenomen naar Ricky's kamer, om even te kijken. Zijn broertje leek zo klein onder de lakens. Hij had een infuus in zijn arm – omdat hij niet wilde eten, legde Dianne uit. Ze verzekerde hem dat alles goed zou komen, maar Mark keek naar haar ogen en zag dat ze zich zorgen maakte. Dr. Greenway zou straks weer terugkomen. Hij wilde ook met Mark praten.

'Heeft Ricky al iets gezegd?' vroeg Mark, starend naar het infuus.

'Nee. Geen woord.'

Ze pakte zijn hand en ze liepen door de schemerige gang naar de wachtruimte terug. Minstens vijf keer stond Mark op het punt alles op te biechten. Toen ze langs een lege kamer kwamen, overwoog hij zijn moeder mee naar binnen te trekken en haar de waarheid te vertellen. Maar hij deed het niet. Later, beloofde hij zichzelf. Later zal ik het wel zeggen.

Hardy stelde hem nu geen vragen meer. Zijn dienst eindigde om tien uur en hij had duidelijk genoeg van Mark, van

73

Ricky en van het ziekenhuis. Hij wilde weer de straat op.

Een knappe verpleegster in een korte rok liep langs de liften en wenkte Mark. Hij kwam voorzichtig overeind en pakte zijn blikje. Ze nam zijn hand. Dat was wel spannend. Ze had blond haar, een gladde gebruinde huid en lange rode nagels. Ze was jong en ze glimlachte stralend tegen hem. Haar naam was Karen en ze kneep wat steviger in zijn hand dan nodig was. Marks hart sloeg een slag over.

'Dokter Greenway wil met je praten,' zei ze onder het lopen. Ze boog zich enigszins naar hem over. Hij snoof haar parfum op – de heerlijkste geur die hij zich kon herinneren. Ze bracht hem naar Ricky's kamer, nummer 943, en liet zijn hand los. De deur zat dicht. Ze klopte zachtjes en deed hem open. Mark stapte voorzichtig naar binnen. Karen gaf hem nog een klopje op de schouder en vertrok. Hij keek haar na door de half geopende deur.

Dr. Greenway had zijn gele joggingpak verruild voor een overhemd met een stropdas en een wit doktersjasje. Op zijn linker borstzak zat een naamplaatje gespeld. Hij was een magere man met een baard en een bril met ronde glazen. Hij leek Mark veel te jong.

'Kom binnen, Mark,' zei hij toen Mark al binnen was en aan het voeteneind van Ricky's bed bleef staan. 'Ga maar zitten.' Hij wees naar een plastic stoel naast een opklapbed onder het raam. Hij sprak zacht, bijna fluisterend. Dianne zat op het bed met haar voeten onder zich gevouwen. Haar schoenen stonden op de grond. Ze droeg een spijkerbroek en een sweater. Ze staarde naar Ricky, die nog steeds onder de lakens lag met een slangetje in zijn arm. Het enige licht was afkomstig van een lamp op een tafeltje bij de badkamerdeur. De luxaflex was gesloten.

Mark liet zich voorzichtig op de plastic stoel zakken en dr. Greenway ging op de rand van het opklapbed zitten, een halve meter bij hem vandaan. Hij kneep zijn ogen samen en keek Mark fronsend aan, zo somber dat Mark een moment lang vreesde dat ze allemaal dood zouden gaan.

'Ik wil graag met je praten over wat er is gebeurd,' fluisterde de arts. Het was duidelijk dat Ricky in een heel andere wereld was en dat hij niet wakker zou worden van hun stemmen. Dianne staarde nog steeds met een lege blik naar het bed. Mark wilde graag alleen met haar praten om een uitweg uit deze ellende te vinden, maar ze zat half in het duister, achter de dokter, en ze negeerde hem.

'Heeft hij al wat gezegd?' was Marks eerste vraag. De afgelopen drie uur met Hardy was hij gewend geraakt aan snelle vragen en het was moeilijk daar nu mee te stoppen.

'Nee.'

'Hoe ziek is hij?'

'Erg ziek,' antwoordde Greenway. Hij keek Mark met zijn kleine donkere ogen doordringend aan. 'Wat heeft hij vanmiddag gezien?'

'Blijft dit geheim?'

'Ja. Alles wat je mij vertelt is strikt vertrouwelijk.'

'En als de politie ernaar vraagt?'

'Dan zal ik het niet doorvertellen, dat beloof ik je. Dit blijft tussen jou en mij. En je moeder. Alledrie willen we Ricky helpen en daarom moet ik weten wat er is gebeurd.'

De waarheid zou voor iedereen misschien het beste zijn, zeker voor Ricky. Mark keek naar het kleine hoofd met het blonde haar, dat alle kanten uitstak op het kussen. Waarom, o waarom waren ze niet weggerend toen die zwarte auto was verschenen? Opeens voelde hij zich vreselijk schuldig en doodsbang. Dit was allemaal zijn schuld. Hij had beter moeten weten dan zich met een krankzinnige te bemoeien. Zijn lip begon te trillen en zijn ogen weren vochtig. Hij had het koud. Het was tijd om alles te vertellen. Hij had geen leugens meer over en Ricky had hulp nodig. Greenway sloeg hem aandachtig gade.

En toen slenterde Hardy langzaam de deur voorbij. Hij bleef even in de gang staan, keek Mark recht aan en liep weer door. Mark wist dat hij niet ver uit de buurt zou zijn. Greenway had hem niet gezien.

Mark begon met de sigaretten. Zijn moeder keek hem strak aan, maar als ze boos was, liet ze dat niet blijken. Eén of twee keer schudde ze haar hoofd, maar ze zei geen woord. Mark sprak zachtjes en zijn blik ging voortdurend van Greenway naar de deur. Hij beschreef de boom met het touw, het bos en de open plek. Daarna de komst van de auto. Een groot deel van het verhaal liet hij weg, maar wel bekende hij tegenover Greenway – heel zacht en vertrouwelijk – dat hij een keer naar de auto was gekropen om de slang uit de uitlaat te trekken. Toen hij dat deed, was Ricky gaan huilen en had in zijn broek geplast. Ricky had hem gesmeekt het niet te doen. Dat gedeelte interesseerde Greenway, zag Mark. Dianne luisterde met een uitdrukkingsloos gezicht.

Hardy liep weer voorbij, maar Mark deed alsof hij hem niet zag. Hij wachtte een paar seconden en vertelde toen dat de man uit de auto was gestormd en de tuinslang doelloos op de grond had zien liggen. Toen was hij op de kofferbak gekropen en had hij zichzelf doodgeschoten.

'Hoe ver was Ricky daarvandaan?' vroeg Greenway.

Mark keek om zich heen. 'Ziet u die deur aan de overkant van de gang?' vroeg hij, en hij wees. 'Zo ver ongeveer.'

Greenway keek en streek over zijn baard. 'Een meter of twaalf. Dat is niet ver.'

'Het was heel dichtbij.'

'En wat deed Ricky toen het schot werd afgevuurd?'

Dianne zat nu te luisteren. Blijkbaar drong het tot haar door dat dit een ander verhaal was dan de eerste versie. Ze fronste haar voorhoofd en staarde haar oudste zoon aan.

'Het spijt me, ma. Ik was te bang om na te denken. Wees alsjeblieft niet boos.'

'Heb je echt gezien hoe die man zichzelf doodschoot?' vroeg ze ongelovig.

'Ja.'

Ze keek naar Ricky. 'Geen wonder.'

'Wat deed Ricky toen het schot werd afgevuurd?' herhaalde Greenway.

'Ik keek niet naar Ricky. Ik keek naar de man met het pistool.'

'Arme schat,' mompelde Dianne op de achtergrond. Greenway hief een hand op om haar tot stilte te manen.

'Stond Ricky dicht bij je?'

Mark wierp een blik op de deur en vertelde zacht dat Ricky als versteend had toegekeken en toen in een vreemde houding was weggerend, met zijn armen stijf langs zijn lichaam, terwijl hij een soort kreunend geluid voortbracht. Hij beschreef het allemaal heel nauwkeurig, vanaf het schot tot het moment waarop de ambulance was gekomen, zonder iets weg te laten. Hij sloot zijn ogen en beleefde alles opnieuw – elke stap en iedere beweging. Het was heerlijk om de waarheid te kunnen vertellen.

'Waarom heb je me niet gezegd dat je had gezien hoe die man zelfmoord pleegde?' vroeg Dianne.

Dat irriteerde Greenway. 'Alstublieft, mevrouw Sway, dat kunt u later wel met hem bespreken,' zei hij, zijn blik nog steeds op Mark gericht.

'Wat was het laatste dat Ricky zei?' vroeg Greenway.

Mark dacht na en keek naar de deur. De gang was verlaten.

'Ik zou het werkelijk niet weten.'

Brigadier Hardy zat in een kringetje met zijn inspecteur en speciaal agent Jason McThune van de FBI. Ze zaten te praten in de wachtruimte naast de frisdrankautomaten. Een andere FBI-agent hing opvallend bij de liften rond. De bewaker van het ziekenhuis keek hem nijdig aan.

De inspecteur legde Hardy haastig uit dat het nu een FBI-zaak was, dat de auto van de dode man en de andere concrete bewijzen inmiddels aan de FBI waren overgedragen, dat de technische recherche een groot aantal vingerafdrukken op de auto had gevonden die veel te klein waren voor een volwassene en dat ze moesten weten of Mark al iets meer had gezegd of zijn verhaal had gewijzigd.

'Nee, maar ik ben er niet van overtuigd dat hij de waarheid spreekt,' zei Hardy.

'Heeft hij iets aangeraakt dat wij kunnen onderzoeken?' vroeg McThune snel. Hardy's theorieën en meningen interesseerden hem niet.

'Hoe bedoelt u?'

'We hebben het sterke vermoeden dat die jongen in de auto heeft gezeten voordat Clifford stierf. We willen zijn vingerafdrukken vergelijken.'

'Waarom denkt u dat hij in die auto is geweest?' vroeg Hardy nieuwsgierig.

'Dat vertel ik je later wel,' antwoordde zijn inspecteur.

Hardy keek om zich heen en wees op een prullenbak naast de stoel waar Mark had gezeten. 'Daar. Dat Sprite-blikje. Daar heeft hij uit gedronken toen hij hier zat.' McThune keek de gang door, wikkelde toen voorzichtig een zakdoek om het blikje en stak het in zijn jaszak.

'Ja, ik weet het zeker,' zei Hardy. 'Dat is de enige prullenmand en het enige Sprite-blikje.'

'Ik zal het aan onze technici geven,' zei McThune. 'Die jongen... Mark... blijft hij vannacht in het ziekenhuis?'

'Ik denk het wel,' zei Hardy. 'Ze hebben een extra bed in de kamer van zijn broertje gezet. Ze zullen er alle drie wel blijven slapen. Waarom is de FBI in Clifford geïnteresseerd?'
'Dat leg ik je later wel uit,' zei zijn inspecteur. 'Blijf hier nog maar een uurtje.'
'Over tien minuten zit mijn dienst erop.'
'Je moet toch je overuren maken.'

Dr. Greenway zat in de plastic stoel bij het bed en bestudeerde zijn aantekeningen. 'Ik ga nu weg, maar ik kom morgenochtend vroeg terug. Ricky is stabiel en ik verwacht vannacht geen veranderingen. De verpleegsters zullen regelmatig komen kijken. Waarschuw hen zodra hij bijkomt.' Hij sloeg een pagina met notities om, las zijn hanepoten door en keek Dianne aan. 'Het is een ernstig geval van acute posttraumatische stress.'
'Wat betekent dat?' vroeg Mark. Dianne masseerde haar slapen en hield haar ogen dicht.
'Soms ziet iemand een afschuwelijke gebeurtenis die hij niet kan verwerken. Ricky was al doodsbang toen jij die tuinslang uit de uitlaat trok. Daarna zag hij hoe die man zichzelf doodschoot. Die angstaanjagende ervaring werd hem te veel. Daardoor raakte hij in een shock. Zijn lichaam en geest schakelden zichzelf uit. Hij kon nog wel naar huis lopen, en dat is heel bijzonder, want de meeste mensen die zo'n shock oplopen raken meteen verdoofd en verlamd.' Hij zweeg even en legde zijn opschrijfboekje op het bed. 'Op dit moment kunnen we niet veel doen. Ik verwacht dat hij morgen wel zal bijkomen, of uiterlijk overmorgen. Dan praten we verder. Het kan wel een tijdje duren. Hij zal er akelige herinneringen en nachtmerries aan overhouden. Eerst zal hij het hele incident ontkennen, daarna zal hij er zichzelf de schuld van geven. Hij kan zich geïsoleerd,

verraden en verward gaan voelen en misschien zelfs in een depressie raken. Je kunt het moeilijk voorspellen.'

'Hoe wilt u hem behandelen?' vroeg Dianne.

'We moeten hem een gevoel van veiligheid geven. U moet voortdurend bij hem blijven. Op de vader kunnen we geen beroep doen, heb ik begrepen?'

'Nee. Houd hem bij Ricky vandaan,' zei Mark bits. Dianne knikte.

'Goed. En er wonen geen grootouders of andere familieleden in de buurt?'

'Nee.'

'Juist. Het is heel belangrijk dat Mark en u de komende dagen zoveel mogelijk in deze kamer blijven. Ricky moet zich veilig en beschermd weten. Hij zal uw emotionele en fysieke steun nodig hebben. Zodra hij bijkomt, zal ik een paar keer per dag met hem spreken. Het is ook nuttig dat Mark en hij samen over die gebeurtenissen praten. Ze moeten hun ervaringen kunnen delen en vergelijken.'

'Wanneer kunnen we weer naar huis, denkt u?' vroeg Dianne.

'Dat weet ik niet. Zo gauw mogelijk. Hij heeft de geruststelling van zijn eigen slaapkamer en zijn vertrouwde omgeving nodig. Misschien over een week, misschien twee. Het hangt ervan af hoe snel hij reageert.'

Dianne trok haar voeten onder zich. 'Ik eh... ik heb een baan. Ik weet niet hoe ik dat moet regelen.'

'Ik zal mijn kantoor vragen om morgenochtend meteen contact op te nemen met uw werkgever.'

'Mijn werkgever is een slavendrijver. Het is geen sociaal voelend bedrijf met hart voor zijn mensen. Ze zullen heus geen bloemen sturen. Ik ben bang dat ze weinig begrip zullen tonen.'

'Ik zal mijn best doen.'

'En mijn school?' vroeg Mark.

'Je moeder heeft me de naam van het schoolhoofd gegeven. Ik zal morgen de school bellen en met je leraren praten.'

Dianne masseerde haar slapen weer. Een verpleegster – niet de knappe, maar een andere – klopte en stapte meteen naar binnen. Ze gaf Dianne twee pillen en een kopje water.

'Het is Dalmane,' zei Greenway. 'Een kalmerend middel. Als u niet kunt slapen, vraagt u de verpleegsters maar om wat sterkers.'

De verpleegster vertrok. Greenway stond op en voelde Ricky's voorhoofd. 'Dan zie ik jullie morgenochtend weer. Probeer wat te slapen.' Hij glimlachte, voor het eerst, en deed de deur achter zich dicht.

Eindelijk waren ze alleen, het kleine gezin Sway, of wat er-van over was. Mark liep naar zijn moeder en leunde tegen haar schouder. Ze keken naar het kleine hoofd op het grote kussen, nog geen anderhalve meter bij hen vandaan.

Ze klopte hem op zijn arm. 'Het geeft niet, Mark. We hebben wel voor hetere vuren gestaan.' Ze drukte hem tegen zich aan en hij sloot zijn ogen.

'Het spijt me, ma.' Zijn ogen werden vochtig en hij kon zijn tranen niet bedwingen. 'Het spijt me allemaal.' Ze kneep hem in zijn arm en hield hem heel lang vast. Hij snikte zachtjes, met zijn gezicht tegen haar blouse.

Voorzichtig strekte ze zich op het bed uit, met Mark nog in haar armen, en ze drukten zich tegen elkaar aan op de goed-kope schuimrubberen matras. Ricky's bed was een halve meter hoger. Boven hen was het raam. De lichten waren ge-dempt. Mark hield op met huilen. Hij was er toch al niet goed in.

De Dalmane begon te werken. Dianne was uitgeput. Negen uur achtereen had ze plastic lampen in kartonnen dozen ge-pakt en daarna had ze vijf uur in een crisis gezeten. Het

slaapmiddel ging werken. Ze wilde alleen nog maar slapen.
'Zouden ze je ontslaan, ma?' vroeg Mark. Hij maakte zich
net zoveel zorgen over de financiën als zij.
'Ik denk het niet, maar dat komt morgen wel.'
'We moeten praten, ma.'
'Dat weet ik. Morgen, oké?'
'Waarom nu niet?'
Ze liet hem los en haalde diep adem, met haar ogen al bijna
dicht. 'Ik ben vreselijk moe, Mark. Ik heb slaap. Morgenochtend zullen we heel lang met elkaar praten, dat beloof
ik je. Jij moet me nog een paar dingen uitleggen. Ga nu
maar je tanden poetsen en laten we dan proberen wat te
slapen.'
Opeens voelde Mark zich ook doodmoe. Een van de harde
metalen steunen stak door de goedkope matras heen. Hij
kroop wat dichter naar de muur en trok het enkele laken
over zich heen. Zijn moeder streelde zijn arm. Hij staarde
naar de muur, vijftien centimeter van zijn gezicht, en besloot dat hij zo niet een hele week kon slapen.
Diannes ademhaling klonk veel dieper en ze lag doodstil.
Mark dacht aan Romey. Waar was hij nu? Waar was dat gezette lichaam met dat kale hoofd? Hij herinnerde zich hoe
het zweet van die glimmende schedel was gedropen, alle
kanten op, in zijn wenkbrauwen en in zijn kraag. Zelfs zijn
oren waren nat geweest. Wie zou zijn auto krijgen? Wie zou
hem schoonmaken en het bloed eraf spoelen? Wie zou het
pistool krijgen? Voor het eerst besefte Mark dat zijn oren
niet langer gonsden van het pistoolschot in de auto. Zat
Hardy nog steeds in de wachtruimte en probeerde hij ook
te slapen? Zou de politie morgen terugkomen met nog meer
vragen? Als ze hem iets vroegen over die tuinslang, wat
dan? Als ze duizend vragen voor hem hadden?
Hij was nu klaarwakker en staarde naar de muur. Van buiten

viel er licht door de luxaflex. De Dalmane werkte goed, want zijn moeder ademde nu heel zwaar en regelmatig. Ricky had zich nog steeds niet bewogen. Mark keek naar het zwakke licht boven de tafel en dacht aan Hardy en de politie. Hielden ze hem nu in de gaten? Werd hij bewaakt, net als op de televisie? Natuurlijk niet.

Hij keek naar zijn slapende moeder en broertje, maar na twintig minuten kreeg hij er genoeg van. Het was tijd om op onderzoek uit te gaan. Toen hij nog in de eerste klas zat, was zijn vader op een avond stomdronken thuisgekomen. Hij had ruzie gemaakt met Dianne en er was een vechtpartij ontstaan. De hele caravan stond te schudden. Mark had het wrakke raampje van zijn kamer opengemaakt en had zich naar buiten laten glijden. Hij had een heel eind door de buurt gelopen en daarna door het bos. Het was een warme, vochtige nacht geweest, met veel sterren aan de hemel. Hij was blijven staan op een heuvel boven het caravanpark om voor de veiligheid van zijn moeder te bidden. Hij vroeg God om een gezin waarin iedereen kon gaan slapen zonder bang te hoeven zijn voor een pak slaag. Waarom konden zijn ouders zich niet normaal gedragen? Twee uur lang stond hij daar te prevelen. Toen hij thuiskwam, was alles rustig. Zo had hij de gewoonte opgevat om nachtelijke omzwervingen te maken, als een manier om tot zichzelf te komen en rust te vinden.

Mark was een denker en een tobber. Als hij 's nachts de slaap niet kon vatten of weer wakker werd, maakte hij lange heimelijke wandelingen. Zo kwam hij van alles te weten. Hij trok donkere kleren aan en sloop als een dief door de duisternis van Tucker Wheel Estates. Hij was getuige van kleine criminaliteit – diefstal, vandalisme – maar hij zei er nooit iets over. Hij zag verliefde stelletjes uit ramen klauteren. In heldere nachten zat hij graag op de heuvel boven het park om rustig een sigaretje te roken. De angst om door zijn moeder te worden betrapt was allang verdwenen. Zij werkte hard en sliep als een marmot.

Mark was niet bang voor vreemde plaatsen. Hij trok het laken wat hoger over de schouder van zijn moeder, deed hetzelfde bij Ricky en trok de deur van de ziekenhuiskamer zachtjes achter zich dicht. De gang was donker en verlaten. De mooie Karen zat te werken achter de verpleegstersbalie. Ze glimlachte stralend tegen hem en hield even op met schrijven. Hij ging naar de kantine om wat sinaasappelsap te halen, zei hij. Hij kende de weg. Hij was zo weer terug. Karen lachte nog eens en Mark was verliefd.

Hardy was vertrokken. De wachtruimte was verlaten, maar de televisie stond nog aan. *Hogan's Heroes*. Mark nam de lege lift naar het souterrain. Het was stil in de kantine. Een man met twee benen in het gips zat stijf in een rolstoel aan een tafeltje. Het gips was schoon en glanzend. Hij droeg een arm in een mitella en zijn kaalgeschoren hoofd zat in het verband. Hij zat er ellendig bij.

Mark haalde een beker melk en ging vlak bij de man aan een tafeltje zitten. De patiënt maakte een grimas van pijn en schoof gefrustreerd zijn soep opzij. Hij dronk wat vruchtensap door een rietje. Toen pas zag hij Mark.

'Wat is er met u gebeurd?' vroeg Mark glimlachend. Hij praatte met iedereen en hij had medelijden met de man.

De man wierp hem een norse blik toe en keek de andere kant op. Hij maakte weer een grimas en probeerde zijn benen te verplaatsen. Mark moest zijn best doen om niet te staren.

Een man met een wit overhemd en een stropdas dook uit het niets op met een blad eten en koffie. Hij ging aan een tafeltje aan de andere kant van de man in het gips zitten. Mark zag hij blijkbaar niet. 'Dat ziet er niet best uit,' zei hij met een brede grijns. 'Wat is er gebeurd?'

'Verkeersongeluk,' klonk het wat benauwde antwoord. 'Mijn auto is geramd door een Exxon-truck die door het rode licht reed. De idioot.'

De andere man vergat zijn eten en zijn koffie. Zijn grijns werd nog breder. 'Hoe lang is dat geleden?'

'Drie dagen.'

'Een Exxon-truck, zei je?' De man stond op, kwam haastig naar het tafeltje van het verkeersslachtoffer toe en haalde iets uit zijn zak. Hij trok een stoel bij en ging zitten, op een paar centimeter van het gips.

'Ja...' zei de man vermoeid.

De ander gaf hem een wit kaartje. 'Mijn naam is Gill Teal. Ik ben advocaat, gespecialiseerd in verkeersongelukken, vooral zaken waarbij grote trucks betrokken zijn.' Gill Teal sprak heel snel, alsof hij een grote vis aan de haak had en bang was dat hij hem kwijt zou raken als hij niet snel genoeg was. 'Dat is mijn specialiteit. Ongelukken veroorzaakt door grote vrachtwagens. Tientonners, vuilniswagens, tankauto's, noem maar op. Ik ga erachteraan.' Hij stak zijn hand uit. 'Gill Teal is de naam.'

Gelukkig voor het slachtoffer zat zijn rechterarm niet in het gips. Vermoeid gaf hij de advocaat een hand. 'Joe Farris.'

Gill pompte zijn hand op en neer en maakte zich gereed om toe te slaan. 'Wat heb je... twee gebroken benen, hersenschudding, een paar perforaties?'

'En een gebroken sleutelbeen.'

'Geweldig. Blijvende invaliditeit. Wat doe je voor werk?' vroeg Gill terwijl hij peinzend over zijn kin wreef. Zijn kaartje lag nog steeds op tafel. Joe had het niet aangeraakt. Ze letten niet op Mark.

'Kraandrijver.'

'Lid van de vakbond?'

'Ja.'

'Mooi zo. En die Exxon-truck is door het rode licht gereden? Dus de schuld staat vast?'

Joe fronste en ging weer verzitten. Zelfs Mark zag dat hij genoeg begon te krijgen van Gills opdringerige tactiek. Hij schudde zijn hoofd.

Gill maakte koortsachtig een paar aantekeningen op een servetje, glimlachte tegen Joe en verklaarde: 'Ik kan minstens zeshonderdduizend dollar smartegeld voor je regelen. Ik reken dertig procent commissie, dus jij houdt er vier ton aan over. Minimaal. Vierhonderdduizend dollar. Belastingvrij, natuurlijk. Morgen zal ik de aanklacht deponeren.'

Joe keek alsof hij dat al eerder had gehoord. Gill hing half over hem heen, met open mond en zeer zelfvoldaan.

'Ik heb al met andere advocaten gesproken,' zei Joe.

'Ik kan een hoger bedrag voor je uit het vuur slepen dan wie ook. Het is mijn specialiteit. Ik doe niets anders dan verkeersongelukken met grote trucks. Ik heb Exxon al eerder aangeklaagd. Ik ken hun advocaten en hun plaatselijke directie. Ze zijn doodsbang voor me, want ik ga tot het uiterste. Het is oorlog, Joe, en ik ben de beste in de hele stad. Ik weet precies hoe ik hun smerige spelletjes moet spelen. Ik heb net een zaak achter de rug waarin ik bijna een half miljoen heb binnengehaald. Ook een ongeluk met een vrachtwagen. Ze probeerden meteen een schikking met mijn cliënt te treffen toen hij mij had ingehuurd. Ik wil niet opscheppen, Joe, maar niemand heeft meer ervaring met dit soort gevallen.'

'Vanochtend werd ik gebeld door een advocaat die beweerde dat hij een miljoen voor me kon regelen.'

'Dat liegt hij. Wie was het? McFay? Ragland? Snodgrass? Ik ken hen allemaal. Amateurs, dat zijn het. En die zeshonderdduizend is het minimum, zoals ik al zei. Het kan nog veel meer worden. Verdomme, Joe, als ze het op een proces laten aankomen kan een jury een veel hoger bedrag toewijzen. Ik sta elke dag in de rechtszaal, Joe. Ik win al mijn zaken. Zes ton minimaal. Heb je al iemand ingehuurd? Heb je een contract getekend?'

Joe schudde zijn hoofd. 'Nog niet.'

'Geweldig. Luister, Joe. Je hebt vrouw en kinderen, neem ik aan?'

'Gescheiden. Drie kinderen.'

'Dus je moet alimentatie betalen. Hoeveel?'

'Vijfhonderd per maand.'

'Dat valt niet mee. En dan nog je andere rekeningen... Ik zal je een voorstel doen. Ik geef je duizend dollar per maand, als voorschot op het smartegeld. Als de zaak binnen drie maanden is geregeld, trek ik drieduizend dollar van het bedrag af. Als het twee jaar duurt – maar dat gebeurt niet, geloof me – gaat er vierentwintigduizend af. Begrijp je? Je krijgt het geld zo in het handje. Contant. Nu.'

Joe ging weer verzitten en staarde naar het tafelblad. 'Gisteren kwam er een advocaat bij me langs die me iedere maand tweeduizend dollar voorschot wilde geven.'

'Wie dan? Scottie Noss? Rob LaMoke? Ik ken die types, Joe. Je hebt er niks aan. Ze kunnen niet eens de weg naar de rechtbank vinden. Ze zijn niet te vertrouwen. Ze klooien maar wat aan. Maar goed, dan bied ik je tweeduizend nu en daarna tweeduizend per maand.'

'Er was ook een vent van een groot kantoor die me tienduizend vooruit wilde betalen en al het krediet dat ik daarna nog nodig had.'

Gill leek verpletterd. Het duurde minstens tien seconden voordat hij weer zijn mond opendeed. 'Luister, Joe, het voorschot is niet belangrijk. Het gaat erom hoeveel geld ik van Exxon los kan krijgen, oké? En niemand... ik herhaal, niemand... kan een hoger bedrag bedingen dan ik. Geen mens. Hoor eens, ik geef je een voorschot van vijfduizend dollar contant en daarna mag je geld van me opnemen om je rekeningen te betalen. Akkoord?'

'Ik zal erover nadenken.'

'Tijd is belangrijk, Joe. We moeten snel reageren. De bewijzen verdwijnen, de herinnering van de getuigen wordt steeds vager. Grote kantoren werken heel langzaam.'

'Ik zei dat ik erover zou denken.'

'Mag ik je morgen bellen?'

'Nee.'

'Waarom niet?'

'Verdomme, ik doe geen oog dicht omdat ik steeds door advocaten word gebeld! Ik kan niet eens rustig eten omdat jullie me voortdurend komen storen. Er lopen hier meer advocaten rond dan artsen.'

Gill liet zich niet uit het veld slaan. 'Ja, er liggen heel wat lijkenpikkers op de loer, Joe. Ongure types die het beroep een slechte naam geven. Triest, maar waar. De spoeling is dun, daarom proberen ze overal aan klandizie te komen. Maar vergis je niet, Joe. Je kunt navraag naar me doen. Kijk maar in de Gouden Gids. Daarin heb ik een driekleurenadvertentie van een hele pagina. Zoek de naam Gill Teal maar op. Dan zul je zien wie er werkelijk meetelt in dit vak.'

'Ik zal erover denken.'

Gill haalde nog een kaartje tevoorschijn en gaf het aan Joe. Toen nam hij afscheid en vertrok zonder zijn koffie en zijn eten met een vinger te hebben aangeraakt.

Joe had pijn. Met zijn rechterarm greep hij het wiel van de rolstoel en reed weg. Mark wilde hem graag helpen, maar hij bedacht zich en hield zijn mond. Toen hij zijn melk op had, keek hij om zich heen en stak een van de kaartjes in zijn zak.

Mark zei tegen Karen, zijn liefje, dat hij niet kon slapen. Als iemand hem nodig had, zat hij televisie te kijken. Hij liet zich op de bank in de wachtruimte vallen en bladerde de Gouden Gids door terwijl hij naar een herhaling van *Cheers* keek. Hij nam nog een blikje Sprite. Die brave Hardy had hem na het eten acht kwartjes gegeven.

Karen bracht hem een deken en wikkelde die om zijn benen. Met haar lange, slanke handen gaf ze hem een klopje op zijn arm. Daarna liep ze weer sierlijk terug. Hij volgde iedere stap.

Gill Teal had inderdaad een paginagrote advertentie in de rubriek Advocaten van de Gouden Gids van Memphis – net als een groot aantal van zijn collega's. Er stond een mooie foto van hem bij waarop hij nonchalant naast de rechtbank stond, met zijn jasje over zijn schouder en opgerolde mouwen. IK VECHT VOOR UW RECHT! luidde het onderschrift. Boven aan de advertentie stond in grote rode letters: BENT U GEWOND GERAAKT? Het antwoord stond eronder, in het groen: BEL DAN GILL TEAL – HIJ REGELT ALLES. Wat verderop waren in blauwe letters alle zaken vermeld die Gill had behandeld en dat waren er honderden. Grasmaaiers, elektrische schokken, misvormde baby's, verkeersongelukken, exploderende heetwaterboilers. Achttien jaar ervaring in alle mogelijke zaken. Een kleine plattegrond in een hoekje van de advertentie liet zien waar zijn kantoor te vinden was: pal tegenover de rechtbank.

Mark hoorde een bekende stem en opeens zag hij hem, Gill Teal zelf, op de televisie. De advocaat stond naast de ingang van een ziekenhuis en praatte over gewonde dierbaren en onbetrouwbare verzekeringsmaatschappijen. Op de achtergrond was een rood zwaailicht te zien. Ziekenbroeders renden door het beeld. Maar Gill had de situatie onder controle en zou de slachtoffers wel verdedigen, zonder een cent vooruit. Hij vroeg pas een honorarium als hij de zaak had gewonnen.

Een kleine wereld. In de loop van twee uur had Mark de man in levenden lijve gezien, zijn kaartje in zijn zak gestoken, zijn advertentie in de Gouden Gids gevonden – en nu zag hij hem zelfs op de televisie!

Hij sloeg de gids weer dicht en legde hem op het rommelige koffietafeltje. Toen trok hij de deken over zich heen en besloot te gaan slapen.

Misschien zou hij morgen Gill Teal wel bellen.

7

Foltrigg werd graag geëscorteerd. Hij genoot vooral van die kostbare ogenblikken waarop de camera's snorrend op hem wachtten. Dan koos hij precies het juiste moment om een gang door te lopen of het bordes van het gerechtshof af te dalen met Wally Boxx als een pitbull voor zich uit en Thomas Fink of een andere assistent naast zich om domme vragen af te weren. In de stille uurtjes keek hij vaak naar video's van zichzelf waarop hij met een klein gevolg de rechtbank in- of uitkwam. Zijn timing was meestal perfect, evenals zijn houding. Hij hief geduldig zijn handen op, alsof hij graag vragen zou beantwoorden maar helaas geen tijd had omdat hij nu eenmaal een belangrijk en drukbezet man was. Kort daarna riep Wally de journalisten bijeen voor een goed geregisseerde persconferentie waarbij Roy zich even uit zijn drukke schema vrijmaakte om een paar minuten in het licht van de schijnwerpers te verschijnen. Een kleine bibliotheek in de suite van de officier was tot perskamer omgebouwd, compleet met cameralampen en een geluidsinstallatie. In een afgesloten kastje had Roy wat schminkspullen staan.

Toen hij een paar minuten na middernacht het federale gebouw aan Main Street in Memphis binnenstapte, werd hij vergezeld door Wally, Fink en de agenten Trumann en Scherff, maar er stonden geen nerveuze verslaggevers op hem te wachten. Hij zag zelfs helemaal niemand, totdat hij het kantoor van de FBI binnenkwam, waar Jason McThune een bekertje oude koffie zat te drinken in het gezelschap van twee andere vermoeide agenten. Geen grootse entree dus.

Ze werden haastig aan elkaar voorgesteld terwijl ze naar het kantoortje van McThune liepen. Foltrigg nam de enige beschikbare stoel. McThune was een man met twintig jaar ervaring, die vier jaar geleden tegen zijn zin naar Memphis was overgeplaatst en de maanden aftelde tot de dag waarop hij naar zonnige oorden kon vertrekken. Hij was moe en geïrriteerd omdat het al zo laat was. Hij had wel van Foltrigg gehoord maar hem nog nooit ontmoet. Volgens de geruchten was de man een verwaande kwast.

Een agent die niemand had voorgesteld sloot de deur en McThune liet zich op de stoel achter zijn bureau vallen. Eerst zette hij de belangrijkste feiten op een rij: de ontdekking van de auto, de inhoud ervan, het pistool, de wond, het tijdstip van overlijden, enzovoort. 'Die jongen heet Mark Sway. Tegen de politie heeft hij gezegd dat hij en zijn jongere broertje toevallig die auto hadden ontdekt. Daarna heeft hij de politie gebeld. Ze wonen ruim twee kilometer verderop, in een caravanpark. Het broertje ligt nu in het ziekenhuis, vermoedelijk met een shock. Mark Sway en zijn moeder Dianne, gescheiden, zijn ook nog in het ziekenhuis. De vader woont nog in de stad en heeft een strafblad wegens kleine vergrijpen – dronken achter het stuur, vechtpartijen, dat soort dingen. Net geen crimineel, maar het scheelt weinig. Blanken uit de lagere sociale klasse. En die jongen liegt.'

'Ik kon het briefje niet lezen,' onderbrak Foltrigg hem. Hij kon zich niet langer stilhouden. 'De fax was heel vaag.' Hij zei het op een toon alsof McThune en de FBI in Memphis hun werk niet goed deden omdat hij, Roy Foltrigg, een onduidelijke fax in zijn Chevrolet-bus had ontvangen.

McThune wisselde een blik met Larry Trumann en Skipper Scherff die tegen de muur stonden geleund en vervolgde: 'Daar kom ik zo nog op. We weten dat die jongen liegt omdat hij beweert dat ze die auto pas hebben gevonden nadat Clifford zelfmoord had gepleegd. Dat lijkt onwaarschijnlijk. Om te beginnen zitten zijn vingerafdrukken over de hele auto, binnen en buiten, op het dashboard, het portier, de whiskyfles, het pistool, noem maar op. Ongeveer twee uur geleden hebben we in het geheim een vingerafdruk van hem genomen. Onze mensen hebben de auto helemaal onderzocht. Ze zijn morgen pas klaar, maar het staat al vast dat die jongen in de auto is geweest. Wat hij daar deed, weten we nog niet. We hebben zijn vingerafdrukken ook rond de achterlichten gevonden, vlak boven de uitlaat. En er lagen verse sigarettenpeuken onder een boom bij de auto – Virginia Slims, hetzelfde merk dat Dianne Sway rookt. We gaan ervan uit dat die jochies sigaretten van hun moeder hebben gepikt en in het bos hebben zitten roken. Toen werden ze waarschijnlijk door die auto verrast. Ze hebben zich verborgen en gekeken wat er gebeurde. Het is een dicht bos, waar je je gemakkelijk kunt verschuilen. Het is mogelijk dat ze naar de auto zijn geslopen om die tuinslang uit de uitlaat te trekken. Dat weten we niet zeker, en die jochies zeggen niets. De jongste is nog bewusteloos en Mark liegt. Hoe dan ook, het is duidelijk dat die tuinslang niet heeft gewerkt. We proberen de slang op vingerafdrukken te onderzoeken, maar dat valt niet mee. Misschien lukt dat niet. Morgen krijg ik de foto's van de plaats waar de slang lag toen de plaatselijke politie arriveerde.'

McThune pakte een schrijfblok van zijn rommelige bureau. Met zijn ogen op het papier gericht zei hij tegen Foltrigg: 'Clifford heeft minstens één schot vanuit de auto afgevuurd. De kogel is uitgetreden door het raampje van het rechter voorportier, bijna exact door het middelpunt. Het glas is gebarsten maar niet verbrijzeld. We hebben geen idee waarom hij heeft geschoten of wanneer. Een uur geleden is er sectie verricht. Clifford zat onder de dope – Dalmane, codeïne, Percodan. Het alcoholpercentage in zijn bloed bedroeg nul tweeëntwintig, hij was dus zo dronken als een stinkdier, zoals de mensen hier zeggen. Ik bedoel... hij was niet alleen krankzinnig genoeg om zich door zijn kop te schieten, maar ook nog dronken en stoned, dus een logische verklaring voor zijn gedrag zal moeilijk te vinden zijn. Hij was niet toerekeningsvatbaar meer.'

'Dat begrijp ik.' Roy knikte ongeduldig. Wally Boxx had zich achter zijn stoel opgesteld als een goedgetrainde terriër.

McThune negeerde hem. 'Het pistool is een goedkope .38 die hij illegaal bij een lommerd hier in Memphis heeft gekocht. We hebben de eigenaar ondervraagd, maar hij wil niets zeggen zonder zijn advocaat erbij, dus we zullen hem morgen... vandaag, eigenlijk... opnieuw verhoren. We hebben een Texaco-bonnetje gevonden waaruit blijkt dat hij heeft getankt in Vaiden, Mississippi, ongeveer anderhalf uur hiervandaan. De pomp werd bediend door een meisje dat zich meent te herinneren dat hij daar om een uur of een 's middags is geweest. Verder hebben we geen aanwijzingen over oponthoud onderweg. Zijn secretaresse zegt dat hij om negen uur 's ochtends van kantoor is vertrokken. Hij moest nog een boodschap doen, zei hij. Ze heeft niets meer van hem gehoord totdat wij haar belden. Eerlijk gezegd was ze niet erg onder de indruk van het nieuws. Blijkbaar is hij dus kort na negen uur uit New Orleans weggegaan, in vijf of zes uur naar Memphis gereden en onderweg één keer gestopt om te tanken voordat hij dat bos in is gereden en zich een kogel door zijn hoofd heeft gejaagd. Misschien heeft hij onderweg nog wat gegeten, een fles whisky gekocht of wat dan ook. Dat zoeken we nog uit.'

'Waarom Memphis?' vroeg Wally Boxx. Foltrigg knikte. Goede vraag.

'Omdat hij hier geboren is,' zei McThune plechtig en hij keek Foltrigg verbaasd aan, alsof iedereen het liefst in zijn geboorteplaats sterft. Het was geestig bedoeld, hoewel McThune er doodernstig bij keek. De humor ontging Foltrigg totaal. McThune had al gehoord dat hij niet zo slim was.

'De familie schijnt te zijn verhuisd toen hij nog een kind was,' verklaarde hij na een korte stilte. 'Hij is in Rice op school geweest en heeft rechten gestudeerd aan Tulane.'

'We hebben samen gestudeerd,' zei Fink trots.

'Geweldig. Dat briefje was met de hand geschreven en vandaag gedateerd. Gisteren, moet ik zeggen. Het is geschreven met een zwarte viltstift die niet op het lichaam of in de auto is teruggevonden.' McThune pakte een vel papier op en boog zich over het bureau. 'Hier. Dit is het origineel. Wees er voorzichtig mee.'

Wally Boxx stapte snel naar voren, pakte het aan en gaf het aan Foltrigg, die het bestudeerde. McThune wreef over zijn ogen en vervolgde: 'Zijn wensen voor zijn begrafenis en een paar instructies aan zijn secretaresse. Kijk eens onderaan. Het lijkt of hij er met een blauwe balpen iets aan wilde toevoegen, maar die pen was leeg.'

Foltriggs neus raakte bijna het papier. 'Er staat: "Mark,

Mark, waar gaan..." De rest kan ik niet lezen.'
'Precies. Het handschrift is erg onduidelijk en de pen was praktisch leeg, maar onze deskundige zegt hetzelfde. "Mark, Mark, waar gaan..." Hij denkt dat Clifford dronken of stoned was toen hij dit probeerde te schrijven. We hebben de pen in de auto gevonden. Een goedkope Bic. Geen twijfel mogelijk dat het dezelfde pen is. Hij heeft geen kinderen, broers, neven, ooms of oomzeggers met de naam Mark. We gaan nu zijn vrienden nog na... volgens zijn secretaresse had hij die niet... maar we hebben nog geen Mark kunnen ontdekken.'
'En dat betekent?'
'Nog één ding. Een paar uur geleden is Mark Sway naar het ziekenhuis gebracht door een plaatselijke politieman, een zekere Hardy. Onderweg liet hij zich ontvallen dat Romey iets had gezegd of gedaan. Romey is blijkbaar een afkorting van Jerome. Cliffords secretaresse beweert dat de meeste mensen hem Romey noemden. Hoe zou dat joch dat kunnen weten als Clifford het hem niet zelf heeft verteld?'
Foltrigg luisterde met open mond. 'Wat denkt u er zelf van?' vroeg hij.
'Ik houd het erop dat die jongen in de auto heeft gezeten – geruime tijd zelfs, te oordelen naar al die vingerafdrukken – voordat Clifford zelfmoord pleegde. Ze hebben zitten praten. Op een gegeven moment is die jongen weer uitgestapt. Clifford wilde nog iets aan zijn briefje toevoegen en heeft zich daarna door zijn kop geschoten. Dat joch is bang en zijn broertje ligt met een shock in het ziekenhuis. Zo is de situatie.'
'Waarom zou die jongen liegen?'
'Drie redenen. Hij is bang, hij is een kind... en in de derde plaats heeft Clifford hem iets verteld dat hij liever niet had gehoord.'

McThune bracht het als een volleerd acteur. Na zijn laatste woorden viel er een diepe stilte. Foltrigg zat als verstijfd. Boxx en Fink staarden met open mond naar het bureau.

Omdat zijn baas zo gauw niets wist te zeggen, besloot Wally Boxx de situatie te redden door een stomme vraag te stellen. 'Waarom denkt u dat?'

McThunes geduld met officieren van justitie en hun duvelstoejagers was al twintig jaar geleden opgeraakt. Hij had hen zien komen en gaan. Hij had geleerd hun spelletjes mee te spelen en hun ego's te manipuleren. De beste manier om op hun onnozele opmerkingen te reageren was gewoon antwoord te geven, had hij ontdekt. 'Vanwege het briefje, de vingerafdrukken en de leugens. Het arme joch weet niet wat hij moet doen.'

Foltrigg legde het briefje op het bureau en schraapte zijn keel. 'Hebt u al met die jongen gesproken?'

'Nee. Twee uur geleden ben ik in het ziekenhuis geweest, maar ik heb hem niet gezien. Brigadier Hardy van de plaatselijke politie heeft met hem gesproken.'

'Gaat u nog met hem praten?'

'Ja, over een paar uur. Trumann en ik gaan om een uur of negen naar het ziekenhuis om met de jongen te spreken en wellicht ook met zijn moeder. Ik zou ook graag met het broertje praten, maar dat hangt van zijn dokter af.'

'Kan ik erbij aanwezig zijn?' vroeg Foltrigg. Dat had iedereen wel verwacht.

McThune schudde zijn hoofd. 'Dat lijkt me geen goed idee. Laat het maar aan ons over.' Zijn toon was kortaf en hij liet er geen twijfel over bestaan dat hij de baas was. Ze waren hier in Memphis, niet in New Orleans.

'En de dokter van het knulletje? Hebt u die al gesproken?'

'Nog niet. Dat zullen we vanochtend proberen. Maar ik betwijfel of hij veel zal zeggen.'

'Denkt u dat die jongens wel met hun dokter zouden praten?' vroeg Fink onschuldig.

McThune wierp Trumann een blik toe alsof hij wilde zeggen: Wat voor een stel idioten heb je me nu op m'n dak gestuurd? 'Daar kan ik geen antwoord op geven. Ik heb geen idee wat die jongens weten. Ik ken de naam van de dokter niet. Ik weet niet of hij met de broertjes heeft gesproken en of ze hem iets zouden vertellen.'

Foltrigg fronste tegen Fink, die verlegen zijn ogen neersloeg. McThune keek op zijn horloge en stond op. 'Heren, het is al laat. Tegen het eind van de ochtend hebben onze mensen de auto onderzocht. Ik stel voor om dan weer bij elkaar te komen.'

'We moeten alles weten wat Clifford tegen die Mark Sway heeft gezegd,' zei Roy zonder aanstalten te maken om op te staan. 'Hij zat in die auto en Clifford heeft met hem gepraat.'

'Dat weet ik.'

'Jawel, meneer McThune, maar u weet niet alles. Clifford wist waar het lijk was verborgen. Ik denk dat hij daar iets over heeft gezegd.'

'Er zijn een heleboel dingen die ik niet weet, meneer Foltrigg, omdat deze zaak in New Orleans speelt. Ik werk in Memphis, begrijpt u? Ik ben totaal niet geïnteresseerd in die arme Boyette en die arme Clifford. Ik zit zelf tot over mijn oren in de lijken. Het is bijna één uur in de nacht en ik zit hier vragen te beantwoorden over een zaak waar ik niets mee te maken heb. Ik ben bereid er tot morgenmiddag aan te werken, maar daarna laat ik het aan mijn collega Larry Trumann over. Dan trek ik mijn handen ervan af.'

'Tenzij u een telefoontje uit Washington krijgt, natuurlijk.'

'Inderdaad, tenzij ik een telefoontje uit Washington krijg. Dan zal ik doen wat meneer Voyles me vraagt.'

'Ik spreek meneer Voyles iedere week.'

'Gefeliciteerd.'

'En volgens meneer Voyles heeft de zaak Boyette op dit moment de hoogste prioriteit bij de FBI.'

'Dat heb ik ook gehoord.'

'Ik weet zeker dat meneer Voyles uw inspanningen op prijs zal stellen.'

'Dat betwijfel ik.'

Roy stond langzaam op en keek McThune doordringend aan. 'Het is van het grootste belang dat wij erachter komen wat Mark Sway precies weet. Is dat duidelijk?'

McThune beantwoordde zijn blik en zei niets.

8

In de loop van de nacht kwam Karen een paar keer naar Mark kijken. Om een uur of acht bracht ze hem een glas sinaasappelsap. Hij lag nog steeds moederziel alleen in de wachtruimte. Zachtjes maakte ze hem wakker.

Ondanks al zijn problemen was Mark hopeloos verliefd op de knappe verpleegster. Hij dronk zijn sap en keek in haar sprankelende bruine ogen. Ze gaf een klopje op zijn benen onder de deken.

'Hoe oud ben je?' vroeg hij.

Haar glimlach werd nog breder. 'Vierentwintig. Dertien jaar ouder dan jij. Waarom wil je dat weten?'

'Zomaar. Ben je getrouwd?'

'Nee.' Ze trok voorzichtig de deken van hem af en begon hem op te vouwen. 'Hoe beviel de bank?'

Mark stond op, rekte zich uit en keek haar aan. 'Beter dan het bed waar mijn moeder op moest slapen. Heb je de hele nacht gewerkt?'

'Van tien tot tien. We draaien diensten van twaalf uur, vier dagen per week. Kom maar mee. Dokter Greenway is al bij je broertje. Hij wil met je praten.' Ze nam hem bij zijn hand, waar hij geen bezwaar tegen had, en liep met hem mee naar Ricky's kamer. Daarna vertrok ze en deed de deur achter zich dicht.

Dianne zag er moe uit. Ze stond aan het voeteneind van Ricky's bed met een onaangestoken sigaret in haar trillende hand. Mark kwam naast haar staan en ze legde haar arm op zijn schouder. Ze keken toe terwijl Greenway Ricky's voorhoofd streelde en tegen hem sprak. Zijn ogen waren gesloten en hij reageerde niet.

'Hij hoort u niet, dokter,' zei Dianne ten slotte. Ze kon het niet verdragen dat Greenway in dat babytaaltje tegen hem sprak. Maar de arts negeerde haar. Ze veegde een traan van haar wang. Mark rook de geur van zeep en zag dat haar haar nat was. Ze had andere kleren aan, maar ze droeg geen make-up en haar gezicht leek vreemd.

Greenway richtte zich op. 'Een zeer ernstig geval,' zei hij vormelijk, bijna tegen zichzelf. Hij keek nog eens naar Ricky's gesloten ogen.

'Wat doen we nu?' vroeg Dianne.

'Afwachten. Zijn vitale lichaamsfuncties zijn niet aangetast, dus hij loopt geen fysiek gevaar. Hij zal wel weer bijkomen, en als dat gebeurt, moet u bij hem zijn. Dat is heel belangrijk.' Greenway keek hen aan en streek over zijn baard, diep in gedachten verzonken. 'Hij moet zijn moeder zien als hij zijn ogen opslaat. Begrijpt u me?'

'Ik blijf wel hier.'

'Jij mag zo nu en dan wel weg, Mark, maar ik zou het prettig vinden als je zoveel mogelijk bij je broertje bleef.'

Mark knikte. Het vooruitzicht om nog één minuut in deze kamer te moeten doorbrengen was bijna onverdraaglijk.

'Die eerste momenten kunnen de doorslag geven. Hij zal bang zijn als hij om zich heen kijkt. Daarom moet hij zijn moeder zien en haar nabijheid voelen. Neem hem in uw armen en stel hem gerust. Roep onmiddellijk een verpleegster. Ik zal instructies achterlaten. Hij zal ook honger hebben, dus moet hij proberen wat te eten. De verpleegster zal de televisie weghalen, zodat hij door de kamer kan lopen. Maar het belangrijkste is dat u uw armen om hem heen slaat.'

'Wanneer denkt u...'

'Dat weet ik niet. Waarschijnlijk vandaag of morgen. Dat is niet te zeggen.'

'Hebt u zo'n geval al eerder meegemaakt?'

Greenway keek nog eens naar Ricky en besloot de waarheid te vertellen. Hij schudde zijn hoofd. 'Niet zo ernstig, nee. Hij is bijna in coma en dat is nogal ongebruikelijk. Meestal is een lange, diepe slaap wel voldoende. Dan worden ze weer wakker en beginnen te eten.' Hij glimlachte geforceerd. 'Maar ik maak me geen zorgen. Ricky zal het wel redden. Er is alleen wat tijd voor nodig.'

Ricky leek hem te horen. Hij bromde wat en rekte zich uit, maar zijn ogen bleven dicht. De anderen keken gespannen toe, hopend dat hij iets zou zeggen. Hoewel Mark liever had dat Ricky over het drama zou zwijgen totdat ze elkaar onder vier ogen hadden gesproken, wilde hij ook wanhopig dat zijn broertje weer wakker zou worden en zou gaan praten – over andere dingen. Hij kon er niet meer tegen om hem zo te zien liggen, ineengedoken op het kussen, zuigend op die vervloekte duim.

Greenway zocht in zijn tas en haalde er een krant uit. Het was de *Memphis Press*, een ochtendblad. Hij legde hem op het bed en gaf Dianne een kaartje. 'Mijn kantoor is in het gebouw hiernaast. Dit is het telefoonnummer, voor alle zekerheid. Vergeet niet meteen een verpleegster te roepen als hij wakker wordt. Zij zal mij waarschuwen. Oké?'

Dianne pakte het kaartje aan en knikte. Greenway sloeg de krant open. 'Hebt u dit al gelezen?'

'Nee,' antwoordde ze.

Onder aan de voorpagina stond een kop over Romey: ADVO-CAAT UIT NEW ORLEANS PLEEGT ZELFMOORD IN NOORDEN VAN MEMPHIS. Rechts onder de kop was een foto geplaatst van W. Jerome Clifford, met links een onderkop: KLEURRIJKE STRAFPLEITER MET MOGELIJKE MAFFIA-CONTACTEN. Mark staarde eerst naar het woord 'maffia' en toen naar Romey's foto. Hij moest bijna braken.

Greenway boog zich naar voren en liet zijn stem dalen. 'Blijkbaar was die Clifford een vrij bekende advocaat in New Orleans. Hij was betrokken bij de zaak Boyette, de senator die is vermoord. Hij verdedigde de man die van de moord is beschuldigd. Hebt u die zaak gevolgd?'

Dianne stak de sigaret onaangestoken in haar mond. Ze schudde haar hoofd.

'Het is een belangrijk proces. De eerste senator die in functie is vermoord. Lees het straks maar. De politie en de FBI zitten beneden. Ze waren er al toen ik een uur geleden binnenkwam.' Mark greep zich vast aan de spijlen aan het voeteneind van het bed. 'Ze willen met Mark praten. Met u erbij, natuurlijk.'

'Waarom?' vroeg ze.

Greenway keek op zijn horloge. 'Die zaak Boyette is nogal ingewikkeld. U zult het beter begrijpen als u dit artikel hebt gelezen. Ik heb hun gezegd dat ze pas met u mogen praten als ik toestemming geef. Is dat in orde?'

'Ja,' zei Mark snel. 'Ik wil niet met hen praten.' Dianne en Greenway keken hem aan. 'Straks overkomt mij nog hetzelfde als Ricky, als de politie me op mijn nek blijft zitten.'

Mark was ervan overtuigd dat de politie nog een heleboel vragen voor hem had. Ze waren nog niet met hem klaar. De foto op de voorpagina en het noemen van de FBI deden de rillingen over zijn rug lopen. Hij moest opeens gaan zitten.

'Houd ze voorlopig maar uit de buurt,' zei Dianne tegen Greenway.

'Ze vroegen of ze u om negen uur konden spreken. Ik heb nee gezegd, maar ze gaan niet weg.' Hij keek weer op zijn horloge. 'Om twaalf uur kom ik terug. Misschien kunnen we dan met hen praten.'

'Wat u het beste vindt,' zei ze.

'Goed. Ik zal hen tot twaalf uur tegenhouden. Mijn kantoor heeft uw werkgever en Marks school al gebeld. Maakt u zich daarover geen zorgen. Blijf bij zijn bed totdat ik terugkom.' Hij probeerde te glimlachen toen hij de deur achter zich sloot.

Dianne liep snel naar de badkamer en stak haar sigaret aan. Mark zette de televisie naast Ricky's bed aan met de afstandsbediening en zocht het plaatselijke nieuws. Het weerbericht en de sport. Verder niets.

Dianne las het artikel over Clifford en legde de krant op de grond onder het opklapbed. Mark keek haar gespannen aan. 'Zijn cliënt heeft een senator vermoord,' zei ze, onder de indruk.

O ja? Mark wist dat de politie nog een paar lastige vragen voor hem zou hebben. Opeens kreeg hij honger. Het was al na negenen. Ricky had zich nog steeds niet bewogen. De verpleegsters waren hen vergeten. Greenway was een vage herinnering. Beneden wachtte de FBI, ergens in de duisternis. De kamer leek met de minuut kleiner te worden en het goedkope bed waarop hij zat bezorgde hem rugpijn. 'Waarom eigenlijk?' vroeg hij, omdat hij niets anders kon bedenken.

'Hier staat dat Jerome Clifford banden had met de georganiseerde misdaad in New Orleans en dat zijn cliënt waarschijnlijk lid van de maffia is.'

Mark had *The Godfather* op de televisie gezien. En het ver-
volg. Hij wist alles over de maffia. Scènes uit de films kwamen bij hem boven en hij kreeg pijn in zijn maag. Zijn hart
begon te bonzen. 'Ik heb honger, ma,' zei hij. 'Jij niet?'

'Waarom heb je me de waarheid niet verteld, Mark?'

'Omdat die smeris erbij was in de caravan. Dat was niet het
moment om iets te zeggen. Het spijt me, ma. Echt waar. Ik
had het je willen vertellen zodra we alleen waren. Dat zweer
ik.'

Ze wreef over haar slapen en zag er heel verdrietig uit. 'Je
hebt nog nooit tegen me gelogen, Mark.'

Je moet nooit nooit zeggen. 'Kunnen we hier later over praten, ma? Ik heb echt honger. Heb je een paar dollar voor
me? Dan loop ik naar de kantine om donuts te halen. Ik
heb geweldige trek in een donut. Ik zal voor jou een bekertje
koffie meenemen.' Hij kwam overeind en hield zijn hand op
voor het geld.

Gelukkig was ze niet in de stemming voor een ernstig gesprek over eerlijkheid of dat soort dingen. Het slaapmiddel
werkte nog door en ze dacht heel traag. Haar hoofd bonsde.
Ze pakte haar portemonnee en gaf hem een briefje van vijf
dollar. 'Waar is de kantine?'

'In het souterrain van de Madison-vleugel. Ik ben er al twee
keer geweest.'

'Dat verbaast me niets. Je kent het ziekenhuis al van buiten,
zeker?'

Hij pakte het geld aan en propte het in de zak van zijn spijkerbroek. 'Ja, ma. Dit is de rustigste verdieping. De baby's
liggen in het souterrain. Daar is het een vreselijke herrie.'

'Als je maar uitkijkt.'

Hij trok de deur achter zich dicht. Dianne wachtte even en haalde toen een buisje valium uit haar tasje dat ze van Greenway had gekregen.

Mark at vier donuts tijdens *Phil Donahue* terwijl zijn moeder probeerde te slapen op het bed. Hij kuste haar op haar voorhoofd en zei dat hij een eindje ging lopen. Ze drukte hem op het hart dat hij in het ziekenhuis moest blijven.

Hij nam weer de trap omdat hij vermoedde dat Hardy, de FBI en de rest van de politie beneden bij de lift rondhingen.

Zoals de meeste openbare ziekenhuizen in de grote steden was St. Peter's gebouwd in de loop van vele jaren, met uitbreidingen als er weer wat geld beschikbaar was. Architectonische principes speelden nauwelijks een rol. Het was een groot, onduidelijk samenraapsel van vleugels en afdelingen, met een labyrint van gangen en galerijen die wanhopig trachtten alles met elkaar te verbinden. Liften en roltrappen waren aangebracht waar toevallig ruimte was. Op een gegeven moment had iemand zich gerealiseerd dat de patiënten hier zouden verdwalen, dus was er een oogverblindend systeem van kleurcodes ontwikkeld om het verkeer in goede banen te leiden. Daarna waren er nog een paar vleugels bijgebouwd, waardoor de bordjes niet meer klopten. Maar niemand had ze weggehaald, zodat ze de verwarring nog groter maakten.

Mark volgde haastig de bekende route en verliet het ziekenhuis via een kleine hal die op Monroe Avenue uitkwam. Hij had de plattegrond in het telefoonboek bestudeerd en hij wist dat Gill Teals kantoor op loopafstand lag. Het bevond zich op de tweede verdieping van een gebouw op vier straten van het ziekenhuis. Mark liep snel. Het was dinsdag, een gewone schooldag, en hij wilde niet van spijbelen worden beschuldigd. Hij was het enige kind op straat en hij wist dat hij opviel. Daarom hield hij zijn ogen op de stoep gericht en keek niemand aan.

Er was een nieuwe strategie bij hem opgekomen. Het was toch geen misdaad, had hij bedacht, om de politie of de FBI anoniem te bellen en hun precies te vertellen waar ze het lijk konden vinden? Dan was het niet langer zijn geheim. Als Romey de waarheid had gesproken, zou het lichaam van die senator worden gevonden en de moordenaar achter de tralies verdwijnen.

Er waren natuurlijk risico's. Gisteren was zijn telefoontje naar de politie op een fiasco uitgelopen. Iedereen aan de andere kant van de lijn zou meteen weten dat het een kind was dat belde. De FBI zou het gesprek op de band opnemen en zijn stem analyseren. En de maffia was ook niet gek. Misschien was het toch niet zo'n goed idee.

Hij sloeg Third Street in en liep haastig het Sterick Building binnen. Het was een heel hoog, oud gebouw. De hal was van marmer, met een tegelvloer. Hij stapte de lift in, samen met een grote groep andere mensen, en drukte op de knop voor de tweede verdieping. Vier andere knopjes werden ingedrukt door mannen en vrouwen in mooie kleren en met koffertjes in hun hand. Ze praatten heel zacht, zoals mensen doen wanneer ze in een lift staan.

Mark stapte als eerste uit. Hij kwam in een kleine hal met gangen naar rechts, links en recht vooruit. Hij sloeg linksaf en liep rustig de gang door, zo nonchalant mogelijk, alsof hij al vaker de hulp van een advocaat had ingeroepen. Er zaten genoeg juristen in dit gebouw. Hun namen stonden gegraveerd op deftige bronzen platen die op de deuren waren geschroefd. Op sommige deuren stond zelfs een hele rij indrukwekkende namen te lezen, met een heleboel initialen met punten ertussen: J. Winston Buckner, F. MacDonald Durston, I. Hempstead Crawford. Hoe meer van die namen

105

hij las, des te meer hij verlangde naar die gewone, simpele Gill Teal.

Hij vond Teals kantoor aan het eind van de gang. Er zat geen bronzen plaat op de deur. Het opschrift GILL TEAL – IK VECHT VOOR UW RECHT was in grote zwarte letters op de deur geschilderd, van boven naar beneden. Drie mensen zaten naast de deur te wachten.

Mark slikte en stapte het kantoor binnen. Het was er druk. De kleine wachtkamer zat stampvol met trieste mensen die allerlei verwondingen en handicaps vertoonden. Overal zag hij krukken. Twee mensen zaten in rolstoelen. Er was geen plaatsje meer vrij. Eén arme man met een gipskraag was op het rommelige koffietafeltje gaan zitten. Zijn hoofd rolde heen en weer als dat van een pasgeboren baby. Een vrouw met een vuil gipsverband om haar voet zat zachtjes te huilen. Een meisje met een afschuwelijk verbrand gezicht hield zich aan haar moeder vast. Het leek wel of het oorlog was. Zelfs in de polikliniek van het St. Peter's zag je niet zoveel ellende bij elkaar.

Gill Teal was kennelijk druk bezig geweest met het ronselen van cliënten. Mark wilde juist vertrekken toen iemand op bitse toon tegen hem riep: 'Ja, wat wil je?'

Het was een forse vrouw achter het raampje van de receptie.

'Hé, joh! Zoek je iemand?' Haar stem weergalmde door de kamer, maar niemand lette erop. Het lijden ging onverminderd door. Mark liep naar het raampje en boog zich naar het norse, lelijke gezicht.

'Ik zou meneer Teal graag spreken,' zei hij zacht, met een blik om zich heen.

'O ja? Heb je een afspraak?' Ze pakte een klembord en keek erop.

'Nee, mevrouw.'

'Hoe heet je?'

'Eh, Mark Sway. Het is heel vertrouwelijk.'

'Dat zal wel.' Ze nam hem van hoofd tot voeten op. 'Wat voor een verwonding is het?'

Mark dacht aan de Exxon-truck waar Gill Teal zo enthousiast over was geweest, maar zo'n leugen zou ze nooit geloven. 'Ik eh... ik ben niet gewond.'

'Dan ben je hier aan het verkeerde adres. Waarom heb je een advocaat nodig?'

'Dat is een lang verhaal.'

'Luister, jongeman. Zie je al die mensen? Die hebben allemaal een afspraak om meneer Teal te spreken. Hij is een drukbezet man en hij neemt alleen zaken aan die met verwondingen of sterfgevallen te maken hebben.'

'Goed.' Mark liep al achteruit – heel behoedzaam, met het oog op het mijnenveld van stokken en krukken achter hem. 'Ga iemand anders maar lastigvallen.'

'Ja hoor. Als ik door een vrachtwagen word overreden of zoiets, kom ik wel weer terug.' Hij zigzagde tussen de invaliden door en verliet haastig het kantoor.

Hij nam de trap naar beneden om de eerste verdieping te verkennen. Nog meer advocaten. Op één deur zag hij een bronzen plaat met tweeëntwintig namen. Een hele verzameling advocaten. Er moest toch iemand zijn die hem kon helpen? Hij kwam er een paar tegen in de gang, maar ze hadden het te druk om op hem te letten.

Opeens dook er een bewaker op, die langzaam naar hem toe kwam. Mark keek snel naar de dichtstbijzijnde deur. In kleine letters las hij het opschrift REGGIE LOVE – ADVOCAAT. Nonchalant legde hij zijn hand op de deurknop en stapte naar binnen. De kleine wachtkamer was stil en verlaten. Geen enkele cliënt. Om een glazen tafeltje stonden twee stoelen en een bank. De tijdschriften lagen in keurige stapeltjes. Zachte muziek klonk uit luidsprekers in het plafond. Op de parketvloer lag een mooi kleed. Een jongeman met een stropdas maar zonder jasje kwam overeind van achter een bureau dat half verscholen achter een paar potplanten stond, en deed een paar stappen naar voren. 'Kan ik je helpen?' vroeg hij heel vriendelijk.

'Ja. Ik wil een advocaat spreken.'

'Ben je daar niet wat te jong voor?'

'Ja, maar ik heb problemen. Bent u Reggie Love?'

'Nee, Reggie zit hiernaast. Ik ben haar secretaris. Hoe heet je?'

Hij was háár secretaris. Reggie was dus een zij. En de secretaris een hij. 'Eh... Mark Sway. Bent u secretaris?'

'En juridisch medewerker, onder andere. Waarom ben je niet op school?' Er stond een bordje op zijn bureau met de naam Clint van Hooser.

'Dus u bent geen advocaat?'

'Nee. Reggie is de advocaat.'

'Dan wil ik Reggie spreken.'

'Ze is bezig. Ga maar zitten.' Hij wees naar de bank.

'Hoe lang moet ik wachten?' vroeg Mark.

'Geen idee.' De jongeman vond het wel grappig dat dit kereltje een advocaat nodig had. 'Ik zal haar zeggen dat je er bent. Misschien wil ze wel even met je praten.'

'Het is heel belangrijk.'

Het joch was zenuwachtig en serieus. Hij keek steeds naar de deur, alsof iemand hem op de hielen zat. 'Ben je in moeilijkheden, Mark?' vroeg Clint.

'Ja.'

'Wat voor moeilijkheden? Ik moet iets meer weten, anders wil Reggie niet met je praten.'

'Om twaalf uur word ik ondervraagd door de FBI en ik denk dat ik een advocaat nodig heb.'

Dat klonk ernstig genoeg. 'Ga zitten. Ik ben zo terug.'

Mark liet zich op een stoel zakken. Zodra Clint was verdwenen, sloeg hij de Gouden Gids open en zocht de rubriek Advocaten op. Hij zag Gill Teal weer, met zijn paginagrote advertentie, en hij was de enige niet. Tientallen advocaten streden om de klandizie van verkeersslachtoffers en andere gewonden. De ene pagina na de andere, met foto's van drukke, belangrijke mannen en vrouwen die aandachtig naar de telefoon zaten te luisteren. Daarna volgden de halve pagina's en de kwartpagina's. Maar Reggie Love stond er niet bij. Wat voor een advocaat was ze dan?

Reggie Love stond gewoon op de lange lijst van advocaten die alleen hun naam hadden vermeld, zonder een advertentie. Ze kon niet erg belangrijk zijn, dacht Mark, als ze niet in de Gouden Gids adverteerde. Hij overwoog om te vertrekken. Maar toen dacht hij aan Gill Teal, de man die vocht voor uw recht, de ster van de Gouden Gids en de tv-reclame – en moest je zijn kantoor zien! Nee, besloot Mark haastig, dan waagde hij liever zijn kansen bij Reggie Love. Misschien had zij wel cliënten nodig. Dan had ze ook meer tijd voor hem. Het idee van een vrouwelijke advocaat sprak hem opeens wel aan. Hij had er ooit een in *L.A. Law* gezien die gehakt had gemaakt van een stelletje smerissen. Mark sloeg de gids weer dicht en legde hem voorzichtig in het tijdschriftenrek achter de stoel. Het kantoor was koel en netjes. En het was er stil.

Clint deed de deur achter zich dicht en liep over het Perzische kleed naar Reggies bureau. Ze zat te telefoneren, maar ze luisterde meer dan dat ze sprak. Clint legde drie telefonische boodschappen voor haar neer en beduidde haar met een handgebaar dat er iemand op haar wachtte. Hij ging op de hoek van het bureau zitten, trok een paperclip uit elkaar en sloeg haar gade. Er waren geen leren stoelen te vinden in het kantoor. Het behang had vage bloemmotieven in lichte roze en rode tinten. Eén hoek van het tapijt werd in beslag genomen door een smetteloos bureau van glas en chroom. De stoelen waren slank en bekleed met een wijnrode stof. Duidelijk het kantoor van een vrouw – een zeer ordelijke vrouw.

Reggie Love was tweeënvijftig en had zich nog maar nauwelijks vijf jaar geleden als advocaat gevestigd. Ze was van gemiddelde lengte, met kort grijs haar dat in een pony was geknipt en bijna op het zwarte montuur van haar ronde brillenglazen viel. Haar groene ogen keken Clint twinkelend aan, alsof iemand over de telefoon iets grappigs had gezegd. Toen keek ze wanhopig naar het plafond en schudde haar hoofd. 'Tot ziens, Sam,' zei ze ten slotte en hing op.

'Ik heb een nieuwe cliënt voor je,' zei Clint grijnzend.

'Ik wil geen nieuwe cliënten, Clint. Ik wil cliënten die kunnen betalen. Wie is het?'

'Mark Sway. Een jochie van een jaar of twaalf. Hij zegt dat hij om twaalf uur een gesprek heeft met de FBI. Daarom zoekt hij een advocaat.'

'Is hij alleen?'

'Ja.'

'Hoe is hij bij ons terechtgekomen?'

'Geen idee. Ik ben de secretaris maar. Jij stelt de vragen.'

Reggie stond op en liep om haar bureau heen. 'Laat hem maar binnen. En kom me over een kwartier redden, oké? Ik heb een drukke ochtend.'

'Kom maar mee, Mark,' zei Clint. Mark volgde hem via een smalle deur een gangetje door. De deur van Reggies kantoor was van gekleurd glas. Op een kleine koperen plaat stond REGGIE LOVE – ADVOCAAT. Clint opende de deur en wuifde Mark naar binnen.

Het eerste dat hem aan haar opviel was haar haar. Het was grijs en heel kort boven de oren en in de nek – nog korter dan het zijne. Op haar hoofd was het wat dikker, met een pony boven haar ogen. Hij had nog nooit een vrouw met grijs haar gezien die het zo kort droeg. Ze was niet oud en niet jong.

Ze glimlachte beleefd toen ze naar hem toe kwam. 'Mark, ik ben Reggie Love.' Hij gaf haar aarzelend een hand. Ze had een stevige handdruk. Mark had maar zelden een vrouw een hand gegeven. Reggie Love was niet groot en niet klein, niet mager en niet dik. Ze droeg een rechte zwarte jurk met zwarte en gouden armbanden om haar beide polsen. De armbanden rinkelden.

'Prettig kennis te maken,' mompelde hij. Ze loodste hem naar een hoek van het kantoor waar twee comfortabele stoelen stonden, naast een tafeltje met fotoboeken.

'Ga zitten,' zei ze. 'Ik heb maar een minuutje.'

Mark ging op het puntje van zijn stoel zitten. Opeens was hij doodsbang. Hij had tegen zijn moeder, tegen de politie en tegen dr. Greenway gelogen. Hij stond op het punt tegen de FBI te liegen. Romey was nog geen dag dood en nu vertelde hij al leugens tegen iedereen die hem iets vroeg. Als het zo doorging, zou hij blijven liegen. Daar moest hij mee stoppen. Soms was het heel eng om de waarheid te vertellen, maar daarna voelde je je meestal beter. Toch kreeg hij de rillingen bij de gedachte alles aan een vreemde te moeten opbiechten.

'Wil je iets drinken?'

'Nee, mevrouw.'

Ze sloeg haar benen over elkaar. 'Jij heet Mark Sway, toch? Noem me alsjeblieft geen mevrouw of juffrouw Love of zoiets. Mijn naam is Reggie. Ik ben oud genoeg om je grootmoeder te zijn, maar noem me Reggie, oké?

'Oké.'

'Hoe oud ben je, Mark? Vertel me eens wat over jezelf.'

'Ik ben elf. Ik zit in de vijfde klas van de Willow Road-school.'

'En waarom ben je vanochtend niet op school?'

'Dat is een lang verhaal.'

'Juist. En vanwege dat lange verhaal ben je hier?'

'Ja.'

'Wil je me dat verhaal vertellen?'

'Ik geloof het wel.'

'Clint zei dat je vanmiddag met de FBI moet praten. Is dat zo?'

'Ja. Ze willen me een paar vragen stellen in het ziekenhuis.' Ze pakte een schrijfblok van het tafeltje en noteerde iets.

'Het ziekenhuis?'

'Dat hoort ook bij dat lange verhaal. Mag ik je iets vragen, Reggie?' Het was vreemd om deze dame met zo'n... sport-naam aan te spreken. Hij had eens een slechte tv-film gezien over het leven van Reggie Jackson, de honkballer, en herin-nerde zich hoe het publiek zijn naam had gescandeerd: 'Reggie! Reggie!' Bovendien was er een snoepreep die zo heette.

'Natuurlijk.' Ze grijnsde veel en ze had duidelijk plezier in dit gesprek met een jochie dat een advocaat nodig had. Mark wist dat het lachen haar wel zou vergaan als hij aan het eind van zijn lange verhaal was gekomen. Ze had mooie ogen, die hem twinkelend aankeken.

'Als ik je iets vertel, zul je het dan aan anderen doorvertel-len?' vroeg hij.

'Natuurlijk niet. Dat is vertrouwelijk. Ik heb een beroepsge-heim.'

'Wat betekent dat?'

'Dat betekent gewoon dat ik nooit iets mag doorvertellen

wat ik van jou heb gehoord, tenzij jij me daar zelf toestemming voor geeft.'

'Nooit?'

'Nee, nooit. Net als wanneer je met een dokter of een dominee praat. Die gesprekken zijn geheim en vertrouwelijk. Begrijp je?'

'Ik geloof het wel. Dus onder geen enkele omstandigheid...'

'Nee, onder geen enkele omstandigheid mag ik iemand zeggen wat jij me hebt verteld.'

'En als ik je iets vertel dat niemand anders weet?'

'Dan moet ik het voor me houden.'

'En iets dat de politie graag wil weten?'

'Dan moet ik het voor me houden.' Eerst was ze geamuseerd door zijn vragen, maar zijn vasthoudendheid zette haar aan het denken.

'Iets dat jou zelf een heleboel problemen zou kunnen bezorgen?'

'Dan moet ik het voor me houden,' zei ze voor de derde keer.

Mark keek haar een paar seconden doordringend aan, tot hij ervan overtuigd was dat hij haar kon vertrouwen. Ze had een lief gezicht en eerlijke ogen. Ze was ontspannen en ze kon goed luisteren.

'Nog meer vragen?' vroeg ze.

'Ja. Hoe kom je aan de naam Reggie?'

'Een paar jaar geleden heb ik mijn naam veranderd. Ik heet Regina en ik was getrouwd met een dokter. Daarna gebeurden er allerlei vervelende dingen en heb ik mijn naam veranderd in Reggie.'

'Ben je gescheiden?'

'Ja.'

'Mijn ouders ook.'

'Dat spijt me.'

'Dat hoeft niet. Mijn broertje en ik waren juist blij dat ze uit elkaar gingen. Mijn vader dronk te veel en hij sloeg ons – en onze moeder. Ricky en ik hadden de pest aan hem.'

'Is Ricky je broertje?'

'Ja. Hij ligt in het ziekenhuis.'

'Wat is er met hem?'

'Dat hoort bij het lange verhaal.'

'En wanneer krijg ik dat verhaal te horen?'

Mark aarzelde een paar seconden en dacht snel na. Hij was er nog niet aan toe om alles te vertellen. 'Wat moet ik je betalen?'

'Dat hangt ervan af. Wat is het voor een zaak?'

'Wat voor zaken doe je?'

'Voornamelijk kwesties die verband houden met mishandelde, verwaarloosde of verlaten kinderen. Veel adoptiegevallen. Soms medische fouten met kinderen als slachtoffers. Maar hoofdzakelijk gevallen van mishandeling. Heel nare zaken soms.'

'Goed, want dit is een heel nare zaak. Eén man is dood, mijn broertje ligt in het ziekenhuis en de politie en de FBI willen met mij praten.'

'Luister, Mark. Ik neem aan dat je niet veel geld hebt.'

'Nee.'

'Technisch gesproken moet je me eerst een voorschot betalen. Daarna ben ik officieel je advocaat. Dan praten we verder. Heb je een dollar bij je?'

'Ja.'

'Geef me die dan maar als voorschot.'

Mark haalde een dollarbiljet uit zijn zak en gaf het aan Reggie. 'Meer heb ik niet.'

Reggie wilde zijn dollar niet, maar ze nam hem toch aan. Dat vereiste de beroepsethiek nu eenmaal en waarschijnlijk

114

zou het meteen zijn laatste betaling zijn. Bovendien kon hij dan trots zijn op zichzelf omdat hij een advocaat in de arm had genomen. Ze zou hem het geld op de een of andere manier wel teruggeven.

Ze legde het biljet op het tafeltje en zei: 'Oké, nu ben ik je advocaat en jij mijn cliënt. Laat maar horen.'

Mark stak zijn hand weer in zijn zak en haalde er het artikel over Clifford uit dat hij uit Greenway's krant had gescheurd. Hij gaf het haar. 'Heb je dit gelezen?' vroeg hij. 'Het stond vanochtend in de krant.' Zijn hand trilde en het papier ritselde.

'Ben je bang, Mark?'

'Een beetje.'

'Probeer je te ontspannen, oké?'

'Ja, ik zal mijn best doen. Heb je dit gelezen?'

'Nee, ik heb de krant nog niet gezien.' Ze pakte het artikel aan en las het door. Mark lette op haar ogen.

'Goed,' zei ze toen ze klaar was.

'Er staat dat het lijk door twee jongens is gevonden. Dat waren Ricky en ik.'

'Dat moet een afschuwelijke ervaring zijn geweest, maar het is geen misdrijf om een lijk te ontdekken.'

'Maar dat is nog niet alles.'

Haar glimlach was verdwenen. Ze hield haar pen gereed. 'Vertel het maar.'

Mark haalde diep en snel adem. Hij voelde de vier donuts in zijn maag. Hij was bang, maar hij wist ook dat hij zich veel prettiger zou voelen als dit achter de rug was. Hij liet zich diep in de stoel zakken, haalde nog eens adem en staarde naar de grond.

Hij begon met zijn carrière als roker, Ricky die hem had betrapt en hun expeditie naar het bos. Daarna de auto, de tuinslang en de dikke man die Jerome Clifford bleek te heten.

Hij sprak langzaam, omdat hij zich alles wilde herinneren en omdat hij wilde dat zijn advocaat het zou noteren.

Na een kwartier stak Clint zijn hoofd om de deur, maar Reggie fronste tegen hem. Hij deed snel de deur dicht en verdween.

De eerste versie duurde twintig minuten. Reggie viel hem maar enkele keren in de rede. Er zaten nog gaten en blinde vlekken in het verhaal – geen bewuste leugens of omissies van Mark, maar onduidelijke punten die Reggie tijdens de tweede ronde probeerde op te helderen. Daarna pauzeerden ze even. Clint bracht koffie en ijswater. Reggie ging achter haar bureau zitten, met Mark tegenover zich, terwijl ze haar aantekeningen voor zich uitspreidde voor de derde versie van dit opmerkelijke verhaal. Ze had al één schrijfblok volgeschreven en ze begon aan het tweede. Ze glimlachte allang niet meer. De vriendelijke, luchthartige toon van grootmoeder tegen kleinkind had plaatsgemaakt voor gerichte vragen om ook de kleinste details duidelijk te krijgen.

Het enige wat Mark niet vertelde was de exacte plaats van senator Boyettes lijk, of beter gezegd Romey's verhaal daarover. Naarmate Reggie meer inzicht kreeg in het gesprek tussen Clifford en Mark, begon het tot haar door te dringen dat Mark wist waar het lijk verborgen was, maar die vraag probeerde ze angstig te omzeilen. En daar slaagde ze heel handig in. Misschien zou ze het later nog vragen, maar pas helemaal aan het eind.

Toen ze een uur met elkaar hadden gesproken, hield Reggie weer even pauze en las het krantenartikel nog twee keer door. Daarna nog eens. Ja, het leek allemaal te kloppen. Mark kende te veel bijzonderheden om het te hebben verzonnen. Zelfs iemand met een levendige fantasie zou zo'n verhaal nooit hebben bedacht. Bovendien was het arme joch doodsbang.

Clint onderbrak hen om half twaalf om Reggie te waarschuwen dat ze al een uur te laat was voor haar volgende afspraak. 'Zeg maar af,' zei Reggie, zonder van haar aantekeningen op te kijken. Clint verdween weer. Mark liep door het kantoor terwijl ze zat te lezen. Hij bleef voor het raam staan en keek naar het verkeer in Third Street, beneden. Toen ging hij weer zitten en wachtte.

Zijn advocaat had het moeilijk, dat zag hij wel. Hij kreeg bijna medelijden met haar. Al die namen en gezichten in de Gouden Gids, en hij had die tijdbom in de schoot van Reggie Love geworpen!

'Waar ben je precies bang voor, Mark?' vroeg ze, in haar ogen wrijvend.

'Voor een heleboel dingen. Ik heb tegen de politie gelogen en dat weten ze, denk ik. Dat maakt me bang. Mijn broertje ligt in coma door mijn schuld. Ik heb tegen zijn dokter gelogen. Dat vind ik allemaal verschrikkelijk. Ik weet niet wat ik moet doen en ik ben bang. Daarom ben ik hier. Wat vind jij?'

'Heb je me alles verteld?'

'Nee, maar bijna alles.'

'Heb je tegen me gelogen?'

'Nee.'

'Weet je waar dat lijk verborgen is?'

'Ik denk het wel. Als het waar is wat Jerome Clifford me heeft verteld.'

Heel even was Reggie bang dat hij zijn mond voorbij zou praten, maar dat deed hij niet. Ze keken elkaar een hele tijd aan.

'Wil je me vertellen waar het ligt?' vroeg ze ten slotte.

'Wil jij het horen?'

'Dat weet ik niet. Waarom houd je het achter?'

'Omdat ik bang ben. Ik wil niemand laten weten dát ik het weet. Romey vertelde me dat zijn cliënt al heel veel mensen uit de weg had geruimd en hem ook wilde vermoorden. Als dat zo is en hij denkt dat ik zijn geheim ken, zal hij achter me aan komen. Als ik het aan de politie vertel, ben ik mijn leven niet zeker. Hij is lid van de maffia. Daarom ben ik doodsbang. Zou jij dat niet zijn?'

'Ik denk het wel.'

'En de politie heeft me onder druk gezet om de waarheid te zeggen. Ze denken toch al dat ik lieg. Ik weet gewoon niet wat ik moet doen. Vind jij dat ik het de politie en de FBI moet vertellen?'

Reggie stond op en liep langzaam naar het raam. Ze wist niet wat ze hem moest adviseren. Als ze haar nieuwe cliënt aanraadde naar de FBI te gaan, zou zijn leven inderdaad gevaar kunnen lopen. Er was geen wet die hem verplichtte iets te zeggen. Ze konden hem nergens van beschuldigen. Belemmering van de rechtsgang, misschien, maar hij was nog maar een kind. Ze wisten niet zeker wat hij wist. Zolang ze niets konden bewijzen kon hem niets gebeuren.

'Laten we het zo afspreken, Mark. Jij vertelt me niet waar het lichaam is, oké? Voorlopig niet, tenminste. Misschien later. We zullen met de FBI praten en hen aanhoren. Jij hoeft niets te zeggen. Ik doe het woord wel. En we luisteren allebei. Daarna besluiten we samen hoe het verder moet.'

'Dat klinkt goed.'

'Weet je moeder dat je hier bent?'

'Nee. Ik moet haar bellen.'

Reggie zocht het nummer in de telefoongids en belde het ziekenhuis. Mark vertelde Dianne dat hij een eindje was gaan wandelen en zo weer terug zou zijn. Hij kon goed liegen, constateerde Reggie. Hij luisterde even en keek onge-

rust. 'Hoe gaat het nu met hem?' vroeg hij. 'Ik kom eraan.'
Hij hing op en keek Reggie aan. 'Mijn moeder is overstuur.
Ricky is bijgekomen uit zijn coma, maar ze kan dokter
Greenway nergens vinden.'
'Ik loop wel met je mee naar het ziekenhuis.'
'Graag.'
'Waar is dat gesprek met de FBI?'
'In het ziekenhuis, denk ik.'
Ze keek op haar horloge en stak twee lege notitieblokken in
haar koffertje. Opeens was ze nerveus. Mark stond al te
wachten bij de deur.

9

De tweede advocaat die Barry het Mes Muldanno had ingehuurd om hem te verdedigen tegen die vervloekte moord-
aanklacht, was een agressieve strafpleiter genaamd Willis
Upchurch, een opkomende ster aan het firmament van luid-
ruchtige schreeuwers die overal in het land hun kunstjes
vertoonden voor criminelen en de media. Upchurch had
kantoren in Chicago, in Washington en in iedere andere stad
waar hij een sensationele zaak en een leeg kantoor kon bemachtigen. Zodra hij na het ontbijt met Muldanno had gesproken, nam hij het vliegtuig naar New Orleans om eerst
een persconferentie te beleggen en daarna zijn beroemde
cliënt te ontmoeten en een spectaculaire verdediging op
touw te zetten. In Chicago was hij bekend en redelijk rijk
geworden met zijn gloedvolle verdediging van huurmoordenaars en drugdealers. De afgelopen tien jaar hadden maf-
fiabazen uit het hele land een beroep op hem gedaan voor
allerlei diensten. Zijn successen waren niet opzienbarend,
maar daar ging het zijn cliënten ook niet om. Zij werden

aangelokt door zijn nijdige gezicht, zijn warrige haar en zijn donderende stem. Upchurch was een advocaat die gehoord en gezien wilde worden in tijdschriftartikelen, journaals, adviesrubrieken, mannenbladen en roddelprogramma's. Hij had een mening, hij was niet bang voorspellingen te doen, hij deed radicale uitspraken en zei alles wat hem voor de mond kwam. Dat maakte hem tot een graag geziene gast bij al die onnozele talk-shows op de televisie.

Hij nam alleen sensationele zaken aan, waaraan in de kranten en op de televisie uitvoerig aandacht werd besteed. Niets was hem te smoezelig. Hij gaf de voorkeur aan rijke cliënten die konden betalen, maar als een seriemoordenaar hulp nodig had, stond Upchurch klaar – met een contract waarin hij de exclusieve boek- en filmrechten voor zich opeiste.

Hoewel hij intens van zijn beruchte reputatie genoot en door extreem links zelfs werd geprezen om zijn krachtige verdediging van moordenaars uit de arme wijken, was Upchurch weinig meer dan een advocaat van kwade zaken. Hij was het eigendom van de maffia, hij danste naar hun pijpen en hij betaalde de prijs. Hij mocht een beetje theater maken en schuimbekkend zijn mening verkondigen, maar als ze met hun vingers knipten, moest hij gehoorzamen.

Toen Johnny Sulari, Barry's oom, hem om vier uur in de ochtend belde, stond Upchurch dus klaar. De oom gaf hem de schaarse gegevens over het ontijdige verscheiden van Jerome Clifford. Upchurch kwijlde bijna in de telefoon toen Sulari hem vroeg onmiddellijk naar New Orleans te vliegen. Hij rende naar de badkamer, huppelend bij het vooruitzicht om Barry het Mes Muldanno voor het oog van al die camera's te kunnen verdedigen. Hij stond fluitend onder de douche toen hij dacht aan alle inkt die al aan deze zaak was verspild. En nu was hij de nieuwe ster! Grijnzend keek hij in de spiegel terwijl hij een stropdas van negentig dollar strikte

en bedacht dat hij de volgende zes maanden in New Orleans zou doorbrengen, met de pers aan zijn voeten.
Dit was de reden waarom hij rechten was gaan studeren!

Mark schrok eerst van wat hij zag. Het infuus was verwijderd, want Dianne lag op het bed en drukte Ricky stevig tegen zich aan terwijl ze zijn hoofd streelde. Ze omhelsde hem met al haar kracht en sloeg haar benen om de zijne. Ricky lag te kreunen en te grommen. Hij trilde en schokte over zijn hele lichaam. Zijn ogen gingen open en dicht. Dianne duwde haar hoofd tegen het zijne en fluisterde door haar tranen heen: 'Het is in orde, kindje. Het is in orde. Mamma is bij je. Mamma is bij je.'
Greenway stond vlak bij het bed, met zijn armen over elkaar. Hij streek over zijn baard en keek verbaasd toe, alsof hij dit nog nooit eerder had gezien. Een verpleegster stond aan de andere kant.
Mark stapte langzaam de kamer in. Niemand zag hem. Reggie was bij de verpleegstersbalie achtergebleven. Het was bijna twaalf uur, tijd voor het gesprek met de FBI, maar Mark wist meteen dat niemand in de kamer ook maar één moment aan de politie en haar vragen dacht.
'Alles komt goed, schat. Alles komt goed. Mamma is hier.'
Mark schuifelde naar het voeteneind van het bed toe om meer te kunnen zien. Dianne wierp hem een geforceerd lachje toe, sloot haar ogen weer en bleef tegen Ricky fluisteren.
Na een paar lange minuten opende Ricky eindelijk zijn ogen. Hij leek zijn moeder te herkennen en hij kalmeerde wat. Ze kuste hem minstens tien keer op zijn voorhoofd. De verpleegster glimlachte, gaf hem een klopje op zijn schouder en mompelde wat lieve woordjes.
Greenway keek Mark aan en knikte naar de deur. Mark

volgde hem naar buiten. Het was rustig op de gang. Ze liepen langzaam naar het eind, uit de buurt van de verpleegstersbalie.

'Hij is twee uur geleden bijgekomen,' legde de dokter uit. 'Het ziet ernaar uit dat hij heel langzaam herstelt.'

'Heeft hij al wat gezegd?'

'Zoals?'

'Nou ja... over wat er gisteren is gebeurd.'

'Nee. Hij mompelt veel en dat is een goed teken, maar hij is nog niet verstaanbaar.'

Dat was een geruststelling, in een bepaald opzicht. Voor alle zekerheid zou Mark dicht bij de kamer moeten blijven. 'Dus hij redt het wel?'

'Dat zei ik niet.' Een lunchwagentje werd midden in de gang geparkeerd. Ze liepen eromheen. 'Ik denk het wel, maar het kan nog lang gaan duren.' Het bleef een tijdje stil. Mark vroeg zich af of Greenway iets van hem verwachtte.

'Hoe sterk is je moeder?'

'Redelijk sterk, geloof ik. We hebben veel meegemaakt.'

'Waar woont haar familie? Ze zal heel wat hulp nodig hebben.'

'Ze heeft geen familie. Nou ja, een zuster in Texas, maar daar kan ze niet mee opschieten. En die heeft zelf ook problemen.'

'Je grootouders?'

'Nee. Mijn ex-vader was wees. Ik denk dat zijn ouders hem hebben achtergelaten toen ze ontdekten hoe hij was. De vader van mijn moeder is dood en haar moeder woont ook in Texas. Ze is altijd ziek.'

'Dat spijt me.'

Aan het eind van de gang bleven ze staan en staarden door een vuil raam naar het centrum van Memphis. Voor hen uit verhief zich het Sterick Building.

'De FBI zit me op mijn nek,' zei Greenway.

Welkom bij de club, dacht Mark. 'Waar zijn ze?'

'Kamer 28, een kleine vergaderzaal op de eerste verdieping die zelden wordt gebruikt. Ze wilden mij, jou en je moeder spreken, exact om twaalf uur, en het klonk alsof ze het meenden.' Greenway keek op zijn horloge en liep weer terug naar de kamer. 'Ze zijn behoorlijk opgefokt.'

'Laat hen maar komen,' zei Mark in een zwakke poging om stoer te klinken.

Greenway keek hem fronsend aan. 'Hoe bedoel je?'

'Ik heb een advocaat ingehuurd,' zei Mark trots.

'Wanneer?'

'Vanochtend. Ze is hier nu. Op de gang.'

Greenway keek de gang door, maar de verpleegstersbalie lag om een bocht. 'Die advocaat is híer?' vroeg hij ongelovig.

'Ja.'

'Maar hoe heb je haar gevonden?'

'Dat is een lang verhaal. Maar ik heb haar zelf betaald.'

Greenway dacht daarover na terwijl hij langzaam terugliep. 'Je moeder kan nu onder geen beding bij Ricky weg en ik blijf ook liever in de buurt.'

'Geen probleem. Mijn advocaat en ik regelen het wel.'

Ze bleven staan voor de deur van Ricky's kamer. Greenway aarzelde voordat hij naar binnen stapte. 'Ik kan hen wel afschepen tot morgen. Ik kan hen zelfs uit het ziekenhuis laten zetten.' Dat was grootspraak, wist Mark.

'Nee, bedankt. Ze gaan toch niet weg. Zorgt u maar voor Ricky en mijn moeder, dan rekenen mijn advocaat en ik wel met de FBI af.'

Reggie had een lege kamer op de zevende verdieping gevonden. Ze liepen haastig de trap af ernaartoe. Ze waren al tien minuten te laat. Ze deed snel de deur achter hem dicht en zei: 'Trek je shirt omhoog.'

Hij verstijfde en staarde haar aan.

'Trek je shirt omhoog!' herhaalde ze en hij begon aan zijn sweatshirt van de Memphis State Tigers te sjorren. Ze opende haar koffertje en haalde er een zwarte mini-recorder, een plastic lus en een strook klittenband uit. Ze controleerde de werking van de kleine cassetterecorder en drukte de toetsen in. Mark volgde iedere beweging. Ze had dat apparaat al vaker gebruikt, dat zag hij wel. Ze drukte het tegen zijn buik en zei: 'Hou even vast.' Toen stak ze de plastic lus door een oog van de recorder, wikkelde hem om zijn buik en middenrif en bevestigde hem met klittenband. 'Diep inademen,' zei ze. Hij deed het.

Hij propte het sweatshirt weer in zijn broek. Reggie deed een stap terug en keek naar zijn buik. 'Perfect,' zei ze.

'En als ze me fouilleren?'

'Dat doen ze niet. Kom mee, we gaan.'

Ze pakte haar koffertje en ze stapten de deur uit.

'Hoe weet je dat ze me niet zullen fouilleren?' vroeg hij bezorgd. Hij moest snel lopen om haar te kunnen bijhouden. Een verpleegster keek hen achterdochtig na.

'Omdat ze met je willen praten. Ze komen je niet arresteren. Geloof me nou maar.'

'Ik geloof je wel, maar ik ben echt bang.'

'Je redt het wel, Mark. Doe maar wat ik je heb gezegd.'

'Weet je zeker dat ze dit ding niet kunnen zien?'

'Absoluut.' Ze duwde haastig een deur open en ze waren weer in het trappenhuis. Snel daalden ze de groene betonnen treden af. Mark liep één stap achter haar. 'Als dat ding gaat piepen of zoiets en ze schrikken zo dat ze hun pistolen trekken? Wat dan?'

'Dat ding gaat niet piepen.' Ze pakte zijn hand, kneep er ste-

124

vig in en zigzagde naar de eerste verdieping. 'En ze schieten niet op kinderen.'
'Wel in een film die ik eens heb gezien.'

De eerste verdieping van het St. Peter's was jaren eerder gebouwd dan de achtste. Het was er grijs en vuil, en in de smalle gangen was het een druk verkeer van verpleegsters, artsen, technici, broeders die brancards voortduwden, patiënten in rolstoelen en versufte gezinnen die zomaar wat rondliepen en probeerden wakker te blijven. De gangen ontmoetten elkaar vanuit alle richtingen op chaotische kruispunten en waaierden dan weer uit in een hopeloos labyrint. Reggie vroeg drie verpleegsters waar ze kamer 28 konden vinden. De derde wees en legde het hen uit zonder stil te blijven staan. Ze vonden een verwaarloosde gang met een oude loper en slechte verlichting. Zes deuren verderop, aan de rechterkant, was de kamer die ze zochten. De deur was van goedkoop hout, zonder glas.
'Ik ben bang, Reggie,' zei Mark, starend naar de deur. Ze hield zijn hand stevig vast. Als zij ook nerveus was, liet ze dat niet blijken. Haar gezicht stond kalm. Haar stem klonk warm en geruststellend. 'Denk nu maar aan wat ik je heb gezegd, Mark. Heus, ik weet wat ik doe.' Ze deden een paar stappen terug en Reggie opende de identieke deur van kamer 24. Het was een verlaten koffiekamer die nu als provisorische opslagruimte werd gebruikt. 'Ik wacht hier wel. Klop maar aan.'
'Maar ik ben bang, Reggie.'
Ze tastte voorzichtig naar de recorder, sloot haar vingers eromheen en drukte de knop in. 'Ga nu maar,' zei ze en ze wees de gang door.
Mark haalde diep adem en klopte op de deur. Hij hoorde stoelen over de vloer schrapen. 'Binnen,' zei een stem.

Het klonk niet vriendelijk. Langzaam deed hij de deur open, stapte naar binnen en deed de deur weer achter zich dicht. De kamer was lang en smal, net als de tafel in het midden. Er waren geen ramen. Aan weerszijden van de tafel, tegenover Mark, stonden twee mannen. Ze hadden voor een tweeling kunnen doorgaan: dezelfde witte button-down overhemden, roodblauwe stropdassen, donkere broeken en kortgeknipt haar. Ze glimlachten niet.

'Jij bent Mark, neem ik aan?' vroeg een van de twee. De ander keek nog naar de deur.

Mark knikte, maar zijn stem liet hem in de steek.

'Waar is je moeder?'

'Eh... wie bent u?' wist Mark met moeite uit te brengen.

De man rechts van hem zei: 'Ik ben Jason McThune van de FBI in Memphis.' Hij stak zijn hand uit en Mark gaf hem een slap handje. 'Aangenaam, Mark.'

'Ja. Aangenaam.'

'En ik ben Larry Trumann,' zei zijn collega. 'Van de FBI in New Orleans.'

Trumann kreeg ook een slap handje. De agenten keken elkaar zenuwachtig aan en heel even wisten ze geen van beiden wat ze moesten zeggen.

Ten slotte wees Trumann naar de stoel aan het eind van de tafel. 'Ga zitten, Mark.' McThune knikte instemmend, met een poging tot een glimlach. Mark ging voorzichtig zitten, doodsbang dat het klittenband zou losscheuren en de recorder van zijn buik zou glijden. Ze zouden hem meteen de handboeien omdoen en hem in hun auto smijten. Hij zou zijn moeder nooit meer terugzien. En wat kon Reggie tegen hen beginnen? Ze reden in hun bureaustoelen naar hem toe en legden hun opschrijfboekjes vlak voor hem op de tafel. Ze ademden hem bijna recht in het gezicht. Dat hoorde zeker bij de tactiek, dacht Mark. Hij onderdrukte een grijns.

Als ze zo dichtbij zaten, kwam alles in elk geval luid en duidelijk op de band te staan. Geen vage stemmen.

'Wij eh... wij dachten dat je moeder en dokter Greenway mee zouden komen,' zei Trumann, met een blik naar McThune.

'Die zijn nog bij mijn broertje.'

'Hoe gaat het met hem?' vroeg McThune ernstig.

'Niet zo goed. Mijn moeder kan nu niet bij hem weg.'

'Wij dachten dat ze zou meekomen,' zei Trumann weer en hij keek naar McThune alsof hij niet goed wist hoe het nu verder moest.

'We kunnen ook een paar dagen wachten, totdat zij erbij kan zijn,' opperde Mark.

'Nee, Mark. We moeten nu echt praten.'

'Ik wil haar wel gaan halen. Misschien komt ze toch.'

Trumann haalde een pen uit zijn borstzakje en glimlachte tegen Mark. 'Nee. Laten we maar even praten, Mark. Gewoon met ons drieën. Ben je zenuwachtig?'

'Een beetje. Wat willen jullie?' Hij was nog steeds verstijfd van angst, maar zijn ademhaling ging nu wat regelmatiger. De recorder had niet gepiept of hem een schok gegeven.

'We willen je nog een paar vragen stellen over gisteren.'

'Heb ik een advocaat nodig?'

Ze keken elkaar aan, allebei met open mond, en het duurde enkele seconden voordat McThune hem schuin aankeek en zei: 'Natuurlijk niet.'

'Waarom niet?'

'We willen je alleen een paar vragen stellen, dat is alles. Als je liever je moeder erbij hebt, gaan we haar wel halen. Of iemand anders. Maar je hebt geen advocaat nodig. Een paar vragen, dat is alles.'

'Ik heb al een keer met de politie gesproken. Gisteravond. Een hele tijd.'

'Wij zijn de politie niet. Wij zijn FBI-agenten.'

'Daarom ben ik juist zo bang. Misschien heb ik een advocaat nodig, om... nou ja, mijn rechten te beschermen en zo.'

'Je hebt te veel naar de televisie gekeken, joh.'

'Ik heet Mark, oké? Noem me in elk geval bij mijn naam.'

'Natuurlijk. Sorry. Maar je hebt echt geen advocaat nodig.'

'Nee,' beaamde Trumann. 'Advocaten lopen alleen maar in de weg. Ze kosten geld en ze protesteren tegen alles.'

'Kunnen we niet beter wachten tot mijn moeder erbij kan zijn?'

Ze glimlachten even tegen elkaar en McThune zei: 'Dat hoeft niet, Mark. Ik bedoel, we kunnen wel wachten als je dat liever wilt, maar je bent een verstandige jongen en wij hebben haast. We willen je een paar dingen vragen. Het is zo gebeurd.'

'Nou, dan zit er niks anders op.'

Trumann keek in zijn opschrijfboekje en begon: 'Goed. Je hebt tegen de politie van Memphis gezegd dat Jerome Clifford al dood was toen jij en Ricky gisteren die auto zagen. Is dat echt zo, Mark?' Aan het eind van de vraag kreeg zijn stem een honende klank, alsof hij heel goed wist dat Mark had gelogen.

Mark schoof heen en weer op zijn stoel en keek recht voor zich uit. 'Moet ik die vraag beantwoorden?'

'Natuurlijk.'

'Waarom?'

'Omdat we de waarheid willen weten, Mark. Wij zijn van de FBI en wij onderzoeken deze zaak. Daarom moeten we precies weten wat er is gebeurd.'

'Wat gebeurt er als ik geen antwoord geef?'

'O, van alles. Dan kunnen we je meenemen naar het bureau, achter in onze auto... niet met handboeien, natuurlijk. Dan zullen we je op het bureau nog een stel lastige vragen

128

stellen. Misschien moet je moeder er dan wel bij zijn.'
'En wat gebeurt er met mijn moeder? Kan zij problemen krijgen?'
'Dat zou kunnen.'
'Wat voor problemen?'
Ze wachtten even en keken elkaar zenuwachtig aan. Ze hadden zich op glad ijs begeven en dat ijs werd met de minuut gladder. Kinderen mochten niet worden ondervraagd als er niet eerst met de ouders was gesproken.
Ach, verdomme. Zijn moeder was zelf niet komen opdagen. Hij had geen vader, hij kwam uit ccn arm gczin en hij was moederziel alleen. Een ideale situatie, goedbeschouwd. Ze hadden het niet beter kunnen treffen. Een paar snelle vragen en het was achter de rug.
McThune schraapte zijn keel en fronste diep. 'Mark, heb je ooit gehoord van belemmering van de rechtsgang?'
'Ik geloof het niet.'
'Nou, dat is een misdrijf. Daar krijg je straf voor. Iemand die iets over een misdrijf weet en dat niet aan de politie of de FBI vertelt, kan zich schuldig maken aan belemmering van de rechtsgang.'
'En wat dan?'
'Als het bewezen is, wordt hij veroordeeld. Naar de gevangenis gestuurd of zo.'
'Dus als ik jullie vragen niet beantwoord, worden mijn moeder en ik misschien in de gevangenis gegooid?'
McThune kroop in zijn schulp en keek naar Trumann. Het ijs was nu spekglad. 'Waarom wil je die vraag niet beantwoorden, Mark?' vroeg Trumann. 'Verberg je soms iets?'
'Ik ben gewoon bang. En ik vind het niet eerlijk. Ik ben pas elf en jullie zijn van de FBI en mijn moeder is er niet bij. Ik weet niet wat ik moet doen.'
'Kun je niet een paar vragen beantwoorden zonder je moe-

129

der, Mark? Je hebt gisteren iets gezien waar je moeder niet bij is geweest. Zij kan je niet helpen om antwoord te geven. We willen alleen maar weten wat je hebt gezien.'

'Zou u geen advocaat willen, in mijn plaats?'

'Nee hoor,' zei McThune. 'Voor mij geen advocaat! Sorry dat ik het zeg, knul, maar advocaten zijn etterstralen. Geloof mij nou maar. Als je niets te verbergen hebt, heb je ook geen advocaat nodig. Geef nou maar eerlijk antwoord op onze vragen, dan is er niets aan de hand.' Zijn stem klonk wat nijdiger, maar dat had Mark wel verwacht. Een van de twee speelde altijd de kwaaie pier. Dat had Mark al duizend keer op de televisie gezien. McThune zou hem hard aanpakken, terwijl Trumann vriendelijk bleef en zijn collega zo nu en dan tot de orde riep. Zo zou hij proberen Marks sympathie te winnen. McThune zou op een gegeven moment woedend de kamer uitstormen in de hoop dat Mark zijn hart zou uitstorten bij Trumann. Trumann boog zich met een onnozele grijns naar hem toe. 'Mark, was Jerome Clifford al dood toen jij en Ricky hem vonden?'

'Ik heb het recht om te zwijgen.'

De onnozele grijns verdween. McThune liep rood aan en schudde gefrustreerd zijn hoofd. Het bleef lange tijd stil. De twee agenten keken elkaar aan. Mark zag een mier over de tafel lopen en ongemerkt onder een van de opschrijfboekjes verdwijnen.

'Mark,'zei Trumann – de aardigste van de twee – ten slotte, 'ik ben bang dat je te veel naar de televisie hebt gekeken.'

'U bedoelt dat ik niet het recht heb om te zwijgen?'

'Ik weet het al,' snauwde McThune, 'je kijkt zeker naar *L.A. Law*?'

'Ja, elke week.'

'Dat dacht ik wel. Geef je nou eindelijk antwoord, Mark? Zo niet, dan moeten we andere maatregelen nemen.'

'Zoals?'

'Dan gaan we naar de rechtbank en vragen we de rechter om een bevel. Dan móét je wel met ons praten. Maar dan wordt het heel onaangenaam.'

'Ik moet naar de wc,' zei Mark. Hij schoof zijn stoel naar achteren en stond op.

'Eh... ja natuurlijk, Mark,' zei Trumann, opeens bang dat ze hem misselijk hadden gemaakt. 'Verderop in de gang, geloof ik.' Mark stond al bij de deur.

'Neem er maar de tijd voor, Mark. Wij wachten wel. Doe het rustig aan.'

Hij liep de kamer uit en trok de deur achter zich dicht.

De volgende zeventien minuten zaten de twee mannen rustig met elkaar te praten, spelend met hun pennen. Ze maakten zich geen zorgen. Ze waren ervaren agenten. Ze hadden dit al eens eerder meegemaakt. De jongen zou wel praten.

Er werd geklopt. 'Binnen,' zei McThune. De deur ging open en een aantrekkelijke dame van een jaar of vijftig kwam de kamer in. Ze sloot de deur alsof het haar eigen kantoor was. De twee mannen kwamen haastig overeind.

'Blijf maar zitten,' zei de vrouw.

'We zijn in bespreking,' zei Trumann formeel.

'U moet een andere kamer hebben,' zei McThune op onbeschofte toon.

De dame zette haar koffertje op de tafel en gaf de twee agenten ieder een wit kaartje. 'Dat dacht ik niet,' zei ze. 'Mijn naam is Reggie Love. Ik ben advocaat en ik vertegenwoordig Mark Sway.'

Ze herstelden zich snel, dat moest gezegd worden. McThune bestudeerde het kaartje terwijl Trumann bleef staan met zijn armen langs zijn zij, zoekend naar woorden.

'Wanneer heeft hij u ingehuurd?' vroeg McThune met een paniekerige blik naar Trumann.

'Dat zijn uw zaken niet. Bovendien ben ik niet ingehuurd. Hij heeft me een voorschot betaald. Ga zitten.'

Ze ging elegant op een van de stoelen zitten en schoof naar de tafel toe. De mannen lieten zich ook in hun stoelen vallen, maar ze bleven op veilige afstand.

'Waar eh... waar is Mark?' vroeg Trumann.

'Die beroept zich op zijn recht om te zwijgen. Mag ik uw legitimatie even zien, heren?'

Ze pakten meteen hun jasjes, grabbelden nerveus in hun zakken en lieten hun legitimatie zien. Reggie keek ernaar en noteerde de gegevens op haar schrijfblok.

Toen ze klaar was, schoof ze de legitimatiebewijzen terug en vroeg: 'Hebt u geprobeerd dit kind te verhoren zonder de aanwezigheid van zijn moeder?'

'Nee,' zei Trumann.

'Natuurlijk niet,' zei McThune, geschokt bij het idee.

'Hij zegt van wel.'

'Hij is in de war,' zei McThune. 'We hebben eerst met dokter Greenway gesproken en hij ging akkoord met dit gesprek. Behalve Mark zouden ook zijn moeder, Dianne Sway, en de dokter erbij aanwezig zijn.'

'Maar de jongen is in zijn eentje gekomen,' voegde Trumann er haastig aan toe om geen misverstanden te wekken. 'We hebben hem gevraagd waar zijn moeder was. Ze kon nu niet komen, zei hij. We dachten dat ze onderweg was of zo. Om de tijd te doden hebben we wat met het joch gebabbeld.'

'Ja. Terwijl we op mevrouw Sway en de dokter wachtten,' beaamde McThune hulpvaardig. 'En waar was u eigenlijk?'

'Geen irrelevante vragen, alstublieft. Hebt u Mark geadviseerd een advocaat te raadplegen?'

De agenten wisselden een blik, steun zoekend bij elkaar. 'Dat is niet ter sprake gekomen,' zei Trumann en hij haalde onschuldig zijn schouders op. Het was makkelijker te liegen omdat Mark er niet bij was. Bovendien was hij een bange kleine jongen die een beetje in de war was. Zij waren ervaren FBI-agenten, dus iedereen zou hen geloven.

McThune schraapte zijn keel en zei: 'Eh, jawel... één keer, Larry. Weet je nog dat Mark... of ik... iets zei over *L.A. Law*? Toen vroeg hij of hij een advocaat nodig had, maar dat was als een grapje bedoeld. Zo vatten wij het tenminste op. Weet je nog, Larry?'

Ja, Larry wist het weer. 'O, natuurlijk. Iets over *L.A. Law*. Een grapje.'

'Weet u het zeker?' vroeg Reggie.

'Natuurlijk weet ik het zeker,' verklaarde Trumann. McThune fronste en knikte instemmend.

'Hij heeft jullie dus niet gevraagd of hij een advocaat nodig had?'

Ze schudden hun hoofd en deden alsof ze diep nadachten.

'Nee, dat herinner ik me niet. Hij is nog maar een kind en doodsbang. Hij zegt maar wat,' vervolgde McThune.

'Hebben jullie hem erop gewezen dat hij het recht had om te zwijgen?'

Trumann glimlachte, wat zekerder van zichzelf. 'Natuurlijk niet. Hij is geen verdachte. Hij is nog maar een kind. We wilden hem alleen een paar vragen stellen.'

'En jullie hebben niet geprobeerd hem te verhoren zonder dat zijn moeder erbij aanwezig was of haar toestemming had gegeven?'

'Nee.'

'Natuurlijk niet.'

'En toen hij jullie advies vroeg, hebben jullie hem ook niet gezegd dat hij zich niet met advocaten moest inlaten?'

'Nee, mevrouw.'

'Absoluut niet. Als hij iets anders beweert, dan liegt hij.'

Reggie opende langzaam haar koffertje en haalde de zwarte recorder en de mini-cassette eruit. Ze legde ze voor zich neer en zette het koffertje op de grond. De FBI-agenten McThune en Trumann staarden naar het bandje en leken in een te schrompelen.

Reggie wierp hun beurtelings een valse grijns toe en zei: 'Ik weet wel wie er liegt.'

McThune streek met twee vingers over de brug van zijn neus. Trumann wreef in zijn ogen. Reggie liet hen nog even zweten. Het was doodstil.

'Het staat allemaal op de band, heren. Jullie hebben geprobeerd een kind te verhoren zonder zijn moeder erbij en zonder haar toestemming. Hij heeft jullie uitdrukkelijk gevraagd of jullie niet moesten wachten tot zij erbij kon zijn, maar jullie zeiden nee. Jullie hebben hem – en zijn moeder – bedreigd met strafvervolging als hij niet zou meewerken. Hij zei dat hij bang was en hij heeft twee keer expliciet gevraagd of hij een advocaat nodig had. Jullie raadden hem aan geen advocaat te nemen, onder meer omdat advocaten etterstralen zijn. Wel, heren, een van die etterstralen zit nu voor u.'

Ze zakten nog dieper weg in hun stoel. McThune drukte vier vingers tegen zijn voorhoofd en wreef ze zachtjes heen en weer. Trumann staarde ongelovig naar het bandje en ontweek de blik van de vrouw. Dit zou hem zijn carrière kunnen kosten. Hij overwoog om het bandje te grijpen, de tape kapot te scheuren en het hulsje onder zijn hakken te verbrijzelen. Maar diep in zijn hart was hij ervan overtuigd dat deze dame er al een kopie van had gemaakt.

Betrapt te worden op een leugen was al erg genoeg, maar dit was veel ernstiger. Ze liepen de kans dat er disciplinaire maatregelen zouden volgen... een officiële berisping, een overplaatsing, een slechte aantekening in hun dossier. En Trumann geloofde heilig dat deze vrouw precies wist hoe je een FBI-agent moest aanpakken die over de schreef was gegaan.

'U hebt dat joch een recorder meegegeven,' zei Trumann tegen niemand in het bijzonder.

'Waarom niet? Dat is niet verboden. Jullie zijn van de FBI. Jullie gebruiken meer recorders dan alle omroepen bij elkaar.'

O, wat geestig! Maar ze was nu eenmaal een advocaat. McThune boog zich naar voren, liet zijn vingers kraken en besloot te redden wat er nog te redden viel. 'Luister eens, mevrouw Love, we...'

'Reggie.'

'Oké, oké, Reggie... eh, het spijt ons. We zijn wat overhaast te werk gegaan. We bieden onze verontschuldigingen aan.'

'Wat overhaast te werk gegaan? Dit kan jullie je baan kosten.'

Ze wilden haar niet tegenspreken. Waarschijnlijk had ze gelijk. En zelfs als dat niet zo was, hadden ze geen zin in een discussie.

'Neemt u dit ook op?' vroeg Trumann.

'Nee.'

'Goed. We zijn ons boekje te buiten gegaan. Sorry.' Hij keek haar niet aan.

Reggie stak het bandje langzaam in de zak van haar jas. 'Kijk me eens aan, heren.' Met tegenzin keken ze op. Het kostte moeite. 'Jullie hebben al bewezen dat jullie gemakkelijk liegen. Waarom zou ik jullie vertrouwen?'

Opeens sloeg Trumann met zijn vlakke hand op tafel. Hij siste tussen zijn tanden, vloog overeind en liep naar het andere eind van de tafel. 'Dit is ongelooflijk!' riep hij terwijl hij zijn handen in de lucht wierp. 'We wilden dat joch alleen een paar vragen stellen – dat is ons werk! En nu zitten we te bekvechten met zijn advocaat. Hij heeft ons niet eens verteld dat hij een advocaat hád! Dan hadden we hem wel laten gaan. Wat is de bedoeling hiervan? Waarom zoekt u doelbewust ruzie? Wat heeft dat voor zin?'

'Wat willen jullie precies van de jongen?'

'De waarheid. Over wat hij gisteren heeft gezien. We weten dat hij liegt. We weten dat hij met Jerome Clifford heeft gesproken voordat Clifford zelfmoord pleegde. Hij heeft in de auto gezeten, dat staat vast. Ik kan best begrijpen dat hij liegt. Hij is nog maar een kind. Hij is bang. Maar verdomme, we moeten weten wat hij heeft gezien en gehoord.'

'Wat denken jullie dat hij heeft gezien en gehoord?'

Opeens besefte Trumann dat hij dit straks aan Foltrigg zou moeten vertellen. Bij het vooruitzicht van die nachtmerrie liet hij zich tegen de muur zakken. Dit was precies de reden waarom hij zo de pest aan advocaten had – Foltrigg, Reggie, wie dan ook. Ze maakten het leven zo godsgruwelijk ingewikkeld.

'Heeft hij u alles verteld?' vroeg McThune.

'Onze gesprekken zijn vertrouwelijk.'

'Dat weet ik, maar beseft u wel wie Clifford was, en Muldanno, en Boyd Boyette? Kent u het verhaal?'

'Ik heb vanochtend de krant gelezen. Ik heb de zaak in New Orleans gevolgd. Jullie moeten dat lijk vinden, nietwaar?'

'Dat kun je wel zeggen, ja,' beaamde Trumann vanaf het andere eind van de tafel. 'Maar op dit moment willen we vooral met uw cliënt praten.'

'Ik zal erover denken.'

'En wanneer horen we de beslissing?'

'Dat weet ik niet. Hebben jullie het druk vanmiddag?'

'Hoezo?'

'Ik wil nog eens met mijn cliënt praten. Kom maar om drie uur naar mijn kantoor.' Ze pakte haar koffertje en borg de recorder op. Het gesprek was ten einde, dat was duidelijk. 'Ik zal niets over het bandje zeggen. Dat blijft voorlopig ons geheim, oké?'

McThune knikte, maar hij wist dat er nog meer zou komen. 'Als ik iets van jullie vraag, zoals de waarheid of een eerlijk antwoord, dan krijg ik dat ook. Als ik jullie nog eens op een leugen betrap, zal ik het bandje gebruiken.'

'Dat is chantage,' zei Trumann.

'Inderdaad. Klaag me maar aan.' Ze stond op en legde haar hand op de deurknop. 'Tot drie uur.'

McThune liep achter haar aan. 'Eh... luister, Reggie. Er is nog iemand die bij dat gesprek aanwezig zal willen zijn. Roy Foltrigg. Hij...'

'Zo, is meneer Foltrigg in de stad?'

'Ja. Hij is gisteren aangekomen en hij wil natuurlijk horen wat u te zeggen hebt.'

'Kijk eens aan. Ik ben zeer vereerd. Breng hem maar mee.'

10

Het verhaal op de voorpagina van *The Memphis Press* over Cliffords dood was van begin tot eind geschreven door Slick Moeller, een ervaren misdaadverslaggever die zich al dertig jaar met de politie en de criminaliteit in Memphis bezighield. Eigenlijk heette hij Alfred, maar dat wist niemand meer. Zelfs zijn moeder noemde hem Slick, hoewel ze was vergeten waar die bijnaam vandaan kwam. Drie echtgenotes en tientallen vriendinnetjes hadden hem Slick genoemd. Hij kleedde zich niet erg goed, hij had de middelbare school niet afgemaakt, hij was niet rijk, hij had een onopvallend gezicht en een gewoon postuur, hij reed in een Mustang en hij kon geen relatie in stand houden – dus wist niemand meer waarom hij Slick werd genoemd.

De misdaad was zijn leven. Hij kende de drugdealers en de pooiers. Hij dronk bier in de topless bars en hij luisterde naar de verhalen van de uitsmijters. Hij hield lijstjes bij van de leden van de motorbendes die de stad van drugs en strippers voorzagen. Hij kon rustig door de gevaarlijkste buurten van Memphis lopen zonder dat hem een haar werd gekrenkt. Hij kende de hiërarchie binnen de straatbendes. Dankzij Moellers tips had de politie al minstens twaalf bendes autodieven kunnen arresteren. Hij kende de ex-veroordeelden, vooral de slimmeren, die onvermijdelijk weer in het criminele circuit terechtkwamen. Hij wist wanneer er in pandjeshuizen gestolen goed werd aangeboden. Hij bewoonde een rommelige flat in de binnenstad, die alleen opviel door de talloze scanners en politieradio's die tegen een van de muren stonden opgestapeld. Zijn Mustang was met meer technische snufjes uitgerust dan een politiewagen. Alleen had hij geen radargun, maar die wilde hij ook niet.

Slick Moeller woonde en leefde in de donkere schaduwen van Memphis. Vaak was hij eerder op de plek van een misdaad dan de politie. Hij liep de ziekenhuizen, de mortuaria en de rouwkamers in en uit. Hij onderhield en koesterde duizenden bronnen en contacten. Iedereen praatte met Slick omdat hij te vertrouwen was. Hij zou nooit vertrouwelijke gegevens misbruiken. Achtergrondinformatie bleef op de achtergrond. Hij bracht zijn tipgevers nooit in moeilijkheden. Slick hield zijn mond. Hij was een man van zijn woord, en zelfs de bendeleiders wisten dat.

Hij stond op voet van jij en jou met bijna alle straatagenten, die hem vaak bewonderend 'de Mol' noemden. Mol Moeller heeft dit gedaan. Mol Moeller heeft dat gezegd. Omdat

Slick zijn echte naam was geworden, had hij geen bezwaar tegen een nieuwe bijnaam. Slick zat nergens mee. Hij dronk koffie met de smerissen in de tientallen dag-en-nachtrestaurants verspreid over de hele stad. Hij kwam kijken als ze softball speelden, hij wist of ze in scheiding lagen of op het matje waren geroepen. Soms leek het wel of hij twintig uur per dag op het hoofdbureau zat, en het was niets bijzonders dat agenten hem vroegen wat er aan de hand was. Wie is er neergeschoten? Waar was de overval? Was die bestuurder dronken? Hoeveel doden zijn er? Slick vertelde hun wat hij wist. Hij hielp hen waar hij maar kon. Zelfs op de politieschool van Memphis werd zijn naam regelmatig genoemd.

En dus was niemand verbaasd dat Slick de hele ochtend op het hoofdbureau zat, vissend naar informatie. Hij had al met New Orleans gebeld en hij kende de belangrijkste feiten. Hij wist dat Roy Foltrigg en de FBI uit New Orleans naar Memphis waren gekomen om het onderzoek te leiden. Dat interesseerde hem. Het was dus geen gewone zelfmoord. Daarvoor kreeg hij te veel nietszeggende of ontwijkende antwoorden. Het slachtoffer had blijkbaar een briefje achtergelaten. Niemand wilde Slick er iets over zeggen, maar hij ging al jaren met deze smerissen om en hij las hun gedachten als een open boek. Hij wist dat er twee jochies bij betrokken waren en dat de jongste er niet best aan toe was. Er waren vingerafdrukken gevonden en een paar sigarettepeuken.

Slick Moeller stapte uit de lift op de achtste verdieping en liep langs de verpleegstersbalie. Hij wist het nummer van Ricky's kamer, maar dit was de psychiatrische afdeling en daarom kon hij niet zomaar naar binnen lopen om vragen te stellen. Hij wilde niemand bang maken – zeker geen jochie van acht jaar dat een shock had opgelopen. Hij gooide twee kwartjes in de frisdrankautomaat en nam rustig een slok van zijn Cola Light, alsof hij al de hele nacht in het ziekenhuis rondhing. Een schoonmaker in een lichtblauw jasje duwde een karretje met schoonmaakspullen naar de lift. Hij was een jaar of vijfentwintig, hij had lang haar en hij verveelde zich.

Slick liep ook naar de lift. Toen de deur openging, stapte hij samen met de schoonmaker naar binnen. Op het borstzakje van de man zat een strookje met zijn naam genaaid. Hij heette Fred. Ze waren de enigen in de lift.

'Werk je op de achtste verdieping?' vroeg Slick met een verveelde glimlach.

'Ja.' Fred keek hem niet aan.

'Ik ben Slick Moeller van de *The Memphis Press*. Ik ben bezig met een artikel over Ricky Sway in kamer 943. Je weet wel... die zelfmoordzaak.' Hij had al lang geleden geleerd dat je er niet omheen moest draaien.

Opeens leek Fred geïnteresseerd. Hij richtte zich op en keek Slick aan alsof hij wilde zeggen: 'Ja, ik weet er alles van, maar van mij zul je niets horen.' Het karretje stond tussen hen in, volgeladen met Ajax, Comet en twintig flessen met andere middelen. Onder in de bak stond een emmer met vuile dweilen en sponzen. Fred was wc-schoonmaker, maar opeens veranderde hij in de man die over belangrijke feiten beschikte. 'Ja,' zei hij rustig.

'Heb je die jongen gezien?' vroeg Slick nonchalant, starend naar de verlichte nummers boven de deur van de lift.

'Ja. Ik kom er net vandaan.'

'Hij heeft een zware shock opgelopen, heb ik gehoord.'

'Geen idee,' zei Fred zelfvoldaan, alsof hij een staatsgeheim bewaarde. Maar diep in zijn hart wilde hij er graag over praten. Dat verbaasde Slick steeds weer. Als je tegen mensen zei dat je journalist was, wilden ze meestal wel met je praten. Negen van de tien keer. Dan waren ze zelfs bereid je hun diepste geheimen te vertellen.

'Arme knul,' mompelde Slick, starend naar de vloer, alsof Ricky op sterven lag. Toen zweeg hij een paar seconden. Fred raakte zijn geduld kwijt. Wat wás dit voor een journalist? Waar bleven de vragen? Hij, Fred, kende die jongen. Hij kwam net uit zijn kamer. Hij had met de moeder gesproken. Hij had een belangrijke rol.

'Ja, hij is er niet best aan toe,' zei Fred, ook met zijn ogen op de vloer gericht.

'Nog steeds in coma?'

'Soms komt hij even bij. Maar het kan nog wel even duren.'

'Ja, dat heb ik ook gehoord.'

De lift stopte op de vierde verdieping, maar Freds karretje blokkeerde de deur en er stapte niemand in. De deur ging weer dicht.

'Je kunt weinig voor zo'n jongen doen,' merkte Slick op. 'Ik maak het zo vaak mee. Zo'n knulletje ziet iets afschuwelijks gebeuren en raakt in een shocktoestand. Het kan maanden duren voordat hij weer aanspreekbaar is. Psychiaters aan zijn bed, allerlei therapieën... Heel zielig. Is dit jochie ook zo ver heen?'

'Ik denk het niet. Volgens dokter Greenway komt hij binnen een dag of twee wel bij bewustzijn. Hij moet natuurlijk in therapie, maar hij redt het wel. Ik heb meer van die gevallen gezien. Misschien ga ik wel medicijnen studeren.'

'Is de politie al geweest?'

Fred keek schichtig om zich heen, alsof er microfoontjes in de lift verborgen zouden kunnen zijn. 'Ja. De FBI is er al de hele dag. En de familie heeft een advocaat genomen.'

'Echt?'

'Ja. De politie is heel fanatiek. Ze praten nu met de broer van dat jochie. Hoe ze aan die advocaat komen, weet ik niet.'

141

De lift stopte op de eerste verdieping en Fred pakte de handvatten van het wagentje.

'Wie is die advocaat?' vroeg Slick.

De deur ging open en Fred stapte naar buiten. 'Reggie nog wat. Ik heb hem nog niet gezien.'

'Bedankt,' zei Slick toen Fred verdween. De lift stroomde vol. Slick ging mee tot aan de achtste verdieping en stapte weer uit, op zoek naar meer informatie.

Iedereen op het kantoor van de officier van justitie voor het westelijke district van Tennessee had tegen de middag schoon genoeg van Dominee Roy Foltrigg en zijn makkers, Wally Boxx en Thomas Fink. De officier, George Ord, zat al zeven jaar in Tennessee. Hij mocht Roy Foltrigg niet en hij had hem niet uitgenodigd. Ord kende hem van talloze bijeenkomsten en werkgroepen waar de officieren elkaar ontmoetten om te bespreken hoe ze de openbare orde moesten handhaven. Meestal hield Foltrigg wel een toespraak, altijd bereid om zijn mening, zijn tactiek en zijn triomfen te verkondigen tegenover iedereen die maar wilde luisteren.

Toen McThune en Trumann uit het ziekenhuis kwamen met hun frustrerende nieuws over Mark en zijn advocaat, had Foltrigg zich met Boxx en Fink in Ords kantoor geïnstalleerd om de situatie te analyseren. Ord zat in zijn leren stoel achter zijn zware bureau te luisteren, terwijl Foltrigg de twee agenten ondervroeg en zo nu en dan een bevel tegen Boxx blafte.

'Wat weet je over die advocaat?' vroeg hij aan Ord.

'Ik heb nog nooit van haar gehoord.'

'Iemand hier op kantoor zal haar toch wel kennen?' riep Foltrigg. Het was duidelijk een aansporing voor Ord om iemand te gaan zoeken die hem iets over Reggie Love kon vertellen. Ord vertrok en overlegde met zijn assistent. De speurtocht begon.

Trumann en McThune zaten stilletjes in een hoek van Ords kantoor. Ze hadden besloten niemand iets over het bandje te vertellen. Voorlopig nog niet, tenminste. Misschien later. Misschien wel nooit.

Een secretaresse bracht sandwiches. Onder het eten werd er druk gepraat en gespeculeerd. Foltrigg wilde weer terug naar New Orleans, maar niet voordat hij met Mark Sway had gesproken. Het feit dat de jongen op de een of andere manier een advocaat had gestrikt was een vervelende complicatie. Blijkbaar durfde hij zijn verhaal niet te vertellen. Foltrigg twijfelde er niet aan dat Clifford hem iets had toevertrouwd, en in de loop van de dag groeide zijn overtuiging dat de jongen iets over het lijk wist. Foltrigg aarzelde nooit lang met zijn conclusies. Toen de sandwiches op waren, had hij zichzelf en iedereen in het kantoor ervan overtuigd dat Mark Sway wist waar het lijk van Boyette begraven was.

David Sharpinski, een van Ords vele assistenten, kwam het kantoor binnen met de mededeling dat hij samen met Reggie Love aan de juridische faculteit van Memphis State had gestudeerd. Hij liet zich naast Foltrigg in Wally's stoel vallen en beantwoordde de vragen. Hij had het druk en hij wilde weer aan het werk.

'We zijn tegelijkertijd afgestudeerd, vier jaar geleden,' zei hij.

'Dus ze heeft pas vier jaar praktijkervaring,' concludeerde Foltrigg. 'Wat doet ze voor zaken? Strafrecht? Kent ze het klappen van de zweep?'

McThune wisselde een blik met Trumann. Ze hadden zich laten verlakken door een groentje!

'Ze heeft wel een paar strafzaken gedaan,' antwoordde Sharpinski. 'We zijn goede vrienden. Ik zie haar regelmatig.

143

Ze behandelt voornamelijk gevallen van kindermishandeling. Ze... ze heeft het niet gemakkelijk gehad.'

'Wat bedoel je daarmee?'

'Dat is een lang verhaal, meneer Foltrigg. Ze is een heel complexe vrouw. Dit is haar tweede leven.'

'Dus je kent haar goed?'

'Ja. We hebben drie jaar samen college gevolgd, met een paar onderbrekingen.'

'Hoezo met onderbrekingen?'

'Ze moest een paar keer afhaken vanwege... emotionele problemen. In haar eerste leven was ze getrouwd met een vooraanstaand gynaecoloog en verloskundige. Ze waren rijk en geslaagd, ze stonden in de roddelrubrieken, ze deden aan liefdadigheid, ze waren lid van country-clubs, noem maar op. Een groot huis in Germantown. Allebei een Jaguar. Zij zat in het bestuur van alle sociale verenigingen en elite-clubs in Memphis. Ze had als lerares gewerkt om de medische studie van haar man te betalen, maar na vijftien jaar besloot hij haar in te ruilen voor een nieuw model. Hij zat achter de vrouwen aan en kreeg een verhouding met een jongere verpleegster die nu zijn tweede vrouw is. Reggie heette toen nog Regina Cardoni. Het was een geweldige klap voor haar. Ze wilde van hem scheiden. Heel onplezierig allemaal. Cardoni stelde zich keihard op en Reggie ging er langzaam aan kapot. Hij kwelde haar. De scheiding werd een slepende zaak. Ze voelde zich publiekelijk vernederd. Haar vriendinnen waren allemaal doktersvrouwen, van die country-club-types. Ze lieten haar vallen als een baksteen. Reggie deed een zelfmoordpoging. Het staat allemaal in de stukken. Cardoni had een hele ploeg advocaten ingehuurd, die hun invloed aanwendden om haar in een inrichting te laten opnemen. En daarna heeft hij al haar geld ingepikt.'

'Kinderen?'

'Twee. Een jongen en een meisje. Tieners, toen nog. Natuurlijk kreeg hij de voogdij. Hij gaf hun veel vrijheid en genoeg geld om zich te amuseren. Daarom keerden ze zich van hun moeder af. Samen met zijn advocaten heeft hij ervoor gezorgd dat ze twee jaar lang van de ene in de andere inrichting terechtkwam. Tegen de tijd dat ze naar huis mocht was de scheiding uitgesproken. Hij kreeg het huis, de kinderen, de jonge vrouw, alles.' Sharpinski vond het niet prettig om dit tragische verhaal over een vriendin te moeten vertellen, zeker niet aan Roy Foltrigg. Maar het meeste was algemeen bekend.

'En hoe is ze advocaat geworden?'

'Dat was niet gemakkelijk. De kinderen zag ze nooit, want ze had zelfs geen bezoekrecht. Ze woonde bij haar moeder, die vermoedelijk haar leven heeft gered. Ik weet het niet zeker, maar ik heb eens gehoord dat ze een hypotheek op haar huis heeft genomen om een zware therapie voor Reggie te betalen. Het heeft jaren geduurd, maar Reggie is erbovenop gekomen. De kinderen groeiden op en trokken uit Memphis weg. De jongen is de gevangenis in gedraaid wegens handel in drugs. De dochter woont in Californië.'

'Hoe was ze als studente?'

'Soms heel scherp. Ze wilde bewijzen dat ze als advocaat kon slagen. Maar ze had vaak last van depressies. Ze vocht tegen de drank en de pillen, en halverwege de studie moest ze ertussenuit. Toen ze terugkwam was ze afgekickt en haalde ze haar graad. Met uitstekende cijfers.'

Zoals gewoonlijk zaten Fink en Boxx druk te schrijven, heel gewichtig, alsof Foltrigg hen later zou overhoren. Ord luisterde, maar hij was meer geïnteresseerd in de stapel dossiers op zijn bureau. Zijn weerzin tegen Foltrigg en deze ongewenste invasie groeide met de minuut. Hij had het net zo druk als Foltrigg, en zijn werk was net zo belangrijk.

'Hoe is ze als advocaat?' vroeg Roy.

Zo geslepen als de pest, dacht McThune. Een sluwe feeks, dacht Trumann. En ze weet alles van elektronica.

'Ze werkt hard. Ze verdient niet veel, maar geld is niet belangrijk voor haar, denk ik.'

'Hoe komt ze in vredesnaam aan een naam als Reggie?' vroeg Foltrigg verbaasd. Misschien is het domweg een afkorting van Regina, dacht Ord bij zichzelf.

Sharpinski wilde antwoord geven maar bedacht zich. 'Dat is een heel verhaal en ik wil het liever voor me houden,' zei hij. 'Zo belangrijk is het niet, of wel?'

'Misschien,' snauwde Boxx.

Sharpinski wierp hem een nijdige blik toe en keek Foltrigg weer aan. 'Toen ze rechten ging studeren, wilde ze haar verleden uitwissen – vooral de pijnlijke jaren. Ze nam haar meisjesnaam weer aan: Love. Ik denk dat Reggie een verbastering van Regina is, maar ik heb het haar nooit gevraagd. Ze heeft haar naam officieel laten wijzigen. Van de oude Regina Cardoni is geen spoor meer terug te vinden. Niet op papier, tenminste. Op de universiteit praatte ze nooit over haar verleden. De andere studenten praatten wel over haar, maar daar trok ze zich niets van aan.'

'Staat ze nog steeds droog?'

Foltrigg zocht naar iets waarop hij haar kon pakken en dat irriteerde Sharpinski. Op McThune en Trumann had ze een bijzonder nuchtere indruk gemaakt.

'Dat moet u haar zelf maar vragen, meneer Foltrigg.'

'Hoe vaak zie je haar?'

'Eén of twee keer per maand. En soms bellen we elkaar.'

'Hoe oud is ze?' vroeg Foltrigg achterdochtig, alsof hij vermoedde dat Sharpinski en Reggie samen iets hadden.

'Dat moet u haar ook maar vragen. Begin vijftig, schat ik.'

'Als je haar nu eens belde om te vragen wat er aan de hand

is? Gewoon als vrienden onder elkaar. Misschien vertelt ze je wel iets over die Mark Sway.' Sharpinski keek hem vernietigend aan. Toen draaide hij zich naar Ord, zijn baas, met een gezicht van: hoe is het in godsnaam mogelijk? Ord rolde met zijn ogen en begon een nietmachine bij te vullen. 'Ze is niet achterlijk, meneer Foltrigg. Ze is zelfs heel slim. Als ik haar nu bel ruikt ze meteen onraad.'

'Je zult wel gelijk hebben.'

'Geloof dat maar.'

'Maar ik zou het op prijs stellen als je straks bij het gesprek aanwezig wilt zijn. Kun je dat in je agenda inpassen?'

Sharpinski keek vragend naar Ord, die strak naar de nietmachine staarde.

'Dat gaat niet, ben ik bang. Ik heb het veel te druk. Verder nog iets?'

'Nee, dat was alles,' zei Ord opeens. 'Bedankt, David.' Sharpinski stond op en vertrok.

'Ik wil dat hij meegaat,' zei Foltrigg tegen Ord.

'Hij zei dat hij het te druk had, Roy. Mijn mensen wérken voor de kost,' zei hij met een blik naar Boxx en Fink. Een secretaresse klopte en kwam binnen met een fax voor Foltrigg. De officier las de twee velletjes, samen met Boxx. 'Van mijn kantoor,' zei hij tegen Ord, alsof hij de enige was die over die technologie beschikte. Ze lazen verder. 'Ooit van Willis Upchurch gehoord?' vroeg Foltrigg aan Ord.

'Ja. Een beruchte strafpleiter uit Chicago. Werkt veel voor de maffia. Wat is er met hem?'

'Hier staat dat hij zojuist een persconferentie heeft gegeven in New Orleans. Alle tv-stations waren erbij. Upchurch is Muldanno's nieuwe advocaat. Hij wil uitstel vragen... zijn cliënt is onschuldig... enzovoort, enzovoort.'

'Ja, dat klinkt als Willis Upchurch. Kennen jullie hem echt niet? Dat kan ik me nauwelijks voorstellen.'

'Hij is nog nooit in New Orleans geweest,' zei Foltrigg beslist, alsof hij zich alle advocaten herinnerde die ooit een voet in zijn stad hadden durven zetten.

'Nou, maak je borst maar nat.'

'Geweldig. Heel fijn.'

11

Het was donker in de kamer omdat de zonwering was neergelaten. Dianne lag ineengerold te slapen aan het voeteneind van Ricky's bed. De hele ochtend had Ricky liggen mompelen, schokkend met zijn armen en benen. Iedereen had gehoopt dat hij bij bewustzijn zou komen, maar na de lunch had hij zijn knieën weer opgetrokken in zijn bekende foetushouding, met het infuus in zijn arm en zijn duim in zijn mond. Greenway had Dianne herhaaldelijk verzekerd dat Ricky geen pijn had. Maar nadat ze hem vier uur lang had gekust en tegen zich aan gedrukt, was Dianne ervan overtuigd dat hij pijn moest hebben. Zelf was ze totaal uitgeput.

Mark zat op het opklapbed met zijn rug tegen de muur onder het raam en staarde naar zijn broertje en zijn moeder op het bed. Hij was ook doodmoe, maar hij kon niet slapen. De gebeurtenissen spookten door zijn oververhitte brein, maar hij probeerde helder na te denken. Wat was de volgende stap? Kon hij Reggie vertrouwen? Uit al die films en tv-series over advocaten kreeg je de indruk dat de ene helft betrouwbaar was en de andere helft niet. Wanneer moest hij Dianne en dr. Greenway de waarheid vertellen? En zou dat Ricky helpen? Daar dacht hij een hele tijd over na. Hij luisterde naar de rustige stemmen van de verpleegsters die door de gang liepen en overlegde bij zichzelf hoeveel hij moest vertellen. Op de digitale klok naast het bed was het twee minuten over halfdrie. Hij kon nauwelijks geloven dat al die ellende nog geen vierentwintig uur geleden was begonnen. Hij krabde aan zijn knieën en besloot dr. Greenway alles te vertellen wat Ricky kon hebben gezien en gehoord. Hij keek naar het blonde haar dat onder het laken uitstak en voelde zich opeens wat beter. Hij zou ophouden met liegen en de waarheid vertellen om Ricky beter te maken. Niemand wist wat Romey in de auto tegen hem had gezegd en voorlopig wilde hij daar ook met niemand over praten – tenzij zijn advocaat daar anders over dacht.

Maar lang zou hij dat niet volhouden. De druk werd steeds groter. Dit was wel iets anders dan verstoppertje spelen met zijn vriendjes in de bossen en ravijnen achter Tucker Wheel Estates – iets heel anders dan 's nachts uit het raam van de slaapkamer klimmen om in het maanlicht door de buurt te zwerven. Romey had een echt pistool in zijn mond gestoken. Beneden zaten echte FBI-agenten met een echte legitimatie, net als in die waar gebeurde misdaadverhalen op de televisie. Hij had een echte advocaat genomen, die een echte cassetterecorder onder zijn shirt had verborgen om de FBI te slim af te zijn. De man die de senator had gedood was een beroepsmoordenaar die volgens Romey al heel wat andere mensen had koud gemaakt. De man was lid van de maffia, een organisatie die een elfjarig jongetje zoals hij zonder aarzelen uit de weg zou ruimen.

Nee, dit werd hem allemaal te veel. Hij zou nu op school moeten zitten... het vijfde uur, rekenen, waar hij normaal de pest aan had maar waar hij opeens hevig naar verlangde. Hij moest maar eens met Reggie praten. Die zou wel een gesprek met de FBI kunnen regelen, zodat hij hun alles kon vertellen wat hij van Romey te horen had gekregen, tot en met de kleinste en smerigste details. Daarna zouden ze hem beschermen. Misschien zou hij wel een paar lijfwachten krij-

gen totdat de moordenaar achter slot en grendel was verdwenen. Of ze zouden de vent onmiddellijk arresteren, zodat Mark niets meer kon gebeuren. Misschien...

Toen herinnerde hij zich een film over een man die de maffia had verlinkt en dacht dat de FBI hem zou beschermen.
Maar opeens had hij moeten vluchten. Er werden bomaan-
slagen op hem gepleegd en de kogels floten hem om de
oren. De FBI trok zijn handen van hem af omdat hij in de
rechtszaal iets verkeerds had gezegd. Minstens twintig keer
had iemand in die film geroepen dat de maffia nooit vergeet.
In de laatste scène was de auto van die vent de lucht in gevlogen toen hij het contactsleuteltje omdraaide. Op het
moment dat hij zijn laatste adem uitblies, had een duistere
figuur zich over hem heen gebogen en gefluisterd: 'De maffia vergeet nooit...' Het was een slechte film, maar de boodschap was duidelijk.

Mark wilde een Sprite. De handtas van zijn moeder lag op
de grond onder het bed. Langzaam trok hij de rits open. Er
zaten drie flesjes pillen in. En twee pakjes sigaretten. Heel
even kwam hij in de verleiding, maar toen nam hij een paar
kwartjes uit haar portemonnee en liep de kamer uit.

In de wachtruimte stond een verpleegster met een oude man
te praten. Mark opende het flesje en liep naar de liften.
Greenway had hem gevraagd in de buurt te blijven, maar
Mark had genoeg van de kamer en van Greenway, en voorlopig zag het er niet naar uit dat Ricky zou bijkomen. Hij
stapte de lift in en drukte op de knop voor het souterrain.
Hij wilde naar de kantine om te zien wat de advocaten uit-
spookten.

Op het laatste moment stapte er nog iemand de lift in. De
man keek hem erg nadrukkelijk aan. 'Ben jij niet Mark
Sway?' vroeg hij.

Alweer? Hij had de afgelopen vierentwintig uur al genoeg

onbekenden ontmoet, te beginnen met Romey. Ook deze man had hij nooit eerder gezien. 'Wie bent u?' vroeg hij voorzichtig.

'Slick Moeller van de krant, *The Memphis Press*. Jij bent toch Mark Sway?'

'Hoe weet u dat?'

'Ik ben journalist. Ik hoor die dingen te weten. Hoe gaat het met je broertje?'

'Heel goed. Waarom vraagt u dat?'

'Ik ben bezig met een artikel over die zelfmoord, en jouw naam wordt steeds genoemd. Volgens de politie weet je meer dan je wilt zeggen.'

'Wanneer komt het in de krant?'

'Dat weet ik niet. Morgen misschien.'

Mark voelde zijn knieën weer slap worden en sloeg zijn ogen neer. 'Ik heb niets te zeggen.'

'Geeft niet.' Opeens ging de liftdeur open en kwam er een stroom mensen binnen. Mark zag de journalist niet meer. Een paar seconden later stopten ze op de vierde verdieping en Mark glipte naar buiten tussen twee artsen in. Snel nam hij de trap naar de vijfde verdieping.

Hij had de verslaggever afgeschud. Hij ging in het verlaten trappenhuis zitten en begon te huilen.

Precies om drie uur, zoals afgesproken, stapten Foltrigg, McThune en Trumann de kleine maar smaakvolle wachtkamer van Reggie Love binnen. Ze werden ontvangen door Clint, die vroeg of ze wilden gaan zitten en hun een kop thee of koffie aanbood. De drie mannen bedankten nors. Foltrigg stelde zich officieel voor als de federale officier van justitie voor het zuidelijke district van Louisiana, in New Orleans. Hij had een afspraak en hij wenste niet te wachten.

Dat had hij beter niet kunnen zeggen.

Ze moesten drie kwartier wachten. Terwijl de agenten op de bank de tijdschriften doorbladerden, ijsbeerde Foltrigg door de kamer. Hij keek regelmatig op zijn horloge, wierp nijdige blikken naar Clint en vroeg hem twee keer op bitse toon hoe lang het nog ging duren. Clint antwoordde dat Reggie zat te telefoneren over een belangrijke zaak – belangrijker dan Foltrigg, was de implicatie. Foltrigg was het liefst meteen weer vertrokken, maar dit was een van de zeldzame keren dat hij zich moest laten ringeloren zonder iets terug te kunnen doen.

Ten slotte vroeg Clint of ze hem wilden volgen en bracht hen naar een kleine vergaderzaal. Langs de wanden stonden kasten met dikke juridische handboeken.

'Gaat u zitten,' zei Clint. 'Reggie komt eraan.'

'Ze is drie kwartier te laat,' gromde Foltrigg.

'Dat valt nog mee voor Reggies doen,' zei Clint grijnzend, en hij trok de deur achter zich dicht. Foltrigg ging aan de smalle kant van de tafel zitten, tussen de twee agenten ingeklemd. Ze wachtten.

'Zeg, Roy,' zei Trumann aarzelend, 'pas wel op je woorden. Het zou me niets verbazen als ze het gesprek op de band opneemt.'

'Waarom denk je dat?'

'Eh, nou ja... je weet maar nooit.'

'Dat is hier in Memphis heel normaal,' kwam McThune hem te hulp. 'Ik weet niet hoe het bij jullie in New Orleans toegaat, maar hier nemen ze alles op.'

'Dat moet ze toch van tevoren zeggen?' vroeg Foltrigg, duidelijk verbaasd.

'Reken daar maar niet op,' zei Trumann. 'Wees voorzichtig, oké?'

De deur ging open en Reggie kwam binnen, achtenveertig minuten te laat.

'Blijf maar zitten,' zei ze, terwijl Clint de deur achter haar sloot. Foltrigg was al half overeind gekomen. Reggie stak haar hand uit. 'Reggie Love. U bent Roy Foltrigg, neem ik aan.'

'Ja. Hoe maakt u het?'

'Ga zitten.' Ze glimlachte naar McThune en Trumann en heel even dachten ze alledrie aan het bandje. 'Het spijt me dat u moest wachten,' zei ze toen ze aan het andere eind van de tafel ging zitten. De drie mannen zaten tweeënhalve meter bij haar vandaan, op een kluitje, als natte eenden.

'Geen probleem,' zei Foltrigg luid, op een toon waaruit het tegendeel bleek. Reggie haalde een grote cassetterecorder uit een la van de tafel. Ze legde hem voor zich neer en sloot de microfoon aan. 'Is het goed dat ik dit gesprek opneem?' vroeg ze. Het gesprek zou in elk geval worden opgenomen, wat de mannen ook zouden antwoorden. 'Ik zal u een kopie van het bandje geven.'

'Ik vind het best,' zei Foltrigg, alsof hij een keus had.

McThune en Trumann staarden naar de cassetterecorder. Wat aardig dat ze het vroeg! Ze grijnsde naar hen. De mannen grijnsden terug en daarna grijnsden ze alledrie naar de recorder. Reggie was zo subtiel als een steen door het raam. Natuurlijk had ze die micro-recorder ergens verstopt.

Ze drukte op een knop. 'Goed. Zeg het maar.'

Foltrigg boog zich naar voren. Hij was de woordvoerder, dat was duidelijk. 'Waar is uw cliënt?' vroeg hij.

'In het ziekenhuis. De dokter wil dat hij bij zijn broertje blijft.'

'Wanneer kunnen we hem spreken?'

'Aangenomen dát hij met u wil spreken.' Ze keek Foltrigg zelfverzekerd aan. Haar grijze haar was kortgeknipt als een jongenskopje, met een pony boven haar ogen. Haar gezicht was heel expressief, met donkere wenkbrauwen en zacht-

153

rode lippen, die zorgvuldig waren gestift. Haar huid was glad, zonder make-up. Ze was een knappe vrouw, met warme, rustige ogen. Foltrigg keek haar aan en dacht aan alle ellende die ze had meegemaakt. Dat kon je niet aan haar zien. McThune sloeg een map open en bladerde hem door. De afgelopen twee uur hadden ze een dik dossier aangelegd over Reggie Love, voorheen Regina L. Cardoni. Ze hadden kopieën van de echtscheidingspapieren, het gerechtelijke bevel tot opname in een psychiatrische inrichting en de hypotheekakten en eigendomsbewijzen van het huis van haar moeder. Twee agenten van het kantoor in Memphis waren op pad gestuurd om kopieën van haar studieresultaten te bemachtigen.

Foltrigg was dol op groezelige details. Om welke zaak het ook ging en wie zijn tegenstander ook was, Foltrigg spitte altijd naar smerige bijzonderheden.

McThune bladerde het dossier door en verdiepte zich in de pijnlijke rechtszaak met de beschuldigingen van overspel, alcohol- en drugmisbruik, ontoerekeningsvatbaarheid en ten slotte die zelfmoordpoging. Maar hij liet niets merken. Hij wilde haar vooral niet kwaad maken.

'We moeten met uw cliënt praten, mevrouw Love.'

'Zeg maar Reggie. Oké, Roy?'

'Best. Wij denken dat hij iets heel belangrijks weet. Heel simpel.'

'Wat dan?'

'We zijn ervan overtuigd dat Mark bij Jerome Clifford in de auto heeft gezeten voordat hij zelfmoord pleegde. Volgens ons hebben ze langer dan een paar seconden met elkaar gepraat. Clifford was duidelijk van plan zelfmoord te plegen en vermoedelijk wilde hij iemand vertellen waar zijn cliënt, Barry Muldanno, het lijk van senator Boyette had verborgen.'

'Waarom denk je dat Clifford daarover wilde praten?'
'Dat is een lang verhaal, maar hij had al twee keer met een van mijn medewerkers gesproken en laten doorschemeren dat hij bereid was tot een deal. Hij was bang en hij wilde van die zaak af. Hij dronk te veel en hij gedroeg zich vreemd. Hij begon zijn greep te verliezen en hij moest met iemand praten.'
'En waarom denk je dat hij juist mijn cliënt heeft uitgekozen?'
'De kans bestaat, dat is alles. En we mogen geen kans onbenut laten, dat zul je wel begrijpen.'
'Het klinkt nogal wanhopig.'
'Dat is ook zo, Reggie. Ik zal open kaart met je spelen. We weten wie senator Boyette heeft vermoord, maar we hebben weinig kans op een veroordeling als we geen lijk kunnen laten zien.' Hij zweeg en wierp haar een warme glimlach toe. Ondanks al zijn tekortkomingen had Roy een lange ervaring met jury's en daarom wist hij hoe en wanneer hij oprecht moest overkomen.
Maar Reggie had heel wat uren therapie achter de rug en wist wanneer iemand haar belazerde. 'Ik sluit niet uit dat Mark Sway met jullie wil praten. Maar niet vandaag. Misschien morgen of overmorgen. Het gaat allemaal erg snel. Cliffords lijk is nog warm. Laten we even pas op de plaats maken, oké?'
'Goed.'
'Vertel me nu eens waarom jullie zo zeker weten dat Mark Sway bij Jerome Clifford in de auto heeft gezeten voordat hij zich voor zijn kop schoot.'
Geen probleem. Foltrigg raadpleegde zijn aantekeningen en noemde alle plaatsen waar Marks vingerafdrukken waren gevonden: op de achterlichten, de kofferbak, de hendel en het slot van het rechterportier, het dashboard, het pistool,

de fles Jack Daniels en misschien ook de tuinslang, hoewel dat niet zeker was. Daar werd nog aan gewerkt. Foltrigg was nu helemaal de officier die met onweerlegbare bewijzen zijn aanklacht onderbouwde.

Reggie maakte druk aantekeningen. Ze wist dat Mark in de auto had gezeten, maar niet dat hij zoveel sporen had achtergelaten.

'Ook op de whiskyfles?' vroeg ze.

Foltrigg bladerde terug. 'Ja. Drie duidelijke afdrukken. Geen twijfel mogelijk.'

Mark had haar wel over het pistool verteld, maar niet over de fles. 'Nogal vreemd, vind je niet?'

'Op dit moment klinkt het allemáál erg vreemd. De agenten die met hem hebben gesproken kunnen zich niet herinneren dat hij naar alcohol rook, dus ik denk niet dat hij wat gedronken heeft. Ik weet zeker dat hij het kan uitleggen, als we maar met hem mogen praten.'

'Ik zal het hem vragen.'

'Dus hij heeft je niets over die fles verteld?'

'Nee.'

'Wel over het pistool?'

'Daar kan ik geen mededelingen over doen.'

Foltrigg wachtte wanhopig tot ze iets meer zou zeggen. Die afhankelijkheid maakte hem woedend. Trumann zat ook ademloos te luisteren. McThune keek op van het rapport van de psychiater die door de rechtbank was aangewezen.

'Hij heeft je dus niet alles verteld,' drong Foltrigg aan.

'Het was een lang verhaal. Het ligt voor de hand dat hij een paar dingen is vergeten.'

'Maar die dingen kunnen juist heel belangrijk zijn.'

'Dat maak ik zelf wel uit. Wat hebben jullie verder nog?'

'Geef haar dat briefje maar,' zei Foltrigg tegen Trumann, die het uit een map haalde en aan Reggie gaf. Ze las het langzaam door en toen nog eens. Mark had niets over een briefje gezegd.

'Duidelijk twee verschillende pennen,' zei Foltrigg. 'De blauwe hebben we in de auto teruggevonden. Een goedkope Bic. Leeg. Het blijft gissen, maar we denken dat Clifford nog iets aan het briefje wilde toevoegen toen Mark vertrokken was. Het woord "waar" lijkt erop te duiden dat hij al uit de auto was gestapt. Het staat wel vast dat ze met elkaar gesproken hebben. Ze kenden elkaars naam en de jongen heeft lang genoeg in de auto gezeten om alles aan te raken.'

'Zaten hier geen vingerafdrukken van hem op?' vroeg Reggie, wapperend met het briefje.

'Nee. We hebben het grondig onderzocht. De jongen is er niet aan geweest.'

Rustig legde ze het briefje naast haar opschrijfblok en vouwde toen haar handen. 'Goed, Roy, de volgende vraag ligt voor de hand. Hoe hebben jullie Marks vingerafdrukken te pakken gekregen? Hoe weten jullie dat het zijn vingerafdrukken waren in die auto?' Ze vroeg het met die zelfverzekerde, cynische uitdrukking op haar gezicht die Trumann en McThune zich nog herinnerden van bijna vier uur geleden, toen ze het bandje tevoorschijn had getoverd.

'Heel eenvoudig. We hebben een vingerafdruk genomen vanaf een blikje frisdrank dat hij gisteravond in het ziekenhuis had gedronken.'

'En heb je Mark Sway of zijn moeder daarvoor toestemming gevraagd?'

'Nee.'

'Dus jullie hebben de privacy van een jochie van elf jaar geschonden.'

'Nee. We wilden bewijzen verzamelen, dat is alles.'

'Bewijzen? Waarvoor? Toch niet voor een misdrijf, neem ik

157

aan. Dat misdrijf is al veel eerder gepleegd en het lijk is ver-
donkeremaand. Jullie kunnen het alleen niet vinden. Verder
is er geen sprake van een misdrijf. Zelfmoord? Getuige zijn
van een zelfmoord?'
'Heeft hij die zelfmoord gezien?'
'Ik kan jullie niet vertellen wat hij wel of niet heeft gezien,
want dat is vertrouwelijk. Dat weet je ook wel, Roy. Ik ben
zijn advocaat. Wat hebben jullie verder nog van die jongen
gestolen?'
'Niets.'
Ze snoof ongelovig. 'Wat kun je me nog meer vertellen?'
'Is dit niet genoeg?'
'Ik wil alle feiten.'
Foltrigg bladerde nog eens zijn aantekeningen door. God
hoorde hem brommen. 'Je hebt dat gezwollen linkeroog gezien en die buil op zijn voorhoofd. Volgens de politie zat er
bloed aan zijn lip toen ze hem tegenkwamen. Bij de sectie is
er op Cliffords rechterhand een bloeddruppel gevonden van
een andere bloedgroep dan de zijne.'
'Laat me raden. Marks bloed.'
'Waarschijnlijk. Dezelfde bloedgroep.'
'Hoe weten jullie zijn bloedgroep?'
Foltrigg legde zijn schrijfblok neer en wreef over zijn gezicht. De meest effectieve strafpleiters proberen voortdurend de kern van de zaak te ontwijken. Ze blijven protesteren en zeuren over allerlei bijzaken om de aandacht van
de officier en de jury af te leiden van de overduidelijke
schuldigheid van hun cliënt. Als ze iets willen verbergen,
proberen ze de andere partij voortdurend op vormfouten te
betrappen.
Op dit moment ging het maar om één ding: wat had Clifford
precies tegen Mark gezegd? Heel simpel. Maar dat joch had
een advocaat genomen en daarom zaten ze nu te bakkeleien

over de vraag hoe ze aan hun informatie waren gekomen. Het was helemaal niet verboden om vingerafdrukken vanaf een blikje te halen. Dat was goed politiewerk. Maar een advocaat maakte daar meteen een inbreuk op iemands privacy van. En nu weer die vraag over zijn bloedgroep. Straks zou ze hen nog dreigen met een proces. Ze was goed, dat moest hij toegeven. Hij kon nauwelijks geloven dat ze pas vier jaar in het vak zat.

'Uit het ziekenhuisdossier van zijn broertje.'

'En hoe komen jullie daaraan?'

'Daar hebben we onze methoden voor.'

Trumann zette zich al schrap. McThune dook weg achter het dossier. Ze kenden de vlijmscherpe tong van deze dame. Reggie had hen laten zweten en stotteren. Nu was Roy aan de beurt. Ze moesten er haast om lachen.

Maar Reggie beheerste zich. Langzaam stak ze haar vinger uit en priemde met een witgelakte nagel in Roy's richting. 'Als je nog eens in de buurt van mijn cliënt komt of zonder mijn toestemming iets achteroverdrukt, zal ik jou en de FBI voor de rechter slepen. Dan dien ik een klacht in bij de rechtbank van Louisiana én die van Tennessee, met een eis tot gevangenisstraf.' Ze zei het heel rustig en zonder emotie, maar op zo'n zakelijke toon dat niemand in de kamer – ook Roy Foltrigg niet – er één moment aan twijfelde dat ze haar dreigement zou uitvoeren.

Foltrigg glimlachte en knikte. 'Oké. Misschien zijn we wat overhaast te werk gegaan. Sorry. Maar de tijd dringt en we moeten met je cliënt spreken.'

'Heb je me alles verteld wat jullie over Mark weten?'

Foltrigg en Trumann raadpleegden hun aantekeningen. 'Ja, ik geloof het wel.'

'En wat is dat?' vroeg ze, wijzend op het dossier waarin McThune verdiept was. Hij zat juist over haar zelfmoordpoging te lezen. Ze had een buisje pillen geslikt. Volgens de stukken hadden getuigen onder ede verklaard dat ze vier dagen in coma had gelegen voordat ze weer bij kwam. Haar ex-man, dr. Cardoni... een etter van het zuiverste water, aan de verhoren te oordelen... had genoeg geld om een stel goede advocaten te huren. Zodra Regina/Reggie die pillen had geslikt, was hij naar de rechtbank geheld om de voogdij over de kinderen te krijgen. Aan de data te zien was de brave dokter daar al mee bezig toen zijn vrouw nog in coma lag en voor haar leven vocht.

McThune bleef kalm. Hij keek haar onschuldig aan en zei: 'O, een intern dossier.' Het was geen leugen, want hij durfde niet tegen haar te liegen. Ze had nog steeds dat bandje en de twee agenten hadden haar beloofd de waarheid te spreken.

'Over mijn cliënt?'

'Nee hoor.'

Ze keek weer op haar schrijfblok. 'Laten we morgen maar verder praten,' zei ze. Het was geen voorstel maar een bevel.

'We hebben haast, Reggie,' drong Foltrigg aan.

'Ik niet. En ik bepaal wat er gebeurt.'

'Ja, dat zal wel.'

'Ik heb tijd nodig om dit te overdenken en met mijn cliënt te overleggen.'

Het was niet waar ze op hadden gehoopt, maar meer zat er niet in, dat was duidelijk. Met een dramatisch gebaar schroefde Foltrigg de dop op zijn vulpen en borg zijn aantekeningen in zijn koffertje op. Trumann en McThune volgden zijn voorbeeld en de tafel trilde toen ze de stapels papieren verzamelden.

'Hoe laat, morgen?' vroeg Foltrigg, terwijl hij met een klap zijn koffertje sloot en zijn stoel achteruit schoof.

'Tien uur. Hier.'
'Is Mark Sway er dan ook?'
'Dat weet ik nog niet.'
Ze stonden op en liepen de kamer uit.

12

Minstens vier keer per uur belde Wally Boxx met het kantoor in New Orleans. Foltrigg had zevenenveertig assistenten die op allerlei manieren bezig waren de misdaad te bestrijden, en het was Wally's taak de opdrachten van de chef in Memphis door te geven. Behalve Thomas Fink werkten er nog drie andere substituut-officieren aan de zaak Muldanno en Wally belde hen elk kwartier met nieuwe instructies en het laatste nieuws over Clifford. Tegen de middag was het hele kantoor op de hoogte van Mark Sway en zijn broertje. Er werd druk geroddeld en gespeculeerd. Hoeveel zou het joch weten? Kon hij hun de plaats van het lijk aanwijzen? In het begin waren het alleen de drie substituut-officieren die daar fluisterend over spraken, maar halverwege de middag verkondigden zelfs de secretaressen in de koffiekamer de wildste theorieën over het zelfmoordbriefje en wat Clifford die jongen kon hebben verteld voordat hij zich een kogel door zijn kop joeg. Het werk kwam bijna stil te liggen omdat het hele kantoor op Wally's telefoontjes wachtte.

Foltrigg had al eerder problemen gehad omdat zijn mensen hun mond voorbijpraatten. Hij had medewerkers ontslagen omdat ze uit de school hadden geklapt. Hij had het hele personeel – juristen, medewerkers, onderzoekers en secretaressen – aan de leugendetector gelegd. Hij had gevoelige dossiers achter slot en grendel opgeborgen omdat hij zijn eigen mensen niet vertrouwde. Hij hield donderpreken en hij dreigde met hel en verdoemenis.

Maar Roy Foltrigg was niet een man die veel loyaliteit bij zijn personeel afdwong. Een groot aantal van zijn assistenten had de pest aan hem. Hij deed te veel aan politiek. Hij manipuleerde zaken ter wille van zijn eigen ambities. Hij was publiciteitsgeil, hij eiste de eer van alle successen voor zichzelf op en gaf zijn ondergeschikten de schuld als er iets verkeerd ging. Hij diende onbenullige aanklachten tegen gekozen politici in, alleen om de krant te halen. Hij lichtte het doopceel van zijn politieke tegenstanders en smeet met modder. Hij was een politieke hoer en zijn enige juridische talent lag in de rechtszaal, waar hij tot de jury preekte en uit de Heilige Schrift citeerde. Hij was benoemd door Reagan en hij had nog maar één jaar te gaan. De meesten van zijn assistenten telden de dagen en spoorden hem aan zich vooral verkiesbaar te stellen voor een politieke functie. Welke functie dan ook.

De eerste journalisten van de plaatselijke kranten belden al om acht uur 's ochtends voor een officiële verklaring van Foltrigg over Cliffords zelfmoord. Die kregen ze niet. Om twee uur hield Willis Upchurch zijn persconferentie, met een norse Muldanno aan zijn zij. Daarna meldden zich nog meer verslaggevers bij Foltriggs kantoor. Er werd voortdurend heen en weer gebeld tussen New Orleans en Memphis. En de mensen praatten.

Ze stonden voor het vuile raam aan het eind van de gang op de achtste verdieping en keken naar de avondspits beneden. Dianne stak zenuwachtig een Virginia Slim op en blies een dikke rookwolk uit. 'Wie is die advocaat?'

'Ze heet Reggie Love.'

'En hoe kom je aan haar?'

Hij wees naar het Sterick Building, vier straten verderop. 'Ze heeft een kantoor in dat gebouw. Daar heb ik met haar gepraat.'

'Maar waarom, Mark?'

'Al die smerissen maken me bang, ma. Het wemelt hier van de politie en de FBI. En van de journalisten. Vanmiddag stond er een in de lift die met me wilde praten. Daarom vond ik dat we een advocaat nodig hadden.'

'Advocaten kosten geld, Mark. Dat hebben we niet.'

'Ik heb haar al betaald,' zei hij, op de toon van een groot zakenman.

'Wat? Hoe dan?'

'Ze wilde een kleine aanbetaling en die heb ik haar gegeven. Eén dollar. Je had me vanochtend toch vijf dollar gegeven voor donuts?'

'Werkt ze voor één dollar? Nou, dat moet een geweldige advocaat zijn.'

'Ja, ze is heel goed. Ik sta ervan te kijken.'

Dianne schudde verbaasd haar hoofd. Tijdens die ellendige echtscheidingszaak had Mark, die toen pas negen was, steeds kritiek gehad op haar advocaat. Hij keek urenlang naar herhalingen van *Perry Mason* op de tv, en hij sloeg nooit een aflevering van *L.A. Law* over. Het was jaren geleden dat ze een discussie van hem had gewonnen.

'Wat heeft ze dan gedaan?' vroeg Dianne, alsof ze uit een donkere spelonk was gekropen en voor het eerst in een maand weer zonlicht zag.

'Aan het eind van de ochtend heeft ze met een paar FBI-agenten gepraat. Ze heeft hun alle hoeken van de kamer laten zien. Vanmiddag om drie uur zijn ze bij haar op kantoor geweest. Daarna heb ik haar niet meer gesproken.'

'Hoe laat komt ze hier?'

'Om een uur of zes. Ze wil met jou en met dokter Greenway

praten. Je zult haar best aardig vinden, ma.'

Dianne nam een flinke trek en blies de rook uit. 'Maar waarom hebben we een advocaat nodig, Mark? Dat begrijp ik niet. Jij hebt niets verkeerds gedaan. Jij en Ricky hebben die auto gezien, jij hebt geprobeerd die man te helpen, maar hij heeft toch zelfmoord gepleegd. Dat hebben jullie gezien. Dat is alles. Wat moet je dan met een advocaat?'

'Nou, in het begin heb ik tegen de politie gelogen, en dat maakte me bang. Misschien kan ik wel problemen krijgen omdat ik die man niet heb tegengehouden. Het is allemaal doodeng, ma.'

Ze keek hem strak aan en hij sloeg zijn ogen neer. Het bleef een hele tijd stil. 'Heb je me wel alles verteld?' vroeg ze toen heel langzaam, alsof ze het al wist.

In de caravan, met Hardy in de buurt, had hij tegen haar gelogen. Gisteravond in Ricky's kamer, toen hij door dr. Greenway was ondervraagd, had hij een deel van de waarheid verteld. Hij herinnerde zich hoe bedroefd ze was geweest toen ze merkte dat hij had gelogen. 'Je liegt anders nooit tegen me, Mark,' had ze tegen hem gezegd.

Ze hadden samen zoveel meegemaakt, en nu probeerde hij haar vragen te ontwijken. Hij had Reggie meer verteld dan zijn eigen moeder. Dat vond hij verschrikkelijk.

'Ma, het ging allemaal zo snel. Gisteravond wist ik gewoon niet wat er was gebeurd, maar vandaag heb ik diep nagedacht. Ik heb geprobeerd me alles te herinneren, stap voor stap. En toen kwamen er weer dingen boven.'

'Zoals?'

'Nou, je weet hoe Ricky eraan toe is. Ik denk dat ik ook zo'n schok heb gehad. Niet zo erg als hij, natuurlijk, maar ik begin me nu pas dingen te herinneren die ik gisteravond aan dokter Greenway had moeten vertellen. Begrijp je?'

Ja, Dianne begreep het. En opeens maakte ze zich zorgen.

De twee jongens hadden allebei hetzelfde gezien. Ricky was in een shocktoestand geraakt. Natuurlijk was het voor Mark ook een onthutsende ervaring geweest. Daar had ze niet bij stilgestaan. Ze boog zich naar hem toe. 'Mark, voel je je wel goed?'

Hij wist dat hij het pleit gewonnen had. 'Ik geloof het wel,' zei hij fronsend, alsof hij hoofdpijn had.

'En wat heb je je herinnerd?' vroeg ze voorzichtig. Hij haalde diep adem. 'Nou...'

Greenway dook uit het niets op en schraapte zijn keel. Mark draaide zich haastig om. 'Ik moet nu weg,' zei Greenway, bijna verontschuldigend. 'Over een paar uur kom ik weer een kijkje nemen.'

Dianne knikte, maar ze zei niets.

Mark nam een besluit. 'Dokter, ik zei juist tegen mijn moeder dat ik me nu een paar dingen herinner die ik vergeten was.'

'Over die zelfmoord?'

'Ja. Vandaag kwam er steeds meer boven. Misschien zitten er dingen bij die belangrijk kunnen zijn.'

Greenway wisselde een blik met Dianne. 'Laten we naar Ricky's kamer gaan om te praten,' zei hij.

Ze liepen terug naar de kamer, deden de deur achter zich dicht en luisterden toen Mark de witte plekken probeerde in te vullen. Het was een geweldige opluchting dat hij eindelijk het hele verhaal kon vertellen, hoewel hij strak naar de grond bleef staren. Het was toneelspel, de gekwelde manier waarop hij zijn geschokte geheugen pijnigde, maar hij speelde het knap. Soms zweeg hij een hele tijd, alsof hij naar woorden zocht om scènes te beschrijven die al scherp in zijn gedachten stonden gegrift. Zo nu en dan keek hij naar Greenway, maar de arts liet niets blijken. Hij keek ook zijn moeder aan, maar zij leek niet boos of teleurgesteld. Haar gezicht stond moederlijk bezorgd.

Toen hij vertelde dat Clifford hem had gegrepen, merkte hij dat ze nerveus werden. Hij staarde nog steeds broeierig naar de grond. Dianne slaakte een zucht toen het pistool ter sprake kwam. Greenway schudde zijn hoofd toen Mark over het pistoolschot door het raampje vertelde. Soms dacht hij dat ze kwaad zouden worden omdat hij de vorige avond gelogen had, maar toch ging hij door, ogenschijnlijk totaal in de war en diep in gedachten verzonken.

Zorgvuldig beschreef hij alles wat Ricky kon hebben gezien en gehoord. Het enige wat hij voor zich hield waren Cliffords bekentenissen. Levendig herinnerde hij zich Cliffords vreemde opmerkingen over het 'sprookjesland' en de 'grote tovenaar' die hij daar zou ontmoeten.

Toen hij uitgesproken was, zag hij dat Dianne op het opklapbed zat en haar slapen masseerde terwijl ze iets over valium mompelde. Greenway zat in een stoel en luisterde aandachtig. 'Was dat alles, Mark?'

'Dat weet ik niet. Het is alles wat ik me nu kan herinneren,' zei hij moeizaam, alsof hij kiespijn had.

'Dus je hebt zelf in die auto gezeten?' zei Dianne, zonder haar ogen te openen.

Hij wees op zijn licht gezwollen linkeroog. 'Zie je? Daar heeft hij me geslagen toen ik probeerde te ontsnappen. Ik was een hele tijd duizelig van de klap. Misschien ben ik wel bewusteloos geraakt. Ik weet het niet.'

'Tegen mij zei je dat je op school gevochten had.'

'Heb ik dat gezegd? Dat weet ik niet meer. Dat zal de schok zijn geweest, of zoiets.' Verdomme, weer betrapt op een leugen.

Greenway streelde zijn baard. 'Dus Ricky heeft gezien dat je werd vastgegrepen en in de auto gesleurd, en daarna hoorde hij dat schot. Allemachtig.'

'Ja, het staat me nu weer helder voor de geest. Het spijt me dat ik het me niet eerder kon herinneren, maar ik wist gewoon niets meer. Net als Ricky, denk ik.'

Weer een lange stilte.

'Eerlijk gezegd kan ik nauwelijks geloven dat je gisteravond helemaal niets meer wist, Mark,' zei Greenway.

'O nee? Kijk dan eens naar Ricky! Hij heeft gezien wat er met me is gebeurd en hij is over de rooie gegaan! Hébben we gisteravond wel gepraat?'

'Toe nou, Mark,' zei Dianne.

'Natuurlijk hebben we gepraat,' zei Greenway, met minstens vier nieuwe rimpels in zijn voorhoofd.

'Het zal wel. Ik kan me er niet veel van herinneren.'

Greenway keek Dianne fronsend aan. Mark liep naar de badkamer en dronk wat water uit een papieren bekertje.

'Het geeft niet,' zei Dianne. 'Heb je dit ook tegen de politie gezegd?'

'Nee, natuurlijk niet. Het schiet me nu pas te binnen.'

Dianne knikte langzaam en lachte geforceerd tegen hem. Ze kneep haar ogen halfdicht. Mark keek weer naar de grond. Ze geloofde wel wat hij hun over de zelfmoord had verteld, maar niet dat hij opeens zijn geheugen weer terug had. Goed, dat kwam later wel.

Greenway had ook zijn twijfels, maar hij vond zijn patiënt belangrijker dan Marks leugens. Hij streek langzaam over zijn baard en staarde naar de muur. Het bleef lange tijd stil.

'Ik heb honger,' zei Mark ten slotte.

Reggie was een uur te laat en maakte haar excuses. Greenway was al vertrokken. Mark stelde Reggie hakkelend aan zijn moeder voor. Ze glimlachte vriendelijk tegen Dianne en gaf haar een hand. Ze ging naast haar op het bed zitten en vroeg van alles over Ricky. Ze was meteen een huisvriendin, bezorgd en meelevend. En hoe stond het met Diannes werk? Met Marks school? Hadden ze wel genoeg geld? Genoeg kleren?

Dianne was moe en kwetsbaar en ze vond het fijn om met een andere vrouw te praten. Ze stortte haar hart uit, vertelde wat Greenway had gezegd en praatte over van alles – maar niet over Mark, over zijn verhaal en over de FBI, de enige reden voor Reggies bezoek.

Reggie had een zak met broodjes en patat bij zich. Mark legde het eten op een rommelig tafeltje naast Ricky's bed en liep de kamer uit om drinken te halen. De vrouwen merkten het nauwelijks.

Hij kocht twee dr. Peppers in de wachtruimte en kwam weer terug zonder te worden lastiggevallen door smerissen, journalisten of huurmoordenaars van de maffia. De vrouwen waren in een druk gesprek gewikkeld over McThune en Trumann, die Mark hadden ondervraagd. Reggie vertelde het op zo'n manier dat Dianne de FBI wel móest wantrouwen. Ze waren allebei geschokt. Voor het eerst in vele uren reageerde Dianne weer actief en levendig.

Jack Nance & Partners was een onopvallende firma die zich voordeed als beveiligingsbedrijf. In werkelijkheid bestond de firma uit twee privé-detectives. De advertentie in de Gouden Gids was een van de kleinste uit de hele stad. Jack Nance had geen trek in de gebruikelijke echtscheidingszaken waarin de ene partner bewijzen en foto's wilde van het overspel van de ander. Jack Nance bezat geen leugendetector, ontvoerde geen kinderen en spoorde geen personeelsleden op die hun baas bestalen.

Jack Nance was een ex-gevangene met een indrukwekkende staat van dienst. Hij was inmiddels alweer tien jaar op het rechte pad. Zijn compagnon Cal Sisson had ook in de bak gezeten, wegens een gigantische fraude met een niet-bestaand dakdekkersbedrijf. Samen verdienden ze nu een aardige boterham door smerige klusjes op te knappen voor mensen met genoeg geld. Ooit hadden ze het vriendje van de dochter van een rijke opdrachtgever allebei zijn handen gebroken toen het joch haar had geslagen. Twee Moonies, de kinderen van een andere cliënt, hadden ze van hun vreemde ideeën genezen. Ze waren niet bang voor geweld. Meer dan eens hadden ze concurrenten in elkaar geslagen die een klant hadden opgelicht. Eén keer hadden ze het liefdesnestje van de vrouw van een cliënt en haar minnaar in brand gestoken.

Er was een markt voor hun soort 'beveiligingswerk', en in kleine kring stonden ze bekend als twee zeer onaangename en efficiënte types, die tegen contante betaling het vuile werk wilden opknappen, zonder sporen na te laten. Ze boekten opmerkelijke resultaten. Mond-tot-mondreclame deed de rest.

Jack Nance zat 's avonds in zijn rommelige kantoor toen er iemand aanklopte. De secretaresse was al naar huis. Cal Sisson schaduwde een crackdealer die de zoon van een opdrachtgever aan de drugs had gebracht. Nance was rond de veertig, niet groot, maar wel stevig en heel erg snel. Hij liep door het kantoortje van de secretaresse en opende de voordeur. Het gezicht kwam hem niet bekend voor.

'Ik zoek Jack Nance,' zei de man.

'Dat ben ik.'

De man stak zijn hand uit. 'Paul Gronke is de naam. Mag ik binnenkomen?'

Nance gaf hem een hand en stapte opzij om hem binnen te laten. Ze bleven staan voor het bureau van de secretaresse. Gronke liet zijn blik door de kleine, rommelige kamer dwalen.

'Het is al laat,' zei Nance. 'Waar komt u voor?'

'Ik heb een haastklus.'

'Hoe komt u bij ons terecht?'

'Ik heb over u gehoord. Via via.'

'Noem eens een naam.'

'Goed. J.L. Grainger. U hebt hem geholpen bij een zakelijke transactie, als ik me niet vergis. Hij noemde ook een zekere meneer Schwartz, die heel tevreden was over uw werk.'

Nance dacht daar even over na, terwijl hij Gronke scherp opnam. Zijn bezoeker was een forse man met een brede borstkas. Hij was achter in de dertig en hij kleedde zich slecht, maar dat wist hij zelf niet. Aan zijn knauwende, temerige accent hoorde Nance meteen dat hij uit New Orleans kwam. 'Tweeduizend dollar vooruit, contant en niet terugvorderbaar, anders begin ik er niet aan.'

Gronke haalde een rol bankbiljetten uit zijn linkerborstzak en telde twintig briefjes van honderd uit. Nance was tevreden. Zo snel had hij zijn geld nog nooit gekregen. 'Ga zitten,' zei hij, terwijl hij het geld aanpakte en de man naar de sofa wuifde. 'Ik luister.'

Gronke haalde een opgevouwen krantenknipsel uit de zak van zijn jasje en gaf het aan Nance. 'Hebt u dit vandaag gelezen?'

Nance keek ernaar. 'Ja,' zei hij. 'Wat hebt u daarmee te maken?'

'Ik kom zelf uit New Orleans. Meneer Muldanno is een oude makker van me en hij vindt het heel vervelend dat zijn naam opeens in een krant in Memphis wordt genoemd. Er staat zelfs dat hij connecties met de maffia heeft. Je kunt geen woord geloven van wat je in de krant leest. De pers helpt dit land nog eens naar de verdommenis.'

'Was Clifford zijn advocaat?'

'Ja. Hij heeft nu een andere, maar daar gaat het niet om. Ik zal u zeggen wat hem dwarszit. Hij heeft uit betrouwbare bron gehoord dat die twee jongetjes iets weten.'

'En waar zijn die jongens nu?'

'Eén ligt in het ziekenhuis, in coma of zoiets. Hij is door het lint gegaan toen Clifford zich door zijn kop schoot. Vlak voor de zelfmoord zat zijn broertje nog in de auto en we zijn bang dat hij iets weet. Hij heeft een advocaat genomen en hij wil niet met de FBI praten. Heel verdacht.'

'En wat wilt u van mij?'

'We zoeken iemand met connecties in Memphis. We moeten die jongen spreken. Daarom willen we dat hij in de gaten wordt gehouden. Vierentwintig uur per dag.'

'Hoe heet hij?'

'Mark Sway. Waarschijnlijk slaapt hij nog in het ziekenhuis, net als zijn moeder. Gisteravond zijn ze ook bij het jongste kind gebleven, bij Ricky Sway. Hij ligt op de achtste verdieping van het St. Peter's. Kamer 943. We willen dat u die jongen opspoort en hem schaduwt.'

'Geen probleem.'

'Misschien niet. Maar de politie is ook in de buurt. En waarschijnlijk de FBI. Dat joch heeft een hele meute achter zich aan.'

'Het tarief is honderd dollar per uur. Contant.'

'Dat weet ik.'

Ze noemde zich Amber – samen met Alexis de twee populairste namen onder de strippers en hoertjes in de French Quarter, de Franse wijk van New Orleans. Ze nam de telefoon op en droeg het toestel naar de kleine badkamer waar Barry Muldanno zijn tanden stond te poetsen. 'Het is Gronke,' zei ze, en ze gaf hem de telefoon. Hij pakte hem aan, draaide de kraan dicht en keek bewonderend naar haar naakte lichaam toen ze weer onder de lakens kroop. Hij bleef in de deuropening staan. 'Ja?' zei hij in de hoorn.

Een minuut later legde hij de telefoon op het tafeltje naast het bed, droogde zich af en kleedde zich haastig aan. Amber was onder de dekens verdwenen.

'Hoe laat ga je aan het werk?' vroeg hij, terwijl hij zijn das strikte.

'Om tien uur. Hoe laat is het nu?' Haar hoofd kwam tevoorschijn tussen de kussens.

'Bijna negen uur. Ik moet nog een boodschap doen. Ik kom zo terug.'

'Waarvoor? Je hebt toch je zin gekregen?'

'Misschien wil ik nog een keer. Ik betaal de huur, vergeet dat niet, schat.'

'De huur? Voor dit krot? Zorg maar eerst eens dat ik een aardig flatje krijg.'

Hij trok zijn manchetten onder de mouwen van zijn jasje vandaan en keek waarderend in de spiegel. Perfect, hij kon niet anders zeggen. 'Mij bevalt het hier wel,' zei hij grijnzend tegen Amber.

'Het is een krot. Als je echt van me hield, zou je wel wat beters zoeken.'

'Vast wel. Tot straks, schatje.' En hij smeet de deur achter zich dicht. Strippers! Je vindt een baan voor hen, en een flat, je koopt kleren voor hen, je neemt hen mee uit eten, en opeens krijgen ze het hoog in hun bol en gaan ze eisen stellen. Een dure hobby, maar hij was eraan verslaafd.

Hij liep snel de trap af op zijn krokodillenleren schoenen en stapte de deur uit. Op Dumaine aangekomen keek hij naar links en rechts, ervan overtuigd dat hij werd geschaduwd, en sloeg de hoek om naar Bourbon Street. Hij bleef zoveel mogelijk in de schaduw, stak een paar keer de straat over, sloeg een paar hoeken om en rende weer terug in de richting waaruit hij gekomen was. Zigzaggend liep hij op die manier acht straten door, op weg naar Randy's Oysters in Decatur. Als ze hem nu nog niet waren kwijtgeraakt, waren het supermensen.

Randy's was zijn toevluchtsoord – een ouderwetse eettent, lang en smal, donker en druk. Toeristen kwamen er niet. Het was een maffia-restaurant. Hij rende de smalle trap op naar de eerste verdieping, waar je alleen met een reservering terecht kon en waar streng werd geselecteerd. Hij knikte tegen een ober, grijnsde naar een vette gangster en stapte een privé-kamer met vier tafeltjes binnen. Het was er schemerig. Drie van de tafeltjes waren leeg, aan het vierde zat een eenzame figuur bij het licht van een brandende kaars te lezen. Barry kwam dichterbij en bleef op enige afstand staan wachten. De man zag hem en wees naar een stoel. Barry ging gehoorzaam zitten.

Johnny Sulari was de broer van Barry's moeder en onbetwist het hoofd van de familie. Hij was eigenaar van Randy's Oysters en van nog honderd andere, uiteenlopende bedrijven. Zoals gewoonlijk zat hij 's avonds te werken. Bij het kaarslicht nam hij de boekhouding door, wachtend op het eten. Het was dinsdag, gewoon een doordeweekse avond op de zaak. Op vrijdag zou hij hier zitten met een Amber, een Alexis of een Sabrina, en op zaterdag met zijn vrouw.

Hij stelde de onderbreking niet op prijs. 'Wat is er?' vroeg hij.

Barry boog zich aarzelend naar voren. Hij voelde ook wel dat zijn gezelschap op dit moment niet op prijs werd gesteld. 'Ik heb net met Gronke gesproken, in Memphis. Die jongen heeft een advocaat genomen en hij weigert met de FBI te praten.'

'Ik kan niet geloven dat je werkelijk zo stom bent, Barry.'

'Dat hebt u al eens gezegd.'

'En ik zal het nog wel vaker zeggen. Je bent een rund, een ongelooflijk stomme zak.'

'Goed, dan ben ik een zak. Maar we moeten iets doen.'

'Wat dan?'

'Ik wil Bono erop afsturen, en misschien Pirini en de Stier. Het maakt niet uit wie. Maar we moeten een paar mensen in Memphis hebben, en snel.'

'Wil je dat joch omleggen?'

'Misschien, dat weet ik nog niet. Eerst moeten we erachter komen wat Clifford hem heeft verteld, oké? Als hij te veel weet, kunnen we hem altijd nog elimineren.'

'Ik schaam me dat ik familie van je ben, Barry. Je bent niet goed wijs, weet je dat?'

'Dat zal wel. Maar we moeten opschieten.'

Johnny pakte een stapel papieren en begon te lezen. 'Stuur Bono en Pirini er maar heen – maar geen stomme streken meer, begrepen? Je bent een randdebiel, Barry. Je houdt je gedeisd totdat ik het zeg. Duidelijk?'

'Jawel.'

'Sodemieter dan maar op.' Johnny wuifde hem weg en Barry sprong overeind.

13

Tegen dinsdagavond was het George Ord en zijn mensen gelukt om de activiteiten van Foltrigg, Boxx en Fink te beperken tot de grote bibliotheek in het hart van het kantoor. Daar hadden ze nu hun kamp opgeslagen, met twee telefoons, een secretaresse en een stagiaire die ze van Ord hadden geleend. De andere assistenten hadden opdracht zo ver mogelijk uit de buurt van de bibliotheek te blijven. Foltrigg hield de deuren dicht. Hij had zijn papieren en andere spullen op de vijf meter lange vergadertafel in het midden van de kamer uitgespreid. Trumann was de enige die in en uit mocht lopen. De secretaresse haalde koffie en broodjes als de Dominee erom vroeg.

Foltrigg was een middelmatig rechtenstudent geweest en de afgelopen vijftien jaar had hij zich zoveel mogelijk aan de saaie kanten van het juridische graafwerk onttrokken. Al tijdens zijn studie had hij de pest gehad aan de bibliotheek. Onderzoek was iets voor pennenlikkers. Echte advocaten deden hun werk in de rechtszaal, waar ze een jury konden toespreken.

Maar uit pure verveling zat hij nu met Boxx en Fink in de bibliotheek van George Ord, overgeleverd aan de grillen van een zekere Reggie Love. Daarom had hij – de grote Roy Foltrigg, officier *extraordinaire* – in wanhoop zijn neus maar in een dik juridisch handboek gestoken, met een stapel andere boeken om zich heen. Fink, de pennenlikker, had zijn schoenen uitgetrokken en zat op de grond tussen twee boekenplanken, met een paar naslagwerken en dossiermappen onder handbereik. Boxx, ook geen juridisch meesterbrein, zat aan de andere kant van de tafel en deed alsof hij studeerde. Hij had in geen jaren een boek opengeslagen, maar op dit moment had hij niets anders te doen. Hij droeg de enige schone boxershort die hij nog had en hoopte vurig dat ze de volgende dag uit Memphis konden vertrekken.

Het doel van hun studie was de vraag hoe ze Mark Sway konden dwingen met hen te praten als hij dat niet wilde. Als iemand informatie bezat die van wezenlijk belang was voor een strafzaak, en hij weigerde mee te werken, hoe kon die informatie dan toch worden verkregen?

Een andere vraag was of ze Reggie Love konden dwingen te

vertellen wat zij van Mark Sway had gehoord. De zwijg-plicht van een advocaat was bijna heilig, maar Roy wilde toch nagaan of er een manier was om die zwijgplicht te om-zeilen.

De discussie of Mark Sway werkelijk iets wist was al uren geleden door Foltrigg gewonnen. Het joch had in de auto gezeten. Clifford was volkomen gestoord en had met iemand willen praten. De jongen had gelogen tegen de po-litie. En nu had hij een advocaat omdat hij iets wist wat hij niet wilde vertellen. Waarom niet? Omdat hij bang was voor de moordenaar van Boyd Boyette. Heel simpel.

Fink twijfelde nog, maar hij was de discussie zat. Zijn chef was niet erg slim, maar wel behoorlijk koppig. Als Foltrigg eenmaal een idee in zijn hoofd had, kreeg je dat er niet meer uit. Bovendien waren zijn argumenten in dit geval niet slecht, dus misschien had hij wel gelijk. Die jongen gedroeg zich erg vreemd, zeker voor een kind.

Boxx steunde zijn baas natuurlijk door dik en dun en ge-loofde alles wat hij zei. Als Roy beweerde dat de jongen wist waar Muldanno het lijk verborgen had, dan wás dat zo. Na een van zijn telefoontjes waren zes substituutoffi-cieren in New Orleans nu met hetzelfde onderzoek bezig.

Dinsdagavond om een uur of tien werd er geklopt en stapte Larry Trumann de bibliotheek in. Het grootste deel van de avond had hij bij McThune op kantoor gezeten. Op bevel van Foltrigg waren ze begonnen met een procedure om Mark Sway bescherming te bieden volgens de wet tot pro-tectie van getuigen. Ze hadden druk met Washington gete-lefoneerd en twee keer met de directeur van de FBI, F. Den-ton Voyles, gesproken. Als Mark Sway de volgende ochtend niet bereid zou zijn Foltriggs vragen te beantwoor-den, zouden ze hem een heel aantrekkelijk aanbod kunnen doen.

176

Foltrigg was optimistisch. Het joch had niets te verliezen. Ze konden zijn moeder een goede baan aanbieden in een andere stad die ze zelf mocht kiezen. Ze zou heel wat meer gaan verdienen dan de armzalige zes dollar per uur die ze op de lampenfabriek kreeg. Het gezin zou een echt huis kunnen krijgen in plaats van een stacaravan – plus een bedrag in contant geld, en misschien zelfs een nieuwe auto.

Mark kwam in het donker overeind en ging op de dunne matras zitten, starend naar zijn moeder die boven hem lag, naast Ricky. Hij had schoon genoeg van deze kamer en dit ziekenhuis, en het opklapbed bezorgde hem rugpijn. Zuchtend liep hij de kamer uit. Helaas had de mooie Karen vanavond geen dienst. De gangen waren verlaten. Er stond niemand bij de liften.

In de wachtruimte zat een man in een tijdschrift te bladeren. Op de tv werd een aflevering van *MASH* herhaald. De man had er geen belangstelling voor. Hij zat op de bank waarop Mark had willen slapen. Mark stak twee kwartjes in de automaat en haalde er een Sprite uit. Hij liet zich in een stoel vallen en keek naar de televisie. De man was een jaar of veertig en maakte een vermoeide, zorgelijke indruk. Er verstreken tien minuten. *MASH* was afgelopen. Opeens verscheen Gill Teal – 'ik vecht voor uw recht!' – tegen de achtergrond van een verkeersongeluk. Rustig sprak hij over de aanspraken van de slachtoffers en het gevecht met de verzekeringsmaatschappijen. Gill Teal laat u nooit in de steek. Jack Nance sloeg het tijdschrift dicht en pakte een ander. Voor het eerst keek hij naar Mark en glimlachte. 'Hallo,' zei hij vriendelijk en bladerde toen een *Redbook* door. Mark knikte. Hij had geen enkele behoefte aan een gesprek met de zoveelste onbekende. Hij nam een slok en bad om stilte.

'Wat doe je hier?' vroeg de man.

'Televisie kijken,' antwoordde Mark, nauwelijks verstaanbaar.

De glimlach van de man verdween en hij verdiepte zich in
een artikel. Op de televisie begon het laatste journaal, met
een grote reportage over een wervelstorm in Pakistan. Er
waren live-opnamen van dode mensen en dieren die als
wrakhout door het water werden meegesleurd – het soort
beelden waar je wel naar móést kijken, of je wilde of niet.

'Vreselijk, hè?' zei Jack Nance toen de tv-camera als vanuit
een helikopter boven een stapel lijken bleef zweven.

'Afschuwelijk,' zei Mark, niet al te vriendelijk. Misschien
was die vent weer zo'n hongerige advocaat die zich op een
gewonde prooi wilde storten.

'Ja, afschuwelijk,' zei de man hoofdschuddend. 'Wij mogen hier wel dankbaar zijn. Hoewel een ziekenhuis niet de
plaats is om dankbaar te zijn, als je begrijpt wat ik bedoel.'

Opeens keek hij Mark weer treurig aan.

'Wat is er dan?' vroeg Mark, ondanks zichzelf.

'Mijn zoon... hij is er slecht aan toe.' De man gooide het
tijdschrift op het tafeltje en wreef in zijn ogen.

'Wat is er met hem?' vroeg Mark. Hij kreeg medelijden met
de man.

'Een verkeersongeluk. Een dronken chauffeur. Mijn jongen
is uit de auto gesmeten.'

'Waar ligt hij?'

'Beneden, op de Intensive Care. Ik móést er even weg. Het
lijkt daar wel een dierentuin. Al die schreeuwende en huilende mensen...'

'Wat erg.'

'Hij is pas acht.' Het leek of de man huilde, maar Mark wist
het niet zeker.

'Mijn broertje is ook acht. Hij ligt hier om de hoek.'

'O ja? Wat mankeert hij?' vroeg de man zonder Mark aan te kijken.

'Hij heeft een shock.'

'Wat is er dan gebeurd?'

'Dat is een lang verhaal. En het wordt steeds langer. Maar hij redt het wel. Ik hoop dat uw zoon er ook bovenop komt.' Jack Nance keek op zijn horloge en stond haastig op. 'Ik ook. Ik ga weer eens bij hem kijken. Veel sterkte, eh... hoe heet je?'

'Mark Sway.'

'Nou, veel sterkte, Mark. Ik ga ervandoor.' Hij liep naar de liften en verdween.

Mark strekte zich op de bank uit en viel binnen een paar minuten in slaap.

14

De foto's op de voorpagina van *The Memphis Press* van woensdag waren afkomstig uit het jaarboek van de basisschool aan Willow Road. Ze waren een jaar oud. Mark zat toen nog in de vierde en Ricky in de eerste. De foto's waren naast elkaar geplaatst, op het onderste derde gedeelte van de pagina. Onder hun leuke, grijnzende smoeltjes waren hun namen afgedrukt: Mark Sway, Ricky Sway. Links van de foto's stond een verhaal over Jerome Cliffords zelfmoord en de bizarre nasleep voor de twee jongens. Het artikel was geschreven door Slick Moeller, die er een zeer suggestief verhaal van had gemaakt. De FBI was erbij betrokken; Ricky had een shock; Mark had de politie gebeld zonder zijn naam te noemen; de politie wilde hem ondervragen maar Mark weigerde iets te zeggen; hij had zelfs een vrouwelijke advocaat in de arm genomen (een zekere Reggie

Love); en overal in de auto waren zijn vingerafdrukken gevonden. Uit het verhaal kwam Mark naar voren als een koelbloedige moordenaar.

Karen bracht hem de krant om een uur of zes. Mark zat naar tekenfilms te kijken en probeerde wat te slapen in een lege eersteklasse-kamer tegenover die van Ricky. Greenway had iedereen weggestuurd, behalve Ricky en Dianne. Een uur eerder had Ricky zijn ogen geopend en gezegd dat hij naar de wc moest. Nu lag hij weer in bed en at een ijsje, mompelend over nachtmerries.

'Je bent beroemd,' zei Karen, terwijl ze hem de krant aanreikte en zijn sinaasappelsap op de tafel zette.

'Wat?' vroeg hij. Toen zag hij opeens zijn eigen gezicht in zwartwit. 'Verdomme.'

'Het is maar een klein artikel. Maar toch wil ik graag je handtekening als je tijd hebt.'

Heel geestig. Karen vertrok weer en Mark las het stuk langzaam door. Reggie had hem al over de vingerafdrukken en het briefje verteld. Hij had gedroomd over het pistool, maar hij was echt vergeten dat hij de whiskyfles had aangeraakt.

Toch was het niet eerlijk. Hij was gewoon een jongen die zich met zijn eigen zaken bemoeide, en opeens stond zijn foto op de voorpagina van de krant en werd hij overal van beschuldigd. En mocht een krant zomaar een oude schoolfoto van je afdrukken? Had hij geen recht op privacy?

Hij smeet de krant op de grond en liep naar het raam. Het was ochtend, het motregende en Memphis kwam langzaam tot leven. Zoals hij daar stond, voor het raam van die lege kamer, starend naar de hoge flatgebouwen, voelde hij zich totaal alleen. Binnen een uur zouden een miljoen mensen wakker worden en bij de koffie en de toast het verhaal over Mark en Ricky Sway lezen. De donkere gebouwen zouden volstromen met drukbezette mensen die zich rondom bureaus en koffiemachines zouden verzamelen om de wildste theorieën op te hangen over Mark Sway en die dode advocaat. Natuurlijk heeft dat joch in die auto gezeten. Ze hebben overal zijn vingerafdrukken gevonden! Maar hoe is hij daar terechtgekomen? En hoe is hij weer ontsnapt? Ze zouden Slick Moellers artikel letterlijk geloven, alsof Moeller er zelf bij was geweest.

Nee, het was niet eerlijk dat een kind zo'n verhaal over zichzelf op de voorpagina moest lezen zonder ouders om hem te beschermen. Kinderen in zo'n situatie hadden de hulp van hun vader en de liefde van hun moeder nodig. Mark wilde een schild tegen de politie, de FBI, de journalisten en – wat God verhoede – misschien zelfs de maffia. Hij was pas elf jaar en moederziel alleen. Hij had gelogen, een deel van de waarheid verteld en toen weer gelogen. Hij wist niet hoe het verder moest. De waarheid kon zijn dood betekenen. Dat had hij al eens in een film gezien en daar moest hij altijd aan denken als hij tegen een volwassene wilde liegen. Hoe moest hij zich hieruit redden?

Hij raapte de krant weer op en stapte de gang in. Greenway had een briefje aan Ricky's deur gehangen. Niemand mocht naar binnen, zelfs de verpleegsters niet. Dianne had rugpijn omdat ze zo lang op bed had gezeten om Ricky in haar armen te wiegen, en Greenway had haar weer wat pillen voorgeschreven.

Mark liep langs de verpleegstersbalie en gaf Karen de krant terug. 'Mooi verhaal, vind je niet?' zei ze glimlachend. De romance was voorbij. Ze was nog steeds mooi, maar ze hield hem aan het lijntje en hij had gewoon niet meer de energie om werk van haar te maken.

'Ik ga een donut halen,' zei hij. 'Wil je er ook een?'

'Nee, dank je.'

Hij liep naar de liften en drukte op de knop. De middelste deur ging open en hij stapte naar binnen.

Op hetzelfde moment draaide Jack Nance zich in de donkere wachtruimte om en fluisterde iets in zijn zendertje.

De lift was leeg. Het was een paar minuten over zes, ruim een halfuur voor de ochtendspits. De lift stopte een verdieping lager. De deur ging open en een man stapte in. Hij droeg een wit laboratoriumjasje, een spijkerbroek, gymschoenen en een honkbalpet. Mark lette niet op zijn gezicht. Hij had genoeg van onbekenden.

De deur ging dicht en opeens greep de man Mark bij zijn schouders en sleurde hem de hoek in. Hij klemde zijn vingers om Marks keel, liet zich op één knie zakken en haalde iets uit zijn zak. Hij bracht zijn gezicht... een afschuwelijke kop... vlak bij dat van Mark. Hij begon zwaar te hijgen. 'Luister goed, Mark Sway,' gromde hij. Er klikte iets in zijn hand en opeens zag Mark een glinsterend knipmes. Een heel lang knipmes. 'Ik weet niet wat Jerome Clifford je heeft verteld,' siste de man. De lift daalde nog steeds. 'Maar als je één woord tegen iemand anders zegt, zelfs tegen je advocaat, zal ik je vermoorden. En je moeder en Ricky ook. Begrepen? Hij ligt in kamer 943. Ik weet in welke caravan jullie wonen. En ik ken jullie school in Willow Road.' Zijn adem was warm en rook naar koffie met melk. Hij blies recht in Marks ogen. 'Heb je me goed begrepen?' snauwde hij met een valse grijns.

De lift stopte en de man sprong overeind, met het knipmes verborgen achter zijn been. Mark stond als verlamd. Hij hoopte en bad dat er iemand in die vervloekte lift zou stappen. Zelf had hij geen enkele kans om te ontsnappen. Ze wachtten tien seconden op de vijfde verdieping, maar er kwam niemand binnen. De deuren gingen dicht en de lift daalde verder.

De man sprong weer op hem af, nu met de stiletto op een paar centimeter van Marks neus. Hij klemde hem met zijn gespierde onderarm tegen de wand en bewoog het glinsterende mes opeens omlaag, naar Marks heupen toe. Snel en efficiënt sneed hij een lusje van Marks riem kapot. Toen nog een. Hij had de boodschap overgebracht, zonder interrupties, en nu was het tijd om zijn dreigementen kracht bij te zetten.

'Ik snijd je darmen uit je lijf, begrijp je?' beet hij Mark toe. Toen liet hij hem los.

Mark knikte. Zijn mond was droog en hij had een brok in zijn keel, zo groot als een golfbal. Opeens voelde hij zijn ogen vochtig worden. Hij knikte weer. Ja, ja, ja!

'Ik maak je af! Geloof me maar.'

Mark staarde naar het mes en knikte nog eens. 'En als je iemand over mij vertelt, grijp ik je ook. Duidelijk?' Mark bleef knikken, steeds sneller.

De man stak het mes in zijn zak en haalde een opgevouwen kleurenfoto van twintig bij vijfentwintig centimeter onder zijn witte jasje vandaan. Hij hield hem vlak voor Marks gezicht. 'Ken je die?' vroeg hij grijnzend.

Het was een foto die ze ooit in een warenhuis hadden laten maken toen Mark nog in de tweede klas zat. De foto had jarenlang in de huiskamer boven de televisie gehangen. Mark keek ernaar.

'Herken je die?' blafte de man.

Mark knikte. Er was maar één zo'n foto op de hele wereld.

De lift stopte op de vierde verdieping en de man stapte weer naar de deur toe. Op het laatste moment kwamen er twee verpleegsters binnen. Mark haalde diep adem. Hij bleef in de hoek staan, met zijn handen om de leuning geklemd, biddend om een wonder. Het knipmes was steeds dichterbij gekomen en hij kon er niet meer tegen. Op de tweede verdieping stapten er nog drie mensen in, die zich tussen Mark en zijn aanvaller drongen. Het volgende moment was de man verdwenen en ging de deur weer dicht.

'Voel je je wel goed?' Een van de verpleegsters keek hem fronsend en bezorgd aan. De lift kwam in beweging en daalde verder. Ze legde een hand tegen zijn voorhoofd en voelde het zweet tussen haar vingers. Zijn ogen waren nat. 'Je ziet zo bleek,' zei ze.

'Het gaat wel,' mompelde hij zwakjes, nog steeds steun zoekend bij de leuning.

Een andere verpleegster draaide zich nu ook naar de hoek toe. Ze namen hem ongerust op. 'Weet je het zeker?'

Hij knikte. Opeens ging de liftdeur weer open, op de eerste etage. Mark wrong zich tussen de mensen door en rende de smalle gang in, terwijl hij de brancards en rolstoelen ontweek. Zijn versleten hoge Nikes piepten op het schone zeil toen hij naar een deur rende met het bordje UITGANG erboven. Hij stormde erdoorheen en kwam in het trappenhuis uit. Daar greep hij de leuning en rende de trap op, met twee treden tegelijk, hijgend en steunend. Toen hij de vijfde verdieping bereikte, begonnen zijn dijen pijn te doen, maar hij ging niet langzamer lopen. In recordtempo klom hij helemaal naar boven, tot aan de veertiende verdieping, waar de trap ophield. Op de overloop, onder een brandslang, zakte hij in elkaar en bleef in het halfdonker zitten totdat de zon naar binnen viel door een geschilderd raampje boven hem.

Zoals gebruikelijk opende Clint om acht uur 's ochtends het kantoor, deed de lichten aan en zette koffie. Het was woensdag, *Southern Pecan*-dag. Clint zocht in de koelkast tussen de grote stapel pondspakken tot hij een pak *Southern Pecan* had gevonden en mat vier afgestreken schepjes voor de koffiemolen af. Reggie proefde het onmiddellijk als hij maar een half theelepeltje te veel of te weinig koffie had gebruikt. Als een wijnkenner nam ze altijd eerst een slokje om de koffie te keuren, smakkend met haar lippen als een konijn. Clint voegde de juiste hoeveelheid water toe, zette het apparaat aan en wachtte tot de eerste zwarte druppels in de kan vielen. Het aroma was heerlijk.

Clint hield bijna net zoveel van koffie als zijn bazin, en dit zorgvuldige ritueel was maar half een grap. Ze begonnen iedere ochtend met een rustig kopje koffie, terwijl ze de agenda voor de komende dag bespraken en de post doornamen. Ze hadden elkaar elf jaar geleden leren kennen in een ontwenningskliniek, toen Reggie ccncnvccrtig was cn Clint pas zeventien. Ze waren tegelijk rechten gaan studeren, maar Clint was gestopt toen hij aan de coke verslaafd raakte. Zelf was hij nu vijf jaar clean, Reggie al zes jaar. Ze hadden elkaar al heel wat keren gesteund.

Hij sorteerde de post en legde het stapeltje netjes op haar opgeruimde bureau. Toen schonk hij in de keuken zijn eerste kopje koffie in en las met grote interesse wat de ochtendkrant over Reggies nieuwste cliënt te melden had. De feiten klopten. Dat kon je wel aan Slick Moeller overlaten. Maar zoals gewoonlijk bevatte het stuk ook een aantal insinuaties. De jongens leken op elkaar, maar Ricky's haar was wat lichter. Hij was nog aan het wisselen toen de foto was gemaakt.

Clint legde de krant midden op Reggies bureau. Als ze niet op de rechtbank moest zijn, was Reggie zelden voor negen uur op kantoor. Ze had moeite met opstaan. Meestal kwam ze pas tegen vier uur 's middags goed op gang en werkte dan tot laat in de avond door.

Haar missie als advocaat was het beschermen van mishandelde en verwaarloosde kinderen, en dat deed ze heel goed en met veel inzet. De rechtbank deed regelmatig een beroep op haar voor juridische bijstand aan kinderen die een advocaat nodig hadden zonder dat ze het zelf wisten. Ze kwam fanatiek op voor de rechten van haar kleinste cliëntjes, die haar niet eens konden bedanken. Ze had vaders aangeklaagd die hun dochters misbruikten. Ze had ooms in de beklaagdenbank gebracht omdat ze hun nichtjes hadden verkracht. Ze had moeders voor het gerecht gesleept omdat ze hun baby's mishandelden. Ze had ouders verhoord die hun kinderen aan drugs hadden blootgesteld. Ze trad op als toeziend voogd voor meer dan twintig kinderen. En ze verdedigde jongeren die zelf in aanraking met de politie waren gekomen. Ze werkte pro Deo voor kinderen die een psychiatrische opname nodig hadden. Ze verdiende genoeg, maar daar ging het haar niet om. Ooit had ze geld gehad, heel veel geld, maar dat had haar alleen maar ellende gebracht.

Ze nam een slokje van de *Southern Pecan*, knikte goedkeurend en besprak met Clint wat er die dag op het programma stond. Dat was een ritueel waar ze maar zelden van afweken.

Toen ze de krant van haar bureau pakte, ging de zoemer – het signaal dat er iemand was binnengekomen. Clint sprong op en vond Mark Sway in de wachtkamer. Hij was buiten adem en nat van de motregen.

'Morgen, Mark. Je bent drijf.'

'Ik moet Reggie spreken.' Zijn haar plakte tegen zijn voorhoofd en het water droop van zijn neus. Hij keek verdwaasd om zich heen.

'Natuurlijk.' Clint liep weg en kwam terug met een handdoek van het toilet. Hij droogde Marks gezicht af en zei: 'Kom maar mee.'

Reggie stond midden in haar kantoor op hem te wachten. Clint liet hen alleen en deed de deur achter zich dicht.

'Wat is er aan de hand?' vroeg ze.

'We moeten praten.'

Ze wees naar de fauteuil en ging zelf op de bank zitten.

'Wat gebeurt er allemaal, Mark?' Zijn ogen waren rood en vermoeid. Hij staarde naar de bloemen op het koffietafeltje.

'Ricky is vanochtend vroeg bij bewustzijn gekomen.'

'Dat is geweldig. Hoe laat?'

'Een paar uur geleden.'

'Je ziet er moe uit. Wil je een kop warme chocola?'

'Nee. Heb je vanochtend de krant gezien?'

'Ja. Ben je erg geschrokken?'

'Natuurlijk ben ik geschrokken.' Clint klopte en kwam toch binnen met warme chocola. Mark bedankte hem en hield de mok met twee handen vast. Hij had het koud en de warmte van de beker was welkom. Clint verdween en deed de deur weer dicht.

'Wanneer hebben we een afspraak met de FBI?' vroeg hij.

'Over een uur. Hoezo?'

Hij nam een slok van de chocola en brandde zijn tong. 'Ik weet niet of ik wel met hen wil praten.'

'Dat hoeft ook niet, als je niet wilt. Dat heb ik je toch uitge-legd?'

'Ja, dat weet ik. Mag ik je wat vragen?'

'Natuurlijk, Mark. Je kijkt zo angstig.'

'Het was een zware ochtend.' Voorzichtig nam hij nog een slokje, en toen nog een. 'Wat zou er gebeuren als ik nie-mand zou vertellen wat ik weet? Helemaal niemand?'

'Je hebt het mij toch verteld?'

'Ja, maar jij moet het geheim houden. En ik heb je nog niet alles gezegd.'

'Dat is zo.'

'Ik heb je verteld dat ik weet waar het lijk verborgen is, maar niet...'

'Dat is zo, Mark. Ik weet niet waar het ligt. Dat is een groot verschil, dat begrijp ik ook wel.'

'Wil je het weten?'

'Wil je het me vertellen?'

'Niet echt. Nu niet, tenminste.'

Ze verborg haar opluchting. 'Goed. Dan wil ik het ook niet weten.'

'Maar wat gebeurt er met me als ik het nooit aan iemand vertel?'

Daar had ze al uren over nagedacht, maar zonder een antwoord te vinden. Ze had Foltrigg ontmoet en ze had gezien dat hij onder druk stond. Ze was ervan overtuigd dat hij alle legale middelen zou aanwenden om de waarheid uit haar cliënt te trekken. En hoe graag ze dat ook wilde, ze kon Mark niet adviseren om te liegen.

Een leugen zou zo gemakkelijk zijn. Eén klein leugentje, en Mark Sway hoefde zich nooit meer zorgen te maken over wat er in New Orleans was gebeurd. Waarom zou hij in angst moeten zitten over Foltrigg, Muldanno en wijlen Boyd Boyette? Hij was nog maar een kind en hij had zich niet schuldig gemaakt aan een misdaad of een ernstig vergrijp.

'Ik denk dat ze je onder druk zullen zetten om te praten.'

'Hoe dan?'

'Dat weet ik niet. Het komt niet vaak voor, maar ik geloof dat de rechtbank je zou kunnen dwingen om te vertellen wat je weet. Clint en ik hebben de boeken erop nageslagen.'

'Ik weet wat Clifford me heeft verteld, maar niet of het de waarheid is.'

'Maar je denkt van wel. Ja toch, Mark?'

'Ja, eigenlijk wel. Ik weet niet wat ik moet doen.' Hij mompelde zo zacht dat hij soms nauwelijks verstaanbaar was. En hij ontweek haar blik. 'Kunnen ze me echt dwingen?' vroeg hij.

Ze koos haar woorden zorgvuldig. 'Dat is mogelijk. Ik bedoel, er kan van alles gebeuren. Het is niet uitgesloten dat een rechter je binnenkort zal bevelen te getuigen.'

'En als ik weiger?'

'Een goede vraag, Mark. Dat is een grijs gebied. Als een volwassene zoiets weigert, maakt hij zich schuldig aan belediging van het hof en kan hij de gevangenis in draaien. Ik weet niet wat ze met een kind zouden doen. Ik heb het nog nooit gehoord.'

'En een leugendetector?'

'Wat bedoel je?'

'Nou, stel dat ik voor de rechter moet komen om te getuigen. Ik vertel mijn verhaal, maar ik laat het belangrijkste deel weg en ze geloven me niet. Wat dan? Kunnen ze me aan de leugendetector leggen en me opnieuw ondervragen? Dat heb ik eens in een film gezien.'

'Een kind aan een leugendetector?'

'Nee, het was een smeris die op een leugen was betrapt. Maar ik bedoel... zouden ze dat met mij ook kunnen doen?'

'Dat betwijfel ik. Ik heb het nog nooit gehoord en ik zou me tot het uiterste verzetten.'

'Maar het is niet uitgesloten?'

'Ik weet het niet. Het lijkt me niet waarschijnlijk.' Het waren lastige vragen die hij haar achter elkaar stelde, en ze moest voorzichtig zijn met haar antwoorden. Cliënten hoorden vaak wat ze wilden horen en vergaten de rest. 'Maar ik moet je wel waarschuwen, Mark. Als je voor de rechtbank zou liegen, kun je grote problemen krijgen.'

Daar dacht hij over na en zei toen: 'Als ik de waarheid vertel, krijg ik nog grotere problemen.'

'Waarom?'

Ze wachtte lang op een antwoord. Ongeveer om de twintig seconden nam hij een slok chocola, maar hij zei niets. De stilte maakte hem niet nerveus. Hij staarde naar het tafeltje, in gedachten verzonken.

'Mark, gisteravond zei je dat je de FBI het verhaal wilde vertellen. Blijkbaar ben je van gedachten veranderd. Waarom? Wat is er gebeurd?'

Zonder een woord zette hij de beker voorzichtig op het tafeltje en sloeg zijn handen voor zijn ogen. Zijn kin zakte op zijn borst en hij begon te huilen.

De deur van de wachtkamer ging open en een dame van Federal Express kwam haastig binnen met een doos van acht centimeter dik. Glimlachend en efficiënt gaf ze de doos aan Clint en wees hem aan waar hij moest tekenen. Ze bedankte hem, wenste hem een prettige dag en verdween.

Ze hadden het pakket verwacht. Het kwam van Print Research, een merkwaardig bedrijfje in Washington dat niets anders deed dan tweehonderd dagbladen uitpluizen en alle verhalen catalogiseren. De artikelen werden uitgeknipt, gekopieerd en in de computer verwerkt. Binnen vierentwintig uur waren ze beschikbaar voor iedereen die er geld voor over had. Dat had Reggie eigenlijk niet, maar ze had achtergrondinformatie nodig over de zaak Boyette. En snel. Clint had de knipseldienst de vorige dag gebeld zodra Mark was vertrokken en Reggie er een nieuwe cliënt bij had. Ze hadden de opdracht beperkt tot kranten uit New Orleans en Washington.

Clint opende de doos en vond een keurige stapel A4-kopietjes van krantenartikelen, koppen en foto's, gerangschikt in chronologische volgorde. Het waren mooie kopieën. De kolommen stonden recht en de foto's waren helder.

Boyette was een oude Democraat uit New Orleans, die onopvallend een paar termijnen in het Huis van Afgevaardigden had volgemaakt tot senator Dauvin, een relikwie uit de

Burgeroorlog, op eenennegentigjarige leeftijd in zijn kantoor was overleden. Boyette wendde zijn invloed aan, oefende druk uit en deelde – volgens de aloude politieke traditie van Louisiana – hier en daar wat geld uit. De gouverneur wees hem aan als tijdelijke opvolger van Dauvin, voor de rest van de zittingsperiode. De motivatie was simpel. Als de man genoeg verstand had om een flink kapitaal te verdienen, was hij ook geschikt als senator.

Zo werd Boyette lid van de meest exclusieve club ter wereld, en hij toonde zich redelijk bekwaam. In de loop der jaren ontsnapte hij ternauwernood aan enkele aanklachten en blijkbaar leerde hij zijn lesje. Hij won op het nippertje twee verkiezingen en bereikte ten slotte – zoals de meeste zuidelijke senatoren – het punt waarop iedereen hem met rust liet. Daardoor raakte Boyette wat milder gestemd en veranderde hij van een fanatieke chauvinist in een vrij liberaal en ruimdenkend politicus. Dat maakte hem niet populair bij drie achtereenvolgende zeer conservatieve gouverneurs van Louisiana, en evenmin bij de oliemaatschappijen en de chemische industrie die het milieu van de staat hadden verziekt.

Boyette ontwikkelde zich zelfs tot een radicale milieu-activist – ongehoord voor een zuidelijk senator. Hij ging tekeer tegen de olie- en gasindustrie, die hem ten val probeerde te brengen. Hij hield hoorzittingen in kleine *bayou*-stadjes die door de aardoliehausse en de latere ineenstorting waren geruïneerd. Senator Boyd Boyette maakte vijanden in de kantoorgebouwen van New Orleans. Hij omhelsde de zieke ecologie van zijn geliefde staat en verdiepte zich hartstochtelijk in de problemen.

Zes jaar geleden had iemand in New Orleans een voorstel gedaan om een stortplaats voor chemisch afval in te richten in Lafourche Parish, ongeveer honderddertig kilometer ten zuidwesten van New Orleans. De eerste keer werd dit plan door de plaatselijke autoriteiten haastig afgewezen. Maar zoals bij de meeste ideeën van het rijke en machtige bedrijfsleven was de kous daarmee niet af. Een jaar later werd het plan opnieuw gelanceerd onder een andere naam, met andere adviseurs, nieuwe toezeggingen voor de plaatselijke werkgelegenheid en een nieuwe woordvoerder. Weer werd het voorstel door Lafourche Parish afgewezen, maar met een veel kleinere meerderheid. Een jaar verstreek, er werd hier en daar wat geld betaald, het plan onderging een kosmetische verandering en kwam opnieuw op de agenda. De mensen in de buurt van het voorgestelde terrein waren radeloos. Er deden allerlei geruchten de ronde, vooral het verhaal dat de maffia van New Orleans achter de plannen stak en zich door niets zou laten tegenhouden. Het ging immers om miljoenen.

De kranten in New Orleans wisten een geloofwaardig verband te leggen tussen de maffia en de chemische vuilstort. Er waren een stuk of tien bedrijven bij betrokken, maar de namen en adressen waren allemaal te herleiden tot enkele bekende criminelen.

Alles was in kannen en kruiken, de zaak leek geregeld, de vuilstort zou worden goedgekeurd, maar toen verscheen senator Boyette op het toneel met een heel leger federale wetgevers. Hij dreigde met een onderzoek door minstens tien instanties. Hij gaf iedere week een persconferentie. Hij hield toespraken door heel zuidelijk Louisiana. De voorstanders van de vuilstort zochten dekking. De bedrijven onthielden zich bits van ieder commentaar. Boyette had hen in de tang en hij genoot van iedere minuut.

Op de avond van zijn verdwijning had de senator een boze bijeenkomst van verontruste burgers in een uitpuilende gymzaal van de middelbare school in Houma bijgewoond.

Hij vertrok daar laat – zoals altijd in zijn eentje – voor de terugrit naar zijn huis bij New Orleans, een uur rijden van Houma. Jaren geleden had Boyette al genoeg gekregen van de onnozele gesprekken en de vleierijen van allerlei assistenten. Daarom zat hij liever alleen in de auto, als dat kon. Hij studeerde Russisch, zijn vierde taal, en hij stelde prijs op de eenzaamheid van zijn Cadillac met de cassettebandjes van zijn talencursus.

De volgende dag omstreeks twaalf uur werd de senator officieel als vermist opgegeven. De kranten in New Orleans brachten het nieuws met grote koppen, evenals *The Washington Post*, die vermoedde dat er een misdrijf in het spel was. Maar de dagen verstreken zonder verder nieuws. De senator werd niet gevonden. Talloze oude foto's van Boyette werden opgedoken en in de kranten afgedrukt. Het nieuws begon al op de achtergrond te raken toen de naam van Barry Muldanno met Boyettes verdwijning in verband werd gebracht. Dit leidde tot allerlei artikelen over de smerige praktijken van de maffia. Een krant in New Orleans plaatste een nogal dreigende politiefoto van een jonge Muldanno op de voorpagina en rakelde de oude verhalen over de connectie tussen de vuilstort en de maffia weer op. Barry het Mes Muldanno was een bekende huurmoordenaar met een strafblad. Enzovoort, enzovoort.

Roy Foltrigg maakte zijn grandioze entree toen hij voor de camera's verklaarde dat Barry Muldanno van de moord op senator Boyd Boyette was beschuldigd. Hij kwam ook op de voorpagina's van de kranten in New Orleans en Washington, en Clint herinnerde zich een foto uit een krant in Memphis. Groot nieuws, maar geen lijk. Roy Foltrigg liet zich niet uit het veld slaan. Hij ging tekeer tegen de georganiseerde misdaad, hij voorspelde een zekere overwinning. Hij bracht zijn goed gerepeteerde preken met de flair van een ervaren acteur. Op de juiste momenten verhief hij zijn stem, wees met zijn vinger en zwaaide met de aanklacht. Hij had geen commentaar op het ontbreken van een lijk, maar hij liet doorschemeren dat hij meer wist dan hij kon vertellen. Hij was ervan overtuigd dat de stoffelijke resten van de senator tijdig zouden worden gevonden.

Er waren foto's en reportages toen Barry Muldanno werd gearresteerd – of beter gezegd: toen hij zich bij de FBI kwam melden. Hij zat drie dagen in voorarrest voordat de borgsom was geregeld, en de pers was weer aanwezig toen hij vertrok. Hij droeg een donker pak en glimlachte naar de camera's. Hij was onschuldig, verklaarde hij. Het was gewoon een hetze.

Er waren foto's van bulldozers, van een afstand genomen, toen de FBI in de drassige grond van New Orleans naar het lichaam zocht. Foltrigg deed weer zijn nummertje voor de pers. Journalisten doken nog eens in het rijke maffiaverleden van New Orleans. Maar terwijl de speurtocht verderging, leek de interesse te verflauwen.

De gouverneur, een Democraat, benoemde een van zijn vriendjes om de resterende anderhalf jaar van Boyettes termijn vol te maken. De kranten in New Orleans analyseerden de talloze kandidaten die zich voor de senaat verkiesbaar wilden stellen. Volgens de geruchten was Foltrigg een van de twee Republikeinen die belangstelling hadden.

Hij zat naast haar op de bank en veegde de tranen uit zijn ogen. Hij vond het lullig dat hij had zitten huilen, maar hij kon er niets aan doen. Reggie had haar arm om hem heen geslagen en klopte hem zachtjes op zijn schouder.

'Je hoeft helemaal niets te zeggen,' herhaalde ze rustig.

'Ik wil het echt niet. Later misschien, als het moet, maar nu niet. Oké?'

'Oké, Mark.'

Er werd geklopt. 'Binnen,' zei Reggie, net luid genoeg om te worden gehoord. Clint kwam binnen met een stapel papieren. Hij keek op zijn horloge.

'Sorry dat ik stoor, maar het is bijna tien uur. Roy Foltrigg kan elk moment hier zijn.' Hij legde de papieren op het koffietafeltje voor haar neer. 'Die wilde je zien voor de bespreking.'

'Zeg maar tegen Roy Foltrigg dat we niets te bespreken hebben,' zei Reggie.

Clint fronste en keek van haar naar Mark. De jongen zat dicht tegen haar aan, alsof hij bescherming zocht. 'Wil je niet met hem praten?'

'Nee. Zeg maar dat de vergadering niet doorgaat omdat we niets te zeggen hebben,' zei ze, en ze knikte naar Mark.

Clint keek nog eens op zijn horloge en liep wat verlegen naar de deur. 'Goed,' zei hij toen met een glimlach, alsof hij opeens plezier kreeg in het vooruitzicht om Foltrigg af te poeieren. Hij deed de deur achter zich dicht.

'Gaat het weer een beetje?' vroeg ze.

'Nee, eigenlijk niet.'

Ze boog zich naar voren en bladerde de kopieën van de krantenknipsels door. Mark bleef versuft zitten. Hij voelde zich leeg en uitgeput en hij was nog steeds doodsbang, ook al had hij met zijn advocaat gepraat. Reggie las de koppen en de onderschriften en trok de foto's dichter naar zich toe. Toen ze ongeveer eenderde van de stapel had doorgewerkt, kwam ze opeens overeind en liet zich achterover tegen de kussens zakken. Ze gaf Mark een close-up van Barry Muldanno die naar de camera lachte. Het was een foto uit de krant van New Orleans. 'Is dit hem?'

Mark keek ernaar zonder de foto aan te pakken. 'Nee. Wie is dat?'

'Barry Muldanno.'

'Dat is niet de man die mij heeft aangevallen. Maar hij heeft genoeg vrienden, denk ik.'

Ze legde de foto weer op de stapel op het koffietafeltje en klopte Mark op zijn knie.

'Wat ga je nu doen?' vroeg hij.

'Een paar mensen bellen. Ik zal de directeur van het ziekenhuis vragen of Ricky's kamer kan worden bewaakt.'

'Maar je mag hem niets over die vent vertellen, Reggie! Dan vermoorden ze ons. We mogen er niet over praten.'

'Dat doe ik ook niet. Ik zeg alleen dat we zijn bedreigd. Dat komt wel vaker voor bij strafzaken. Ze zullen wel een paar bewakers op de achtste verdieping zetten, bij Ricky's kamer.'

'Mijn moeder mag het ook niet weten. Ze maakt zich vreselijk ongerust over Ricky. Ze slikt slaaptabletten en andere pillen. Dit zou ze niet kunnen verwerken.'

'Je hebt gelijk.' Hij was een flink joch, opgegroeid op straat en veel te verstandig voor zijn leeftijd. Ze had bewondering voor zijn moed.

'Denk je dat ma en Ricky veilig zijn?'

'Natuurlijk. Die lui zijn geen amateurs, Mark. Ze doen heus geen stomme dingen. Ze zullen zich gedeisd houden en afwachten wat er gebeurt. Misschien bluffen ze wel.' Maar ze klonk niet overtuigd.

'Nee, het was geen bluf. Ik heb het mes gezien, Reggie. Ze zijn maar voor één ding naar Memphis gekomen – om mij de stuipen op het lijf te jagen. En dat is hun gelukt. Ik doe mijn mond niet open.'

Foltrigg slaakte één luide vloek en stormde toen het kantoor weer uit, terwijl hij allerlei dreigementen uitte. Met een klap sloeg hij de deur achter zich dicht. McThune en Trumann waren ook gefrustreerd over deze tegenvaller, maar ze schaamden zich wel voor Foltriggs uitbarsting. Toen ze weggingen, trok McThune zijn wenkbrauwen op naar Clint, alsof hij zich wilde verontschuldigen voor deze over het paard getilde schreeuwer. Clint genoot met volle teugen. Zodra het stof was opgetrokken, liep hij naar Reggies kantoor.

Mark had een stoel voor het raam gezet en staarde naar de regenachtige straat en stoep beneden. Reggie zat te bellen met de directeur van het ziekenhuis en vroeg om extra bewaking op de achtste verdieping. Ze legde haar hand over de hoorn en Clint fluisterde dat Foltrigg en zijn makkers weer waren vertrokken. Hij haalde nog een beker chocola voor Mark, die roerloos voor het raam bleef zitten.

Een paar minuten later kreeg Clint een telefoontje van George Ord. Hij waarschuwde Reggie via de intercom. Ze had de federale aanklager uit Memphis nog nooit ontmoet, maar het verbaasde haar niet dat hij belde. Ze liet hem een volle minuut wachten en nam toen de telefoon op. 'Hallo?'

'Mevrouw Love, u spreekt met...'

'Zeg maar Reggie, oké? Gewoon Reggie. En jij bent George. Afgesproken?' Ze noemde iedereen bij zijn voornaam, zelfs stijve rechters in hun keurige rechtszaaltjes.

'Goed, Reggie. Je spreekt met George Ord. Roy Foltrigg zit hier bij me, en...'

'Dat is toevallig! Hij komt juist bij mij vandaan.'

'Ja, daar bel ik ook over. Hij heeft geen kans gekregen om met jou en je cliënt te praten.'

'Wil je hem mijn excuses overbrengen? Mijn cliënt heeft niets te zeggen.' Terwijl ze dat zei, keek ze naar Marks achterhoofd. Ze had geen idee of hij meeluisterde. Hij zat als verstijfd in zijn stoel bij het raam.

'Reggie, het lijkt me toch verstandig dat je nog eens met Roy Foltrigg praat.'

'Daar heb ik helemaal geen behoefte aan, en mijn cliënt ook niet.' In gedachten zag ze Ord ernstig in de telefoon spreken, terwijl Foltrigg zwaaiend met zijn armen door het kantoor ijsbeerde.

'Daar zul je nog meer van horen.'

'Is dat een dreigement, George?'

'Een belofte, zou ik liever zeggen.'

'Goed. Zeg maar tegen Roy en zijn jongens dat ze nog niet jarig zijn als ze mijn cliënt of zijn familie proberen te benaderen. Begrepen, George?'

'Ik zal het doorgeven.'

Het was eigenlijk wel grappig... tenslotte was het zíjn zaak niet... maar Ord mocht er natuurlijk niet om lachen. Hij hing op, glimlachte bij zichzelf en zei: 'Ze wil niet met je praten, en die jongen ook niet. Als jij of iemand anders Mark Sway of zijn familie probeert te benaderen zijn jullie nog niet jarig, zoals ze het uitdrukte.'

Foltrigg beet op zijn lip en knikte bij ieder woord, alsof hij daar totaal niet van onder de indruk raakte en voor niemand bang was. Hij had zijn zelfbeheersing herwonnen. Het werd nu tijd voor Plan B. Hij ijsbeerde door het kantoor alsof hij diep in gedachten verzonken was. McThune en Trumann stonden als wachtposten bij de deur. Verveelde wachtposten.

'Ik wil dat die jongen wordt geschaduwd, oké?' snauwde Foltrigg ten slotte tegen McThune. 'Wij vertrekken nu naar

New Orleans, maar jullie zorgen ervoor dat Mark Sway vierentwintig uur per dag in de gaten wordt gehouden. Ik wil alles weten wat hij doet. En wat nog belangrijker is: we moeten hem beschermen tegen Muldanno en zijn beulsknechten.'

McThune liet zich niet commanderen door een officier van justitie. Hij had schoon genoeg van Roy Foltrigg. En het was een krankzinnig idee om drie of vier overwerkte agenten in te zetten om een jochie van elf jaar te schaduwen. Maar hij had geen zin in ruzie. Foltrigg had goede contacten met FBI-chef Voyles in Washington, en voor Voyles was deze zaak bijna net zo belangrijk als voor Foltrigg. 'Goed,' zei hij. 'Ik regel het wel.'

'Paul Gronke sluipt hier al rond,' zei Foltrigg, alsof hij juist een nieuwtje had gehoord. Elf uur geleden waren zijn vluchtnummer en de aankomsttijd van zijn vliegtuig al bekend. Maar toen Gronke het vliegveld van Memphis verliet, waren ze zijn spoor kwijtgeraakt. Twee uur lang hadden ze die ochtend met Ord, Foltrigg en nog een tiental FBI-agenten overlegd. Op dit moment waren maar liefst acht agenten op zoek naar Paul Gronke. 'We vinden hem wel,' zei McThune. 'En we zullen dat joch in de gaten houden. Gaan jullie maar terug naar New Orleans.'

'Ik zal de bus voorrijden,' zei Trumann officieel, alsof het de *Air Force One* was.

Foltrigg hield op met ijsberen en bleef voor Ords bureau staan. 'Goed, we vertrekken, George. Sorry voor alle overlast. Over een paar dagen ben ik weer terug, denk ik.'

Dat is goed nieuws, dacht Ord. Hij stond op en ze schudden elkaar de hand. 'Natuurlijk,' zei hij. 'Als we nog iets kunnen doen, dan bel je maar.' 'Morgenochtend zal ik meteen met rechter Lamond spreken. Je hoort het nog.'

Ord gaf hem nog een hand en ze namen afscheid. Foltrigg

liep naar de deur. 'Let goed op die gangsters,' zei hij tegen McThune. 'Ik denk niet dat ze zo stom zullen zijn dat joch iets aan te doen, maar je weet het nooit.' McThune opende de deur en stapte opzij. Ord volgde.

'Muldanno heeft iets gehoord,' vervolgde Foltrigg. 'Daarom lopen ze hier nu rond.' Hij bleef staan op het secretariaat, waar Wally Boxx en Thomas Fink op hem wachtten. 'Maar houd een oogje in het zeil, George. Oké? Die lui zijn knap gevaarlijk. Laat die jongen schaduwen en volg zijn advocaat. En nogmaals bedankt. Ik bel je morgen. Wally, waar staat de bus?'

Nadat hij een uur lang naar de stoep had zitten staren, warme chocola had gedronken en zijn advocaat aan het werk had gehoord, kwam Mark eindelijk weer in beweging. Reggie had Dianne gebeld om haar te zeggen dat Mark naar haar toe was gekomen om de tijd te doden en haar te helpen bij haar administratie. Met Ricky ging het veel beter. Hij sliep nu weer. Hij had twee liter ijs naar binnen gewerkt terwijl Greenway hem met vragen had bestookt.

Om elf uur slenterde Mark naar Clints bureau en bestudeerde de dictafoon. Reggie had een cliënte, een vrouw die zo snel mogelijk wilde scheiden, en ze hadden wel een uurtje nodig om een strategie uit te werken. Clint zat een groot vel papier vol te typen en pakte om de vijf minuten de telefoon.

'Hoe ben je secretaris geworden?' vroeg Mark, die dit kijkje in de juridische keuken niet erg opwindend vond.

Clint draaide zich om en lachte tegen hem. 'Bij toeval.'

'Wilde je al secretaris worden toen je nog klein was?'

'Nee. Ik wilde zwembaden aanleggen.'

'Hoe ben je dan hier terechtgekomen?'

'Dat weet ik niet. Ik raakte aan de drugs en ik werd bijna van

school getrapt. Daarna ben ik rechten gaan studeren.'
'Moet je rechten studeren om secretaris op een advocaten-kantoor te worden?'
'Nee. Ik heb mijn studie niet afgemaakt en Reggie bood me dit baantje aan. Het is wel leuk, meestal.'
'Waar heb je Reggie ontmoet?'
'Dat is een lang verhaal. We waren bevriend toen we nog studeerden. We kennen elkaar al lang. Je krijgt het nog wel te horen als je Moeder Love ontmoet.'
'Moeder wie?'
'Moeder Love. Heeft ze je niets over Moeder Love ver-teld?'
'Nee.'
'Moeder Love is Reggies moeder. Ze wonen samen en Moeder vindt het leuk om te koken voor de kinderen die door Reggie worden geholpen. Ze maakt heerlijke ravioli, spinazielasagne en andere Italiaanse specialiteiten. Ieder-een is er dol op.'
Na twee dagen van donuts en groene Jell-O klonk de be-schrijving van dergelijke hartige, zelfgemaakte kaasgerech-ten heel aanlokkelijk. 'Wanneer krijg ik Moeder Love te zien?'
'Dat weet ik niet. Reggie neemt de meesten van haar cliën-tjes mee naar huis. Vooral de jongsten.'
'Heeft ze zelf geen kinderen?'
'Twee. Maar die zijn al volwassen en wonen ergens anders.'
'Waar woont Moeder Love?'
'In de binnenstad, niet ver hiervandaan. Het is een oud huis waar ze al jaren woont. Reggie is er opgegroeid.'
De telefoon ging. Clint noteerde de boodschap en boog zich weer over zijn schrijfmachine. Mark keek geïnteresseerd toe.
'Hoe heb je geleerd zo snel te typen?'

Clint richtte zich op, draaide zich langzaam om en keek Mark aan. Grijnzend zei hij: 'Op school. Ik had een lerares die ons drilde als een sergeant-majoor. We hadden de pest aan haar, maar we leerden wel goed typen. Kun jij het ook?'

'Een beetje. Op school heb ik drie jaar computerles gehad.' Clint wees naar de Apple naast de schrijfmachine. 'Het stikt hier van de computers.'

Mark keek ernaar. Hij was niet onder de indruk. Iedereen had tegenwoordig een computer. 'Maar hoe ben je secretaris geworden?'

'Dat was toeval, zoals ik al zei. Toen Reggie was afgestudeerd wilde ze niet voor iemand anders werken, daarom begon ze dit kantoor. Dat is een jaar of vier geleden. Ze had eigenlijk een secretaresse nodig, maar ik heb me toen aangeboden. Heb je nooit eerder een mannelijke secretaresse gezien?'

'Nee. Ik wist niet dat mannen dat ook konden zijn. Betaalt het goed?'

Clint grinnikte. 'Redelijk. Als Reggie een goede maand heeft, dan krijg ik ook wat meer. We zijn min of meer partners.'

'Verdient ze veel geld?'

'Niet echt. Maar dat wil ze ook niet. Een paar jaar geleden was ze nog met een dokter getrouwd. Toen had ze een groot huis en veel geld. Dat is allemaal misgelopen en volgens Reggie kwam dat door het geld. Ze zal het je nog weleens vertellen. Ze is heel openhartig over haar leven.'

'Ze is advocaat, maar ze wil niet veel verdienen?'

'Ja. Raar, hè?'

'Zeg dat wel. Ik bedoel, ik heb heel wat tv-series over advocaten gezien, maar daarin praten ze alleen maar over geld. Over seks en over geld.'

De telefoon ging. Het was een rechter. Clint stond hem

vriendelijk te woord en ze praatten vijf minuten. Toen hing hij op en ging verder met zijn typewerk. Hij was juist op snelheid gekomen toen Mark vroeg: 'Wie is die vrouw die nu binnen is?'

Clint hield op met typen, staarde naar de toetsen en draaide zich langzaam om. Zijn stoel piepte. 'Bij Reggie, bedoel je?' vroeg hij met een haastig, geforceerd lachje.

'Ja.'

'Norma Thrash.'

'Waar komt ze voor?'

'O, ze heeft een heleboel problemen. Ze zit midden in een vervelende echtscheiding. Haar man is een echte klootzak.'

Mark was nieuwsgierig hoeveel Clint wist.

'Slaat hij haar ook?'

'Dat geloof ik niet,' antwoordde Clint langzaam.

'Hebben ze kinderen?'

'Twee. Ik mag er eigenlijk niet over praten. Het is vertrouwelijk, begrijp je?'

'Ja, dat weet ik. Maar je weet zeker alles? Ik bedoel, je typt de stukken uit.'

'Het meeste weet ik wel, ja. Maar Reggie vertelt me niet alles. Ik heb bijvoorbeeld geen idee wat jij tegen haar hebt gezegd. Het is een ernstige zaak, neem ik aan, maar ze praat er niet over. Ik heb de krant gelezen, ik heb de FBI en Roy Foltrigg gezien, maar de details ken ik niet.'

Dat was precies wat Mark wilde horen. 'Ken je Robert Hackstraw? Ze noemen hem Hack.'

'Die is toch ook advocaat?'

'Ja. Hij was de advocaat van mijn moeder toen ze een paar jaar geleden is gescheiden. Een stomme gozer.'

'Je vond hem niet geschikt?'

'Ik had de pest aan Hack. Hij behandelde ons als oud vuil. Als we bij hem op kantoor kwamen, liet hij ons twee uur wachten. Dan praatte hij tien minuten met ons, heel haastig, omdat hij naar de rechtbank moest. Hij vond zichzelf vreselijk belangrijk. Ik zei tegen mijn moeder dat ze iemand anders moest nemen, maar ze was veel te nerveus.'

'Is het voor de rechter gekomen?'

'Ja. Mijn ex-vader vond dat hij de voogdij over één kind moest krijgen. Het maakte niet uit wie, maar toch het liefst Ricky, omdat hij wist dat ik hem haatte. Dus nam hij ook een advocaat. Mijn vader en moeder hebben elkaar twee dagen in de rechtszaal voor rotte vis uitgescholden. Ze probeerden te bewijzen dat de ander niet geschikt was als voogd. Hack was waardeloos, maar die advocaat van mijn ex-vader was nog erger. De rechter mocht hen allebei niet. Hij zei dat hij Ricky en mij niet uit elkaar wilde halen. De tweede dag vroeg ik hem of ik mocht getuigen. Daar dacht hij in de lunchpauze over na, en toen hij terugkwam had hij besloten dat ik wat mocht zeggen. Ik had het ook aan Hack gevraagd, maar die zei dat ik te jong en te dom was om te getuigen, of zoiets stoms.'

'Maar je hebt dus wel getuigd.'

'Ja. Drie uur lang.'

'En hoe ging het?'

'Wel goed, eigenlijk. Ik heb verteld over de mishandeling, de blauwe plekken, de hechtingen. Ik heb gezegd hoe ik mijn vader haatte. De rechter moest bijna huilen.'

'En het werkte?'

'Ja. Mijn vader wilde bezoekrecht, maar ik heb de rechter duidelijk gemaakt dat ik hem na het proces nooit meer wilde zien. En dat Ricky doodsbang voor hem was. Daarom heeft de rechter niet alleen het bezoekrecht afgewezen, maar mijn vader ook een straatverbod opgelegd.'

'Heb je hem daarna nog gezien?'

'Nee, maar dat gebeurt nog wel een keer. Als ik volwassen

ben zullen Ricky en ik hem ergens opwachten om hem in elkaar te slaan. Om hem al die kneuzingen en hechtingen betaald te zetten. We hebben het er steeds over.' Het gesprek verveelde Clint nu niet meer. Hij luisterde gespannen naar ieder woord. Het joch praatte zo luchtig over zijn plan om zijn vader af te tuigen. 'Misschien draai je dan de gevangenis in.'

'Hij is ook niet in de gevangenis gekomen toen hij ons in elkaar sloeg. Of toen hij mijn moeder alle kleren van het lijf rukte en haar de straat op smeet, onder het bloed. Dat was de keer dat ik hem met een honkbalknuppel heb geslagen.'

'Wat?'

'Op een avond zat hij zich thuis te bezatten. We wisten dat het uit de hand zou lopen. Dat zagen we altijd aankomen. Toen hij even wegging om nog meer bier te kopen, heb ik snel een aluminium honkbalknuppel geleend van Michael Moss, een buurjongen. Die heb ik onder mijn bed verborgen. Ik weet nog dat ik bad dat hij een auto-ongeluk zou krijgen en niet meer terug zou komen. Maar hij kwam wel terug. Mijn moeder bleef in de slaapkamer, in de hoop dat hij zich bewusteloos zou zuipen, wat heel vaak gebeurde. Ricky en ik bleven in onze eigen kamer, wachtend op de uitbarsting.'

De telefoon ging weer. Clint nam snel op en noteerde de boodschap. Toen draaide hij zich weer naar Mark voor de rest van het verhaal.

'Een uurtje later hoorden we hem schreeuwen en vloeken. De hele caravan stond te schudden. We deden onze deur op slot. Ricky kroop huilend onder het bed. Toen hoorde ik mijn moeder mijn naam roepen. Ik was zeven, maar ze riep dat ik haar moest redden. Hij sloeg haar halfdood. Hij gooide haar alle kanten op, hij schopte haar, hij scheurde haar blouse kapot en hij noemde haar een hoer en een slet.

Ik wist niet eens wat dat betekende. Ik liep naar de keuken. Ik was zo bang dat ik me haast niet durfde te bewegen. Hij zag me en smeet me een bierblikje naar mijn hoofd. Mijn moeder probeerde naar buiten te vluchten, maar hij kreeg haar te pakken en rukte haar broek omlaag. God, hij sloeg haar zo hard! Daarna scheurde hij haar ondergoed kapot. Haar lip was gespleten en ze zat onder het bloed. Hij smeet haar naar buiten, spiernaakt, en sleepte haar de straat op. Alle buren keken natuurlijk toe. Daarna lachte hij haar uit en liet haar daar liggen. Het was afschuwelijk.'

Clint leunde naar voren om geen woord te missen. Mark sprak heel eentonig, zonder enig gevoel.

'Toen hij weer binnenkwam... de deur was natuurlijk open... stond ik hem op te wachten. Ik had een keukenstoel achter de deur gezet en was erop geklommen, met die honkbal-knuppel. Ik sloeg zijn kop er bijna af. Ik raakte hem vol tegen zijn neus. Ik stond te huilen en ik was doodsbang, maar dat geluid van krakende botten zal ik nooit vergeten. Hij stortte neer op de divan en ik sloeg hem nog eens, in zijn maag. Ik probeerde hem in zijn kruis te raken omdat ik dacht dat ik hem daar het meest pijn kon doen, begrijp je? Ik stond als een gek met die knuppel te zwaaien. Ik sloeg hem nog eens tegen zijn oor, maar toen was het afgelopen.'

'Hoe dat zo?' vroeg Clint snel.

'Hij kwam overeind, sloeg me in mijn gezicht, smeet me tegen de grond, schold me uit en begon me te schoppen. Ik weet dat ik zo bang was dat ik me niet eens verzette. Zijn gezicht zat onder het bloed en hij stonk een uur in de wind. Hij gromde, hij sloeg en hij scheurde mijn kleren kapot. Toen hij bij mijn ondergoed kwam, begon ik als een wilde te trappen, maar hij trok mijn onderbroek uit en smeet me naar buiten. Poedelnaakt. Ik denk dat hij ons samen de deur uit wou zetten, maar op dat moment had mijn moeder de deur weer bereikt en viel over me heen.'

Hij beschreef het allemaal zo kalm alsof hij het al honderd keer had verteld en het script uit zijn hoofd kende. Geen enkele emotie, alleen de feiten, in korte afgemeten zinnetjes. Nu eens staarde hij naar het bureau, dan weer naar de deur, maar hij aarzelde of hakkelde geen moment.

'En toen?' vroeg Clint ademloos.

'Een van de buren had de politie gebeld. Ik bedoel, je kunt alles horen wat er in de volgende caravan gebeurt, dus onze buren hadden het allemaal meebeleefd. En dit was niet de eerste keer, bij lange na niet. Ik weet nog dat ik de blauwe zwaailichten zag. Mijn vader verdween ergens in de caravan. Mijn moeder en ik kwamen bliksemsnel overeind, renden naar binnen en kleedden ons aan. Een paar buren zagen me toch naakt. We probeerden het bloed weg te wassen voordat de politie binnenkwam. Mijn vader was weer wat rustiger en gedroeg zich opeens heel vriendelijk tegen de agenten. Mijn moeder en ik wachtten in de keuken. Zijn neus was zo groot als een voetbal, en de politie maakte zich meer zorgen over zijn gezicht dan over mij en mijn moeder. Hij noemde een van de agenten Frankie, alsof ze de beste vrienden waren. Ze waren met zijn tweeën en ze haalden ons uit elkaar. Frankie nam mijn vader mee naar de slaapkamer om hem te laten afkoelen. De andere agent ging met mijn moeder aan de keukentafel zitten. Dat deden ze altijd. Ik ging naar ons kamertje en haalde Ricky onder het bed vandaan. Mijn moeder vertelde me later dat mijn vader heel joviaal tegen de politie had gedaan. Gewoon een familieruzie, had hij gezegd. Niets aan de hand. En het was vooral mijn fout, omdat ik hem zonder enige reden met een honkbalknuppel had aangevallen. De agenten noemden het een "huiselijke onenigheid". Die woorden gebruikten ze altijd. Er werd geen proces-verbaal opgemaakt. Ze brachten mijn vader naar het ziekenhuis, waar hij de hele nacht bleef. Hij moest nog een tijdje zo'n lelijk wit masker dragen.'

'En hoe gedroeg hij zich daarna?'

'Hij heeft een hele tijd niet gedronken. Hij bood zijn excuses aan en hij beloofde dat het nooit meer zou gebeuren. Soms was hij best aardig als hij niet dronk. Maar na een tijdje ging het weer mis. Hij begon weer te schelden en te slaan. Ten slotte vroeg mijn moeder scheiding aan.'

'En hij wilde de voogdij?'

'Ja. Hij loog voor de rechtbank. Heel overtuigend. Hij wist niet dat ik zou getuigen, dus ontkende hij bijna alles en zei dat mijn moeder de rest had gelogen. Hij was heel rustig en zelfverzekerd in de rechtszaal, en die stomme advocaat van ons kon niets tegen hem beginnen. Maar toen ik zelf getuigde en vertelde over die honkbalknuppel en dat hij me de kleren van het lijf had gerukt, toen kreeg de rechter tranen in zijn ogen. Hij werd vreselijk kwaad op mijn ex-vader en zei dat hij had gelogen. Eigenlijk moest hij hem in de gevangenis laten gooien, vond hij. Ik hoopte dat hij dat zou doen, zei ik.'

Mark wachtte even. Hij begon nu langzamer te praten, alsof hij moe werd, maar Clint luisterde nog steeds geboeid.

'Natuurlijk beweerde Hack dat híj de zaak had gewonnen. Daarna dreigde hij mijn moeder met een proces als ze niet zou betalen. Ze was achter met de rekeningen, maar Hack kwam twee keer per week langs voor de rest van zijn honorarium. Ten slotte moest ze zichzelf failliet laten verklaren. En toen raakte ze ook haar baan nog kwijt.'

'Dus je hebt eerst een scheiding meegemaakt en daarna een faillissement?'

'Ja, die advocaat die ons bij het faillissement verdedigde was ook al zo'n droplul.'

'Maar Reggie bevalt je wel?'

'Ja. Reggie is in orde.'

'Blij het te horen.'

De telefoon ging en Clint nam op. Een jurist van het jeugd-gerechtshof wilde wat informatie over een cliënt, en er leek geen eind aan het gesprek te komen. Mark vertrok, op zoek naar de warme chocola. Hij liep langs het vergaderzaaltje met de mooie boeken langs de wanden. Het keukentje be-vond zich naast de toiletten.

Er stond een fles Sprite in de koelkast en hij schroefde de dop eraf. Clint stond versteld van zijn verhaal, dat had hij wel gemerkt. Hij had een heleboel weggelaten, maar het was allemaal waar. Hij was er wel trots op, in zekere zin – trots dat hij zijn moeder had verdedigd. Iedereen reageerde altijd verbaasd als hij het vertelde.

Maar opeens herinnerde dat flinke joch met zijn honkbal-knuppel zich weer de man met het mes in de lift en de opge-vouwen foto van dat arme eenoudergezin. Hij dacht aan zijn moeder in het ziekenhuis, helemaal alleen, zonder bescher-ming. Opeens was hij weer bang.

Hij probeerde een zak zoutjes open te krijgen, maar zijn handen trilden zo dat hij het plastic niet kapot kon scheuren. Ze begonnen steeds erger te trillen, zonder dat hij er iets tegen kon doen. Hij zakte op de grond in elkaar en morste de limonade.

16

De motregen was juist opgehouden toen de secretaressen in groepjes van drie en vier naar buiten kwamen en haastig over de vochtige stoep liepen om te gaan lunchen. De lucht was grijs en de straten waren nat. Wolken van nevel spatten sissend omhoog achter de auto's in Third Street. Reggie en haar cliënt sloegen af naar Madison. Ze had haar koffertje in haar linkerhand en met haar rechterhand hield ze Marks hand vast en loodste hem door de menigte. Ze was op weg ergens heen en ze had haast.

Vanuit een onopvallende witte Ford-bestelbus die bijna recht voor het Sterick Building geparkeerd stond, hield Jack Nance hen in de gaten, terwijl hij in zijn zendertje sprak. Toen ze afsloegen naar Madison en uit het gezicht verdwenen, wachtte hij op een reactie. Binnen enkele minuten had zijn collega, Carl Sisson, het spoor opgepikt. Reggie en de jongen waren op weg naar het ziekenhuis, zoals verwacht. Vijf minuten later verdwenen ze naar binnen.

Nance sloot het busje af en zigzagde door het drukke verkeer naar de overkant van Third Street. Hij stapte het Sterick Building in, nam de lift naar de eerste verdieping en probeerde voorzichtig de deurknop van het kantoor met het opschrift REGGIE LOVE – ADVOCAAT. De deur was open – een prettige verrassing. Het was elf minuten over twaalf. Bijna alle advocaten in Memphis met een eenvoudige eenmanspraktijk gingen om deze tijd lunchen en deden hun kantoor op slot. Nance opende de deur en stapte naar binnen. Boven zijn hoofd klonk een doordringende zoemer die zijn komst aankondigde. Verdomme! Hij had gehoopt dat hij een slot had moeten forceren – iets waar hij heel goed in was – en ongestoord een paar dossiers had kunnen doornemen. Dat was eenvoudig genoeg. De meeste van deze kantoortjes deden maar weinig aan beveiliging. De grote firma's natuurlijk wel, hoewel Nance buiten kantooruren zonder probleem een van de honderden advocatenfirma's in Memphis kon binnendringen om te vinden wat hij zocht. Dat was hem al minstens twaalf keer eerder gelukt.

Er waren twee dingen die je in deze goedkope kantoortjes

nooit aantrof: geld en een alarminstallatie. De deur zat op slot, en dat was alles.

Een jongeman kwam van achter een bureau overeind en vroeg: 'Ja? Kan ik u helpen?'

'Ja,' zei Nance zakelijk en zonder een glimlach, alsof hij al een zware dag achter de rug had. 'Ik werk voor *The Times-Picayune*, een krant uit New Orleans. Ik ben op zoek naar Reggie Love.'

Clint bleef op drie meter afstand staan. 'Ze is er niet.'

'Wanneer komt ze terug?'

'Geen idee. Hebt u een legitimatie?'

Nance liep weer naar de deur. 'Bedoel je een van die witte kaartjes die advocaten op de stoep laten vallen? Nee, beste vriend. Ik heb geen visitekaartjes bij me. Ik ben journalist.'

'Goed. Wat is uw naam?'

'Arnie Carpenter. Zeg maar dat ik nog weleens terugkom.'

Hij opende de deur, de zoemer ging weer over, en hij was verdwenen. Geen produktief bezoekje, maar hij had Clint ontmoet en het secretariaat en de wachtkamer gezien. Het volgende bezoek zou langer duren.

Zonder problemen namen ze de lift naar de achtste verdieping. Reggie hield zijn hand vast, wat hij normaal niet prettig zou hebben gevonden, maar nu was het geruststellend. Hij staarde naar zijn voeten toen de lift omhoogging. Hij was bang om op te kijken, bang om nog meer onbekenden tegen te komen. Hij kneep in haar hand.

Ze stapten de gang van de achtste etage in. Nauwelijks hadden ze tien stappen gedaan toen drie mensen uit de wachtruimte naar hen toe renden. 'Mevrouw Love! Mevrouw Love!' riep een van hen. Reggie schrok even, maar toen pakte ze Marks hand nog steviger vast en liep door. Een van de journalisten had een microfoon, de tweede een opschrijfboekje en de derde een camera. De verslaggever met het opschrijfboekje zei: 'Mevrouw Love, een paar snelle vragen, als het mag.'

Ze liepen nog sneller, in de richting van de verpleegsters-balie. 'Geen commentaar.'

'Is het waar dat uw cliënt weigert met de FBI en de politie mee te werken?'

'Geen commentaar,' zei ze weer, met haar blik strak voor zich uit gericht. De journalisten volgden als bloedhonden. Reggie boog zich snel naar Mark toe en zei: 'Niet naar hen kijken en niets zeggen.'

'Is het waar dat de officier van justitie uit New Orleans van-ochtend bij u was?'

'Geen commentaar.'

Artsen, verpleegsters, patiënten – iedereen maakte ruim baan toen Reggie en haar beroemde cliënt de gang door lie-pen, achtervolgd door de keffende honden.

'Heeft uw cliënt met Jerome Clifford gesproken voor zijn dood?'

Ze kneep nog harder in zijn hand en versnelde haar pas. 'Geen commentaar.'

Toen ze het einde van de gang naderden, sprong die idoot met de camera opeens voor hen, liep gebukt achteruit en wist snel een foto te maken voordat hij op zijn achterste viel. De verpleegsters begonnen te lachen. Een bewaker bij de verpleegstersbalie stapte naar voren om de journalis-ten tegen te houden. Ze kenden hem al.

Voordat Reggie en Mark de hoek van de gang omsloegen, riep een van hen nog: 'Is het waar dat uw cliënt weet waar het lijk van Boyette begraven is?' Reggie aarzelde een frac-tie van een seconde. Toen rechtte ze haar schouders, kromde haar rug, en het volgende moment was ze met haar cliënt uit het gezicht verdwenen.

Twee forse bewakers in uniform zaten op klapstoeltjes voor Ricky's deur. Er bungelde een pistool aan hun heup. Dat was het eerste wat Mark zag. Een van de mannen zat een krant te lezen, die hij meteen liet zakken toen hij hen zag aankomen. Zijn collega stond op. 'Kan ik u helpen?' vroeg hij aan Reggie.

'Ja. Ik ben de advocaat van de familie, en dit is Mark Sway, de broer van de patiënt.' Ze zei het op een zakelijke fluistertoon, alsof zij alle recht had hier te zijn en de twee mannen niet. Ze moesten dus opschieten met hun vragen, want ze had nog meer te doen. 'Dokter Greenway verwacht ons,' zei ze, terwijl ze naar de deur liep en aanklopte. Mark bleef achter haar staan, starend naar het pistool, dat als twee druppels water op het wapen leek dat die arme Romey had gebruikt.

De bewaker liet zich op zijn stoel terugzakken en zijn collega las weer verder in zijn krant. Greenway opende de deur en kwam naar buiten, gevolgd door Dianne, die had gehuild. Ze omhelsde Mark en legde haar arm om zijn schouder.

'Hij slaapt,' zei Greenway zachtjes tegen Reggie en Mark. 'Het gaat veel beter met hem, maar hij is nog erg moe.'

'Hij vroeg al naar je,' fluisterde Dianne tegen Mark.

Hij keek naar haar vochtige ogen en vroeg: 'Wat is er, ma?'

'Niets. We praten er later wel over.'

'Wat is er gebeurd?'

Dianne keek Greenway aan, toen Reggie, en ten slotte Mark. 'Niets,' zei ze weer.

'Je moeder is vanochtend ontslagen, Mark,' zei Greenway, met een blik naar Reggie. 'Die fabriek heeft haar per koerier een ontslagbrief gestuurd. Kun je het je voorstellen? De brief is afgegeven bij de verpleegsters hier op de achtste verdieping. Een van hen kwam hem brengen, een uurtje geleden.'

'Mag ik die brief eens zien?' vroeg Reggie. Dianne haalde hem uit haar zak. Reggie vouwde hem open en las hem langzaam door. Dianne drukte Mark tegen zich aan en zei: 'Het komt wel goed, Mark. We hebben het altijd nog gered. Ik vind wel ander werk.'

Mark beet op zijn lip en had moeite niet te huilen.

'Mag ik hem houden?' vroeg Reggie terwijl ze de brief in haar koffertje stopte. Dianne knikte.

Greenway keek op zijn horloge alsof hij de tijd vergeten was. 'Ik ga even een broodje eten. Over twintig minuten ben ik weer terug. Ik wil nog een paar uur alleen zijn met Ricky en Mark.'

Reggie keek ook op haar horloge. 'Ik kom om een uur of vier terug. Er lopen hier journalisten rond. Jullie mogen vooral niet met hen spreken,' zei ze tegen de andere drie.

'Nee. Je zegt gewoon "geen commentaar, geen commentaar",' voegde Mark er behulpzaam aan toe. 'Het is wel grappig.'

Dianne zag er het grappige niet van in. 'Wat willen ze?'

'Alles. Ze hebben de krant gelezen. Het gonst van de geruchten. Ze ruiken een goed verhaal en ze zullen alles doen om een primeur te krijgen. Ik heb op straat al een reportagewagen van de televisie gezien, dus die zijn ook in de buurt. Het lijkt me het beste dat je hier bij Mark blijft.'

'Goed,' zei Dianne.

'Kan ik even bellen?' vroeg Reggie.

Greenway wees naar de verpleegstersbalie. 'Kom maar mee.'

'Dan zie ik jullie weer om vier uur, oké?' zei ze tegen Dianne en Mark. 'En denk eraan: geen woord. Tegen wie dan ook. Blijf dicht bij deze kamer.' Ze verdween met Greenway om de hoek. De bewakers zaten half te slapen. Mark en zijn moeder stapten de donkere kamer in en gingen op het bed zitten. Marks oog viel op een oudbakken donut, die hij in vier happen naar binnen werkte.

Reggie belde haar kantoor. Clint nam op. 'Herinner je je het proces nog dat we vorig jaar uit naam van Penny Patoula hebben gevoerd?' vroeg ze zacht, terwijl ze om zich heen keek of ze de bloedhonden ergens zag. 'Een aanklacht wegens sekse-discriminatie, onrechtmatig ontslag, intimidatie, enzovoort. We hebben alles in de strijd gegooid wat we hadden. De zaak diende voor het Circuit-gerecht. Ja, precies. Zoek dat dossier even op en vervang de naam Penny Patoula door Dianne Sway. De aangeklaagde partij is Ark-Lon Armaturen. Ik geef je de naam van de directeur: Chester Tanfill. Ja, we stellen hem ook persoonlijk verantwoordelijk. Zelfde aanklacht – onrechtmatig ontslag, overtreding van de arbeidswet, ongewenste intimiteiten, schending van de burgerrechten. We eisen een schadevergoeding van twee miljoen dollar. Doe het nu meteen. Stel de aanklacht op, controleer de leges en deponeer de stukken. Over een halfuur ben ik bij de rechtbank om ze op te halen, dus zet er haast achter. Ik zal de aanklacht persoonlijk aan meneer Tanfill overhandigen.'
Ze hing op en bedankte de dichtstbijzijnde verpleegster. De journalisten hingen bij de frisdrankautomaat rond, maar Reggie was al door de deur van het trappenhuis verdwenen voordat ze haar zagen.

Ark-Lon Armaturen was gehuisvest in een rij ijzeren loodsen op een armoedig industrieterrein bij het vliegveld. Er stonden nog meer van zulke fabriekjes, waar niemand meer verdiende dan het minimumloon. Het kantoor van Ark-Lon was oranje geschilderd, maar de verf was verbleekt. De fabriek had zich naar alle kanten uitgebreid, behalve in de

215

richting van de straat. De nieuwere gebouwen hadden dezelfde architectuur, maar in andere oranjetinten. Een paar vrachtwagens stonden te wachten bij een laadplatform aan de achterkant. Achter een omheining van ijzeren kettingen lagen rollen staal en aluminium.

Reggie parkeerde aan de voorkant, op een plek die voor bezoekers was gereserveerd. Ze pakte haar koffertje en stapte naar binnen. Een vrouw met donker haar, een forse boezem en een lange sigaret tussen haar lippen zat te telefoneren en keek niet op. Reggie bleef ongeduldig voor het bureau staan. Het kantoor was stoffig, vuil en rokerig. De muren waren versierd met doffe foto's van Beagles. De helft van de tl-verlichting brandde niet. 'Kan ik u helpen?' vroeg de receptioniste, terwijl ze de hoorn liet zakken.

'Ik wil Chester Tanfill spreken.'

'Die is in vergadering.'

'Dat weet ik. Hij is een drukbezet man, maar ik heb iets belangrijks voor hem.'

De receptioniste legde de hoorn op haar bureau. 'O. Wat dan?'

'Dat zijn uw zaken niet. Ik moet Chester Tanfill spreken. Het is dringend.'

De vrouw kreeg de pest in. Volgens haar naamplaatje heette ze Louise Chenault. 'Het kan me niet schelen hoe dringend het is, mevrouw. U kunt hier niet zomaar binnenstormen om de directeur van dit bedrijf te spreken.'

'Dit bedrijf buit zijn personeel uit. Ik heb zojuist een eis tot een schadevergoeding van twee miljoen dollar ingediend. Niet alleen tegen het bedrijf, maar ook tegen vriend Chester persoonlijk. Dus zorg nu maar dat ik hem te spreken krijg, en snel.'

Louise sprong overeind en deed een paar stappen terug. 'Bent u advocaat?'

Reggie haalde de aanklacht en de dagvaarding uit haar koffertje. Ze bladerde de stukken door, zonder Louise aan te kijken. 'Ja, ik ben advocaat en ik wil deze papieren aan Chester overhandigen. Ga hem maar zoeken. Als hij niet binnen vijf minuten voor me staat, zal ik de eis verhogen tot vijf miljoen.'

Louise rende de kamer uit en verdween door een dubbele deur. Reggie wachtte even en liep toen achter haar aan. Ze kwam in een grote ruimte met haveloze kleine hokjes. Uit alle openingen leek sigaretterook omhoog te walmen. Het wollen tapijt was oud en versleten. Ze zag Louises ronde achterwerk nog juist door een deur aan de rechterkant verdwijnen. Ze volgde haar.

Chester Tanfill had zich half opgericht achter zijn bureau toen Reggie naar binnen stormde. Louise stond sprakeloos. 'Verdwijn maar,' snauwde Reggie. 'Ik ben Reggie Love, advocaat,' zei ze tegen Chester.

'Chester Tanfill,' zei hij, zonder zijn hand uit te steken. Ze had hem toch geen hand gegeven. 'Dit is nogal onbeschoft, mevrouw Love.'

'De naam is Reggie. Oké, Chester? Stuur Louise maar weg.'

Hij knikte. Louise ging er haastig vandoor en deed de deur achter zich dicht. 'Wat wil je?' vroeg hij bits. Hij was een pezige man van een jaar of vijftig met een mager, vlekkerig gezicht en bolle ogen die gedeeltelijk schuilgingen achter een bril met een draadmontuur. Drankproblemen, dacht Reggie. Zijn kleren kwamen uit een postordercatalogus. Hij kreeg donkerrode vlekken in zijn hals.

Ze smeet de aanklacht en de dagvaarding op het bureau. 'Je moet voor de rechtbank verschijnen.'

Hij wierp een minachtende blik op de papieren – de blik van een man die niet bang was voor advocaten en hun spelletjes.

'Waarvoor?'

'Ik vertegenwoordig Dianne Sway. Je hebt haar vanochtend ontslagen en vanmiddag heb je al een proces aan je broek. Dat is snelle rechtspleging, vind je ook niet?'

Chester kneep zijn ogen tot spleetjes en keek nog eens naar de aanklacht. 'Dat meen je niet.'

'O nee? Dacht je dat? Lees het maar, Chester. Onrechtmatig ontslag, ongewenste intimiteiten, de hele handel. Twee miljoen dollar smartegeld. Ik doe niets anders dan dit soort zaken, maar jij maakt het me wel erg gemakkelijk. Die arme vrouw is al twee dagen in het ziekenhuis, bij haar zoontje. Ze mag hem niet alleen laten van de arts. Hij heeft jullie zelfs gebeld om het uit te leggen, maar nee hoor, jullie zijn zo stom om haar te ontslaan omdat ze niet op haar werk is verschenen. Ik kan haast niet wachten om dit aan een jury te vertellen.'

Het duurde soms wel twee dagen voordat Chesters advocaat hem terugbelde, maar die vrouw... Dianne Sway... was het gelukt om binnen een paar uur een aanklacht tegen hem rond te krijgen. Langzaam pakte hij de papieren op en las de eerste bladzijde. 'Word ik persoonlijk aansprakelijk gesteld?' vroeg hij, bijna gekwetst.

'Jij hebt haar ontslagen, Chester. Maar maak je geen zorgen. Als de jury je veroordeelt, kun je je failliet laten verklaren.'

Chester trok zijn stoel bij en liet zich voorzichtig zakken. 'Ga zitten,' zei hij, wuivend naar een stoel.

'Nee, dank je. Wie is je advocaat?'

'Eh, jee... eh, Findley en Baker. Maar wacht nou eens even. Geef me de tijd om na te denken.' Hij bladerde verder en las de aanklacht door. 'Ongewenste intimiteiten?'

'Ja, dat is tegenwoordig een vruchtbaar terrein. Een van je afdelingschefs kon zijn handen blijkbaar niet thuishouden.

Hij deed mijn cliënte allerlei voorstellen – wat ze samen in de lunchpauze op de toiletten konden doen. Hij vertelde gore moppen en deed smerige suggesties. Je zult het wel horen tijdens het proces. Wie moet ik bellen bij Findley en Baker?'

'Wacht nou even.' Hij bladerde de papieren nog eens door en legde ze toen weer neer. Reggie bleef naast het bureau staan en keek nijdig toe. Chester masseerde zijn slapen.

'Hier heb ik helemaal geen behoefte aan.'

'Mijn cliënte ook niet.'

'Wat wil ze van me?'

'Een beetje respect. Jullie zijn een stelletje slavendrijvers, die misbruik maken van alleenstaande moeders die nauwelijks hun kinderen te eten kunnen geven van het hongerloontje dat jullie hun betalen. En door hun afhankelijke positie durven ze niet te klagen.'

Hij wreef nu over zijn ogen.'Laat die preek maar zitten, oké? Ik heb hier gewoon geen trek in. Straks krijg ik nog problemen met de leiding.'

'Dat zal me een zorg zijn, Chester. Vanmiddag gaat er een kopie van de aanklacht naar *The Memphis Press*, en ik weet zeker dat het morgen in de krant zal staan. Alles wat de Sway's betreft is nieuws op dit moment.'

'Wat wil ze van me?' vroeg hij weer.

'Wil je onderhandelen?'

'Misschien. Ik geloof niet dat u deze zaak kunt winnen, mevrouw Love, maar ik heb geen zin in dat gezeur.'

'Het wordt heel wat meer dan "gezeur", geloof me maar. Mijn cliënte verdient negenhonderd dollar per maand, zeshonderdvijftig dollar netto, dat is dus elfduizend dollar per jaar. Alleen de juridische kosten van dit proces zijn al vijf keer zo hoog. Ik vraag inzage in al jullie personeelsdossiers. Ik zal de andere vrouwelijke personeelsleden om getuigenverklaringen vragen. Je zult je boekhouding moeten overleggen. Ik laat beslag leggen op de hele administratie, en als ik maar íets vind, waarschuw ik meteen de Commissie voor Gelijke Rechten, de Commissie voor Arbeidsverhoudingen, de belastingen, de vakbonden en wie er verder nog belang bij heeft. Ik zal ervoor zorgen dat je geen oog meer dichtdoet, Chester. Je zult de dag betreuren dat je mijn cliënte hebt ontslagen.'

Hij sloeg met zijn vlakke handen op het bureaublad. 'Wat wil ze dan, verdomme?'

Reggie pakte haar koffertje en liep naar de deur. 'Ze wil haar baan terug. En opslag, als het kan. Laten we zeggen van zes dollar naar negen dollar per uur, als je het kunt missen. Ook als je het niet kunt missen, trouwens. En laat haar overplaatsen naar een andere afdeling, uit de buurt van die smerige afdelingschef.'

Chester spitste zijn oren. Dit klonk niet slecht.

'Ze zal nog wel een paar weken in het ziekenhuis moeten blijven, bij haar zoontje. In die tijd houdt ze wel haar vaste lasten, dus haar salaris moet worden doorbetaald. Sterker nog, Chester, laat het geld maar gewoon bij het ziekenhuis afgeven, zoals jullie haar vanochtend ook die ontslagbrief hebben bezorgd – tactloze hufters als jullie zijn. Iedere vrijdag krijgt ze haar geld, begrepen?' Hij knikte langzaam. 'Je hebt dertig dagen de tijd om op de aanklacht te reageren. Als jullie doen wat ik zeg, laat ik de zaak seponeren. Dat beloof ik je. Dan hoef je geen contact op te nemen met je advocaat. Akkoord?'

'Goed.'

Reggie opende de deur. 'O, en stuur een bos bloemen. Kamer 943. Een kaartje zou leuk zijn. Stuur elke week maar bloemen. Afgesproken, Chester?'

Hij knikte nog steeds.

Ze sloeg de deur achter zich dicht en verliet het haveloze kantoor van Ark-Lon Armaturen.

Mark en Ricky zaten aan het voeteneind van het opklapbed en keken op naar het baardige gezicht van dr. Greenway, die nog geen halve meter bij hen vandaan zat en hen scherp aankeek. Ricky droeg een oude pyjama van Mark en had een deken om zijn schouders geslagen. Hij had het koud, zoals gewoonlijk. Hij was bang en onzeker nu hij voor het eerst uit bed was, ook al zat hij er nog vlak naast. Hij had liever gehad dat zijn moeder bij het gesprek was geweest, maar de dokter had vriendelijk maar beslist verklaard dat hij de jongens alleen wilde spreken. Greenway probeerde al bijna twaalf uur Ricky's vertrouwen te winnen. Ricky zat dicht tegen zijn grote broer aan, die al baalde van het gesprek nog voordat het begonnen was.

De gordijnen waren dicht en de lichten gedoofd. Alleen het lampje op de tafel bij het toilet brandde nog. Greenway boog zich naar voren met zijn ellebogen op zijn knieën.

'Luister, Ricky. Ik wil graag met je praten over die keer dat je met Mark naar het bos bent geweest om een sigaretje te roken. Oké?'

Ricky schrok. Hoe wist Greenway dat zij rookten? Mark boog zich naar hem toe en zei: 'Het geeft niet, Ricky. Ik heb het hun al verteld. Ma is niet boos.'

'Herinner je je nog dat jullie naar het bos gingen?' vroeg Greenway.

Hij knikte langzaam. 'Ja, dokter.'

'Vertel me eens wat je je nog herinnert over die keer dat jij en Mark in het bos een sigaretje gingen roken.'

Ricky trok de deken wat dichter om zich heen en begon er zenuwachtig aan te plukken, met zijn handen voor zijn buik.

'Ik heb het zo koud,' zei hij klappertandend.

221

'Ricky, het is ruim boven de twintig graden, je draagt een wollen pyjama en je hebt een deken om je heen. Denk nou maar dat je het warm hebt, oké?'

Hij probeerde het, maar het hielp niet. Mark legde voorzichtig zijn arm om Ricky's schouder en dat leek te helpen.

'Herinner je je nog dat je een sigaret hebt gerookt?'

'Ja, ik geloof het wel.'

Mark keek van Greenway naar Ricky.

'Goed. Weet je nog dat je die grote zwarte auto zag toen hij op het gras stopte?'

Opeens beefde Ricky niet meer. Hij keek strak naar de grond. 'Ja,' mompelde hij. En dat was het laatste wat hij de komende vierentwintig uur zou zeggen.

'En wat deed de grote zwarte auto toen je hem voor het eerst zag?'

Ricky was al geschrokken toen Greenway over de sigaretten begon, maar de herinnering aan de zwarte wagen maakte hem zo bang dat hij geen woord meer kon uitbrengen. Hij boog zich opzij en legde zijn hoofd op Marks knie. Hij hield zijn ogen stijf dicht en begon te snikken, maar zonder tranen.

Mark streelde zijn haar en herhaalde maar steeds: 'Het geeft niet, Ricky. Het geeft niet. We moeten erover praten.'

Greenway bleef kalm. Hij sloeg zijn magere benen over elkaar en streek over zijn baard. Hij had dit wel verwacht. Hij had Mark en Dianne al gewaarschuwd dat dit eerste gesprek niet veel zou opleveren. Maar het was wel belangrijk.

'Ricky, luister eens naar me,' zei hij op heel kinderlijke toon. 'Ricky, alles is in orde. Ik wil alleen maar met je praten. Oké, Ricky?'

Maar Ricky had genoeg therapie gehad voor één dag. Hij kroop weg onder de deken en Mark wist dat zijn duim snel zou volgen. Greenway knikte hem bemoedigend toe. Hij stond op, nam Ricky voorzichtig in zijn armen en legde hem in bed.

17

Wally Boxx stopte midden tussen het drukke verkeer in Camp Street en negeerde het nijdige getoeter en de opgestoken middelvingers toen zijn baas en de FBI-agenten haastig uitstapten en de stoep overstaken naar het Federal Building. Foltrigg beklom gewichtig de treden, met de agenten in zijn kielzog. In de lobby werd hij herkend door een groepje verveelde journalisten die een paar vragen op hem afvuurden, maar Foltrigg had het druk en reageerde met een lachje en 'geen commentaar'.

Zodra hij het kantoor van de officier van justitie van het zuidelijke district van Louisiana binnenstapte, kwamen de secretaressen in beweging. Zijn hoofdkwartier bestond uit een grote ruimte van kleine kantoren, door gangetjes met elkaar verbonden, een paar grote open ruimten waar de administratie was ondergebracht en een reeks afgescheiden hokjes waar de assistenten en juridische medewerkers enige privacy hadden. In totaal werkten hier zevenenveertig substituut-officieren, onder leiding van Dominee Roy. Nog eens achtendertig medewerkers hielden zich bezig met het saaie spit- en graafwerk, de geestdodende administratie en de vermoeiende details en dat allemaal ter verdediging van de juridische belangen van Roy's cliënt, de Verenigde Staten van Amerika.

Het grootste kantoor was natuurlijk Foltriggs eigen kamer, die fraai was ingericht met veel hout en leer. Terwijl de meeste advocaten zich beperkten tot één 'ego-wand' met foto's, plaquettes en certificaten van de Rotary Club, had

Roy maar liefst drie muren volgehangen met ingelijste foto's en voorgedrukte, vergeelde diploma's van tientallen juridische seminars.

Hij gooide zijn jasje op de wijnrode leren sofa en liep direct naar de grote bibliotheek, waar hij een bespreking had. Tijdens de vijf uur lange rit uit Memphis had hij zes keer opgebeld en drie faxen gestuurd. Zes van zijn medewerkers zaten al te wachten aan de tien meter lange eikenhouten vergadertafel, die vol lag met opengeslagen wetboeken en tientallen schrijfblokken. De jasjes waren uit en de mouwen opgestroopt.

Foltrigg begroette zijn staf en ging in het midden van de tafel zitten. Iedereen had een samenvatting van het FBI-onderzoek in Memphis voor zich, met het briefje, de vingerafdrukken, het pistool en de rest van het verhaal. Foltrigg en Fink hadden er geen nieuwe feiten aan toe te voegen, behalve dat Gronke in Memphis was aangekomen, maar dat was voor deze juristen niet relevant.

'Wat heb je me te zeggen, Bobby?' vroeg Foltrigg theatraal, alsof de hele toekomst van het Amerikaanse rechtsstelsel afhankelijk was van Bobby's juridische vondsten. Bobby was Foltriggs belangrijkste medewerker, een veteraan met tweeëndertig jaar ervaring, die de pest had aan rechtszalen maar dol was op bibliotheken. Als er een crisis uitbrak die om ingewikkelde oplossingen vroeg, wendde iedereen zich tot Bobby.

Hij wreef over zijn dikke grijze haardos en zette zijn zwartomrande bril recht. Hij was nog maar zes maanden van zijn pensioen verwijderd. Dan zou hij eindelijk zijn verlost van Roy Foltrigg en zijn soort. Hij had er tientallen zien komen en gaan, en van de meesten was nooit meer iets vernomen. 'Ik geloof dat we het terrein aardig hebben afgebakend,' zei hij. De anderen grijnsden. Zo begon hij iedere rapportage.

Bobby zag het juridisch proces als het wegsnijden van de overbodige franje die zelfs de eenvoudigste zaak vertroebelde. Zo kwam je tot de kern van het probleem en vond je de argumenten waarmee je een jury en een rechter kon overtuigen. Het 'terrein afbakenen', dat was Bobby's specialiteit.

'Er zijn twee mogelijkheden, geen van beide erg aantrekkelijk, maar misschien dat ze ergens toe leiden. Mijn eerste suggestie is de kinderrechter in Memphis. Volgens het kinderrecht in Tennessee kan een minderjarige voor de rechter worden gedaagd wegens een delict. Daarvoor bestaan verschillende categorieën. In de dagvaarding moet duidelijk worden gespecificeerd of het kind een delinquent is of alleen onder toezicht moet worden gesteld. Tijdens de zitting beoordeelt de rechter de bewijslast en bepaalt wat er met het kind moet gebeuren. Dat geldt trouwens ook voor mishandelde of verwaarloosde kinderen – dezelfde procedure, dezelfde rechtbank.'

'En wie kan zo'n zaak aanhangig maken?' vroeg Foltrigg.

'Daar is de wet nogal vaag over, en dat is volgens mij het zwakke punt. Maar in principe kan... ik citeer nu letterlijk... "iedere belanghebbende partij" zo'n geding beginnen. Einde citaat.'

'Wij dus ook?'

'Misschien. Dat hangt ervan af waar we onze eis op baseren. En dat is nu juist het probleem. We moeten aangeven wat hij heeft misdaan – hoe hij de wet heeft overtreden. En het enige wat we hem op dit moment ten laste kunnen leggen is belemmering van de rechtsgang. Dus zullen we onze toevlucht moeten nemen tot gissingen, bijvoorbeeld dat hij weet waar het lijk verborgen is. En dat is riskant, omdat het niet meer is dan een vermoeden.'

'O, die jongen wéét waar dat lijk is, geloof me maar,' zei

Foltrigg toonloos. Fink bestudeerde zijn aantekeningen en deed of hij niets hoorde, maar de andere zes dachten even na. Wist Foltrigg soms iets dat hij hun niet had verteld? Het bleef een tijdje stil terwijl Foltriggs assistenten deze mededeling verwerkten.

'Heb je ons wel alles verteld?' vroeg Bobby ten slotte, met een blik naar zijn collega's.

'Jawel,' antwoordde Foltrigg. 'Die jongen weet waar dat lijk verborgen is. Dat vóel ik gewoon.'

Typisch Foltrigg, dacht Bobby. Zijn feiten waren niet meer dan veronderstellingen, en daar moesten zijn assistenten dan mee werken.

'Als je een kind aanklaagt, gaat de dagvaarding naar de moeder en komt de zaak binnen zeven dagen voor. Het kind moet een advocaat hebben. Die heeft hij al, heb ik begrepen. Het kind heeft het recht op de zitting aanwezig te zijn en zelf te getuigen als hij dat wil.' Bobby noteerde iets. 'Eerlijk gezegd lijkt dat me de snelste manier om hem tot praten te dwingen.'

'En als hij niets wil zeggen in de getuigenbank?'

'Goede vraag,' zei Bobby, als een professor tegen een slimme eerstejaars. 'Dat is ter beoordeling van de rechter. Als wij onze zaak goed presenteren en de rechter ervan overtuigen dat die jongen iets weet, kan hij hem dwingen dat te vertellen. Zo niet, dan maakt hij zich schuldig aan belediging van het hof.'

'En als hij blijft weigeren, wat dan?'

'Moeilijk te zeggen op dit moment. Hij is pas elf jaar, maar in uiterste instantie kan de rechter hem in een jeugdgevangenis laten opsluiten totdat de aanklacht vervalt.'

'Met andere woorden, totdat hij praat.'

Het was zo gemakkelijk om Foltrigg te voeren. 'Dat klopt. Maar dat is wel het uiterste middel waarvan de rechter zich zal bedienen. We hebben nergens een precedent kunnen vinden van een elfjarig kind dat door een rechter is opgesloten wegens belediging van het hof. We hebben nog niet alle vijftig staten doorgewerkt, maar wel de meeste.'

'Zover komt het ook niet,' zei Foltrigg. 'Als wij een aanklacht indienen als belanghebbende partij, als we de moeder laten dagvaarden en dat joch voor de rechter slepen met zijn advocaat erbij, zal hij ons heus wel vertellen wat hij weet. Reken maar dat hij bang is. Wat denk jij, Thomas?'

'Dat denk ik ook. Maar als het niet lukt? Wat is de andere kant van de medaille?'

'Er is weinig risico,' legde Bobby uit. 'Alle zittingen van de kinderrechter vinden achter gesloten deuren plaats. We kunnen zelfs vragen de aanklacht geheim te houden. Als we de zaak verliezen, hoeft niemand dat te weten. Als het joch bereid is om te praten maar niets weet, of als de rechter hem niet wil dwingen om te praten, is er voor ons nog niets verloren. En als de jongen uit angst of onder druk van de rechter wél zijn mond opendoet, dan zijn we waar we wezen willen. Aangenomen dat hij inderdaad weet waar Boyette begraven is.'

'O, dat weet hij,' zei Foltrigg.

'Als het een openbare zitting zou zijn, was het een heel andere zaak. Dan zouden we een zwakke, wanhopige indruk maken als het verkeerd afliep. Als we naar de kinderrechter stappen en de zaak verliezen, mag dat onder geen voorwaarde bekend worden. Dat zou volgens mij onze positie tijdens het proces hier in New Orleans ernstig verzwakken.'

De deur ging open en Wally Boxx kwam binnen. Het was hem eindelijk gelukt de bus te parkeren. Hij leek geërgerd dat ze zonder hem waren begonnen. Hij ging naast Foltrigg zitten.

'Maar je weet zeker dat het geheim kan blijven?' vroeg Fink.

'Volgens de wet wel. Ik weet niet hoe ze daar in Memphis mee omgaan, maar de zitting is vertrouwelijk. Er staan zelfs straffen op openbaarmaking.'

'We hebben wel een plaatselijke raadsman nodig, iemand van Ords kantoor,' zei Foltrigg tegen Fink, alsof het besluit al genomen was. Toen richtte hij zich weer tot de anderen. 'Het klinkt niet slecht. Die jongen en zijn advocaat denken waarschijnlijk dat ze al gewonnen hebben. Hier zullen ze behoorlijk van schrikken. In elk geval weten ze nu dat het ons ernst is en dat de zaak voor de rechter komt. We zullen die advocaat duidelijk maken dat we niet zullen rusten voordat het joch de waarheid heeft verteld. Ja, dit bevalt me wel. De risico's zijn niet groot. Memphis ligt hier vijf-honderd kilometer vandaan, veel te ver voor die idioten met hun camera's. Als we verliezen, is dat geen ramp, want de pers weet van niets. Zo mag ik het horen.' Hij zweeg, alsof hij diep in gedachten verzonken was – de veldmaarschalk die het slagveld overzag en bepaalde waar hij zijn tanks naartoe zou sturen.

Iedereen, behalve Boxx en Foltrigg, zag er de humor van in: de Dominee die de pers er niet bij wilde hebben! Dat was nog nooit vertoond. Foltrigg zelf had natuurlijk niets in de gaten. Hij beet op zijn lip en knikte. Ja, dit was de beste kans. Dit zou wel lukken.

Bobby schraapte zijn keel. 'Er is nog één andere mogelijk-heid. Ik zie er niet veel in, maar het valt te proberen. Het is een gok. Aangenomen dat die jongen weet waar...'

'Dat weet hij.'

'Dank je. Als we daarvan uitgaan, en hij heeft het ook aan zijn advocaat verteld, zouden we háár kunnen aanklagen wegens belemmering van de rechtsgang. Het is heel lastig om de zwijgplicht van een advocaat te doorbreken, dat weet je zelf ook, maar door een aanklacht in te dienen zouden we haar in het nauw kunnen drijven. Misschien is ze dan bereid tot een deal. Ik weet het niet. Zoals gezegd, het is een grote gok.'

Foltrigg dacht er even over na, maar hij was nog zo druk met het eerste plan bezig dat hij het tweede voorstel niet zo snel kon overzien.

'Ik denk niet dat het tot een veroordeling zou kunnen komen,' zei Fink.

'Nee,' beaamde Bobby, 'maar daar gaat het ook niet om. Ze zou hier in New Orleans worden aangeklaagd, ver van huis, en dat zal toch wel indruk maken. Veel negatieve publiciteit, want dit kun je niet geheim houden. Ze moet zelf een advocaat in de arm nemen, en we kunnen de zaak maanden laten slepen. Je kunt zelfs een verzegelde aanklacht tegen haar indienen en haar op de hoogte brengen. Als ze tot een regeling bereid is, kun je de aanklacht weer intrekken. Dat is een andere mogelijkheid.'

'Dat klinkt niet slecht,' zei Foltrigg, zoals iedereen al had verwacht. Het stonk naar intimidatie door de overheid, en zo'n strategie sprak hem altijd aan. 'En we kunnen die aanklacht weer intrekken wanneer het ons uitkomt.'

Natuurlijk! Dat was Foltriggs specialiteit. Een aanklacht indienen, een persconferentie geven, de beklaagde met allerlei dreigementen bombarderen, het op een akkoordje gooien en de aanklacht een jaar later stilzwijgend intrekken. Dat had hij de afgelopen zeven jaar al tientallen keren gedaan. Hij had een paar keer bakzeil moeten halen toen de beklaagde en zijn advocaat weigerden het spelletje mee te spelen en het op een proces wilden laten aankomen. In die gevallen had Foltrigg het altijd te druk met veel belangrijker zaken en werd het dossier doorgeschoven naar een van zijn jongere assistenten, die het proces verloor en dus de schuld kreeg. Eén keer had Foltrigg zelfs een substituut-officier ontslagen omdat hij een zaak had verloren die Foltrigg zelf op deze manier had uitgelokt.

'Dat is Plan B. Dat houden we achter de hand,' zei hij, de veldheer ten voeten uit. 'Plan A is een aanklacht bij de kinderrechter. Morgenochtend vroeg. Hoe lang hebben we nodig om de zaak voor te bereiden?'

'Een uurtje,' antwoordde Tank Mozingo, een zwaargebouwde substituut met de belachelijke naam Thurston Alomar Mozingo, beter bekend als 'Tank'. 'De termen voor de aanklacht zijn in de wet te vinden. We hoeven alleen de beschuldiging te specificeren en de open plekken in te vullen.'

'Aan het werk dan.' Foltrigg wendde zich tot Fink. 'Thomas, handel jij dit maar af. Bel Ord en vraag of hij ons kan helpen. Vlieg vanavond nog naar Memphis. Die aanklacht moet morgenochtend zo vroeg mogelijk worden ingediend, nadat je met de rechter hebt gesproken. Leg hem uit dat er haast bij is.' Papieren ritselden toen de medewerkers hun spullen weer verzamelden. Hun werk zat erop. Fink maakte aantekeningen en Boxx zocht haastig naar een schrijfblok. Foltrigg gaf een stroom van bevelen, als koning Salomo die zijn uitspraken aan zijn schrijvers dicteerde. 'Vraag de rechter om een behandeling met voorrang. Probeer hem duidelijk te maken hoe dringend dit is. En benadruk dat de zaak strikt geheim moet blijven, evenals de aanklacht en de andere stukken. Dat is heel belangrijk. Als er problemen zijn, kun je me bellen. Ik blijf bij de telefoon.'

Bobby knoopte zijn manchetten dicht. 'Luister Roy, nog één ding.'

'Ja?'

'We zetten die jongen onder zware druk. Laten we niet vergeten dat hij groot gevaar loopt. Muldanno is wanhopig.

230

Overal lopen journalisten rond. Eén lek, en de maffia zou die jongen het zwijgen kunnen opleggen voordat hij zijn mond opendoet. Er staat veel op het spel.'

Roy lachte zelfverzekerd. 'Dat weet ik, Bobby. Sterker nog, Muldanno heeft zijn beulsknechten al naar Memphis gestuurd. De FBI houdt hen in de gaten, en ze houden een oogje op die jongen. Ik denk niet dat Muldanno zo stom zal zijn iets te proberen, maar we nemen geen enkel risico.' Roy stond op en keek glimlachend de tafel rond. 'Goed werk, mensen. Mijn complimenten.'

Ze mompelden een bedankje en verlieten de bibliotheek.

Op de derde verdieping van het Radisson Hotel in het centrum van Memphis, twee straten van het Sterick Building en vijf straten van het ziekenhuis, speelde Paul Gronke een saai spelletje gin-rummy met Mack Bono, een Muldanno-adept uit New Orleans. Op de grond onder het tafeltje lag een afgedankt, volgeschreven scoreformulier. Ze hadden voor een dollar per spelletje gespeeld, maar de lol was eraf. Gronkes schoenen lagen op het bed en hij had zijn boordje losgeknoopt. Dikke sigarettenrook walmde naar het plafond. Ze dronken mineraalwater omdat het nog geen vijf uur was, maar ze hoefden niet lang meer te wachten. Zodra de wijzers van de klok het magische uur hadden bereikt, zouden ze roomservice bellen. Gronke keek nog eens op zijn horloge, wierp een blik door het raam naar de gebouwen aan de overkant van Union Avenue en speelde een kaart.

Gronke was een jeugdvriend van Muldanno en een gewaardeerd partner in veel van zijn zaakjes. Hij bezat een paar bars en een toeristische T-shirtshop in de Franse wijk. Hij had al heel wat botten gebroken en het Mes daarbij een handje geholpen als dat nodig was. Hij wist niet waar het lijk van Boyd Boyette verborgen was, en hij wilde het ook niet weten. Maar als hij aandrong, zou zijn vriend het hem wel vertellen. Ze hadden weinig geheimen voor elkaar.

Gronke was naar Memphis gekomen omdat het Mes hem had gebeld. Maar hij verveelde zich nu te pletter, hier in deze hotelkamer. Voorlopig had hij niets anders te doen dan kaarten, Camels roken, water drinken en broodjes eten, met zijn schoenen uit en zijn boordje los, wachtend op de volgende stap van een jochie van elf jaar.

Aan de andere kant van de twee bedden was een open deur die uitkwam in de aangrenzende kamer. Daar stonden ook twee bedden en kringelde ook rook omhoog naar de lucht-roosters in het plafond. Jack Nance stond voor het raam, sta-rend naar de avondspits beneden. Een radio en een draag-bare telefoon stonden gereed op een naburig tafeltje. Ieder moment zou Cal Sisson vanuit het ziekenhuis kunnen bel-len met het laatste nieuws over Mark Sway. Op een van de bedden lag een geopend koffertje. Uit pure verveling had Nance het grootste deel van de middag met zijn afluister-apparatuur gespeeld.

Hij had een plan om kamer 943 in het ziekenhuis af te luis-teren. Hij had het kantoor van Reggie Love gezien en geen speciale sloten, camera's of andere veiligheidsmaatregelen kunnen ontdekken. Typisch een advocatenkantoor. Het was geen enkel probleem om daar een paar microfoontjes aan te brengen. Cal Sisson had een kijkje genomen in het kantoor van de arts, waar de situatie ongeveer hetzelfde was. Een re-ceptioniste achter de balie, sofa's en stoelen voor de patiën-ten die op de zieleknijper wachtten. Een paar saaie kantoren in een gang. Geen extra beveiliging. Zijn cliënt, die malloot die zich het Mes liet noemen, had toestemming gegeven om het kantoor van de advocaat en die van de dokter af te luis-teren. Hij wilde ook kopieën van bepaalde dossiers. Geen probleem. Hij wilde een microfoontje in Ricky's kamer in het ziekenhuis. Geen punt, hoewel het minder eenvoudig was om het signaal op te vangen als het microfoontje eenmaal was geïnstalleerd. Nance dacht daar nog over na.

Wat hem betrof was het een eenvoudige surveillanceklus, niets meer en niets minder. De cliënt betaalde goed, en contant. Een kind schaduwen was niet zo moeilijk. Afluisteren was geen probleem, zolang hij maar betaalde.

Maar Nance had de kranten gelezen en de gesprekken in de andere kamer gehoord. Hier was meer aan de hand. Het breken van botten was geen normaal gespreksonderwerp bij een spelletje kaart. Deze mannen waren levensgevaarlijk, en Gronke had al aangekondigd dat hij naar New Orleans zou bellen om versterkingen.

Cal Sisson had ermee willen kappen. Zijn proeftijd was net voorbij. Als hij zich nu in de nesten werkte, zou hij voor tientallen jaren achter de tralies verdwijnen. Een veroordeling wegens medeplichtigheid aan moord zou hem op levenslang komen te staan. Maar Nance had hem overgehaald het nog één dag uit te zingen.

De telefoon ging. Het was Sisson. De advocaat was in het ziekenhuis aangekomen. Mark Sway was in kamer 943, met zijn moeder en de advocaat. Nance hing op en liep naar de andere kamer.

'Wie was dat?' vroeg Gronke met een Camel tussen zijn lippen.

'Cal. Die jongen is nog in het ziekenhuis, met zijn moeder en zijn advocaat.'

'En die dokter?'

'Die is een uur geleden vertrokken.' Nance liep naar de toilettafel en schonk zich een glas mineraalwater in.

'Enig levensteken van de Feds?' gromde Gronke.

'Ja. Dezelfde twee agenten hangen nog steeds in het ziekenhuis rond. Ze doen hetzelfde als wij, denk ik. Het ziekenhuis heeft twee extra bewakers bij de deur van de kamer opgesteld, en een derde dicht in de buurt.'

'Denk je dat die jongen heeft verteld dat hij mij vanochtend in de lift is tegengekomen?' vroeg Gronke voor de zoveelste keer die dag.

'Hij zal het wel aan íemand hebben verteld. Waarom zouden ze anders die kamer laten bewaken?'

'Ja, maar die bewakers zijn niet van de FBI, of wel? Als hij het aan de Feds had verteld, zouden zij ook in de gang zitten, dacht je niet?'

'Ja.' Ze hadden dit gesprek al tien keer gevoerd. Aan wie had de jongen het verteld? Waarom werd de kamer opeens bewaakt? Enzovoort, enzovoort. Gronke hield maar niet op. De man had de arrogante houding van een doorgewinterde straatboef, maar hij beschikte wel over veel geduld. Dat hoorde bij zijn vak, dacht Nance. Moordenaars moesten koelbloedig en kalm blijven.

18

Ze verlieten het ziekenhuis en vertrokken in haar Mazda RX-7 – zijn eerste rit in een sportwagen. De stoelen waren met leer bekleed, maar de vloer was smerig. Het was geen nieuwe auto, maar wel een blits wagentje, met een versnellingspook die Reggie als een volleerde coureur bediende. Ze zei dat ze graag hard reed, waar Mark geen enkel bezwaar tegen had. Snel slingerden ze zich door het verkeer toen ze het centrum achter zich hadden gelaten en naar het oosten reden. Het was bijna donker. De radio stond aan maar was nauwelijks te horen – een of ander FM-station dat easy-listening draaide.

Ricky was wakker toen ze uit het ziekenhuis waren weggegaan. Hij zat in een stripboek te staren, maar hij zei niet veel. Op de tafel stond een triest bordje ziekenhuiseten, maar Ricky en Dianne hadden er geen hap van genomen. Mark had zijn moeder de afgelopen twee dagen nog geen drie happen zien eten. Hij had medelijden met haar zoals ze daar op het bed zat, starend naar Ricky, dodelijk bezorgd. Toen Reggie haar vertelde dat ze haar baan terughad en zelfs opslag had gekregen, glimlachte ze. Daarna moest ze erom huilen.

Mark had genoeg van het huilen, van de koude erwten en de donkere, benauwde kamer. Hij voelde zich schuldig dat hij was vertrokken, maar hij genoot van het ritje in de sportauto en het vooruitzicht – hopelijk – van een bord stevige kost met warm brood. Clint had het al over ravioli en lasagne gehad, en Mark was het beeld van die hartige pastaschotels niet meer kwijtgeraakt. Als Moeder Love hem die avond brood met jam zou voorzetten, zou hij het naar haar hoofd gooien.

Terwijl hij aan eten dacht, maakte Reggie zich zorgen dat ze werden gevolgd. Voortdurend keek ze in haar spiegeltje. Ze reed veel te snel, zigzagde tussen andere auto's door en wisselde steeds van rijstrook. Mark vond het best.

'Denk je dat Ricky en ma daar veilig zijn?' vroeg hij, terwijl hij naar de auto's voor hen keek.

'Ja. Maak je maar niet ongerust. Het ziekenhuis heeft beloofd dat ze de kamer blijven bewaken.' Ze had met haar nieuwe makker George Ord gesproken en hem gezegd dat ze zich zorgen maakte over de veiligheid van de familie Sway. Ze had hem geen details gegeven, hoewel Ord er wel naar had gevraagd. De familie kreeg ongewenste aandacht, meer had ze er niet over gezegd. Veel geruchten en roddels, grotendeels aangewakkerd door de gefrustreerde pers. Ord had met McThune gesproken en haar beloofd dat de FBI dicht in de buurt van de kamer zou blijven, maar uit het zicht. Ze had hem bedankt.

Ord en McThune hadden erom gelachen. De FBI had al mensen in het ziekenhuis. Nu waren ze zelfs uitgenodigd!

Opeens sloeg ze rechtsaf bij een kruising. Met piepende banden slipte de Mazda de hoek om. Mark grinnikte en Reggie lachte alsof ze zich kostelijk amuseerde, hoewel ze haar maag voelde draaien. Ze reden nu door een kleinere straat met oude huizen en hoge eiken.

'Hier woon ik,' zei ze. Het was een mooiere buurt dan waar Mark woonde. Ze sloegen weer een hoek om, een nog smallere straat in. De huizen waren hier kleiner, maar nog steeds twee of drie verdiepingen hoog, met grote grasvelden en keurig geknipte heggen.

'Waarom neem je je cliënten mee naar huis?' vroeg hij.

'Dat weet ik niet. De meesten zijn kinderen die uit een nare omgeving komen. Ik denk dat ik medelijden met hen heb. En ik raak aan hen gehecht.'

'Heb je met mij ook medelijden?'

'Een beetje. Maar jij mag niet klagen, Mark. Jij hebt een geweldige moeder die veel van je houdt.'

'Ja, dat is wel zo. Hoe laat is het?'

'Bijna zes uur. Hoezo?'

Mark dacht even na en telde de uren. 'Het is nu negenenveertig uur geleden dat Jerome Clifford zelfmoord pleegde. Ik wou dat we meteen waren weggerend toen we zijn auto zagen.'

'Waarom hebben jullie dat niet gedaan?'

'Ik weet het niet. Toen ik begreep wat er ging gebeuren had ik het gevoel dat ik iets moest doen. Ik kon niet zomaar weglopen. Hij wilde zich van kant maken. Ik kon niet werkeloos toezien. Ik móést naar die auto toe. Ricky zat te huilen en probeerde me tegen te houden, maar dat hielp niet.

Dit is allemaal mijn schuld.'

'Misschien, maar je kunt het niet meer ongedaan maken, Mark. Het is gebeurd.' Ze keek nog eens in haar spiegeltje maar zag niets.

'Denk je dat het goed afloopt? Ik bedoel, voor Ricky en ma en mij? Als dit voorbij is, zal alles dan weer net zo zijn als vroeger?'

Ze remde af en draaide een smalle oprit in, omzoomd door brede, verwilderde hagen. 'Ricky komt er wel bovenop. Dat kan even duren, maar hij redt het wel. Kinderen zijn taai, Mark. Dat maak ik iedere dag mee.'

'En ik?'

'Alles komt wel goed, Mark. Geloof me.' De Mazda stopte naast een groot huis van twee verdiepingen met een veranda aan de voorkant. Bloemen en struiken groeiden tot aan de ramen. Eén kant van de veranda was door klimop overwoekerd.

'Is dit jouw huis?' vroeg hij, bijna met ontzag.

'Mijn ouders hebben het drieënvijftig jaar geleden gekocht, het jaar voordat ik werd geboren. Hier ben ik opgegroeid. Mijn vader is gestorven toen ik vijftien was, maar Moeder Love is er nog steeds, het lieve mens.'

'Noem je haar Moeder Love?'

'Iedereen noemt haar Moeder Love. Ze is bijna tachtig, maar ze is fitter dan ik.' Reggie wees naar een garage achter het huis, recht voor hen uit. 'Zie je die drie ramen boven de garage? Daar woon ik.'

Net als het huis kon de garage wel een lik verf gebruiken. Het was een mooi oud huis, maar er groeide onkruid in de bloemperken en de spleten van de betegelde oprit.

Ze gingen naar binnen door een zijdeur, en het aroma kwam Mark tegemoet alsof hij een klap in zijn maag kreeg. Opeens was hij uitgehongerd. Een kleine vrouw met grijs haar in een strakke paardenstaart gebonden wachtte hen op en omhelsde Reggie.

'Moeder Love, dit is Mark Sway,' zei Reggie, wijzend op hem. Hij was net zo lang als Moeder Love. Ze sloeg haar armen om hem heen en gaf hem een kus op iedere wang. Hij bleef verstijfd staan, aarzelend hoe hij deze onbekende tachtigjarige dame moest begroeten.

Ze keek hem recht aan. 'Leuk je te zien, Mark,' zei ze. Haar stem was krachtig en klonk net als die van Reggie. Ze nam hem bij zijn arm en bracht hem naar de keukentafel. 'Ga maar zitten, dan zal ik wat te drinken halen.'

Reggie grijnsde tegen hem alsof ze wilde zeggen: doe maar wat ze zegt, want je hebt toch geen keus. Ze hing haar parapu aan een kapstok achter de deur en zette haar koffertje op de grond.

De keuken was klein en stond vol met kastjes. Langs drie van de muren waren planken opgehangen. Damp steeg op van het gasfornuis. In het midden stond een houten tafel met vier stoelen, onder een balk waaraan potten en pannen waren opgehangen. De keuken was zo warm en gezellig dat je maag spontaan begon te knorren.

Mark ging op de dichtstbijzijnde stoel zitten en keek naar Moeder Love terwijl ze een glas uit een kastje pakte, de koelkast opende, een paar blokjes ijs in het glas deed en er thee uit een kan op schonk.

Reggie schopte haar schoenen uit en begon in een pan op het fornuis te roeren. Ze kletste met Moeder Love over wat er die dag was gebeurd en wie er aan de deur was geweest. Een kat bleef voor Marks stoel staan en bekeek hem onderzoekend.

'Dat is Axle,' zei Moeder Love toen ze het glas ijsthee met een servet voor hem neerzette. 'Ze is zeventien jaar en heel lief.'

Mark nam een slok thee en negeerde Axle. Hij hield niet van katten.

'Hoe gaat het met je broertje?' vroeg Moeder Love.

'Veel beter,' zei hij, en opeens vroeg hij zich af hoeveel Reggie aan haar moeder had verteld. Maar meteen was hij gerustgesteld. Als Clint zo weinig wist, zou Moeder Love nog minder weten. Hij nam nog een slok. Blijkbaar wachtte ze op meer. 'Vandaag begon hij weer te praten,' vervolgde Mark.

'Dat is geweldig!' riep ze met een brede glimlach en klopte hem op zijn schouder.

Reggie schonk zich een glas thee in uit een andere kan en deed er zoetjes en een schijfje citroen in. Ze ging tegenover Mark zitten en Axle sprong bij haar op schoot. Ze dronk haar thee, streelde de kat en deed langzaam haar sieraden af. Ze was moe.

'Heb je honger?' vroeg Moeder Love. Opeens rende ze de keuken door, opende de oven, roerde in de pan en schoof een la dicht.

'Ja, mevrouw.'

'Een jongeman die met twee woorden spreekt. Wat prettig om te horen!' zei ze, terwijl ze even bleef staan en tegen hem lachte. 'De meesten van Reggies kinderen hebben totaal geen manieren. Het is jaren geleden dat ik hier iemand "ja, mevrouw" heb horen zeggen.' Toen liep ze weer verder, veegde een pan schoon en zette hem in de gootsteen.

Reggie knipoogde tegen hem. 'Mark eet al drie dagen ziekenhuisvoer, Moeder Love, dus hij wil graag weten wat je klaarmaakt.'

'Dat is een verrassing,' zei ze, terwijl ze de deur van de oven openmaakte, zodat er een doordringende geur van vlees, kaas en tomaten de keuken in dreef. 'Maar je zult het vast wel lusten, Mark.'

Daar twijfelde hij niet aan. Reggie knipoogde nog eens tegen hem. Ze draaide haar hoofd om en maakte haar kleine diamanten oorbellen los. De stapel sieraden voor haar op tafel bestond nu uit een stuk of zes armbanden, twee ringen, een halssnoer, een horloge en de oorbellen. Axle keek ook belangstellend toe. Opeens stond Moeder Love met een groot mes op een houten plank te hakken. Ze draaide zich snel om en zette een mandje met warm, beboterd brood voor hem neer. 'Iedere woensdag bak ik brood,' zei ze. Ze gaf hem nog een klopje op zijn schouder en rende weer naar het fornuis.

Mark pakte het grootste stuk brood en nam een hap. Het was zacht en warm. Hij had nog nooit zoiets geproefd. De boter en de knoflook smolten op zijn tong.

'Moeder Love is een volbloed Italiaanse,' zei Reggie. Ze begon Axle te aaien. 'Haar ouders zijn allebei in Italië geboren en in 1902 naar Amerika geëmigreerd. Ik ben half Italiaans.'

'Wie was meneer Love?' vroeg Mark, kauwend op het brood, met boter op zijn lippen en zijn vingers.

'Een jongen uit Memphis. Ze zijn getrouwd toen ze zestien was...'

'Zeventien,' verbeterde Moeder Love haar, zonder zich om te draaien.

Moeder Love dekte nu de tafel met borden en bestek. Reggie zat met haar sieraden in de weg, dus verzamelde ze alles en zette Axle weer op de grond. 'Wanneer kunnen we eten, Moeder Love?' vroeg ze.

'Over een minuutje.'

'Dan trek ik snel wat anders aan,' zei ze. Axle ging op Marks voet zitten en streek met de achterkant van haar kopje tegen zijn scheenbeen.

'Ik vind het heel erg voor je broertje,' zei Moeder Love, met een blik naar de deur om te zien of Reggie verdwenen was. Mark slikte een hap brood door en veegde zijn mond af met het servet. 'Hij komt er wel bovenop. We hebben goede dokters.'

'En de beste advocaat ter wereld,' zei ze doodernstig. Ze wachtte op zijn antwoord.

'Absoluut,' zei Mark langzaam.

Ze knikte goedkeurend en liep naar het aanrecht. 'Wat hebben jullie in vredesnaam gezien, daar in het bos?'

Mark dronk zijn thee en keek naar haar grijze paardestaart. Dit zou een lange avond kunnen worden, met heel veel vragen. Daar moest hij meteen een stokje voor steken. 'Reggie zei dat ik er niet over mocht praten.' Hij hapte weer in een homp brood.

'O, dat zegt Reggie altijd. Maar aan mij kun je het rustig vertellen. Dat doen alle kinderen.'

De afgelopen negenenveertig uur had hij heel wat over de techniek van het ondervragen geleerd. Geef de ander geen kans. Beantwoord iedere vraag met een wedervraag. 'Hoe vaak neemt ze kinderen mee naar huis?'

Ze haalde een pan van de brander en dacht even na. 'Twee keer in de maand, denk ik. Ze wil dat ze goed te eten krijgen, daarom neemt ze hen mee naar Moeder Love. Soms blijven ze slapen. Eén klein meisje is hier een maand gebleven. Ze was zo sneu. Ze heette Andrea. De rechter had haar bij haar ouders vandaan gehaald omdat die de duivel aanbaden. Ze brachten dierenoffers en zo. Zo'n zielig kind. Ze logeerde hier boven, in Reggies oude slaapkamer, en ze huilde toen ze weg moest. Het brak mijn hart. "Geen kinderen meer," zei ik tegen Reggie, maar Reggie laat zich niets zeggen. Ze is echt op je gesteld, weet je dat?'

'Wat is er met Andrea gebeurd?'

'Ze is naar haar ouders teruggegaan. Ik bid nog elke dag voor haar. Ga jij naar de kerk?'

'Soms.'

'Ben je katholiek?'

'Nee. Het is een... ik weet eigenlijk niet wat voor een kerk het is. Niet katholiek, in elk geval. Doopsgezind, geloof ik. We gaan zo nu en dan.'

'Misschien moet ik je meenemen naar mijn kerk, de St. Lucas. Een prachtige kerk. Katholieken weten hoe ze kerken moeten bouwen.'

Hij knikte, maar hij wist er niets op te zeggen. Opeens dacht ze niet meer aan kerken. Ze liep weer terug naar het fornuis, opende de oven en bestudeerde de schotel met dezelfde concentratie als dr. Greenway. Toen mompelde ze wat, duidelijk tevreden over zichzelf.

'Ga je handen maar wassen, Mark. Daar, aan het eind van de gang. De kinderen van tegenwoordig wassen hun handen niet vaak genoeg. Ga maar.' Mark propte het laatste brood in zijn mond en volgde Axle naar de badkamer.

Toen hij terugkwam zat Reggie aan tafel en was bezig de post door te nemen. Het broodmandje was weer gevuld. Moeder Love opende de oven en haalde er een diepe schotel uit, bedekt met aluminiumfolie. 'Het is spinazielasagne,' zei Reggie met een klank van verwachting in haar stem.

Moeder Love vertelde iets over de historie van het gerecht, terwijl ze de lasagne in stukken sneed en met een grote lepel flinke porties uitdeelde. De damp sloeg eraf. 'Het recept is al eeuwen in mijn familie,' zei ze ernstig tegen Mark, alsof hij in de stamboom van de lasagne geïnteresseerd was. Hij wilde het op zijn bord, meer niet. 'Het komt nog uit het oude land. Ik maakte het al voor mijn vader klaar toen ik nog maar tien jaar was.' Reggie rolde met haar ogen en knipoogde tegen Mark. 'Het zijn vier lagen, elk met een andere

242

kaassoort.' Ze legde keurige vierkante stukken op de borden. De vier verschillende kazen liepen uit de dikke pasta in elkaar over.

De telefoon op het aanrecht rinkelde en Reggie nam op. 'Begin maar met eten als je wilt, Mark,' zei Moeder Love toen ze met een vorstelijk gebaar het bord voor hem neerzette. Ze knikte naar Reggies rug. 'Dat kan wel even duren.' Reggie stond te luisteren en praatte zachtjes in de hoorn. Het gesprek was niet voor hun oren bestemd.

Mark prikte een flink stuk aan zijn vork, blies de stoom eraf en bracht het voorzichtig naar zijn mond. Hij kauwde langzaam, genietend van de pittige vleessaus, de kaas en wat er verder nog in zat. Zelfs de spinazie was heerlijk.

Moeder Love keek toe en wachtte. Ze had zich een glas wijn ingeschonken en hield het halverwege de tafel en haar lippen, wachtend op een oordeel over het geheime recept van haar overgrootmoeder.

'Het is heerlijk,' zei hij, en hij nam nog een hap. 'Heel lekker. Echt.' Hij had maar één keer eerder lasagne gegeten, ongeveer een jaar geleden, toen zijn moeder een plastic bakje uit de magnetron had gehaald en opgediend. Een of ander diepvriesmerk. Hij herinnerde zich een rubberachtige smaak, heel anders dan dit.

'Dus je vindt het lekker,' zei Moeder Love, terwijl ze een slok van haar wijn nam.

Hij knikte met volle mond. Ze was duidelijk gevleid en nam nu zelf ook een hapje.

Reggie hing op en draaide zich om naar de tafel. 'Ik moet even naar de stad. De politie heeft Ross Scott weer eens opgepakt wegens winkeldiefstal. Hij zit in de gevangenis om zijn moeder te huilen, maar ze kunnen haar niet vinden.'

'Hoe lang blijf je weg?' vroeg Mark. Hij hield zijn vork stil. 'Een uur of twee. Eet jij maar lekker door en praat met Moe-

der Love. Ik breng je straks wel naar het ziekenhuis terug.'
Ze legde haar hand op zijn schouder en was verdwenen.
Moeder Love zweeg totdat ze Reggies auto hoorde starten en zei toen: 'Wat hebben jullie in 's hemelsnaam daar in dat bos gezien?'
Mark nam een hap, kauwde heel lang, terwijl zij wachtte, en nam toen een stevige slok thee. 'Niets. Hoe maakt u dit nou? Het is zalig.'
'Het is al een oud recept.'
Ze dronk van haar wijn en praatte tien minuten over de saus. Daarna over de kaas.
Mark hoorde er geen woord van.

Hij werkte het ijs met de perziken naar binnen terwijl Moeder Love de tafel afruimde en de vaatwasser vulde. Hij bedankte haar nog eens, zei voor de tiende keer hoe lekker het was geweest en stond toen op met pijn in zijn maag. Hij had een uur gezeten. In de caravan waren ze altijd in tien minuten klaar met eten. Meestal aten ze diepvriesmaaltijden met een blad op hun schoot, voor de televisie. Dianne was te moe om zelf te koken.
Moeder Love keek voldaan naar zijn lege kom en stuurde hem naar de huiskamer terwijl zij de keuken opruimde. In de huiskamer stond een kleuren-tv, maar zonder afstandsbediening. En geen kabel. Boven de sofa hing een familieportret. Het was een oude, matte foto van de familie Love, met een brede houten krullijst erom. Meneer en mevrouw Love zaten op een kleine divan in een atelier. Achter hen stonden twee jongens met stijve boordjes. Moeder Love had donker haar en een mooie lach. Haar man was een kop groter en keek strak en ernstig in de lens. De jongens stonden er onhandig bij en voelden zich duidelijk niet op hun gemak met hun gesteven overhemden en hun stropdassen.

Reggie zat tussen haar ouders in het midden van het groeps-
portret. Ze had een prachtige, wat cynische glimlach. Ze
was het onbetwiste middelpunt van de familie en genoot
daar zichtbaar van. Ze was nog maar tien of elf, ongeveer
van Marks leeftijd, en hij staarde ademloos naar haar knappe gezichtje. Het leek wel of ze tegen hèm lachte – heel on-
deugend en brutaal.
'Mooie kinderen, hè?' Moeder Love kwam naar hem toe en
keek bewonderend naar haar gezin.
'Wanneer is die foto genomen?' vroeg Mark, zonder zijn
blik van het portret af te wenden.
'Veertig jaar geleden,' zei ze langzaam, bijna droevig.
'Toen waren we allemaal nog zo jong en gelukkig.' Ze bleef
naast hem staan. Hun armen en schouders raakten elkaar.
'Waar zijn de jongens nu?'
'Joey, die rechts staat, is de oudste. Hij was testpiloot bij de
luchtmacht. In 1964 is hij omgekomen bij een ongeluk. Hij
is een held.'
'Wat erg,' fluisterde Mark.
'Links staat Bennie. Die is een jaar jonger dan Joey. Hij is
zeebioloog in Vancouver. Hij komt zijn moeder nooit meer
opzoeken. De laatste keer was hij hier met de kerst, twee
jaar geleden. Daarna was hij weer weg. Hij is nooit getrouwd, maar er is niets mis met hem, geloof ik. Van hem
geen kleinkinderen dus. Reggie is de enige met kinderen.'
Ze pakte een ingelijste foto van twaalf bij zeventien centimeter, die naast een lamp op een bijzettafeltje stond, en gaf
hem aan Mark. Twee eindexamenfoto's met blauwe mutsen
en toga's. Het meisje was knap. De jongen had vlassig haar,
een tienerbaardje en een haatdragende blik in zijn ogen.
'Dat zijn Reggies kinderen,' zei Moeder Love zonder een
spoor van liefde of trots. 'De jongen zat in de gevangenis
toen we de laatste keer wat over hem hoorden. Hij had in

drugs gehandeld. Als klein jongetje was hij wel aardig, maar na de scheiding is hij aan zijn vader toegewezen, die hem heeft verpest. Het meisje is naar Californië vertrokken om actrice of zangeres te worden... dat zegt ze tenminste... maar ze heeft ook drugproblemen en we horen niet veel van haar. Vroeger was ze heel lief. Ik heb haar al bijna tien jaar niet gezien. Kun je je dat voorstellen? Mijn eigen kleindochter. Zo verdrietig.'

Moeder Love was aan haar derde glas wijn toe. De drank maakte haar tong nog losser. Als ze lang genoeg over haar eigen familie zou praten, zou het gesprek misschien ook op de zijne komen. En als ze allebei hun familie hadden besproken, zou ze wellicht te horen krijgen wat de twee jongens in vredesnaam in dat bos hadden gezien.

'Waarom hebt u haar al in tien jaar niet gezien?' vroeg Mark omdat hij toch íets moest zeggen. Het was natuurlijk een domme vraag, want hij wist dat het antwoord uren kon gaan duren. Hij had pijn in zijn maag omdat hij te veel gegeten had. Hij zou het liefst op de bank gaan liggen en met rust worden gelaten.

'Regina, ik bedoel Reggie, is haar kwijtgeraakt toen ze een jaar of dertien was. Ze waren in die ellendige echtscheidingszaak verwikkeld, haar vader zat achter andere vrouwen aan en had overal vriendinnetjes... ze betrapten hem zelfs met een knap verpleegstertje in het ziekenhuis... maar de scheiding was een nachtmerrie en Reggie kon er niet meer tegen. Joe, haar ex-man, was een fijne kerel toen ze trouwden, maar daarna ging hij steeds meer geld verdienen en kreeg hij zo'n doktershouding, weet je wel? Hij werd een heel andere man. De rijkdom steeg hem naar het hoofd.' Ze wachtte even en nam een slok. 'Het was vreselijk, echt waar. Maar toch mis ik hen, want het zijn mijn enige kleinkinderen, die schatten.'

Ze leken niet erg schattig, zeker de jongen niet. Dat was gewoon een schoffie.

'Wat is er met hem gebeurd?' vroeg Mark na een paar seconden stilte.

'Nou...' Ze zuchtte alsof ze het liever niet vertelde. Maar er zat niets anders op. 'Hij was zestien toen hij aan zijn vader werd toegewezen. Eigenlijk was hij toen al verpest. Ik bedoel, zijn vader was gynaecoloog en verloskundige. Hij had nooit tijd voor de kinderen, en een jongen heeft nu eenmaal een vader nodig, vind je ook niet? De jongen, Jeff heet hij, ging al heel vroeg zijn eigen gang. Zijn vader, die al het geld en de advocaten had, liet Regina in een inrichting opnemen en nam de kinderen bij zich. Toen dat gebeurde, werd Jeff eigenlijk aan zijn lot overgelaten. Met genoeg geld, dat wel. Hij maakte zijn school wel af, onder veel dreigementen, maar binnen zes maanden werd hij met een voorraad drugs betrapt.' Ze zweeg opeens, en Mark dacht dat ze zou gaan huilen. Ze nam een slok. 'De laatste keer dat ik hem heb gekust was toen hij zijn eindexamen haalde. Ik zag zijn foto in de krant toen hij in moeilijkheden raakte, maar hij heeft me nooit gebeld of zo. Dat is nu al tien jaar geleden, Mark. Ik weet dat ik zal sterven zonder hen ooit nog terug te zien.' Ze streek haastig met haar hand over haar ogen en Mark was het liefst door de grond gezakt.

Ze nam hem bij zijn arm. 'Kom mee, dan gaan we op de veranda zitten.'

Hij liep achter haar aan door een smalle hal, de voordeur uit, en ze gingen in de schommel op de veranda zitten. Het was donker en de avondlucht was koel. Zwijgend schommelden ze heen en weer. Moeder Love dronk van haar wijn.

Ze besloot verder te gaan met het familierelaas. 'Weet je, Mark, toen Joe de kinderen kreeg, heeft hij hen verpest. Hij gaf hun veel geld, hij liet zijn ordinaire vriendinnetjes bij zich thuis komen om ermee te pronken. Hij kocht auto's voor hen. Amanda raakte op school al zwanger en hij regelde een abortus voor haar.'

'Waarom heeft Reggie haar naam veranderd?' vroeg hij, opnieuw uit beleefdheid. Als ze antwoord gaf, kwam er misschien een eind aan dit verhaal.

'Na de scheiding heeft ze een paar jaar in allerlei inrichtingen gezeten. Ze was er niet best aan toe, die arme schat. Iedere nacht viel ik huilend in slaap, zo bezorgd was ik om haar. Het grootste deel van de tijd woonde ze hier bij mij. Het heeft jaren geduurd, maar ten slotte is ze eroverheen gekomen. Dat heeft veel therapie, veel geld en veel liefde gekost. En toen, op een dag, vond ze dat de nachtmerrie voorbij moest zijn, dat het leven verderging en dat ze een nieuw begin wilde maken. Daarom heeft ze haar naam veranderd. Heel officieel, met een verzoek aan de rechtbank. Ze heeft het appartement boven de garage opgeknapt. Ik kreeg al deze foto's, want die wilde ze nooit meer zien. Ze ging rechten studeren en ze werd een nieuwe persoon met een nieuwe naam.'

'Is ze verbitterd?'

'Daar verzet ze zich tegen. Ze is haar kinderen kwijt, en geen enkele moeder komt daar ooit overheen. Maar ze probeert er niet aan te denken. Ze zijn door hun vader gehersenspoeld, dus het zijn dezelfde kinderen niet meer. Natuurlijk haat ze Joe, maar dat is gezond, denk ik.'

'Ze is een heel goede advocaat,' zei hij, alsof hij er in zijn leven al heel wat had versleten.

Moeder Love schoof wat dichter naar hem toe, te dicht naar Marks zin. Ze klopte hem op zijn knie, wat hem mateloos ergerde, maar ze was een lieve oude dame en ze bedoelde er niets mee. Ze had een zoon begraven en haar enige kleinzoon verloren, dus hij kon het haar wel vergeven. Er stond geen maan. De bladeren van de grote zwarte eik tussen de veranda en de straat ruisten in de zachte bries. Mark had geen haast om naar het ziekenhuis terug te gaan. Eigenlijk beviel het hem hier wel. Hij glimlachte tegen Moeder Love, maar zij staarde in de duisternis, diep in gedachten verzonken. Er lag een dikke, opgevouwen plaid op de zitting van de schommel.

Ze zou wel weer terugkomen op Cliffords zelfmoord, veronderstelde Mark, en dat wilde hij vóór zijn. 'Waarom doet Reggie zoveel werk voor kinderen?'

Ze klopte hem nog steeds op zijn knie. 'Omdat zoveel kinderen een advocaat nodig hebben, hoewel de meesten dat niet weten. En de meeste advocaten hebben het zo druk met geld verdienen dat ze zich niet om kinderen bekommeren. Reggie helpt hen wel. Ze blijft zich schuldig voelen omdat ze haar eigen kinderen is kwijtgeraakt. Daarom wil ze andere kinderen helpen. Ze beschermt haar kleine cliënten zo goed mogelijk.'

'Ik heb haar niet veel betaald.'

'Maak je geen zorgen, Mark. Iedere maand doet Reggie minstens twee pro-deo zaken. Gratis, dus. Als ze je niet wilde helpen, zou ze jouw zaak niet hebben aangenomen.'

Hij wist wat 'pro deo' betekende. De helft van alle advocaten op de televisie werkte aan zaken waar ze geen geld voor kregen. De andere helft sliep met prachtige vrouwen en at in dure restaurants.

'Reggie heeft een ziel, Mark een geweten,' vervolgde Moeder Love, terwijl ze hem nog steeds zachtjes op zijn knie klopte. Haar wijnglas was leeg, maar haar stem klonk heel helder en ze was zeker niet beneveld. 'Als ze echt in haar cliënt gelooft, dan hoeft ze ook geen geld. En sommigen van haar arme cliëntjes zijn zo triest, Mark. Ik moet vaak huilen als ik hoor wat ze allemaal hebben meegemaakt.'

'U bent heel trots op haar, hè?'

'Jazeker. Die echtscheiding was bijna haar dood geworden, Mark. Dat meen ik. Ik was haar bijna kwijt. En daarna ging ik haast failliet om haar weer op de been te helpen. En moet je haar nu eens zien.'

'Zal ze ooit nog trouwen?'

'Misschien. Ze gaat weleens met iemand uit, maar het is nooit serieus. Romantiek staat niet hoog op haar lijstje. Haar werk gaat voor. Net als vanavond. Het is bijna acht uur, en zij zit in het huis van bewaring met zo'n kleine last-post te praten die wegens winkeldiefstal is opgepakt. Ik vraag me af wat er morgen in de krant zal staan.'

De sport, de rouwadvertenties, de gebruikelijke verhalen. Mark schoof onrustig heen en weer en zweeg. Moeder Love verwachtte een antwoord, dat was duidelijk. 'Ik zou het niet weten.'

'Hoe was het om je eigen foto op de voorpagina te zien?'

'Niet leuk.'

'Waar hadden ze die foto's vandaan?'

'Uit het jaarboek van de school.'

Het bleef lange tijd stil. De kettingen van de schommel piepten toen ze langzaam op en neer zwaaiden. 'Hoe was het om naar die dode man toe te lopen die zich juist een kogel door het hoofd had geschoten?'

'Heel eng. Maar mijn dokter heeft gezegd dat ik er niet over mag praten omdat de spanning dan te groot wordt. Kijk maar naar mijn broertje. Begrijpt u? Ik kan er beter niets over zeggen.'

Ze klopte hem nog harder op zijn knie. 'Natuurlijk, natuurlijk.'

Mark zette zich met zijn tenen af, en de schommel ging wat sneller. Hij had nog steeds een vol gevoel van het eten en opeens kreeg hij slaap. Moeder Love zat te neuriën. Het begon harder te waaien, en hij huiverde.

Reggie vond hen op de donkere veranda, op de schommel, zachtjes heen en weer zwaaiend. Moeder Love dronk zwarte koffie, met haar hand op zijn schouder. Mark lag naast haar, ineengerold, met zijn hoofd op haar schoot en een plaid over zijn benen.

'Hoe lang slaapt hij al?' fluisterde Reggie.

'Een uurtje. Hij kreeg het koud en daarna viel hij in slaap. Het is een lieve jongen.'

'Ja, dat is zo. Ik zal zijn moeder in het ziekenhuis bellen en vragen of hij vannacht hier kan blijven.'

'Hij heeft gegeten tot hij niet meer kon. Morgenochtend zal ik een stevig ontbijt voor hem maken.'

19

Het was Trumanns idee – een heel goed idee, dat waarschijnlijk succes zou hebben en dus meteen door Foltrigg zou worden opgeëist. Het leven met Dominee Roy was een aaneenschakeling van gestolen ideeën en gegapte successen. Zolang het goed ging, natuurlijk. Als er iets misliep kregen anderen de schuld: Trumann en zijn kantoor, Foltriggs eigen ondergeschikten, de pers, de jury, de corrupte verdediging, kortom iedereen behalve de grote man zelf.

Maar Trumann had al vaker de ego's van primadonna's gemasseerd en gemanipuleerd, en deze idioot kon hij ook wel aan.

Het was al laat. Hij zat in de donkere hoek van een volle oesterbar en prikte wat in de sla bij zijn garnalenschotel, toen het idee opeens bij hem opkwam. Meteen belde hij Foltriggs privé-nummer op kantoor, maar er werd niet opgenomen. Hij probeerde het nummer van de bibliotheek en kreeg Wally Boxx aan de lijn. Het was half tien. Wally meldde dat hij en zijn baas nog steeds met hun neus in de wetboeken zaten, als echte workaholics die zich ook in de kleinste details verdiepten en daarvan genoten. Dat hoorde er nu eenmaal bij. Trumann zei dat hij binnen tien minuten op kantoor zou zijn.

Hij verliet de rumoerige bar en liep haastig door de menigte in Canal Street. September was gewoonlijk een warme, plakkerige zomermaand in New Orleans. Na twee straten trok hij zijn jasje uit en begon nog sneller te lopen. Twee straten verder was zijn overhemd kletsnat en kleefde tegen zijn borst en rug.

Hij zigzagde tussen de toeristen door, die met hun camera's en felgekleurde T-shirts door Canal Street slenterden, en vroeg zich voor de zoveelste keer af waarom die mensen hier hun zuurverdiende centen kwamen besteden aan goedkoop amusement en peperduur eten. De gemiddelde toerist in Canal Street droeg zwarte sokken en witte gympen, en was veertig pond te zwaar. Als ze thuiskwamen, staken die mensen waarschijnlijk grote verhalen af tegen hun minder bevoorrechte vrienden over de exclusieve eettentjes die ze in New Orleans hadden ontdekt en de sublieme kookkunst waaraan ze zich te goed hadden gedaan. Hij botste tegen een zware vrouw op die een kleine zwarte doos voor haar gezicht hield. Ze stond vlak bij de stoeprand en filmde de gevel van een goedkope souvenirwinkel met suggestieve straatnaambordjes in de etalage. Wie wilde er in godsnaam een videofilmpje zien van een armoedige souvenirzaak in de Franse wijk? Amerikanen beleven hun vakanties niet meer zelf. Ze leggen ze gewoon op Sony vast om ze de rest van het jaar te kunnen negeren.

Trumann was hard aan verandering toe. Hij baalde van de toeristen, het verkeer, de vochtigheid, de misdaad – en vooral van Roy Foltrigg. Bij Rubinstein Brothers sloeg hij af naar Poydras Street.

Foltrigg had geen hekel aan hard werken. Dat was zijn tweede natuur. Al op de universiteit had hij beseft dat hij geen genie was en dat hij alleen iets kon bereiken door harder te werken dan anderen. Hij blokte dag en nacht en eindigde ergens in het midden van de kudde. Maar hij was wel tot voorzitter van de faculteitsvereniging gekozen. Aan een van zijn muren hing nog een certificaat daarvan, in een eikenhouten lijstje. Die verkiezing tot voorzitter – een functie die de meeste studenten niet eens kenden en die hun geen snars interesseerde – was het begin geweest van Foltriggs politieke carrière. De jonge Roy had de baantjes niet voor het kiezen. Pas op het laatste moment had hij het aanbod gekregen om substituut-officier van het arrondissement New Orleans te worden. Hij had het met beide handen aangegrepen. Dat was in 1975 geweest, voor een salaris van vijftienduizend dollar per jaar. Binnen twee jaar behandelde hij meer zaken dan alle andere officieren samen. Het was geen inspirerende baan, maar Roy werkte zo hard omdat hij ambitie had. Hij was een ster, hoewel niemand dat nog opviel. Hij raakte betrokken bij de plaatselijke Republikeinse politiek – een eenzame hobby – en hij leerde hoe het spel gespeeld moest worden. Hij ontmoette mensen met geld en invloed en ten slotte kreeg hij een baan bij een advocatenkantoor. Ook daar werkte hij dag en nacht, totdat hij als vennoot werd benoemd. Hij trouwde met een vrouw van wie hij niet hield, alleen omdat ze de juiste achtergrond had en omdat je als advocaat getrouwd moest zijn. Roy wilde carrière maken. Hij had plannen.

Hij was nog steeds getrouwd, maar hij en zijn vrouw sliepen apart. De kinderen waren nu twaalf en tien. Een keurig gezinnetje. Hij zat liever op kantoor dan thuis, wat zijn vrouw

253

goed uitkwam omdat ze niet op Foltrigg maar wel op zijn salaris was gesteld.

Roy's vergadertafel lag vol met wetboeken en notitieblokken. Wally had zijn jasje uitgetrokken en zijn das afgedaan. Overal stonden lege koffiekoppen. Ze waren allebei doodmoe.

De wet was heel simpel. Iedere burger was verplicht te getuigen om een goede rechtsgang mogelijk te maken. Een getuige kon niet van die verplichting worden ontslagen omdat hij bang was voor dreigementen aan zijn eigen adres of dat van zijn familie. Zo stond het zwart op wit en zo werd het al jarenlang door de rechters in praktijk gebracht. Zonder uitzondering, zonder verschoning en zonder ontsnappingsclausules voor kleine jongetjes. Roy en Wally hadden tientallen zaken doorgenomen. Overal lagen kopieën met onderstrepingen van de relevante passages. De jongen móést getuigen. En als de kinderrechter in Memphis niet zou meewerken, zou Foltrigg niet aarzelen om Mark Sway te dagvaarden voor een jury in New Orleans. Daar zou die kleine etter zo van schrikken dat hij wel zou praten.

Trumann kwam binnen en zei: 'Jullie zijn nog laat aan het werk.'

Wally Boxx schoof zijn stoel naar achteren en strekte zijn armen hoog boven de tafel. 'Ja, we hadden heel wat te lezen,' zei hij uitgeput, met een trots gebaar naar de stapel boeken en aantekeningen.

'Ga zitten,' zei Foltrigg, wijzend naar een stoel. 'We zijn bijna klaar.' Hij rekte zich ook uit en liet zijn knokkels kraken. Hij stelde prijs op zijn reputatie als workaholic – een belangrijk man die niet te beroerd was om hard te werken, een trouw huisvader die toch zijn plicht boven zijn vrouw en kinderen stelde. Zijn baan betekende alles voor hem. Zijn cliënt was de Verenigde Staten van Amerika.

Trumann had het verhaal over die achttienurige werkdag al zeven jaar moeten aanhoren. Het was Foltriggs favoriete gespreksonderwerp. Hij praatte het liefst over zichzelf, zijn lange werktijden en zijn geringe behoefte aan slaap. Advocaten beschouwen de wallen onder hun ogen als een teken van verdienste: echte machomachines, die vierentwintig uur in touw kunnen zijn.

Trumann ging aan de andere kant van de tafel zitten. 'Ik heb een idee,' zei hij. 'Je had me verteld dat jullie morgen een aanklacht bij de kinderrechter willen indienen. In Memphis.'

'We willen een geding aanspannen,' verbeterde Roy. 'Ik weet niet wanneer de zitting wordt gehouden, maar we zullen er haast achter zetten.'

'Goed. Luister. Vlak voordat ik vanmiddag van kantoor wegging, heb ik nog met K.O. Lewis gesproken, de rechterhand van directeur Voyles.'

'Ja, ik ken K.O. wel,' onderbrak Foltrigg hem. Dat had Trumann wel verwacht. Hij pauzeerde zelfs een seconde, zodat Foltrigg kon laten blijken hoe goed hij Lewis wel kende – niet menéér Lewis, maar gewoon K.O.

'Hij zit nu in St. Louis, voor een of andere conferentie, en hij vroeg naar de zaak Boyette, naar Jerome Clifford en naar dat knulletje. Ik heb hem verteld wat we wisten. We konden hem altijd bellen als we hulp nodig hadden, zei hij. En directeur Voyles wilde een dagelijks rapport.'

'Dat weet ik allemaal.'

'Goed. Toen bedacht ik het volgende. St. Louis is maar een uurtje vliegen van Memphis. Stel dat meneer Lewis morgenochtend, als we die aanklacht indienen, persoonlijk met de kinderrechter praat en wat druk op hem uitoefent? Hij is de tweede man van de FBI. Hij kan de rechter vertellen wat die jongen waarschijnlijk weet.'

Foltrigg knikte instemmend. Toen Wally dat zag, begon hij ook te knikken, maar nog sneller.

'En er is nog iets,' vervolgde Trumann. 'We weten dat Gronke in Memphis is – en niet om het graf van Elvis te bezoeken, neem ik aan. Hij is door Muldanno gestuurd. Dat jongetje, Mark Sway, loopt dus gevaar. Meneer Lewis zou de rechter ervan kunnen overtuigen dat het in Marks belang is dat wij hem in bescherming nemen. Begrijp je? Voor zijn eigen bestwil.'

'Dat klinkt niet slecht,' zei Foltrigg zacht. Wally vond het ook een goed idee.

'Onder druk zal dat joch wel willen praten. Om te beginnen wordt hij op last van de kinderrechter in bewaring gesteld. Dat is de gewone procedure. Daar zal hij behoorlijk van schrikken. Zijn advocaat misschien ook. Hopelijk beveelt de rechter hem om met ons te praten. Volgens mij werkt hij dan wel mee. En als hij dat niet doet, maakt hij zich schuldig aan belediging van het hof. Ja toch?'

'Ja, dat is zo, maar ik heb geen idee wat voor maatregelen de rechter zal nemen.'

'Precies. Daarom moet meneer Lewis de rechter inlichten over Gronke, die het op Mark Sway heeft gemunt, en zijn connecties met de maffia. In beide gevallen zal de rechter hem laten opsluiten en zijn wij verlost van die advocaat – dat loeder.'

Foltrigg bruiste opeens van energie. Hij krabbelde iets op een notitieblok. Wally stond op en begon door de bibliotheek te ijsberen, diep in gedachten verzonken, alsof de omstandigheden hem dwongen een belangrijk besluit te nemen.

Hier in de veilige beslotenheid van een kantoor in New Orleans kon Trumann haar wel een loeder noemen, maar hij was Reggies bandje niet vergeten. Het liefst zou hij rustig

256

in New Orleans blijven, ver uit haar buurt. McThune mocht naar Memphis vertrekken om de degens met haar te kruisen.

'Kun je K.O. nu bereiken?' vroeg Foltrigg.

'Ik denk het wel.' Trumann haalde een papiertje uit zijn zak en toetste een telefoonnummer in.

Foltrigg liep met Wally naar een hoek van de bibliotheek, buiten gehoorsafstand van de FBI-agent. 'Het is een uitstekend idee,' zei Wally. 'Die kinderrechter is natuurlijk een plaatselijke zakkenwasser die braaf naar K.O. zal luisteren. Denk je ook niet?'

Trumann had Lewis aan de telefoon. Foltrigg keek toe, terwijl hij naar Wally luisterde. 'Misschien. Maar hoe het ook afloopt, dat joch moet in elk geval voor de rechter verschijnen, en dan gaat hij wel door de knieën. Zo niet, dan wordt hij in bewaring gesteld en hebben wij hem onder handbereik, zonder zijn advocaat erbij. Niet slecht.'

Ze fluisterden nog even, terwijl Trumann met K.O. Lewis sprak. Trumann knikte tegen hen, stak grijnzend zijn duim omhoog en hing op. 'Hij doet het,' zei hij trots. 'Morgenochtend neemt hij het vliegtuig naar Memphis om met Fink te praten. Daarna stappen ze samen met George Ord naar die rechter toe.' Trumann liep op hen af, heel tevreden over zichzelf. 'Stel het je voor! De federale officier van justitie aan de ene kant, K.O. Lewis aan de andere en Fink in het midden. En dat drietal staat die rechter op te wachten als hij 's ochtends op kantoor komt. Die zorgen er heus wel voor dat het joch zijn mond opendoet, en snel.'

Foltrigg grijnsde boosaardig. Hij genoot van de momenten waarop de federale regering haar macht toonde en die simpele argeloze boeren onder druk zette. Eén telefoontje, en ze hadden de medewerking gekregen van de tweede man binnen de FBI. 'Ik denk dat het gaat lukken,' zei hij tegen zijn mensen. 'Ik denk dat het gaat lukken.'

In een hoek van de kleine huiskamer boven de garage zat Reggie Love onder een leeslamp in een boek te bladeren. Het was middernacht, maar ze kon niet slapen. Daarom had ze zich onder een sprei genesteld en dronk een kop thee terwijl ze zich verdiepte in *Onwillige getuigen*, een boek dat Clint voor haar had gevonden. Voor een juridisch handboek was het vrij dun. Maar de wet was duidelijk: getuigen van een misdrijf waren verplicht naar voren te komen en de autoriteiten te helpen bij hun onderzoek. Een getuige mocht zijn medewerking niet weigeren omdat hij of zij zich bedreigd voelde. De meeste zaken die in het boek werden genoemd hadden te maken met de georganiseerde misdaad. Blijkbaar hield de maffia er niet van dat haar mensen met de politie spraken, en daarom werden echtgenotes en kinderen vaak bedreigd. Maar het Hooggerechtshof had herhaaldelijk verklaard dat dit geen enkele rol speelde. Getuigen moesten getuigen. Punt uit.

In de zeer nabije toekomst zou Mark dus gedwongen worden zijn mond open te doen. Foltrigg kon hem zelfs laten dagvaarden om voor een jury in New Orleans te verschijnen. Maar daar was Reggie zelf bij. Als Mark niet ten overstaan van een jury wilde spreken, zou er een korte zitting worden gehouden waarin de rechter hem ongetwijfeld zou bevelen Foltriggs vragen te beantwoorden. Als hij weigerde, zou hij zich de toorn van het hof op de hals halen. Geen enkele rechter tolereerde ongehoorzaamheid, maar federale rechters reageerden nog scherper dan de meeste anderen.

Er bestaan instituten voor elfjarigen die een conflict met de rechtsorde hebben. Op dat moment had Reggie twintig cliënten die over verschillende opleidingsscholen in Tennessee waren verspreid. De oudste was zestien. Ze zaten allemaal achter een hoog hek, met bewakers aan de poort. Tot voor kort werden dit soort instellingen nog tuchtscholen genoemd, nu heetten ze opleidingsscholen.

Als hij bevel kreeg om te praten, zou Mark haar ongetwijfeld om advies vragen. Daarom kon ze nu niet slapen. Als ze hem adviseerde de plaats van Boyettes lijk te onthullen, zou ze hem ernstig in gevaar brengen. En hem niet alleen, maar ook zijn moeder en zijn broertje, die nergens naartoe konden. Ricky moest misschien nog weken in het ziekenhuis blijven. De FBI zou hun wel een nieuwe identiteit en een nieuw bestaan kunnen geven, maar pas nadat Ricky uit het ziekenhuis was ontslagen. Dianne was dus een gemakkelijk doelwit als Muldanno boze plannen had.

Ethisch en moreel gesproken moest ze Mark natuurlijk adviseren mee te werken. Dat was de eenvoudigste uitweg. Maar als hem iets zou overkomen? Dan zou hij haar de schuld geven. En als Dianne of Ricky iets overkwam? Dan was zij, zijn raadsvrouwe, verantwoordelijk.

Kinderen waren moeilijke cliënten die veel meer in hun advocaat zagen dan alleen een advocaat. Aan volwassenen legde je gewoon de voor- en nadelen van een strategie uit, met het advies om zus of zo te doen. Je waagde je aan een voorzichtige voorspelling, met een grote slag om de arm. Daarna liet je de cliënt alleen om zelf een beslissing te nemen. Als je terugkwam, hoorde je wat de cliënt besloten had en kon je je tactiek bepalen. Bij kinderen lag dat anders. Zij hadden geen begrip van juridische argumenten. Zij wilden een schouder om op uit te huilen – iemand die hun de beslissingen uit handen nam. Ze waren bang en ze zochten een vriend.

Reggie had al heel wat handen vastgehouden in de rechtszaal en al heel wat tranen gedroogd.

Ze stelde zich de situatie voor. Een grote, lege, federale rechtszaal in New Orleans, met gesloten deuren en twee bewakers ervoor. Mark in de getuigenbank; Foltrigg op eigen terrein, in al zijn glorie, ijsberend door de zaal om indruk te maken op zijn eigen assistenten en een paar FBI-agenten; en de rechter in zijn zwarte toga. Hij pakt de zaak voorzichtig aan. Waarschijnlijk heeft hij de pest aan Foltrigg omdat hij hem al zo vaak heeft meegemaakt. Hij, de rechter, vraagt Mark of hij die ochtend in een aangrenzende rechtszaal heeft geweigerd bepaalde vragen te beantwoorden ten overstaan van een jury. Mark kijkt op naar zijne edelachtbare en zegt ja. Wat was de eerste vraag? informeert de rechter bij Foltrigg, die gewichtig met een schrijfblok loopt te zwaaien alsof de zaal vol met camera's staat. Ik vroeg hem, edelachtbare, of Jerome Clifford voordat hij zelfmoord pleegde nog iets had gezegd over het lijk van senator Boyd Boyette. Maar hij wilde geen antwoord geven, edelachtbare. Toen vroeg ik hem of Jerome Clifford hem daadwerkelijk had verteld waar het lichaam begraven was. Ook daar gaf hij geen antwoord op. De rechter buigt zich ernstig naar Mark toe. Mark kijkt naar zijn advocaat. Waarom heb je die vragen niet beantwoord? wil de rechter weten. Omdat ik dat niet wil, zegt Mark. Het klinkt bijna grappig. Maar niemand lacht. Dan geef ik je hierbij opdracht die vragen alsnog te beantwoorden ten overstaan van een jury, zegt de rechter. Heb je dat goed begrepen, Mark? Ik beveel je nu naar die andere zaal terug te gaan en antwoord te geven op alles wat meneer Foltrigg je vraagt. Is dat duidelijk? Mark zegt niets en vertrekt geen spier. Hij staart naar zijn advocaat, die tien meter bij hem vandaan zit. Zijn advocaat, die hij onvoorwaardelijk vertrouwt. En als ik geen antwoord geef? zegt hij ten slotte. De rechter reageert geïrriteerd. Je hebt geen keus, jongeman. Je móét antwoorden, omdat ik het zeg. En als ik het toch niet doe? vraagt Mark, doodsbenauwd. Dan vrees ik dat je je schuldig maakt aan belediging van het hof

260

en dat ik je zal moeten insluiten totdat je bereid bent mee te werken. Dat kan lang gaan duren, gromt de rechter...

Axle streek langs de stoel en liet haar schrikken. Het beeld van de rechtszaal spatte uiteen. Reggie sloeg het boek dicht en liep naar het raam. Het beste advies dat ze Mark kon geven was liegen. Een grote leugen. Als het niet anders kon, moest hij maar zeggen dat wijlen Jerome Clifford hem niets over Boyd Boyette had verteld. De man was gek, dronken en stoned geweest en hij had wartaal uitgeslagen. Wie zou ooit het tegendeel kunnen bewijzen?

En Mark kon goed liegen.

Hij werd wakker in een vreemd bed tussen een zachte matras en een dikke laag dekens. Een zwakke lamp op de gang wierp een smalle lichtstraal tussen de kier van de deur door. Zijn afgetrapte Nikes lagen op een stoel bij de deur, maar verder had hij nog al zijn kleren aan. Hij schoof de dekens tot aan zijn knieën omlaag. Het bed piepte. Hij staarde naar het plafond en herinnerde zich weer vaag dat Reggie en Moeder Love hem naar deze kamer hadden gebracht. Hij had op de schommel op de veranda gezeten, en opeens was hij zó moe geworden...

Traag zwaaide hij zijn benen uit het bed en ging op de rand zitten. Ze hadden hem zowat de trap op moeten dragen. Langzaam kwam alles weer boven. Hij ging op een stoel zitten, trok zijn gympen aan en strikte de veters. De houten vloer kraakte zacht toen hij naar de deur liep en hem opentrok. De scharnieren piepten. Het was stil op de gang. Er kwamen drie andere deuren op uit, die allemaal gesloten waren. Voorzichtig sloop hij naar de trap en liep op zijn tenen naar beneden, zonder zich te haasten.

In de keuken zag hij licht branden, en hij liep wat sneller. Op de klok aan de muur was het tien voor halfdrie. Hij her-

innerde zich nu weer dat Reggie niet hier woonde, maar boven de garage. Moeder Love lag waarschijnlijk rustig te slapen op de bovenverdieping. Hij sloop nu niet langer, maar
liep snel de hal door, opende de voordeur en vond zijn
plekje op de schommel. De nacht was koel en het grasveld
van de voortuin aardedonker.

Heel even was hij kwaad op zichzelf omdat hij bijna in slaap
was gevallen en in een vreemd huis naar bed was gebracht.
Hij had in het ziekenhuis moeten zijn, bij zijn moeder. Hij
hoorde nu op dat harde bed te slapen, wachtend tot Ricky
weer volledig bij bewustzijn was gekomen en ze allemaal
weer naar huis konden gaan. Hij nam aan dat Reggie zijn
moeder had gebeld, dus Dianne zou zich niet ongerust maken. Waarschijnlijk was ze zelfs blij dat hij nu hier was, goed
te eten kreeg en lekker sliep. Zo waren moeders nu eenmaal.
Volgens zijn eigen berekening was hij al twee dagen niet
naar school geweest. Vandaag was het donderdag. Gisteren
was hij in de lift aangevallen door die man met het mes. De
man met de familiefoto. Een dag eerder, dinsdag dus, had
hij Reggie ingehuurd. Dat leek al een maand geleden. En
de dag daarvóór, op maandag, was hij als ieder gewoon kind
opgestaan en naar school gegaan, zonder enig vermoeden
van wat er allemaal zou gebeuren. Er woonden wel een miljoen kinderen in Memphis, en hij zou nooit begrijpen hoe en
waarom juist hij was uitgekozen om Jerome Clifford tegen
te komen, een paar minuten voordat die een pistool in zijn
mond had gestoken.

Roken. Dat was het antwoord. Roken was gevaarlijk voor je
gezondheid. Nou, dat had hij gemerkt! Zo had God hem dus
gestraft omdat hij had gerookt en zijn gezondheid in gevaar
had gebracht. Verdomme! Wat zou er niet zijn gebeurd als
hij bier had gedronken?

Op de stoep zag hij het silhouet van een man opdoemen die

even voor het huis van Moeder Love bleef staan. De oranje gloed van een sigaret vlamde op voor zijn gezicht, en daarna liep hij weer langzaam verder. Een beetje laat voor een avondwandeling, vond Mark.

Een minuut verstreek en de man kwam terug. Dezelfde man. Slenterend over de stoep. En weer bleef hij even tussen de bomen staan om naar het huis te kijken. Mark hield zijn adem in. Hij zat in het donker en hij wist dat hij niet te zien was. Maar deze voorbijganger was niet zomaar een nieuwsgierige buurman.

Een onopvallende witte Ford-bestelbus, waarvan de nummerborden tijdelijk waren verwijderd, reed om precies vier uur in de ochtend de Tucker Wheel Estates in en nam de bocht naar East Street. De caravans waren donker en stil. De straten waren verlaten. Het kleine complex was vredig in slaap en zou pas over twee uur ontwaken, als het licht werd.

De bus stopte voor nummer 17. De lichten en de koplampen werden gedoofd. Niemand reageerde. Na een minuutje opende een man in uniform het linkerportier en stapte uit. Het uniform leek op dat van de plaatselijke politie: een marineblauwe broek, een blauw overhemd, een brede zwarte riem met een zwarte pistoolholster op de heup, zwarte schoenen, maar geen pet of muts. Toch was het een geslaagde imitatie, zeker om vier uur in de ochtend als er toch niemand keek. De man had een rechthoekige kartonnen doos in zijn handen, ter grootte van twee schoenendozen. Hij wierp een blik om zich heen. Toen keek en luisterde hij aandachtig naar de caravan naast nummer 17. Niets te zien, niets te horen. Zelfs niet het blaffen van een hond. Hij glimlachte bij zichzelf en liep nonchalant naar de deur van nummer 17.

Als er iemand in een naburige caravan zou reageren, zou hij gewoon op de deur kloppen als iemand met een dringende boodschap, op zoek naar mevrouw Sway die niet thuis was. Maar dat bleek niet nodig. Geen van de buren tuurde door een spleet in de gordijntjes. Dus zette hij de doos haastig tegen de deur en reed weg. Hij was gekomen en vertrokken zonder een spoor achter te laten, behalve zijn doos – zijn kleine waarschuwing.

Precies dertig minuten later explodeerde de doos. Het was een beperkte explosie, keurig afgesteld. De grond begon niet te trillen en de veranda vloog niet de lucht in. De deur werd opengeblazen en het vuur werd naar binnen gericht. Roodgele vlammen en zwarte rook verspreidden zich door de kamers van de stacaravan. De dunne houten wandjes en vloeren waren niets anders dan brandhout voor het vuur.

Tegen de tijd dat Rufus Bibbs, de buurman, de brandweer had gewaarschuwd, stond de caravan van de Sway's al in lichterlaaie, reddeloos verloren. Rufus hing op en holde naar buiten om een tuinslang te pakken. Zijn vrouw en kinderen renden doelloos heen en weer, terwijl ze zich aankleedden om uit de caravan te vluchten. Overal werd geroepen en geschreeuwd toen de andere buren in een bonte mengeling van pyjama's en ochtendjassen op de brand af kwamen. Tientallen mensen staarden naar de vlammen en van alle kanten werden tuinslangen uitgerold om de naburige caravans nat te houden. Het vuur greep om zich heen en de menigte groeide aan. De ramen van Bibbs' caravan barstten. Het domino-effect. Ook andere ruiten braken en het geschreeuw werd luider. Toen verschenen de zwaailichten en sirenes.

De menigte week uiteen toen de brandweerlieden hun slangen uitrolden en het water oppompten. De andere caravans werden gered, maar de woning van de Sway's was in een smeulend wrak veranderd. Het dak en het grootste deel van de vloer waren verdwenen. De achterwand stond nog overeind, met één raam intact.

De stroom toeschouwers groeide nog aan toen de brand-weer het wrak begon te blussen. Walter Deeble, een schreeuwlelijk uit South Street, riep nijdig dat die ver-vloekte caravans veel te goedkoop waren uitgevoerd, met hun aluminium bedrading. Verdomme, ze woonden alle-maal in brandgevaarlijke doodskisten, schreeuwde hij op de toon van een straatpredikant. Ze moesten die klootzak Tucker voor de rechter slepen en hem dwingen de mensen veilig te huisvesten. Hij zou het weleens met zijn advocaat bespreken. Zelf had hij acht rook- en brandverklikkers in zijn caravan vanwege die goedkope aluminium bedrading en zo. Misschien zou hij zijn advocaat wel om advies vra-gen.

Bij de caravan van Bibbs verzamelde zich een kleine groep mensen die God dankten dat het vuur zich niet verder had verspreid.

Die arme Sway's. Wat voor rampen hingen hun verder nog boven het hoofd?

20

Na een ontbijt van kaneelbroodjes en chocolademelk ver-trokken ze naar het ziekenhuis. Het was halfacht, veel te vroeg voor Reggie, maar Dianne wachtte al op hen. Het ging veel beter met Ricky.

'Wat denk je dat er vandaag weer zal gebeuren?' vroeg Mark.

Om de een of andere reden vond ze dat een grappige vraag. 'Arm kind,' zei ze, toen ze uitgelachen was. 'Je hebt heel wat meegemaakt deze week.'

'Ja. Ik heb de pest aan school, maar nu wil ik toch wel terug. Gisteravond had ik zo'n vreemde droom.'

'Wat gebeurde er dan?'

'Helemaal niets. Ik droomde dat alles weer normaal was en dat er een hele dag niks bijzonders gebeurde. Dat was heerlijk.'

'Mark, ik ben bang dat ik slecht nieuws voor je heb.'

'Ik wist het wel. Wat is er?'

'Clint belde een paar minuten geleden. Je staat weer op de voorpagina. Een foto van ons allebei, gemaakt door een van die malloten toen we gisteren uit de lift kwamen in het ziekenhuis.'

'Geweldig.'

'Er is een journalist van The Memphis Press, een zekere Slick Moeller. Iedereen noemt hem de Mol - Mol Moeller. Hij is een misdaadverslaggever, een soort legende hier in de stad. En hij is geïnteresseerd in deze zaak.'

'Hij heeft dat verhaal van gisteren ook geschreven.'

'Ja. Hij heeft veel contacten bij de politie. Blijkbaar denkt de politie dat Jerome Clifford jou alles heeft verteld voordat hij zelfmoord pleegde, en dat jij nu weigert mee te werken.'

'Nou, dat klopt heel aardig, vind je niet?'

Ze keek in haar spiegeltje. 'Ja. Ik vind het maar eng.'

'Hoe weet hij dat allemaal?'

'De politie praat met hem, niet officieel natuurlijk, maar hij blijft spitten tot hij de stukjes van de puzzel gevonden heeft. En als de stukjes niet helemaal passen, vult Slick zelf de gaten wel op. Volgens Clint is het verhaal gebaseerd op anonieme bronnen bij de politie van Memphis. Er wordt veel gespeculeerd over wat jij weet. Omdat je mij hebt in-gehuurd, moet je wel iets te verbergen hebben.'

'Laten we even stoppen om een krant te kopen.'

'We kopen er wel een in het ziekenhuis. Over een minuutje zijn we er.'

'Denk je dat die journalisten weer staan te wachten?'

'Dat zal wel. Ik heb Clint gevraagd ergens een achteringang te zoeken en ons op het parkeerterrein op te wachten.'

'Ik heb hier echt genoeg van. Ik baal als een stier. Al mijn vrienden zitten nu op school, heel normaal. Zij kunnen ple-zier maken, met de meiden vechten in de pauze, de leraren pesten... je weet wel, de gewone dingen. En moet je mij zien! Ik ren de stad rond met mijn advocaat, ik lees over mijn avonturen in de krant, ik zie mijn foto op de voorpagi-na en ik moet me verbergen voor journalisten en moorde-naars met stiletto's. Het lijkt wel een film. Een slechte film. Ik heb er genoeg van. Ik weet niet hoe lang ik dit nog vol-houd. Het wordt me gewoon te veel.'

Ze keek snel opzij, voordat ze het verkeer weer in de gaten hield. Zijn gezicht stond strak. Hij staarde recht voor zich uit, zonder iets te zien.

'Het spijt me, Mark.'

'Ja, mij ook. Daar gaat mijn mooie droom.'

'Het zou weleens een lange dag kunnen worden.'

'Dat zal wel weer. Vannacht hielden ze het huis in de gaten, wist je dat?'

'Wat?'

'Ja, iemand hield het huis in het oog. Vannacht om halfdrie zat ik op de veranda en zag ik een vent voorbijlopen. Heel nonchalant, weet je wel. Hij rookte een sigaretje en keek naar het huis.'

'Een buurman, misschien?'

'Om halfdrie 's nachts?'

'Iemand die een wandelingetje maakte?'

'Waarom kwam hij dan binnen een kwartier drie keer langs?'

Ze keek hem nog eens aan en trapte op de rem om een auto voor hen te ontwijken.

'Vertrouw je me, Mark?' vroeg ze.

Hij keek haar aan alsof die vraag hem verbaasde. 'Natuurlijk vertrouw ik je, Reggie.'

Ze glimlachte en klopte hem op zijn arm. 'Doe dan maar wat ik zeg.'

Eén voordeel van een architectonisch gedrocht als het St. Peter's was het bestaan van talloze deuren en ingangen die maar bij weinig mensen bekend waren. Door al die onduidelijke aanbouwsels en nieuwe vleugels waren er in de loop van de tijd allerlei hoekjes en gangetjes ontstaan die zelden werden gebruikt en door verdwaalde bewakers slechts bij toeval werden ontdekt.

Toen ze aankwamen had Clint al een halfuur rond het ziekenhuis gezworven zonder enig resultaat. Hij was drie keer verdwaald, dat was alles. Hij liep te zweten en hij maakte zijn excuses toen ze elkaar op het parkeerterrein ontmoetten.

'Kom maar met mij mee,' zei Mark. Ze staken snel de straat over en gingen door de nooduitgang het ziekenhuis binnen. Het was spitsuur en ze zigzagden door de drukke hal naar een oude roltrap die omlaag leidde.

'Ik hoop dat je weet wat je doet,' zei Reggie met duidelijke twijfel. Half rennend probeerde ze hem bij te houden. Clint begon nog overvloediger te zweten. 'Geen probleem,' zei Mark, en hij opende een deur die in de keuken uitkwam.

'Dit is de keuken, Mark,' zei Reggie met een blik om zich heen. 'Kalm blijven. Doe maar net of je hier thuishoort.'

Hij drukte op een knop naast een dienstlift. De deur ging

meteen open en ze stapten naar binnen. Weer drukte Mark op een knop en de lift steeg naar de negende verdieping. 'Het hoofdgebouw heeft achttien etages, maar deze lift stopt op de negende. Nooit op nummer acht. Hoe vind je dat?' vroeg hij op de toon van een verveelde reisgids, terwijl hij de cijfers boven de deur in de gaten hield.

'Wat is er op de achtste verdieping?' vroeg Clint, nog steeds buiten adem. 'Wacht maar af.'

De deur ging op de negende verdieping open en ze stapten een grote voorraadkast in, met planken vol handdoeken en beddenlakens. Mark liep snel de gangpaden door, opende een zware metalen deur, en opeens stonden ze in de gang met ziekenkamers links en rechts. Hij wees naar links, en ze volgden hem tot ze bij een nooduitgang kwamen met waarschuwende teksten in rood en geel. Hij greep de stang van de deur. Reggie en Clint bleven als verstijfd staan.

Mark duwde de deur open. Er gebeurde niets. 'Alarminstallaties werken nooit,' zei hij nonchalant, terwijl hij de trap afliep naar de achtste verdieping. Hij deed nog een deur open en plotseling bevonden ze zich in een rustige gang met een dik tapijt. Er was niemand te zien. Mark wees opnieuw, en ze volgden hem langs de ziekenkamers, een hoek om, naar de verpleegstersbalie. Toen ze een blik door een zijgang wierpen, zagen ze mensen bij de liften rondhangen.

'Morgen, Mark,' riep Karen, de mooie verpleegster, toen ze haastig doorliepen. Maar ze glimlachte niet.

'Hallo, Karen,' zei hij, zonder zijn pas in te houden.

Dianne zat op een klapstoel in de gang. Een politieman zat voor haar op de grond geknield. Diannes ogen waren nat. Ze zat al een hele tijd te huilen. De twee bewakers van het ziekenhuis stonden bij elkaar, een meter of zes verderop. Mark zag de politieman met zijn huilende moeder en rende naar haar toe. Ze sloeg haar armen om hem heen en ze omhelsden elkaar.

'Wat is er, ma?' vroeg hij, maar ze begon nog harder te huilen.

'Mark, jullie caravan is vannacht uitgebrand,' zei de agent. 'Een paar uur geleden.'

Mark keek hem kwaad en ongelovig aan en sloeg zijn armen nog steviger om zijn moeders hals. Ze veegde de tranen van haar gezicht en probeerde zich te beheersen.

'Hoe erg is het?' vroeg Mark.

'Heel erg,' zei de politieman treurig. Hij stond op en nam zijn pet in beide handen. 'Alles is weg.'

'Hoe is die brand ontstaan?' vroeg Reggie.

'Dat weten we nog niet. De brandweer zal vanochtend een onderzoek instellen. Misschien was het kortsluiting.'

'Ik wil met de brandweer spreken, oké?' drong Reggie aan.

De politieman nam haar onderzoekend op.

'En wie bent u?' vroeg hij.

'Reggie Love, de advocaat van de familie.'

'O ja. Ik heb vanochtend de krant gelezen.'

Ze gaf hem haar kaartje. 'Vraag de brandweerinspecteur of hij mij wil bellen, als u wilt.'

'Natuurlijk, dame.' De agent zette zijn pet zorgvuldig op zijn hoofd en keek neer op Dianne. Er kwam weer een verdrietige blik in zijn ogen. 'Mevrouw Sway, ik vind het echt verschrikkelijk.'

'Dank u,' zei ze, haar tranen drogend. Hij knikte tegen Reggie en Clint, trok zich terug en liep haastig de gang uit. Een verpleegster verscheen en bleef op de achtergrond, voor het geval Dianne hulp nodig had.

Opeens had Dianne een gehoor. Ze kwam overeind en hield op met huilen. Ze glimlachte zelfs moeizaam tegen Reggie.

'Dit is Clint van Hooser. Hij werkt voor mij,' zei Reggie.

Dianne lachte tegen Clint. 'Wat vreselijk voor u,' zei hij. 'Dank u,' zei Dianne zacht. Er viel even een ongemakkelijke stilte toen ze haar gezicht droogde. Ze had haar arm om Mark heen geslagen, die nog steeds half versuft was.

'Heeft hij zich netjes gedragen?' vroeg Dianne.

'Voorbeeldig. En hij heeft genoeg gegeten voor een heel weeshuis.'

'Fijn. Bedankt voor de goede zorgen.'

'Hoe gaat het met Ricky?' vroeg Reggie.

'Hij heeft een goede nacht gehad. Toen dokter Greenway vanochtend kwam kijken was hij wakker en praatte hij zelfs. Hij ziet er veel beter uit.'

'Weet hij het al van de brand?' vroeg Mark.

'Nee. En we vertellen het hem niet, oké?'

'Goed, ma. Kunnen we even naar binnen om te praten, onder vier ogen?' Dianne glimlachte tegen Reggie en Clint en nam Mark mee de kamer in. De deur ging dicht en de familie Sway was weer alleen, met al hun wereldse bezittingen.

Rechter Harry Roosevelt was al tweeëntwintig jaar kinderrechter in Memphis, en ondanks het trieste en deprimerende karakter van de meeste zaken had hij zijn werk altijd met veel waardigheid gedaan. Hij was de eerste zwarte kinderrechter in Tennessee, en toen hij in het begin van de jaren zeventig door de gouverneur was benoemd, had hij een gouden toekomst voor zich, met de belofte van snelle promotie en een briljante juridische carriere. Die toekomst wachtte nog steeds, en Harry Roosevelt zat nog altijd in het wat armoedige gebouw dat simpelweg bekend stond als het Jeugdgerechtshof. Er waren veel mooiere rechtbanken in Memphis. Het Federal Building in Main Street, het nieuwste in de stad, huisvestte de belangrijkste rechtszalen. De federale rechters kregen altijd het beste van het beste – mooie tapijten, zware leren stoelen, massieve eiken tafels, voldoende licht, een betrouwbare airconditioning en een legertje goedbetaalde assistenten en medewerkers. Een paar straten verderop stond het Shelby County Courthouse, een zoemende bijenkorf waar duizenden juristen haastig door de betegelde marmeren gangen liepen, op weg naar de mooie, goed onderhouden rechtszalen. Het gebouw was ouder dan het Federal Building, maar het was prachtig ingericht, met schilderijen aan de muren en hier en daar wat beelden. Harry had daar ook een rechtszaal kunnen krijgen, maar hij had nee gezegd. Niet veel verder stond het Shelby County Justice Center, met een labyrint van moderne, luxe zalen met heldere tl-verlichting, beklede stoelen en dure geluidsinstallaties. Ook daar had Harry zijn intrek kunnen nemen, maar weer had hij bedankt.

Hij bleef liever hier, in het Jeugdgerechtshof, een verbouwde middelbare school op een paar straten van het centrum, met te weinig parkeerruimte, te weinig schoonmakers en meer zaken per rechter dan in enige andere rechtbank van de stad. Zijn gerechtshof was het stiefkindje van het systeem. De meeste advocaten meden het. De meeste rechtenstudenten droomden van een mooi kantoor in een torenflat, met rijke cliënten met dikke portefeuilles. Niemand droomde van de armoedige, door kakkerlakken verontreinigde gangen van het Jeugdgerechtshof.

Harry had vier benoemingen afgewezen – ondanks het vooruitzicht van een rechtszaal waar de verwarming 's winters werkte. Hij was voor die benoemingen voorgedragen omdat hij intelligent was en zwart, en hij had nee gezegd omdat hij arm was en zwart. Hij verdiende zestigduizend dollar per jaar, het laagste salaris van alle rechters in de stad, maar hij kon er zijn vrouw en zijn vier opgroeiende kinderen goed van onderhouden en er een mooi huis van betalen. Als kind had hij honger gekend, en dat vergat hij nooit. In zijn hart zou hij altijd die arme zwarte jongen blijven.

En dat was de reden waarom de ooit zo veelbelovende Harry Roosevelt gewoon kinderrechter bleef. Voor hem was dat de belangrijkste baan ter wereld. De wet gaf hem het exclusieve gezag over criminele, ongezeglijke, afhankelijke en verwaarloosde kinderen. Hij bepaalde het vaderschap van buitenechtelijke kinderen en hij stelde de regels voor hun verzorging en opvoeding vast. In een land waar de helft van de baby's een alleenstaande moeder had, betekende dit een meer dan volledige dagtaak. Hij had de macht om mishandelde kinderen aan het ouderlijk gezag te onttrekken en een nieuw huis voor hen te zoeken. Harry droeg een zware last.

Hij woog ruim honderdtwintig kilo en hij droeg iedere dag hetzelfde: een zwart pak met een wit katoenen overhemd en een vlinderdasje dat hij zelf strikte, maar niet al te best. Niemand wist of Harry één zo'n pak had of vijftig. Hij liep er altijd hetzelfde bij. Hij was een indrukwekkende figuur in de rechtszaal, turend over zijn leesbril naar schooiers van vaders die hun kinderen niet wilden onderhouden. Zulke vaders, blank of zwart, waren doodsbenauwd voor rechter Roosevelt. Hij liet hen opsporen en arresteren. Hij vond hun werkgevers en liet beslag leggen op hun loon. Wie aan 'Harry's Kids' kwam, zoals ze bekend stonden, liep grote kans dat hij met handboeien om in de rechtszaal belandde, tussen twee zware bewakers in. Harry Roosevelt was een legende in Memphis. De gemeente had hem twee extra rechters toegewezen om hem wat te ontlasten, maar Harry werkte dag en nacht. Meestal was hij al voor zeven uur op de rechtbank en zette zelf een pot koffie. Precies om negen uur begon hij met zijn eerste zaak, en God was de advocaat genadig die het waagde te laat te komen. In de loop der jaren had hij er al een aantal in de cel gestopt.

Om halfnegen kwam zijn secretaresse met de post en zei hem dat er een paar mannen stonden te wachten die hem dringend wilden spreken.

'Zoals gewoonlijk,' zei hij, terwijl hij een broodje ei naar binnen werkte.

'Nee, niet het gebruikelijke stel. Ik denk dat u maar beter met hen kunt praten.'

'O ja? Wie zijn het dan?'

'Eén ervan is George Ord, de federale officier. Hoog bezoek.'

'Ik heb George nog lesgegeven op de universiteit.'

'Ja, dat zei hij al. Twee keer zelfs. Er is ook een substituut-officier uit New Orleans bij, een zekere Thomas Fink. En de derde is meneer K.O. Lewis, adjunct-directeur van de FBI. Plus een paar FBI-agenten.'

Harry keek op van een dossier en dacht even na. 'Nou, dat is niet gering. Waar komen ze voor?'

'Dat wilden ze niet zeggen.'

'Nou, laat hen maar binnen.'

Ze vertrok, en een paar seconden later kwamen Ord, Fink, Lewis en McThune het kleine, rommelige kantoor binnen en stelden zich aan zijne edelachtbare voor. Harry en de secretaresse tilden de stapels dossiers van de stoelen, zodat iedereen kon gaan zitten. Ze wisselden een paar beleefdheden uit, maar ten slotte keek Harry op zijn horloge en zei: 'Heren, ik heb vandaag zeventien zaken op de rol staan. Wat kan ik voor u doen?'

Ord schraapte als eerste zijn keel. 'Rechter Roosevelt, ik neem aan dat u de afgelopen twee dagen de krant hebt gezien, met name die verhalen op de voorpagina over een zekere Mark Sway.'

'Ja. Heel interessant.'

'Meneer Fink hier vervolgt de man die wordt beschuldigd

van de moord op senator Boyette. De zaak zal over een paar weken in New Orleans voorkomen.'

'Dat weet ik. Ik heb de artikelen gelezen.'

'We weten bijna zeker dat Mark Sway meer weet dan hij ons wil vertellen. Hij heeft al enkele keren tegen de plaatselijke politie gelogen. Volgens ons heeft hij uitvoerig met Jerome Clifford gesproken, voordat Clifford zelfmoord pleegde. Het staat voor honderd procent vast dat hij in de auto heeft gezeten. We hebben geprobeerd met hem te praten, maar hij werkt niet mee. Inmiddels heeft hij een advocaat die hem van de buitenwereld afschermt.'

'Ik maak Reggie Love regelmatig in de rechtszaal mee. Ze is een heel goede advocate - soms erg beschermend tegenover haar cliënten, maar wie zal haar dat kwalijk nemen?'

'Natuurlijk. Maar wij hebben onze verdenkingen tegen de jongen en we zijn er vast van overtuigd dat hij belangrijke informatie achterhoudt.'

'Zoals?'

'Zoals de vindplaats van Boyettes lichaam.'

'Waarom denkt u dat?'

'Dat is een lang verhaal, edelachtbare. Er zit veel aan vast.'

Harry speelde met zijn vlinderdas en wierp Ord een van zijn beroemde vorsende blikken toe. Hij dacht even na. 'En nu wilt u dat ik de jongen bij me roep om hem te ondervragen.'

'Zoiets. Meneer Fink heeft een aanklacht bij zich waarin de jongen van wangedrag wordt beschuldigd.'

Dat beviel Harry niet. Opeens fronste hij zijn glimmende voorhoofd. 'Dat is niet niks. Aan welk vergrijp heeft hij zich dan schuldig gemaakt?'

'Belemmering van de rechtsgang.'

'Waarop baseert u dat? Juridisch gesproken?'

Fink had al een map opengeslagen. Hij sprong overeind en schoof een dun dossier over het bureau. Harry pakte het op en las het rustig door. Het bleef stil in de kamer. K.O. Lewis had nog niet de kans gekregen iets te zeggen en dat beviel hem niet. Hij was de tweede man van de FBI, maar de rechter leek niet onder de indruk.

Harry sloeg een pagina om en keek op zijn horloge. 'Ik luister,' zei hij tegen Fink.

'Het is ons standpunt, edelachtbare, dat Mark Sway door zijn misleidende antwoorden het onderzoek in deze zaak heeft geblokkeerd.'

'Welke zaak? De moord of de zelfmoord?'

Uitstekende vraag. Fink wist meteen dat Harry Roosevelt iemand was om rekening mee te houden. Ze onderzochten een moord, geen zelfmoord. Er bestond geen wet tegen zelfmoord en het was evenmin strafbaar om daar getuige van te zijn. 'Edelachtbare, wij gaan ervan uit dat de zelfmoord nauw verband houdt met de moord op senator Boyette. Daarom is de medewerking van Mark Sway zo belangrijk.'

'En als hij niets weet?'

'Daar komen we pas achter als we hem hebben ondervraagd. Op dit moment weigert hij met ons te praten, en zoals u weet heeft iedere burger de plicht met de politie mee te werken.'

'Dat is zo, maar het gaat nogal ver om die jongen van wangedrag te beschuldigen zonder enig concreet bewijs.'

'Dat bewijs komt er wel, edelachtbare, als we Mark Sway in de getuigenbank kunnen krijgen, onder ede, achter gesloten deuren, om hem een paar vragen te stellen. Dat is alles wat we willen.'

Harry gooide het dossier op een stapel papieren, zette zijn leesbril af en kauwde op een poot.

Ord boog zich naar voren en zei dringend: 'Hoor eens, rechter Roosevelt, als wij die jongen in verzekerde bewaring kunnen stellen en een snelle hoorzitting kunnen regelen, dan is deze zaak de wereld uit. Daar zijn we van overtuigd. Als hij onder ede verklaart dat hij niets weet over Boyd Boyette, vervalt de aanklacht en mag hij weer naar huis. Einde van het verhaal. Een routinezaak. Geen bewijzen, geen wangedrag, geen problemen. Maar als hij iets belangrijks weet over de vindplaats van het lichaam, hebben wij het recht dat te weten. En we denken dat de jongen ons dat op de zitting zal vertellen.'

'Er zijn twee manieren om hem tot spreken te dwingen, edelachtbare,' vervolgde Fink. 'We kunnen hier bij uw hof een geding aanspannen, of we kunnen hem dagvaarden voor een jury in New Orleans. Een zitting van de kinderrechter, hier in zijn eigen stad, lijkt ons de snelste en beste methode, zeker voor de jongen zelf.'

'Ik wil die jongen niet voor een jury laten getuigen,' verklaarde Harry streng. 'Is dat duidelijk?'

De anderen knikten snel, hoewel ze allemaal wisten dat een federale jury Mark Sway ieder willekeurig moment zou kunnen oproepen, wat deze arrondissementsrechter daar ook van vond. Maar dat was karakteristiek voor Harry. Hij gooide meteen een beschermende deken om ieder kind dat onder zijn jurisdictie viel.

'Ik handel het liever in mijn eigen rechtszaal af,' zei hij, bijna mompelend. 'Dat lijkt ons ook het beste, edelachtbare,' zei Fink. Ze waren het er allemaal roerend mee eens.

Harry pakte zijn agenda. Zoals gebruikelijk stond er meer ellende op dan hij ooit in één dag zou kunnen afhandelen. Hij keek nog eens goed. 'Die beschuldiging van belemmering van de rechtsgang is volgens mij nogal zwak, maar als jullie een geding willen aanspannen kan ik dat niet verhinderen. Ik stel voor zo snel mogelijk een zitting te houden. Als de jongen niets weet... en die kans acht ik groot... wil ik de zaak liever meteen achter de rug hebben.'

Dat kwam de anderen heel goed uit.

'Vanmiddag dan maar. In de lunchpauze. Waar is die jongen nu?'

'In het ziekenhuis,' zei Ord. 'Zijn broertje moet daar nog wel even blijven. De moeder kan niet weg omdat ze hem gezelschap moet houden van de dokter. Mark Sway zwerft rond. Vannacht heeft hij bij zijn advocate gelogeerd.'

'Ja, dat klinkt als Reggie,' zei Harry met affectie in zijn stem. 'Ik zie geen reden hem te laten aanhouden.'

Maar dat was juist heel belangrijk voor Fink en Foltrigg. Ze wilden de jongen door een politiewagen laten oppikken en hem in een cel laten opsluiten, in de hoop dat hij uit angst zijn mond zou opendoen.

'Edelachtbare, als u me toestaat...' Eindelijk nam K.O. Lewis het woord. 'Volgens ons moet hij in hechtenis worden genomen.'

'O ja? En waarom dan wel?'

McThune overhandigde rechter Roosevelt een glanzende foto van twintig bij vijfentwintig centimeter. Lewis gaf een toelichting. 'De man op de foto is Paul Gronke, een gangster uit New Orleans en een goede vriend van Barry Muldanno. Hij is al sinds dinsdagavond hier in Memphis. Deze foto is genomen toen hij op het vliegveld van New Orleans aankwam. Een uur later was hij in Memphis, maar helaas zijn we hem kwijtgeraakt toen hij het vliegveld hier verliet.' McThune pakte twee kleinere foto's. 'De man met de donkere bril is Mark Bono, een man die ooit wegens moord is veroordeeld en nauwe banden heeft met de maffia in New Orleans. De vent in het pak is Gary Pirini, ook een maffialid dat voor de familie Sulari werkt. Bono en Pirini zijn gisteravond in Memphis aangekomen. En niet om een paar gegrilde karbonaadjes te eten.' Hij liet een dramatische stilte vallen. 'Die jongen verkeert in ernstig gevaar, edelachtbare. Hij en zijn familie wonen in een stacaravan op de Tucker Wheel Estates, in het noorden van Memphis.'

Harry wreef in zijn ogen. 'Ja, ik ken die buurt,' zei hij.

'Ongeveer vier uur geleden is de caravan tot aan de grond toe afgebrand. Heel verdacht. We vermoeden dat het brandstichting was, om de familie angst aan te jagen. De jongen zwerft al sinds maandagavond door de stad. Hij heeft geen vader, en zijn moeder kan niet bij het jongere broertje weg. Heel triest. En heel gevaarlijk.'

'Dus jullie hebben hem gevolgd?'

'Ja, meneer. Zijn advocaat heeft het ziekenhuis gevraagd de kamer van het broertje te bewaken.'

'En ze heeft mij ook gebeld,' voegde Ord eraan toe. 'Ze maakt zich grote zorgen over de veiligheid van het kind en daarom vroeg ze mij om FBI-bescherming van het ziekenhuis.'

'Dat verzoek hebben we ingewilligd,' zei McThune. 'De afgelopen achtenveertig uur zijn er voortdurend minstens twee agenten in de buurt van die kamer gebleven. We hebben te maken met beroepsmoordenaars, edelachtbare – in dienst van Barry Muldanno. En Mark Sway loopt onbeschermd rond, zich van geen gevaar bewust.'

Harry luisterde aandachtig. Ze hadden hun verhaal goed gerepeteerd. Hij wantrouwde de politie van nature, maar dit was geen gewone zaak. 'De wet maakt het inderdaad mogelijk de jongen te laten oppakken als er een aanklacht is ingediend,' zei hij tegen niemand in het bijzonder. 'Maar wat gebeurt er met hem als de zitting niet oplevert wat jullie ervan verwachten? Als blijkt dat Mark Sway de rechtsgang niet belemmert?'

Het was Lewis die antwoord gaf. 'Daar hebben we ook over nagedacht, edelachtbare. We zouden natuurlijk nooit iets doen om de geheimhouding van uw hof te schenden, maar

279

er zijn manieren om die gangsters duidelijk te maken dat Mark niets weet. Als hij bereid is om te praten maar hij kan ons niets bijzonders vertellen, dan is de zaak daarmee afgedaan en zullen Muldanno's gorilla's hem verder met rust laten. Waarom zouden ze hem bedreigen als hij niets weet?'

'Dat klinkt logisch,' zei Harry. 'Maar als Mark jullie wel vertelt wat jullie weten willen? Dan maken jullie hem tot een schietschijf, nietwaar? Als die lui echt zo gevaarlijk zijn als jullie beweren, zou onze kleine vriend in grote problemen komen.'

'We werken al aan een protectieprogramma. Voor hem, voor zijn moeder en zijn broertje.'

'Hebben jullie dat met zijn advocaat besproken?'

'Nee, meneer,' antwoordde Fink. 'De laatste keer dat we bij haar waren wilde ze niet met ons praten. Ze doet erg moeilijk.'

'Laat me die aanklacht eens lezen.'

Fink haalde de papieren uit de map en gaf ze aan Roosevelt. De rechter zette zijn leesbril op en las de stukken door. Toen hij klaar was, gaf hij ze weer aan Fink.

'Dit bevalt me niets, heren. Er zit een luchtje aan. Ik heb duizenden zaken meegemaakt, maar ik heb nog nooit gehoord van een minderjarige die ervan werd beschuldigd dat hij de rechtsgang belemmerde. Het zit me niet lekker.'

'Maar we zijn wanhopig, edelachtbare,' bekende Lewis, heel oprecht. 'We moeten erachter komen wat die jongen weet, en we vrezen voor zijn veiligheid. Dat staat allemaal in de stukken. We hebben niets te verbergen en we proberen u zeker niet te misleiden.'

'Dat hoop ik dan maar.' Harry keek hen doordringend aan. Toen krabbelde hij iets op een velletje papier. De anderen wachtten af en keken gespannen toe. Ten slotte wierp Roosevelt een blik op zijn horloge.

'Ik zal het bevel tekenen. De jongen moet rechtstreeks naar de detentie vleugel worden gebracht, en hij krijgt een cel voor zich alleen. Hij is natuurlijk doodsbang, dus pak hem met zijden handschoenen aan. Ik zal straks zijn advocaat wel bellen.'

Ze stonden tegelijk op en bedankten hem. Roosevelt wees naar de deur. De mannen vertrokken haastig, zonder afscheid te nemen en zonder een handdruk.

21

Karen klopte zachtjes en kwam de donkere kamer binnen met een mand fruit. Op het kaartje stonden de beste wensen van de doopsgezinde gemeente van Little Creek. De appels, bananen en druiven zaten verpakt in groen cellofaan en kleurden mooi bij de vrij grote, dure bos bloemen die door de bezorgde collega's van Ark-Lon Armaturen was gestuurd.

De gordijnen waren dicht, de televisie uit, en toen Karen de deur weer achter zich sloot, had geen van de Sway's zich bewogen. Ricky was van houding veranderd en lag nu op zijn rug met zijn voeten op de kussens en zijn hoofd op de dekens. Hij was wakker, maar het afgelopen uur had hij met nietsziende ogen naar het plafond liggen staren, zonder een spier te bewegen of een woord te zeggen. Dit was nieuw. Mark en Dianne zaten naast elkaar op het opklapbed, met hun voeten onder zich, en spraken fluisterend over zaken als kleren, speelgoed en borden. Ze hadden wel een brandverzekering, maar Dianne wist niet precies wat er werd gedekt.

Ze praatten heel zacht. Het zou nog dagen of weken duren voordat Ricky iets over de brand te horen zou krijgen.

In de loop van de ochtend, een uurtje nadat Reggie en Clint waren vertrokken, was de schok van het nieuws wat weggeëbd en begon Mark weer na te denken. Dat was niet zo moeilijk in deze donkere kamer, want verder was er niets te doen. De tv ging alleen aan als Ricky dat wilde. De gordijnen bleven gesloten als er een kans bestond dat hij sliep. De deur was altijd dicht.

Hij zat in een stoel onder de televisie, kauwend op een oudbakken chocoladekoekje, toen hij voor het eerst had bedacht dat de brand misschien geen ongeluk was geweest. De man met het mes was immers ook de caravan binnengedrongen om die foto te stelen. Met dat mes en de foto had hij de kleine Mark Sway zo de stuipen op het lijf willen jagen dat hij voorgoed zijn mond zou houden. En daar was hij aardig in geslaagd. Stel dat die brand een volgende waarschuwing was van de man met de stiletto? Je kon een caravan gemakkelijk in de fik steken. En om vier uur 's nachts was er meestal geen mens op straat. Dat wist Mark uit eigen ervaring.

Die gedachte had hem de keel dichtgeknepen en hem een droge mond bezorgd. Dianne merkte niets. Ze zat koffie te drinken en ze streelde Ricky. Mark had een tijdje met het idee geworsteld en was toen naar de verpleegstersbalie gelopen, waar Karen hem de ochtendkrant had laten zien.

De mogelijkheid van brandstichting schroeide zich als een brandmerk in zijn gedachten. Het was afschuwelijk, maar nu - twee uur later - was hij ervan overtuigd dat de caravan in de fik gestoken was.

'Wat dekt de verzekering?' vroeg hij.

'Ik zal de agent bellen. We hebben twee polissen, als ik het me goed herinner: een polis voor de caravan zelf, waarvan de premie door meneer Tucker wordt betaald omdat hij de eigenaar is, en een polis voor de inboedel. De premie daarvoor is bij de maandelijkse huur inbegrepen. Zo zit het, geloof ik.'

Mark maakte zich ongerust. Hij had allerlei akelige herinneringen aan de scheiding, en een ervan was dat zijn moeder helemaal niets had kunnen zeggen over de financiële situatie van het gezin. Ze wist niets. Marks ex-vader had alle rekeningen betaald, het chequeboek beheerd en de belastingformulieren ingevuld. De afgelopen twee jaar was de telefoon twee keer afgesneden omdat Dianne was vergeten de rekening te betalen. Dat zei ze tenminste. Maar Mark vermoedde dat ze gewoon het geld niet had gehad. 'Maar wat betaalt de verzekering dan?' vroeg hij.

'De meubels, de kleren en de keukenspullen, denk ik. Dat is meestal zo.'

Er werd geklopt, maar er kwam niemand binnen. Ze wachtten. Weer een klopje. Mark stond op, opende de deur op een kier en zag twee nieuwe gezichten.

'Ja?' vroeg hij, bang voor nieuwe problemen omdat de verpleegsters en bewakers niemand zo ver lieten komen. Hij deed de deur wat verder open.

'Wij zoeken Dianne Sway,' zei het dichtstbijzijnde gezicht, zo luid dat Dianne het hoorde en naar de deur kwam.

'Wie bent u?' vroeg Mark. Hij deed de deur open en stapte de gang in. De twee bewakers stonden met hun tweeën rechts van de deur, met drie verpleegsters aan de linkerkant. Ze stonden alle vijf verstijfd, alsof ze iets verschrikkelijks zagen gebeuren. Mark ving Karens blik op en wist dat er iets helemaal mis was.

'Rechercheur Nassar van de politie van Memphis. Dit is rechercheur Klickman.'

Nassar droeg een jasje en een stropdas, Klickman een zwart joggingpak met splinternieuwe Nike Air Jordans. Ze waren allebei jong, ergens voor in de dertig, en Mark moest meteen denken aan de herhalingen van oude *Starsky and Hutch*-afleveringen. Dianne kwam ook naar buiten en bleef achter haar zoon staan.

'Bent u Dianne Sway?' vroeg Nassar. 'Ja,' zei ze snel.

Nassar haalde een bundel papieren uit de zak van zijn jasje en gaf ze over Marks hoofd heen aan zijn moeder. 'Dit is van de kinderrechter, mevrouw Sway. Een dagvaarding voor uw zoon om vanmiddag om twaalf uur op de zitting te verschijnen.'

Haar handen beefden heftig en de papieren ritselden toen ze wanhopig probeerde er iets van te begrijpen.

'Mag ik uw legitimatie zien?' vroeg Mark, naar omstandigheden zeer beheerst. Haastig tastten ze allebei in hun kleren en hielden hun legitimatie onder Marks neus. Hij bestudeerde de badges zorgvuldig en keek Nassar minachtend aan. 'Mooie schoenen,' zei hij tegen Klickman.

Nassar glimlachte geforceerd. 'Mevrouw Sway, de dagvaarding bepaalt dat wij Mark Sway in hechtenis moeten nemen.'

Bij het woord 'hechtenis' viel er een diepe stilte van twee of drie seconden. 'Wat?' riep Dianne tegen Nassar. Ze liet de papieren vallen. Haar kreet weergalmde door de gang. Haar stem klonk eerder woedend dan bang.

'Daar staat het, op de eerste bladzij,' zei Nassar, toen hij de papieren had opgeraapt. 'Bevel van de rechter.'

'Wat?' riep ze weer, met de kracht van een zweepslag. 'O nee! Jullie nemen mijn zoon niet mee!' Haar gezicht was rood aangelopen en haar lichaam – tweeënvijftig kilo zwaar – stond strak en gespannen.

Geweldig, dacht Mark. Weer een ritje in een politiewagen.

'Vuile klootzak!' gilde zijn moeder. Mark probeerde haar te kalmeren.

'Niet zo schreeuwen, ma. Ricky kan je horen.'

'Over mijn lijk!' gilde ze tegen Nassar, die vlak bij haar stond. Klickman deinsde een stap terug, alsof hij deze woeste dame liever aan Nassar overliet.

Maar Nassar was een oude rot. Hij had al duizenden mensen aangehouden. 'Luister, mevrouw Sway, ik begrijp hoe u zich voelt. Maar ik heb mijn orders.'

'Van wie dan?'

'Ma, schreeuw niet zo,' drong Mark aan.

'Ongeveer een uur geleden heeft rechter Harry Roosevelt deze papieren getekend. We doen alleen ons werk, mevrouw Sway. Er zal Mark niets gebeuren. Wij zorgen wel voor hem.'

'Wat heeft hij dan gedaan? Vertel me dat eens! Wat heeft hij gedaan?' Dianne wendde zich tot de verpleegsters. 'Kan niemand me dan helpen?' smeekte ze op zielige toon. 'Karen, doe toch iets! Wil je dokter Greenway bellen? Sta daar niet zo.'

Maar Karen en de andere verpleegsters deden niets. De rechercheurs hadden hen al gewaarschuwd.

Nassar probeerde nog steeds te glimlachen. 'Als u de papieren leest, mevrouw Sway, zult u zien dat Mark bij de kinderrechter is aangeklaagd wegens wangedrag omdat hij niet met de politie en de FBI wil samenwerken. Rechter Roosevelt heeft hem voor vanmiddag twaalf uur ontboden. Dan is de zitting. Dat is alles.'

'Dat is alles? Klootzak! Je komt hier zomaar binnenstormen met papieren om mijn zoontje weg te halen en dan zeg je "Dat is alles"?'

'Niet zo hard, ma,' zei Mark. Sinds de scheiding had hij haar niet meer zulke taal horen uitslaan.

Nassar gaf zijn pogingen om te glimlachen op en trok aan de punten van zijn snor. Klickman keek Mark om de een of andere reden woedend aan, alsof hij een seriemoordenaar was waar ze al jaren achteraan zaten. Er viel een lange stilte. Dianne hield Mark met twee handen bij zijn schouders vast. 'Hij gaat niet mee.'

Eindelijk zei Klickman iets. 'Hoor eens, mevrouw Sway, we hebben geen keus. We moeten uw zoon meenemen.'

'Val toch dood,' snauwde ze. 'Als je hem wilt hebben, zul je eerst mij moeten wegslaan.'

Klickman was een dommekracht met weinig hersens, en heel even trok hij zijn schouders naar achteren alsof hij die uitdaging aannam. Toen ontspande hij zijn spieren en grijnsde.

'Het is wel goed, ma. Ik zal meegaan. Wil jij Reggie bellen en haar vragen of ze naar de gevangenis komt? Waarschijnlijk heeft ze deze jokers binnen een uur een proces aangedaan en zijn ze morgen al ontslagen.'

De smerissen grinnikten tegen elkaar. Leuk joch.

Daarna maakte Nassar de treurige fout om Mark bij zijn arm te willen pakken. Dianne deed een uitval en sloeg toe als een cobra. Whap! Ze raakte hem hard op zijn linkerwang en schreeuwde: 'Raak hem niet aan! Raak hem niet aan!'

Nassars hand ging naar zijn wang en Klickman greep meteen haar arm. Ze wilde nog een keer slaan, maar opeens werd ze om haar as gedraaid. Haar voeten raakten verstrengeld in die van Mark en ze sloegen allebei tegen de grond. 'Klootzak!' gilde ze maar steeds. 'Raak hem niet aan!'

Nassar bukte zich om een of andere reden, en Dianne schopte hem tegen zijn dijbeen. Maar ze had blote voeten en ze richtte niet veel schade aan. Klickman stak zijn hand uit en Mark wilde overeind krabbelen. Dianne bleef schoppen, slaan en gillen. 'Blijf van hem af!' De verpleegsters en de bewakers sprongen naar voren toen Dianne zich weer oprichtte.

Mark werd door Klickman uit de chaos gesleurd. Dianne werd door twee bewakers in bedwang gehouden. Huilend verzette ze zich. Nassar wreef over zijn kaak. De verpleegsters probeerden de partijen te scheiden en iedereen te kalmeren en te troosten.

Opeens ging de deur van de kamer open en verscheen Ricky, met een speelgoedkonijn in zijn arm. Hij staarde naar Mark, die door Klickman bij zijn polsen werd vastgehouden. Toen keek hij naar zijn moeder, in de greep van de bewakers. Iedereen verstijfde en staarde hem aan. Ricky's gezicht was zo bleek als een doek. Zijn haar stak alle kanten op. Zijn mond was open, maar hij zei niets.

Toen bracht hij weer die lage, kreunende jammerklacht voort die alleen Mark ooit had gehoord. Dianne rukte haar polsen los en tilde hem op. De verpleegsters volgden haar de kamer in en ze legden hem in bed. Ze streelden zijn armen en benen, maar hij bleef kreunen. Toen verdween zijn duim weer in zijn mond en sloot hij zijn ogen. Dianne ging naast hem in bed liggen. Ze neuriede 'Winnie the Pooh' en klopte hem op zijn arm.

'We moeten gaan, joh,' zei Klickman.

'Krijg ik geen handboeien om?'

'Nee. Dit is geen arrestatie.'

'Wat is het dan wel, verdomme?'

'Let op je woorden, joh.'

'Ach, lik m'n reet, stomme grote aap.'

Klickman bleef stokstijf staan en keek nijdig op hem neer.

'Rustig aan, vriendje,' waarschuwde Nassar.

'Je zou je eigen smoel moeten zien! Je wang wordt al blauw. Mijn moeder heeft je een flinke dreun verkocht. Ha, ha! Ik hoop dat ze je tanden heeft gebroken.'

Klickman boog zich naar voren, met zijn handen op zijn knieën, en keek Mark recht aan. 'Ga je rustig mee, of moeten we je dragen?'

Mark snoof en keek woedend terug. 'Je dacht zeker dat ik bang voor jullie was? Ik zal je wat vertellen, droplul. Ik heb een advocaat die me daar in tien minuten vandaan heeft. Ze is zo goed dat jij aan het eind van de middag een ander baantje kunt zoeken.'

'Ik bibber van angst. En kom nou maar mee.'

Ze liepen de gang door – de verdachte ingesloten door twee smerissen. 'Waar brengen jullie me naartoe?'

'Naar de detentievleugel voor jeugdige delinquenten.'

'Een soort gevangenis?'

'Dat zou het kunnen zijn als jij je mond niet houdt.'

'Jullie hebben mijn moeder neergeslagen, dat weet je heel goed. Dat kost jullie je baantje.'

'Mijn baan mogen ze hebben,' zei Klickman. 'Dan ben ik verlost van schooiertjes zoals jij.'

'Ja, maar jij krijgt geen ander werk. Wie neemt nou een idioot in dienst?'

Ze passeerden een groepje broeders en verpleegsters, en op- eens voelde Mark zich een ster. Het middelpunt van de aan- dacht. Een onschuldige verdachte die naar de slachtbank werd geleid. Hij kreeg een stoere tred over zich. Ze sloegen de hoek om.

Toen dacht hij aan de journalisten. En zij dachten aan hem. Een camera flitste toen ze de lift bereikten. Twee van de rondhangende verslaggevers doken opeens naast Klickman op, met een blocnote en een potlood in hun hand. Ze wacht- ten op de lift.

'Bent u van de politie?' vroeg een van de journalisten met een blik op de Nikes die in het donker oplichtten.

'Geen commentaar.'

'Hé, Mark, waar ga je heen?' vroeg een ander, een meter achter hem. Er flitste nog een camera.

'Naar de gevangenis,' zei hij luid, zonder om te kijken.

'Hou je mond, joh,' waarschuwde Nassar. Klickman legde een zware arm om zijn schouder. De fotograaf stond naast hen, bijna tegen de liftdeur aan. Nassar hief een arm op om hem het zicht te benemen. 'Wegwezen,' gromde hij.

'Ben je gearresteerd, Mark?' riep een van hen.

'Nee,' snauwde Klickman op het moment dat de deur openging. Nassar duwde Mark naar binnen terwijl Klickman de deur blokkeerde totdat hij dichtging.

Ze stonden alleen in de lift. 'Het was heel stom om dat te zeggen, joh. Ontzettend stom.' Klickman schudde zijn hoofd.

'Arresteer me maar.'

'Vreselijk stom.'

'Is het tegen de wet om met de pers te praten?'

'Hou je kop nou maar, goed?'

'Waarom sla je me niet in elkaar, droplul? Oké?'

'Mijn handen jeuken.'

'Ja, maar je moet je inhouden, he? Want ik ben nog maar een klein jochie en jij bent een grote stomme smeris, en als je me met één vinger aanraakt word je ontslagen en krijg je een proces. Je hebt mijn moeder ook al tegen de grond geslagen, zak. Daar zul je nog meer van horen.'

'Je moeder sloeg me,' zei Nassar.

'En daar had ze gelijk in, stelletje zeikerds! Jullie hebben geen idee wat ze allemaal heeft meegemaakt. Jullie komen me halen alsof het niets bijzonders is. Omdat jullie smerissen zijn, met een papiertje in je hand. Daarom moet mijn moeder me zomaar laten gaan? Met een kus en een aai over mijn bol? Stelletje hufters. Grote stomme dienders!'

De lift stopte en er stapten twee artsen in. Ze hielden op met praten en keken naar Mark. De deur ging achter hen dicht en de lift daalde verder. 'Het is toch niet te geloven?' zei Mark tegen de artsen. 'Die idioten hebben me gearresteerd.'

De doktoren keken Nassar en Klickman fronsend aan.

'Jeugdige delinquent,' legde Nassar uit. Waarom hield dat rotjoch zijn smoel niet?

Mark knikte naar Klickman. 'Die daar, met zijn mooie schoenen, die heeft vijf minuten geleden mijn moeder neergeslagen. Hoe is het mogelijk!'

De twee artsen keken naar Klickmans schoenen.

'Hou je kop, Mark,'zei Klickman.

'Is je moeder weer in orde?' vroeg een van de artsen.

'Ja hoor. Mijn broertje ligt op de psychiatrische afdeling, onze stacaravan is een paar uur geleden afgebrand, deze gorilla's hebben me voor haar ogen gearresteerd en meneer Platvoet hier heeft haar tegen de grond geslagen. Ja, met mijn moeder gaat het geweldig.'

De artsen keken de rechercheurs weer aan. Nassar staarde naar zijn voeten en Klickman sloot zijn ogen. De lift stopte en er kwamen nog een paar mensen binnen. Klickman bleef vlak naast Mark staan.

Toen het weer rustig was en de lift verder daalde, zei Mark luid: 'Mijn advocaat zal jullie wel een lesje leren, stelletje eikels. Reken daar maar op. Morgen om deze tijd staan jullie allebei op straat.' Acht paar ogen draaiden zich naar de hoek van de lift, eerst omlaag naar Mark en toen omhoog naar het pijnlijk vertrokken gezicht van rechercheur Klickman. Er viel een doodse stilte.

'Hou je mond, Mark.'

'En als ik dat niet doe? Slaan jullie me dan in elkaar, net als mijn moeder? Smijten jullie me dan tegen de grond om me verrot te schoppen? Je bent gewoon een stomme smeris, weet je dat, Klickman? Een dikke diender met een pistool. Waarom ga je niet op dieet?'

Zweet parelde op Klickmans voorhoofd. Hij zag de blikken van de omstanders op zich gericht. De lift ging heel langzaam. Hij kon Mark wel wurgen.

Nassar stond klem in de andere hoek. Zijn oren gonsden nog van de klap die hij van Dianne had gekregen. Hij kon Mark

Sway niet zien, maar hem des te beter horen.

'Hoe gaat het met je moeder?' vroeg een verpleegster. Ze stond naast Mark en keek bezorgd op hem neer.

'Heel goed. Maar het zou nog beter met haar gaan als die smerissen me met rust zouden laten. Ze brengen me naar de gevangenis, wist je dat?'

'Waarvoor?'

'Geen idee. Dat willen ze niet zeggen. Ik deed niets bijzonders. Ik was gewoon mijn moeder aan het troosten omdat onze caravan vanochtend is afgebrand en we alles kwijt zijn wat we hadden. En opeens duiken die smerissen op, zonder enige waarschuwing, om me naar de gevangenis te sleuren.'

'Hoe oud ben je?'

'Elf jaar pas. Maar dat maakt die lui niets uit. Ze zouden zelfs een kind van vier jaar arresteren.'

Nassar kreunde zacht. Klickman hield zijn ogen dicht. 'Wat verschrikkelijk,' zei de verpleegster.

'Je had het moeten zien! Ze hebben mij en mijn moeder zelfs tegen de grond geslagen. Een paar minuten geleden, op de psychiatrische afdeling. Het zal vanavond wel op het nieuws zijn. En hou de kranten in de gaten. Deze eikels zijn morgen al ontslagen. En daarna krijgen ze een proces aan hun broek.'

Ze stopten op de begane grond en de lift stroomde leeg.

Mark wilde met alle geweld achterin zitten, net als een echte crimineel. De auto stond op het parkeerterrein – een onopvallende Chrysler, maar Mark herkende hem al op honderd meter afstand. Nassar en Klickman durfden niets meer tegen hem te zeggen. Ze gingen voorin zitten en hielden hun mond, in de hoop dat Mark hetzelfde zou doen. Maar dat viel tegen.

'Jullie hebben me niet op mijn rechten gewezen,' zei hij, terwijl Nassar zo snel mogelijk wegreed.

Geen antwoord van de voorbank.

'Hé, stelletje rukkers! Wat zijn mijn rechten?' Geen reactie. Nassar reed nog sneller. 'Kennen jullie de tekst eigenlijk wel?' Geen antwoord.

'Hé, eikel! Jij daar met die schoenen! Ken je de tekst wel?' Klickman zat zwaar te ademen, maar hij was vastbesloten Mark te negeren. Nassar stopte bij een rood licht, keek naar links en rechts, en trapte toen het gas in. Vreemd genoeg speelde er een gemeen lachje om zijn lippen, nauwelijks zichtbaar onder zijn snor.

'Luister, eikel! Dan zal ik het zelf wel opdreunen, oké? Ik heb het recht te zwijgen. Hebben jullie dat gehoord? En alles wat ik zeg kan door jullie voor de rechtbank tegen me worden gebruikt. Begrepen, eikel? Maar áls ik iets zou zeggen, vergeten jullie het toch. Zo stom zijn jullie wel. En er is ook nog een zinnetje over een advocaat. Kun je me even helpen? Hé! Eikel! Hoe is dat zinnetje over die advocaat ook weer? Ik heb het al duizend keer op de televisie gehoord.'

Eikel Klickman draaide zijn raampje open om frisse lucht te krijgen. Nassar keek naar de schoenen van zijn collega en onderdrukte een lachje. De jeugdige crimineel zat onderuitgezakt op de achterbank, met zijn benen over elkaar.

'Ach, wat zielig. Die eikel weet niet eens hoe hij me op mijn rechten moet wijzen. Deze auto stinkt, eikel! Waarom maak je hem niet schoon? Hij stinkt naar sigarettenrook.'

'Je hield toch zo van sigarettenrook?' vroeg Klickman. Hij voelde zich meteen een stuk beter. Nassar grinnikte om zijn collega te steunen. Ze hoefden niet álles te pikken van dat rotjoch.

Mark zag een vol parkeerterrein naast een hoog gebouw. Politiewagens stonden keurig in rijen opgesteld. Nassar draaide het parkeerterrein op en stopte bij de ingang.

Ze namen hem haastig mee naar binnen, een lange gang

door. Eindelijk hield Mark zijn mond. Ze waren nu op eigen terrein. Overal liepen politiemensen. Bordjes wezen de weg naar de receptie, het wachtlokaal voor de bezoekers, het 'arrestantenlokaal rijden-onder-invloed', en het cellenblok. Overal bordjes en kamers. Ze bleven staan bij een balie met daarachter een rij monitoren van een gesloten tv-circuit. Nassar tekende een paar papieren. Mark keek om zich heen. Klickman kreeg bijna medelijden met hem. In deze omgeving leek hij nog kleiner.

Ze liepen weer door en namen de lift naar de derde verdieping, waar ze opnieuw bij een balie bleven staan. Een bordje aan de muur wees de weg naar de 'detentievleugel jeugddelinquenten'. Ze kwamen in de buurt, constateerde Mark.

Een vrouw in uniform met een klembord hield hen tegen. Ze droeg een plastic naamplaatje met de naam Doreen. Ze controleerde hun papieren en keek toen op haar klembord. 'Rechter Roosevelt wil dat Mark Sway een cel voor zich alleen krijgt,' zei ze.

'Het maakt mij niet uit waar je hem opbergt,' zei Nassar. 'Als wij hem maar kwijt zijn.'

Ze keek nog eens fronsend op haar klembord. 'Natuurlijk. Roosevelt wil altijd dat zijn arrestanten een cel voor zich alleen krijgen. Hij denkt zeker dat dit het Hilton is.'

'Niet dan?'

Ze negeerde die opmerking, gaf Nassar een papier en wees hem waar hij moest tekenen. Haastig krabbelde hij zijn naam en zei: 'Zo, je mag hem hebben. God sta je bij.'

Klickman en Nassar vertrokken zonder een woord.

'Maak je zakken leeg, Mark,' zei de vrouw, en ze gaf hem een grote metalen kist. Hij haalde een dollarbiljet tevoorschijn, wat kleingeld en een pakje kauwgom. Ze telde het geld na en noteerde iets op een kaart die ze in de zijkant van de kist schoof. Twee camera's in een hoek boven de balie wezen Marks richting uit en hij zag zichzelf op een van de tientallen beeldschermen aan de muur. Een andere vrouw in uniform stempelde zijn papieren.

'Is dit de gevangenis?' vroeg Mark. Zijn ogen gingen alle kanten op.

'Wij noemen het een detentievleugel,' zei ze.

'Wat is het verschil?'

Die vraag irriteerde haar blijkbaar. 'Luister, Mark,' waarschuwde ze hem, 'aan mensen met een grote mond hebben we geen behoefte. Die hebben we hier al genoeg. Je zult veel minder problemen krijgen als je je mond houdt.' Ze boog zich naar hem toe terwijl ze dat zei. Haar adem rook naar verschaalde sigarettenrook en zwarte koffie.

'Het spijt me,' zei hij, en zijn ogen werden vochtig. Opeens drong het tot hem door dat hij zou worden opgesloten, ver weg van zijn moeder en van Reggie.

'Kom maar mee,' zei Doreen, trots op zichzelf dat ze haar gezag gevestigd had. Ze liep energiek voor hem uit, met een bos sleutels rinkelend aan haar heup. Ze opende een zware houten deur en stapte een gang in met aan weerszijden grijze metalen deuren, op regelmatige afstand van elkaar. Doreen bleef staan voor nummer 16 en maakte hem open met een van haar sleutels. 'Hier is het,' zei ze.

Mark stapte langzaam naar binnen. De cel was ongeveer vier meter breed en zes meter lang. De verlichting was helder en het tapijt schoon. Rechts zag hij twee britsen. Doreen klopte op de bovenste. 'Je mag zelf kiezen waar je slaapt,' zei ze, als een echte gastvrouw. 'De muren zijn van sintelblokken en de ramen zijn onbreekbaar, dus je hoeft niets te proberen.' Er waren twee ramen – één in de deur en de ander boven de wc. Geen van beide waren ze groot genoeg om je hoofd doorheen te steken. 'Hier is de wc. Roestvrij staal. We kunnen geen aardewerk meer gebruiken. We hebben een jongen gehad die de pot brak en met de scherven zijn polsen doorsneed. Maar dat was nog in het oude gebouw. Hier is het veel mooier, vind je niet?'

Ja, prachtig, zei Mark bijna. De moed zonk hem in de schoenen. Hij ging op het onderste bed zitten, met zijn ellebogen op zijn knieën. Het tapijt was lichtgroen, dezelfde kleur die hij uit het ziekenhuis kende.

'Alles in orde, Mark?' vroeg Doreen zonder een greintje meegevoel. Dit was haar werk, meer niet.

'Mag ik mijn moeder bellen?'

'Nog niet. Over een uurtje mag je telefoneren.'

'Kunt u haar dan bellen om te zeggen dat ik het goed maak? Ze is vreselijk ongerust.'

Doreen glimlachte, en de make-up rond haar ogen barstte. Ze gaf hem een klopje op zijn hoofd. 'Dat gaat niet, Mark. Dat is tegen de regels. Maar ze weet heus wel dat het goed met je gaat. Lieve hemel, over een paar uur sta je al voor de rechter.'

'Hoe lang blijven kinderen hier meestal?'

'Niet lang. Soms een paar weken. Dit is eigenlijk een doorgangshuis, waar de kinderen blijven tot ze zijn berecht. Daarna worden ze weer naar huis of naar een opleidingsschool gestuurd.' Ze rammelde met haar sleutels. 'Hoor eens, ik moet weer weg. De deur valt automatisch in het slot. Als hij wordt geopend zonder mijn sleutel, gaat er een alarm en krijg je grote moeilijkheden. Dus haal je niets in je hoofd. Oké, Mark?'

'Ja, mevrouw.'

'Kan ik nog iets voor je halen?'

'Een telefoon.'

'Over een uurtje.'

Doreen trok de deur achter zich dicht. Er klonk een luide klik, toen was het stil.

Mark zat een hele tijd naar de deurknop te staren. Dit leek helemaal niet op een gevangenis. Er zaten geen tralies voor de ramen. De bedden en de vloer waren schoon. De stenen muren waren in een leuke kleur geel geschilderd. In films had hij het weleens erger gezien.

Hij maakte zich zoveel zorgen – over Ricky die weer zo vreemd kreunde, over de brand, over Dianne die langzaam kapotging, over de politie en de verslaggevers die hem achtervolgden – dat hij gewoon niet wist waar hij moest beginnen.

Hij strekte zich op het bovenste bed uit en tuurde naar het plafond. Waar bleef Reggie in vredesnaam?

22

De kerk was koud en vochtig. Het was een rond gebouwtje dat als een gezwel tegen de zijkant van het rouwcentrum zat geplakt. Buiten regende het. Twee tv-ploegen uit New Orleans stonden naast hun reportagewagens, schuilend onder paraplu's.

Er waren nog heel wat mensen komen opdagen, zeker voor een man zonder familie. De stoffelijke resten waren smaakvol verzameld in een porseleinen urn die op een mahoniehouten tafel stond. Verborgen luidsprekers in het plafond lieten de ene troosteloze treurmars na de andere horen, terwijl de advocaten, de rechters en een paar cliënten naar binnen schuifelden en achterin een plaatsje zochten. Barry het Mes beende het gangpad door met twee gorilla's in zijn kielzog. Hij had zich voor de gelegenheid gekleed in een zwart kostuum met dubbele revers, een zwart overhemd, een zwarte das en zwarte krokodillenleren schoenen. Zijn paardenstaart zat onberispelijk. Hij arriveerde pas op het laatste moment en genoot van de blikken van de begrafenis-gangers. Tenslotte had hij Jerome Clifford heel lang ge-kend.

Vier rijen naar achteren zaten Dominee Roy Foltrigg en Wally Boxx. De officier keek meesmuilend naar de paar-denstaart. De advocaten en rechters keken van Muldanno naar Foltrigg, en toen weer naar Muldanno. Vreemd, om die twee in dezelfde ruimte te zien.

De muziek stopte en een oecumenische dominee verscheen op de kleine preekstoel achter de urn. Hij begon met een uit-voerige levensloop van Walter Jerome Clifford, waarin hij bijna alles had verwerkt, behalve de namen van de huisdie-ren uit Jeromes jeugd. Dat was niet zo vreemd, want als die levensloop achter de rug was, viel er verder niet veel te zeg-gen.

Het was een korte dienst, zoals Romey in zijn briefje had gevraagd. De advocaten en rechters keken op hun horloges. De luidsprekers in het plafond begonnen aan een nieuwe treurmars, en de dominee excuseerde iedereen.

Romey's laatste eerbewijs was binnen vijftien minuten voorbij. Niemand huilde. Zelfs zijn secretaresse wist zich te beheersen. Zijn dochter was niet aanwezig. Heel droevig. Jerome Clifford was vierenveertig jaar geworden, maar nie-mand huilde op zijn begrafenis.

Foltrigg bleef zitten en keek nijdig naar Muldanno toen die stoer door het middenpad liep en de deur uitstapte. Foltrigg wachtte tot de hele kapel leeg was voordat hij zelf vertrok, met Wally achter zich aan. De camera's stonden al klaar, precies zoals hij het wilde. Eerder op de dag had Wally het sappige nieuwtje laten uitlekken dat de grote Roy Foltrigg de dienst zou bijwonen en dat de kans bestond dat Barry het Mes Muldanno ook aanwezig zou zijn. Wally noch Roy had enig idee of Muldanno werkelijk zou komen, maar het was

een gerucht, dus het hoefde niet te kloppen. Het werkte uitstekend.

Een verslaggever vroeg of hij een paar minuten tijd had en
Roy reageerde zoals hij altijd deed. Hij keek op zijn horloge,
zogenaamd geïrriteerd door het oponthoud, en stuurde Wally weg om de bus te gaan halen. Daarna zei hij wat hij altijd
zei: 'Goed, even dan. Over een kwartier moet ik op de rechtbank zijn.' Hij was al in geen drie weken op de rechtbank
geweest. Meestal ging hij één keer per maand, maar als je
hem hoorde praten zou je denken dat hij op de rechtbank
wóónde – voortdurend in gevecht met de misdaad om de belangen van de Amerikaanse belastingbetalers te beschermen. Roy Foltrigg, de onversaagde strijder tegen het kwaad.
Hij dook weg onder een paraplu en keek in de lens van de
mini-camera. De verslaggever hield hem een microfoon onder zijn neus. 'Jerome Clifford was een rivaal van u. Waarom bent u naar zijn begrafenis gegaan?'

Opeens kwam er een droevige uitdrukking op zijn gezicht.
'Jerome was een goed advocaat en een vriend van me. We
hebben vaak de degens gekruist, maar we hadden veel respect voor elkaar.' Wat een man! Over de doden niets dan
goeds. Foltrigg had de pest aan Clifford gehad, en vice
versa, maar de camera zag slechts het verdriet van een
treurende vriend.

'Barry Muldanno heeft een nieuwe raadsman genomen en
een verzoek om uitstel ingediend. Wat is uw reactie daarop?'

'Zoals u weet houdt rechter Lamond morgenochtend om
tien uur een zitting om dit verzoek te beoordelen. De beslissing is aan hem. Het Openbaar Ministerie is klaar voor het
proces, welke datum de rechter ook bepaalt.'

'Denkt u het lijk van senator Boyette nog te vinden voordat
het proces begint?'

'Ja. Er zit schot in het onderzoek.'

'Is het waar dat u in Memphis was, een paar uur nadat Clifford zelfmoord had gepleegd?'

'Ja,' zei hij, met een licht schouderophalen, alsof dat niets bijzonders was. 'Sommige kranten in Memphis schrijven dat de jongen die bij Jerome Clifford was toen hij zelfmoord pleegde, iets zou weten over de zaak Boyette. Is dat waar?' Hij glimlachte schaapachtig, een van zijn andere trucs. Als hij bevestigend wilde antwoorden maar eigenlijk niets mocht zeggen, grijnsde hij tegen de verslaggevers en zei: 'Daar kan ik geen uitspraak over doen.'

'Daar kan ik geen uitspraak over doen,' zei hij met een blik om zich heen alsof de tijd om was en zijn drukke werk hem riep.

'Weet die jongen waar het lijk begraven is?'

'Geen commentaar,' zei hij geïrriteerd. Het begon harder te regenen. Het water spetterde over zijn sokken en schoenen. 'Ik moet nu weg.'

Na een uur in de gevangenis was Mark bereid tot een ontsnappingspoging. Hij had de twee raampjes geïnspecteerd. Het raam boven de wc was met draad versterkt, maar dat was niet het grootste probleem. Ieder voorwerp, dus ook een jongen die zich naar buiten wrong, zou een val maken van minstens vijftien meter – een val die zou eindigen op een betonnen stoep met ijzeren kettingen en prikkeldraad. Bovendien waren de twee raampjes te klein en het glas te dik, concludeerde hij. Daar zou hij nooit doorheen komen. Nee, hij zou alleen kunnen ontsnappen op het moment dat ze hem zouden overbrengen. Misschien zou hij gijzelaars moeten maken. Hij had een paar goede films over ontsnappingen gezien. Vooral *Escape from Alcatraz* met Clint Eastwood was steengoed. Hij zou wel een manier verzinnen.

Doreen klopte op de deur, rammelde met haar sleutels en kwam binnen. Ze had een telefoongids en een zwarte telefoon bij zich, die ze op een contactdoos in de muur aansloot. 'Je hebt tien minuten de tijd. Geen interlokale gesprekken.' Ze stapte weer naar buiten en de deur sloeg met een luide klik dicht. De lucht van haar goedkope parfum bleef nog even hangen en prikte in zijn ogen.

Hij vond het nummer van St. Peter's, vroeg naar kamer 943, maar kreeg te horen dat er geen gesprekken aan die kamer werden doorgegeven. Ricky slaapt zeker, dacht hij. Niet zo best. Hij zocht Reggies nummer op en kreeg het antwoordapparaat met Clints stem. Hij belde het kantoor van dr. Greenway. De dokter was in het ziekenhuis, zei zijn secretaresse. Mark legde uit wie hij was, en de secretaresse antwoordde dat dr. Greenway waarschijnlijk bij Ricky op de kamer was. Weer belde hij Reggies nummer. Nog steeds het antwoordapparaat. Hij liet een dringende boodschap achter: 'Haal me uit de gevangenis, Reggie!' Toen belde hij haar huis, maar ook daar kreeg hij een antwoordapparaat. Hij staarde naar de telefoon. Hij had nog ongeveer zeven minuten over, en hij móést iets doen. Hij bladerde het telefoonboek door en vond de plaatselijke politie. Hij toetste het nummer in van bureau Noord.

'Mag ik rechercheur Klickman?' vroeg hij.

'Eén moment,' zei de stem aan de andere kant. Hij wachtte een paar seconden. 'Op wie wacht u?' hoorde hij even later. Mark schraapte zijn keel en probeerde een zware stem op te zetten. 'Rechercheur Klickman.'

'Die heeft dienst.'

'Wanneer komt hij terug?'

'Omstreeks lunchtijd.'

'Bedankt.' Mark hing haastig op en vroeg zich af of de telefoon werd afgcluisterd. Waarschijnlijk niet. Tenslotte werd deze lijn gebruikt door criminelen en mensen zoals hij om hun advocaat te bellen en overleg te plegen. Dat moest toch privé blijven.

Hij prentte het adres en telefoonnummer van bureau Noord in zijn geheugen en zocht de rubriek restaurants. Hij toetste een nummer in en een vriendelijke stem antwoordde: 'Domino's Pizza. Mag ik uw bestelling noteren?'

Hij schraapte zijn keel en probeerde schor te klinken. 'Ja. Vier grote pizza's de-luxe graag.'

'Verder nog iets?'

'Nee. Ze zijn voor tussen de middag.'

'Wat is uw naam?'

'Het is een bestelling voor rechercheur Klickman van het bureau Noord.'

'Adres?'

'Bureau Noord, Allen Road 3633. Vraag maar naar Klickman.'

'O, daar zijn we al eerder geweest, geloof me maar. Telefoon?'

'Nummer 555-8989.'

Het bleef even stil terwijl de kassa de rekening opmaakte.

'Dat is achtenveertig dollar en tien cent.'

'Uitstekend. Laat ze om twaalf uur bezorgen.'

Mark hing op, met bonzend hart. Maar het was één keer goed gegaan, dus de tweede keer zou het ook wel lukken. Hij zocht de nummers van de Pizza Hut-filialen... er waren er zeventien in Memphis... en begon zijn bestellingen door te geven. Drie filialen zeiden dat ze te ver van het centrum lagen. Mark hing snel op. Eén meisje was achterdochtig omdat zijn stem zo jong klonk. Meteen hing hij op. Maar verder was het allemaal routine: bellen, een bestelling plaatsen, het adres en het telefoonnummer opgeven, en de vrije ondernemingsgewijze produktie deed de rest.

Toen Doreen twintig minuten later op de deur klopte, had hij juist Wong Boys aan de lijn om een Chinese maaltijd voor Klickman te bestellen. Haastig hing hij op en liep naar het bed. Met veel voldoening trok Doreen de stekker weer uit de muur, alsof ze een stout jongetje zijn speelgoed afpakte. Maar ze was veel te laat. Rechercheur Klickman had inmiddels ongeveer veertig grote, extra-de-luxe pizza's besteld en nog eens twaalf Chinese lunches, die allemaal rond twaalf uur bezorgd zouden worden, voor een totaalbedrag van ongeveer vijfhonderd dollar.

Om zijn kater te verdrijven nam Gronke nog een hoofdpijnpoeder, die hij wegspoelde met zijn vierde glas sinaasappelsap van die ochtend. Hij stond voor het raam van zijn hotelkamer, met zijn schoenen uit, zijn riem los en zijn hemd open. Met een pijnlijk vertrokken gezicht luisterde hij naar het slechte nieuws dat Jack Nance te melden had.
'Nog geen dertig minuten geleden,' zei Nance. Hij zat op de toilettafel, starend naar de muur, en probeerde de gangster te negeren die met zijn rug naar hem toe bij het raam stond.
'Maar waarom?' gromde Gronke.
'De kinderrechter, denk ik. Ze hebben hem meteen naar de gevangenis gebracht. Ik bedoel... Verdomme, ze kunnen niet zomaar een kind... of wie dan ook... oppakken en achter de tralies zetten! Ze moeten een bevel van de kinderrechter hebben gehad. Cal is erheen om het uit te zoeken. Misschien horen we het nog. Ik weet het niet. De stukken zullen wel geheim zijn.'
'Zorg dat je ze te pakken krijgt, oké?'
Nance verbeet zijn woede. Hij had de pest aan Gronke en zijn kleine moordenaarsbende. Hij kon die honderd dollar per uur goed gebruiken, maar hij had schoon genoeg van deze vuile, rokerige kamer en hij was niet van plan zich

nog langer te laten commanderen. Hij had nog wel andere cliënten. En Cal was een zenuwinzinking nabij.

'We doen ons best,'zei hij.

'Dat is niet genoeg,' zei Gronke, nog steeds met zijn rug naar Nance toe. 'Ik moet Barry straks vertellen dat die jongen is meegenomen en dat we hem niet meer te pakken kunnen krijgen. Dat ze hem hebben opgesloten, waarschijnlijk met een smeris voor zijn deur.' Hij dronk het blikje leeg en gooide het in de richting van de prullenmand. Hij miste, en het blikje knalde tegen de muur. Woedend draaide hij zich om naar Nance. 'Barry wil natuurlijk weten of er een manier is om dat joch eruit te krijgen. Enig idee?'

'Jullie kunnen hem maar beter met rust laten. Dit is New Orleans niet. En die jongen is niet zomaar een straatschoffie dat je om zeep kunt helpen om je problemen op te lossen. Vergeet het maar. Hij heeft bescherming. Een heleboel mensen houden hem in de gaten. Als jullie iets stoms doen, krijg je de hele FBI op je nek, nog voordat je beseft wat er gebeurt. En dan mogen jullie elkaar gezelschap houden in de bajes. Jij en Barry Muldanno. Hier in Memphis, niet in New Orleans.'

'Ja, ja.' Gronke wapperde nijdig met zijn handen en liep weer naar het raam. 'Ik wil in elk geval dat jullie hem blijven schaduwen. Als ze hem overplaatsen, waarschuw me dan meteen. Als ze hem naar de rechtbank brengen, wil ik het weten. Denk na, Nance. Dit is jouw stad. Jij kent de straten en de stegen. Tenminste, die hóór je te kennen. We betalen je genoeg.'

'Ja meneer,' zei Nance luid, en hij vertrok.

23

Iedere donderdagochtend verdween Reggie Love twee uur
in het kantoor van dr. Elliot Levin, de psychiater die al tien
jaar lang haar hand vasthield. Hij was de architect die de
stukjes bijeen had gezocht en haar had geholpen de puzzel
weer in elkaar te zetten. Tijdens deze sessies wilde Reggie
niet worden gestoord. Clint ijsbeerde nerveus door de
wachtkamer aan het eind van de gang. Dianne had al twee
keer gebeld. Ze had hem via de telefoon de dagvaarding en
de aanklacht voorgelezen. Clint had rechter Roosevelt, het
huis van bewaring en Levins kantoor gebeld, en wachtte nu
ongeduldig tot het eindelijk elf uur was. De receptioniste
probeerde hem te negeren.

Reggie glimlachte toen dr. Levin met haar klaar was. Ze gaf
hem een kus op zijn wang en ze liepen hand in hand naar
zijn luxe wachtkamer, waar ze Clint zag staan. Meteen verdween de glimlach van haar gezicht. 'Wat is er?' vroeg ze,
ervan overtuigd dat er iets vreselijks was gebeurd.
'We moeten weg,' zei Clint. Hij pakte haar bij de arm en
loodste haar de deur uit. Ze knikte nog even naar Levin,
die belangstellend en bezorgd toekeek.
Toen ze op de stoep liepen, langs een klein parkeerterrein,
zei Clint: 'Ze hebben Mark Sway opgepakt. Hij is in hechtenis genomen.'
'Wat? Door wie?'
'Door de politie. Vanochtend is er een aanklacht wegens
wangedrag tegen Mark ingediend, en Roosevelt heeft een
bevel getekend om hem in hechtenis te laten nemen.' Clint
liep te hijgen. 'Laten we jouw auto maar nemen. Ik rijd wel.'
'Wie heeft die aanklacht ingediend?'

'Foltrigg. Dianne belde me uit het ziekenhuis. Daar heeft de politie hem opgehaald. Dianne heeft een enorme scène getrapt, waardoor Ricky weer doodsbang werd. Ik heb met haar gepraat en haar verzekerd dat jij Mark wel vrij zult krijgen.'

Ze stapten in Reggies auto en sloegen de portieren dicht. Clint startte en reed snel het parkeerterrein af. 'De zitting begint al om twaalf uur,'verklaarde Clint zijn haast.

'Twaalf uur? Dat meen je niet! Dat is over zesenvijftig minuten.'

'Ja. Het is een spoedzitting. Een uurtje geleden heb ik met Roosevelt gesproken, maar hij wilde geen commentaar geven op de zaak. Hij had niet veel te zeggen, eigenlijk. Waar wil je heen?'

Reggie dacht even na. 'Mark zit in de detentievleugel. Daar krijg ik hem niet vandaan. Laten we naar de rechtbank gaan. Dan kan ik die aanklacht lezen en met Harry Roosevelt praten. Dit is absurd, een zitting binnen een paar uur na het indienen van de eis. Tussen drie en zeven dagen, staat er in de wet – niet tussen drie en zeven uur.'

'Maar zijn er geen uitzonderingen mogelijk?'

'Jawel, maar alleen in heel bijzondere gevallen. Ze hebben Harry gewoon belazerd. Een aanklacht wegens obstructie! Wat heeft die jongen misdaan? Dit is krankzinnig. Ze willen hem dwingen om te praten, Clint. Dat is alles.'

'Dus je had dit niet verwacht?'

'Natuurlijk niet. Geen aanklacht bij de kinderrechter. Ik had er wel rekening mee gehouden dat hij voor een jury in New Orleans zou moeten verschijnen, maar niet voor de kinderrechter. Hij heeft geen enkele wet overtreden. Hoe kunnen ze hem dan in hechtenis nemen?'

'Toch hebben ze dat gedaan.'

Jason McThune ritste zijn broek dicht en moest drie keer

aan de hendel trekken voordat de ouderwetse stortbak reageerde. De pot zat vol met bruine strepen en de vloer was
nat. Hij dankte God dat hij in het Federal Building werkte,
waar alles blonk en glom. Hij zou eerst een laag asfalt leggen voordat hij bereid zou zijn op het Jeugdgerechtshof te
werken.

Maar toch was hij nu hier, of hij wilde of niet, om zijn tijd te
verspillen aan de zaak Boyette. K.O. Lewis had het hem opgedragen. En K.O. Lewis kreeg zijn orders rechtstreeks van
F. Denton Voyles, die al tweeënveertig jaar directeur was
van de FBI. En in die tweeënveertig jaar was er nog nooit
een lid van het Congres vermoord, laat staan een senator.
Voyles kon het niet verkroppen dat het lijk van Boyd Boyette zo keurig was verborgen. Dat zat hem nog het meest
dwars – niet de moord zelf, maar het feit dat de FBI de zaak
niet volledig had kunnen oplossen.

McThune had het sterke vermoeden dat Reggie Love ieder
moment kon binnenstormen omdat haar cliënt onder haar
neus was weggekaapt. Natuurlijk zou ze woedend zijn.
Hopelijk zou ze begrijpen dat deze juridische trucs in New
Orleans waren bedacht en niet in Memphis, en zeker niet in
zijn kantoor. Ze zou toch wel inzien dat hij, McThune, maar
een eenvoudige FBI-agent was die van hogerhand zijn orders
kreeg en de opdrachten van het O.M. moest uitvoeren? Nou
ja, misschien zou hij haar kunnen ontlopen tot ze in de
rechtszaal waren.

Misschien ook niet. Toen McThune de toiletten uit kwam en
de gang in stapte, stond hij recht tegenover Reggie Love.
Clint volgde haar op de hielen. Ze zag hem meteen, en binnen enkele seconden had ze hem tegen de muur gedrukt en
haar gezicht vlak bij het zijne gebracht. Haar humeur was
niet best. 'Morgen, mevrouw Love,' zei hij zo rustig mogelijk, met een geforceerd lachje.

306

'Zeg maar Reggie, McThune.'

'Morgen, Reggie.'

'Wie heb je bij je?' vroeg ze met bliksemende ogen.

'Wat?'

'Je kliek, je roversbende, die samenzweerders van het O.M. Wie heb je bij je?'

Dat was geen geheim. 'George Ord, Thomas Fink uit New Orleans en K.O. Lewis.'

'Wie is K.O. Lewis?'

'De adjunct-directeur van de FBI. Uit Washington.'

'Wat heeft die hier te zoeken?' Haar vragen waren snel en scherp, als pijlen op McThunes ogen gericht. Hij stond met zijn rug tegen de muur, bang om een vin te verroeren, maar toch probeerde hij dapper een nonchalante indruk te maken. Als Fink, of Ord of – nog erger – K.O. Lewis toevallig voorbij zou komen en hem zo zou zien, vernederd door een vrouw, zou hij die schande nooit overleven.

'Nou, eh...'

'Ik hoef toch niet over dat bandje te beginnen, McThune?' vroeg ze, maar ze deed het toch. 'Vertel me de waarheid nou maar.'

Clint stond achter haar, met haar koffertje in zijn hand, en keek om zich heen. Hij leek wat verbaasd over deze confrontatie en de snelheid waarmee het gebeurde. McThune haalde zijn schouders op alsof hij het bandje helemaal was vergeten. Maar nu ze het weer noemde, vooruit dan maar. 'Ik geloof dat Foltriggs kantoor meneer Lewis heeft gebeld en hem heeft gevraagd hierheen te komen. Dat is alles.'

'O ja? Hebben jullie vanochtend geen gesprek gehad met rechter Roosevelt?'

'Ja, dat is zo.'

'Maar jullie vonden het niet nodig mij te bellen?'

'Eh... de rechter zou je nog bellen, zei hij.'

'Juist. En ben jij van plan te getuigen op die zitting?' Terwijl ze dat vroeg, deed ze een stap terug. McThune ademde weer wat vrijer.

'Ja. Tenminste, als ik word opgeroepen.'

Ze priemde met een vinger naar zijn gezicht. De nagel aan het eind van die vinger was lang, gebogen, zorgvuldig gemanicuurd en roodgelakt. McThune keek er angstig naar. 'Hou je bij de feiten, afgesproken? Eén leugen, hoe klein ook, één poging om de rechter te manipuleren, één goedkope aanval op mijn cliënt, en ik veeg de vloer met je aan, McThune. Is dat goed begrepen?'

Hij bleef glimlachen en keek links en rechts de gang door, alsof ze een goede vriendin was met wie hij een klein verschil van mening had. 'Begrepen,' zei hij grijnzend.

Reggie draaide zich om en liep weg, met Clint naast zich. McThune draaide zich ook om en dook weer de toiletten in, hoewel hij wist dat ze hem daar zonder aarzelen zou volgen als ze iets van hem wilde.

'Wat was dat allemaal?' vroeg Clint.

'Ik wilde er alleen voor zorgen dat hij op het rechte pad blijft.' Ze zochten hun weg langs de beklaagden – mannen die hun vaderschap ontkenden, vaders die niet deugden, kinderen in problemen – en hun advocaten, die in kleine groepjes door de gang verspreid stonden.

'Je had het over een bandje.'

'Heb ik je daar niets over verteld?'

'Nee.'

'Ik zal het je weleens laten horen. Je lacht je dood.' Ze opende de deur met het opschrift RECHTER HARRY M. ROOSEVELT en ze stapten een kleine, volgestouwde kamer binnen, met vier bureaus in het midden en rijen dossierkasten langs de muren. Reggie liep meteen naar het eerste bureau links, waar een knap zwart meisje zat te typen. Volgens het naamplaatje op haar bureau heette ze Marcia Riggle. Ze hield op met typen en glimlachte. 'Hallo, Reggie,' zei ze.

'Dag, Marcia. Waar is Zijne Edelachtbare?'

Op haar verjaardag kreeg Marcia bloemen van het kantoor van Reggie Love, en met kerstmis een doos bonbons. Ze was de rechterhand van Harry Roosevelt, een man die het zo druk had dat hij afspraken, spreekbeurten en verjaardagen altijd vergat. Marcia hield dat soort dingen voor hem bij. Twee jaar geleden had Reggie Marcia's scheiding geregeld. Moeder Love had lasagne voor haar gemaakt.

'Hij is met een zaak bezig. Ik verwacht hem over een paar minuten terug. Jij staat voor twaalf uur op de rol, weet je dat?'

'Ja, ik heb het gehoord.'

'Hij heeft de hele ochtend geprobeerd je te bellen.'

'Dat is hem dan niet gelukt. Ik wacht wel in zijn kantoor.'

'Goed. Trek in een sandwich? Ik wilde juist zijn lunch bestellen.'

'Nee, dank je.' Reggie pakte haar koffertje en vroeg Clint in de gang te wachten en naar Mark uit te kijken. Het was tien over half twaalf en hij kon ieder moment komen.

Marcia gaf haar een afschrift van de aanklacht en Reggie liep Roosevelts kantoor binnen alsof ze er hoorde. Ze deed de deur achter zich dicht.

Harry en Irene Roosevelt hadden ook aan Moeder Loves tafel gegeten. Weinig advocaten in Memphis, misschien wel geen, waren zo vaak op het Jeugdgerechtshof te vinden als Reggie Love, en de afgelopen vier jaar was uit hun wederzijds respect een echte vriendschap gegroeid. Ongeveer het enige dat Reggie aan haar scheiding van Joe Cardoni had overgehouden waren vier seizoenkaarten voor de basketbalploeg van Memphis State. Met hun drieën – Harry, Irene en Reggie – hadden ze heel wat wedstrijden in de Pyramid gezien, soms in het gezelschap van Elliot Levin of een andere vriend van Reggie. Na de wedstrijd gingen ze meestal kwarktaart eten in het Café Espresso of de Peabody. Afhankelijk van Harry's stemming besloten ze soms tot een etentje bij Paulette's in het centrum. Harry had constant honger en was in gedachten altijd bij de volgende maaltijd. Irene waarschuwde hem dat hij te dik werd, maar daardoor at hij nog meer.

Reggie maakte er soms grappen over, maar zodra ze over ponden of calorieën begon, vroeg hij meteen naar Moeder Love en haar pasta's, haar kaasschotels en haar ijsdesserts. Rechters zijn ook mensen. En dus hebben ze vrienden nodig. Harry kon bij Reggie Love – of bij iedere andere advocaat – over de vloer komen en met haar uit eten gaan zonder dat het zijn juridische oordeel beïnvloedde. Ze verbaasde zich over de georganiseerde puinhoop in zijn kantoor. Op de grond lag een oud, verschoten tapijt, vol met stapels dossiers en andere juridische wijsheden. Alle stapels waren op mysterieuze wijze precies dertig centimeter hoog. Twee van de muren gingen schuil achter doorzakkende boekenplanken, maar de boeken zelf waren verdwenen achter nog meer stapels dossiers, verslagen en memo's, gevaarlijk balancerend op de randen van de planken. Overal lagen rode en bruine mappen. Drie oude houten stoelen stonden wat zielig voor het bureau. Op een ervan lagen dossiers. Onder de tweede ook. De derde was toevallig vrij, maar zou ongetwijfeld aan het eind van de dag ook als opslagruimte dienstdoen. Reggie ging op de vrije stoel zitten en keek naar het bureau.

Hoewel het van hout scheen te zijn, was daar weinig van te zien, behalve de voor- en zijpanelen. Het bureaublad kon van leer of chroom zijn, dat zou niemand ooit te weten komen. Harry kon het zich niet eens meer herinneren. De hele bovenkant werd in beslag genomen door aaneengesloten stapels ju-

ridische papieren, die door Marcia keurig op twintig centimeter hoogte waren afgeknot. Dertig centimeter op de vloer,
twintig centimeter op het bureau. Helemaal daaronder lag
een reusachtige dagkalender voor 1986, waarop Harry ooit
had zitten tekenen terwijl hij advocaten aanhoorde die hem
met hun argumenten verveelden. Onder die kalender lag
een niemandsland waar zelfs Marcia niet durfde te komen.
Ze had een stuk of twaalf gele memo's tegen de rugleuning
van zijn stoel geplakt. Dat waren blijkbaar de dringendste
boodschappen van die ochtend.
Ondanks de chaos in zijn kantoor was Harry Roosevelt de
ordelijkste rechter die Reggie in haar vierjarige carrière ooit
had meegemaakt. Hij hoefde geen tijd te verspillen aan het
bestuderen van wetten, omdat hij de meeste zelf geschreven
had. Hij stond bekend om zijn bondige taalgebruik, zodat
zijn uitspraken en bepalingen naar juridische maatstaven
zeer sober waren. Hij accepteerde geen ellenlange dossiers
van advocaten en maakte korte metten met iedereen die
zichzelf graag hoorde praten. Hij sprong heel verstandig
met zijn tijd om, en Marcia deed de rest. Zijn kantoor en zijn
bureau hadden een zekere faam in juridische kringen in
Memphis en Reggie vermoedde dat Harry dat wel leuk
vond. Ze had een geweldige bewondering voor hem, niet alleen vanwege zijn wijsheid en integriteit, maar ook om zijn
toewijding aan deze werkplek. Hij had al jaren geleden een
veel deftiger positie, voldoende medewerkers en assistenten kunnen krijgen, en een fraai kantoor met een schoon
tapijt en een betrouwbare airconditioning.
Ze bladerde de aanklacht door. Foltrigg en Fink waren de
indieners. Hun handtekeningen stonden eronder. Er werden
geen details genoemd. Het was niets anders dan een alge-
mene eis tegen de minderjarige Mark Sway die een federaal
onderzoek dwarsboomde door niet mee te werken met de

FBI en de federale officier van justitie voor het zuidelijke district van Louisiana. Iedere keer dat ze Foltriggs naam zag, werd Reggie bijna onpasselijk.

Maar het kon nog erger. Foltriggs naam zou ook onder een dagvaarding kunnen staan waarin Mark Sway werd gedwongen zich voor een jury in New Orleans te verantwoorden. De wet bood die mogelijkheid, en het verbaasde Reggie eigenlijk dat Foltrigg voor Memphis had gekozen. Als dit niet lukte, zou hij het wel in New Orleans proberen, veronderstelde ze.

De deur ging open en er kwam een reusachtige zwarte toga binnen, op de voet gevolgd door Marcia, die een lijstje in haar hand hield en alles opsomde wat onmiddellijk gedaan moest worden. Roosenberg luisterde zonder haar aan te kijken. Hij trok zijn toga uit en wierp die over een stoel – de stoel met de dossiers eronder.

'Morgen, Reggie,' zei hij met een glimlach, en hij gaf haar een klopje op de schouder toen hij achter haar langs liep. 'Goed, dat is alles,' zei hij tegen Marcia, die gehoorzaam vertrok en de deur achter zich dichtdeed. Hij liet zich in zijn stoel vallen en plukte de gele memo's van de rugleuning zonder ernaar te kijken.

'Hoe is het met Moeder Love?' vroeg hij.

'Goed. En met jou?'

'Geweldig. Ik had je wel verwacht.'

'Je had geen bevel tot inhechtenisneming hoeven tekenen. Ik zou die jongen wel hebben meegenomen, dat weet je, Harry. Gisteravond is hij nog in slaap gevallen in de schommel op Moeder Loves veranda. Hij is in goede handen.'

Harry glimlachte en wreef in zijn ogen. Niet veel advocaten noemden hem Harry in zijn kantoor, maar hij vond het wel leuk als zij het deed. 'Reggie, Reggie. Jij protesteert altijd als je cliëntjes worden aangehouden.'

'Dat is niet waar.'

'Jij denkt dat alles goed komt als je hen mee naar huis neemt en hun te eten geeft.'

'Dat helpt.'

'Dat is zo. Maar volgens officier Ord en de FBI verkeert Mark Sway in groot gevaar.'

'Wat hebben ze je verteld?'

'Dat zul je wel horen op de zitting.'

'Ze moeten heel overtuigend zijn geweest, Harry. Ik ben pas een uur van tevoren van de zitting op de hoogte gebracht. Dat moet een record zijn.'

'Ik dacht dat jij ook haast had. Maar we kunnen het ook tot morgen uitstellen, als je wilt. Ik vind het niet erg om officier Ord te laten wachten.'

'Ik wil geen uitstel zolang Mark nog gevangen zit. Draag hem maar aan mij over, dan verdagen we de zitting naar morgen. Ik heb tijd nodig om na te denken.'

'Ik durf hem niet vrij te laten voordat ik de bewijzen heb gehoord.'

'Waarom?'

'Volgens de FBI lopen er hier heel gevaarlijke types rond die hem het zwijgen willen opleggen. Ken jij een zekere Paul Gronke en zijn makkers Bono en Pirini? Ooit van gehoord?'

'Nee.'

'Ik ook niet, tot vanochtend. Het schijnt dat deze heren uit New Orleans naar onze mooie stad zijn gekomen. Het zijn goede vrienden van Barry Muldanno – alias het Mes, zoals hij daar blijkbaar wordt genoemd. God zij dank hebben we in Memphis nog geen last van de maffia. Ik vind het griezelig, Reggie. Heel erg griezelig. Dit soort figuren deinst nergens voor terug.'

'Nee, dat is zo.'

'Is Mark al bedreigd?'

313

'Ja. Gisteren, in het ziekenhuis. Hij heeft het me verteld, en sinds die tijd heb ik hem steeds bij me gehouden.'

'Dus nu fungeer je ook al als lijfwacht?'

'Nee, maar ik geloof niet dat jij het wettelijke recht hebt om kinderen in hechtenis te laten nemen alleen omdat ze gevaar lopen.'

'Reggie, kind, ik heb de wet zelf geschreven. Ik kan ieder kind laten oppakken dat van een delict wordt beschuldigd.'

Dat was waar. Hij had de wet zelf geformuleerd. En het hof van beroep had allang de ambitie opgegeven om Harry Roosevelt te corrigeren.

'Wat heeft Mark eigenlijk misdreven, volgens Foltrigg en Fink?'

Harry pakte twee papieren zakdoekjes uit een la en snoot zijn neus. Hij glimlachte weer tegen haar. 'Hij mag niet blijven zwijgen, Reggie. Als hij iets weet, moet hij hun dat vertellen. Dat begrijp je toch ook wel?'

'Jij gaat ervan uit dát hij iets weet.'

'Ik ga nergens van uit. Mark wordt ergens van beschuldigd. Die aanklacht is gedeeltelijk gebaseerd op feiten, gedeeltelijk op vermoedens. Zoals de meeste aanklachten. Dat is toch zo? We zullen de waarheid pas weten als de zaak is voorgekomen.'

'Hoeveel van die onzin die Slick Moeller schrijft geloof je eigenlijk?'

'Ik geloof helemaal niets, Reggie, tot het me onder ede in een rechtszaal is verteld – en zelfs dan nog maar voor tien procent.'

Het bleef lange tijd stil terwijl de rechter bij zichzelf overlegde of hij de vraag moest stellen. Ten slotte zei hij: 'Reggie, hoeveel weet die jongen?'

'Dat is vertrouwelijk, Harry. Dat weet je ook wel.'

Hij glimlachte. 'Dus hij weet meer dan goed voor hem is.'

'Zo zou je het kunnen zeggen.'
'Als het van wezenlijk belang voor dat onderzoek is, dan móét hij het vertellen, Reggie.'
'En als hij weigert?'
'Geen idee. Dat zien we dan wel weer. Hoe slim is dat joch?'
'Heel slim. Hij komt uit een gebroken gezin, zonder vader, en hij is op straat opgegroeid. Het bekende verhaal. Gisteren heb ik met zijn leraar van de vijfde klas gesproken. Hij haalt overal hoge cijfers voor, behalve voor rekenen. Hij is niet alleen vroegwijs voor zijn leeftijd, maar ook intelligent.'
'Geen strafblad?'
'Nee. Het is een leuke knul, Harry. Heel bijzonder.'
'De meesten van jouw cliënten zijn bijzonder, Reggie.'
'Mark is echt een speciaal geval. Hij kan hier helemaal niets aan doen.'
'Ik hoop dat zijn advocaat hem op alle mogelijkheden heeft voorbereid. Dit kan een vervelende zitting worden.'
'De meesten van mijn cliënten zijn volledig voorbereid.'
'Ja, zeg dat wel.'
Er werd even op de deur geklopt en Marcia kwam binnen.
'Je cliënt is er, Reggie. Getuigenkamer C.'
'Dank je.' Ze stond op en liep naar de deur. 'Tot over een paar minuten, Harry.'
'Ja. En luister goed. Ik ben niet gemakkelijk voor kinderen die dwarsliggen.'
'Dat weet ik.'

Hij zat op een stoel tegen de muur, met zijn armen voor zijn borst gevouwen en een gefrustreerde uitdrukking op zijn gezicht. Hij werd al drie uur als een misdadiger behandeld en hij begon eraan te wennen. Hij voelde zich veilig. Voorlopig was hij nog niet door de politie of zijn medegevangenen in elkaar geslagen.

Het was een kleine, slechtverlichte kamer zonder ramen. Reggie kwam binnen en zette een klapstoel naast hem neer. Ze had al heel wat keren in dit kamertje gezeten, in dezelfde omstandigheden. Mark glimlachte tegen haar, duidelijk opgelucht.

'Hoe bevalt het in de nor?' vroeg ze.

'Ik heb nog geen eten gekregen. Kunnen we hen aanklagen?'

'Misschien. Hoe vind je Doreen, de dame met de sleutels?'

'Een vervelend wijf. Hoe ken je haar?'

'Ik kom er heel vaak, Mark. Dat is mijn werk. Haar man zit een straf van dertig jaar uit, wegens een bankoveral.'

'Mooi zo. Ik zal naar hem vragen als ik Doreen zie. Moet ik straks weer terug, Reggie? Ik wil graag weten wat er gebeurt.'

'Nou, het is heel simpel. Over een paar minuten moet je in de rechtszaal verschijnen, voor rechter Roosevelt. Die zitting kan wel een paar uur duren. De federale officier en de FBI beweren dat je belangrijke informatie bezit en ze zullen de rechter vragen je te dwingen met hen te praten.'

'Kan de rechter dat?'

Reggie sprak heel langzaam en nadrukkelijk. Hij was maar een jongen van elf jaar, een pientere knul met heel wat levenservaring, maar Reggie had zulke jochies wel vaker meegemaakt en ze wist dat hij op dit moment niets anders was dan een angstig kind. Misschien begreep hij wat ze zei, misschien ook niet. Of hij zou horen wat hij wilde horen. Dus moest ze voorzichtig zijn.

'Niemand kan je dwingen te praten.'

'Mooi zo.'

'Maar als je weigert, kan de rechter je weer laten opsluiten.'

'Terug naar de cel?'

'Precies.'

316

'Dat begrijp ik niet. Ik heb helemaal niets verkeerds gedaan en toch word ik opgepakt. Ik snap er geen sodemieter van.'

'Het is heel eenvoudig. Als... en ik zeg áls... rechter Roosevelt je bevel geeft bepaalde vragen te beantwoorden, en als je weigert, kan hij dat als belediging van het hof beschouwen omdat je hem niet gehoorzaamt. Ik heb nog nooit meegemaakt dat een kind van zoiets werd beschuldigd, maar als een volwassene zou weigeren de vragen van de rechter te beantwoorden, zou hij wegens belediging van het hof de gevangenis in gaan.'

'Maar ik ben een kind.'

'Ja, maar toch denk ik niet dat hij je zal vrijlaten als je die vragen niet beantwoordt, Mark. Weet je, de wet is heel duidelijk op dit punt. Iemand die kennis bezit die van wezenlijk belang is voor een strafrechtelijk onderzoek, mag die informatie niet verzwijgen omdat hij zich bedreigd voelt. Met andere woorden: je mag niet je mond houden omdat je bang bent voor wat er met jou of je familie kan gebeuren.'

'Dat is een stomme wet.'

'Ik vind hem ook niet zo geslaagd, maar dat doet er niet toe. Het is nu eenmaal de wet en er zijn geen uitzonderingen, zelfs niet voor kinderen.'

'En dus draai ik de cel in voor belediging van het hof.'

'Die kans zit er dik in.'

'Kunnen we die rechter niet aanklagen, of iets anders verzinnen om me uit de gevangenis te krijgen?'

'Nee, je kunt de rechter geen proces aandoen. Bovendien is rechter Roosevelt een heel goede en eerlijke rechter.'

'Ik popel om hem te ontmoeten.'

'Nou, dan hoef je niet lang te wachten.'

Mark dacht een tijdje na, terwijl hij met zijn stoel ritmisch tegen de muur wipte. 'Hoe lang zou ik in de gevangenis moeten blijven?'

'Aangenomen dát je daar terechtkomt... Totdat je het bevel van de rechter gehoorzaamt. Dus totdat je bereid bent om te praten.'

'Goed. En als ik dat niet doe? Hoe lang houden ze me dan vast? Een maand? Een jaar? Tien jaar?'

'Daar kan ik geen antwoord op geven, Mark. Dat weet niemand.'

'Ook de rechter niet?'

'Nee. Als hij je laat opsluiten wegens belediging, zal hij zelf ook niet weten hoe lang dat gaat duren.'

Weer viel er een lange stilte. Mark had nu drie uur in Doreens kleine kamertje gezeten en het viel hem eigenlijk wel mee. Hij had films gezien over gevangenissen waar bendes met elkaar vochten en eigengemaakte wapens gebruikten om verklikkers te vermoorden. Films over bewakers die gevangenen martelden, gevangenen die elkaar aanvielen... Hollywood op zijn best. Maar zo erg was het hier niet.

En wat was het alternatief? Hij had geen huis meer, dus eigenlijk woonde hij nu in kamer 943 van het St. Peter's ziekenhuis. Maar de gedachte dat Ricky en zijn moeder het in hun eentje moesten redden was onverdraaglijk. 'Heb je al met mijn moeder gesproken?' vroeg hij.

'Nee, nog niet. Dat doe ik wel na de zitting.'

'Ik maak me ongerust over Ricky.'

'Wil je dat je moeder bij de zitting aanwezig is? Dat hoort eigenlijk zo.'

'Nee. Ze heeft al genoeg aan haar hoofd. Jij en ik kunnen dit wel aan.' Ze legde haar hand op zijn knie en had moeite haar tranen te bedwingen. Iemand klopte op de deur en ze zei luid: 'Nog even.'

'De rechter wacht,' kwam het antwoord.

Mark haalde diep adem en keek naar haar hand op zijn knie.

'Kan ik me niet op het vijfde artikel beroepen?'

'Nee, dat gaat niet, Mark. Daar heb ik ook al aan gedacht. De vragen worden niet gesteld om jóú te beschuldigen. Ze zijn alleen bedoeld om informatie te krijgen die jij misschien bezit.'

'Dat begrijp ik niet.'

'Geen wonder. Luister goed, Mark, dan zal ik het proberen uit te leggen. Ze willen weten wat Jerome Clifford je heeft verteld voordat hij stierf. Ze zullen je een aantal gerichte vragen stellen over de gebeurtenissen vlak voor zijn zelfmoord. Het gaat erom wat Clifford je over senator Boyette heeft verteld – áls hij iets heeft gezegd. Wat je ook antwoordt, jij kunt nooit beschuldigd worden van de moord op senator Boyette. Begrijp je? Jij hebt niets met die zaak te maken. Evenmin als met de zelfmoord van Jerome Clifford. Jij hebt geen enkele wet overtreden, duidelijk? Jij bent geen verdachte van een misdrijf. Je antwoorden kunnen nooit tegen je worden gebruikt. Dus kun je je niet op het vijfde artikel... het recht om te zwijgen... beroepen.' Ze wachtte en keek hem scherp aan. 'Begrijp je?'

'Nee. Als ik niets verkeerds heb gedaan, waarom heeft de politie me dan opgepakt en in de cel gezet? Waarom zit ik dan hier op een rechtszitting te wachten?'

'Je bent hier alleen omdat ze denken dat je iets belangrijks weet. En, zoals ik al zei, omdat iedere burger de plicht heeft de politie te helpen bij haar onderzoek.'

'Toch vind ik het een stomme wet.'

'Misschien. Maar daar kunnen we nu niets aan veranderen.' Hij wipte naar voren, zodat de stoel weer op vier poten stond. 'Ik wil je wat vragen, Reggie. Waarom kan ik niet gewoon zeggen dat ik niets weet? Waarom kan ik niet zeggen dat ik met Romey alleen over zelfmoord heb gepraat... over de hemel en de hel, dat soort dingen?'

'Je bedoelt of je kunt liegen?'

'Ja. Dat kan toch? Niemand weet waarover ik met Romey heb gesproken of wat ik tegen jou heb gezegd. Nee toch? En ze kunnen het Romey niet meer vragen, die arme kerel.'

'Je mag niet liegen voor de rechtbank, Mark,' zei ze, zo oprecht als ze maar kon. Ze had uren wakker gelegen om het antwoord op die onvermijdelijke vraag te formuleren. Ze zou zo graag zeggen: Ja, Mark! Dat is de oplossing. Gewoon liegen!

Ze had pijn in haar maag en haar handen trilden bijna, maar toch hield ze voet bij stuk. 'Ik mag niet toestaan dat je een leugen vertelt, Mark. Je staat onder ede, dus je moet de waarheid spreken.'

'Dan had ik dus beter een andere advocaat kunnen nemen.'

'Dat vind ik niet.'

'Natuurlijk. Jij dwingt me de waarheid te vertellen. Misschien wordt dat mijn dood wel. Als jij er niet was, zou ik gewoon kunnen liegen tot ik groen zag om mijn moeder en Ricky en mezelf te beschermen.'

'Je mag me ontslaan, als je wilt. Dan wijst het hof je een andere advocaat toe.'

Hij stond op, liep naar het donkerste hoekje van de kamer en begon te huilen. Reggie keek naar hem. Zijn kin zakte op zijn borst en zijn schouders schokten. Hij perste de rug van zijn rechterhand tegen zijn ogen en snikte luid.

Hoewel ze het vaak genoeg had meegemaakt was Reggie nog steeds niet bestand tegen de aanblik van een bang en ongelukkig kind. Het kostte haar de grootste moeite niet ook in tranen uit te barsten.

24

Twee bewakers brachten hem de rechtszaal binnen door een zijdeur, uit de buurt van de hal, waar nieuwsgierige ogen alles volgden. Maar Slick Moeller kende die trucs. Hij had zich een paar meter verderop achter een krant verborgen en keek toe.

Reggie liep achter haar cliënt en de bewakers aan. Clint bleef buiten wachten. Het was bijna kwart over twaalf en de jungle van het Jeugdgerechtshof was wat rustiger nu de meeste mensen waren lunchen.

De vorm en de afmetingen van de rechtszaal waren heel anders dan op de televisie, constateerde Mark. Veel kleiner! En zo leeg. Er stonden geen banken of stoelen voor het publiek. De rechter zat op een verhoging tussen twee vlaggen, dicht tegen de muur. In het midden van het zaaltje stonden twee tafels, tegenover de rechter. Aan een ervan zaten een paar mannen in donkere pakken. Rechts van de rechter stond een kleinere tafel waaraan een oudere vrouw een stapel papieren doorbladerde – heel verveeld, zo te zien, totdat hij het zaaltje binnenkwam. Vlak voor de rechter zat een mooie meid met een stenomachine. Ze droeg een korte rok en haar benen kregen veel aandacht. Ze kon niet ouder zijn dan zestien, dacht Mark toen hij achter Reggie aan naar hun tafeltje liep. Een parketwachter met een pistool op zijn heup was de laatste acteur in het spel.

Mark ging zitten, zich ervan bewust dat iedereen hem aanstaarde. De twee bewakers verlieten het zaaltje. Zodra de deur achter hen was dichtgevallen, pakte de rechter het dossier weer op en bladerde het door. Eerst hadden ze op de verdachte en zijn advocaat zitten wachten, nu moest iedereen op de rechter wachten. Zo was de etiquette van de rechtszaal nu eenmaal.

Reggie haalde een schrijfblok uit haar koffertje en begon aantekeningen te maken. Ze had een tissue in haar andere hand, waarmee ze haar ogen droogde. Mark staarde naar de tafel. Zijn ogen waren nog vochtig, maar hij was vastbesloten geen krimp te geven en alles moedig te doorstaan. De mensen keken naar hem.

Fink en Ord staarden naar de benen van de stenografe. Haar rokje reikte tot halverwege haar dijen en leek per minuut wel een centimeter omhoog te schuiven. Ze hield de driepoot met haar machine stevig tussen haar knieën geklemd. Harry's rechtszaal was zo klein dat ze nog geen drie meter bij hen vandaan zat, maar ze mochten zich niet laten afleiden. Toch bleven ze staren. Ja! Weer schoof het rokje een halve centimeter naar boven.

Baxter L. McLemore, een jonge jurist die vers van de universiteit kwam, zat zenuwachtig naast Fink en Ord aan het tafeltje. Hij was een beginnend substituut-officier en hij mocht tegenover de kinderrechter het O.M. vertegenwoordigen. Dat was bepaald geen *glamour*-optreden, maar hij vond het wel spannend om naast George Ord te zitten. Hij wist niets over de zaak Sway, maar George Ord had hem al op de gang gezegd dat Fink het woord zou voeren. Als het hof daarmee instemde, natuurlijk. Baxter hoefde alleen maar aan het tafeltje te zitten en zijn mond te houden.

'Is de deur gesloten?' vroeg de rechter ten slotte in de richting van de parketwachter.

'Jawel, edelachtbare.'

'Goed. Ik heb de stukken gelezen, dus we kunnen beginnen. Voor de goede orde noteer ik dat het kind aanwezig is, samen met zijn raadsvrouwe, en dat de moeder – die officieel de voogdij over hem heeft – vanochtend de dagvaarding en een afschrift van de eis heeft gekregen. De moeder is echter niet aanwezig, en dat bevalt me niet.' Harry wachtte even en leek iets in de stukken te lezen.

Fink besloot dat dit het juiste moment was om zich te laten horen. Hij stond langzaam op, knoopte zijn jasje dicht en zei tegen de rechter: 'Edelachtbare, als ik zo vrij mag zijn... Ik ben Thomas Fink, substituut-officier van het zuidelijke district van Louisiana.'

Harry keek langzaam op uit het dossier en staarde naar Fink, die zijn rug rechtte en zijn voorhoofd fronste, terwijl hij nog steeds aan de bovenste knoop van zijn jasje frunnikte. Op uiterst formele toon vervolgde hij: 'Ik ben een van de ondertekenaars van de eis. Als u het goedvindt wil ik graag iets zeggen over de afwezigheid van de moeder.'

Harry zei niets en keek Fink ongelovig aan. Reggie had moeite niet te grijnzen. Ze knipoogde naar Baxter McLemore.

De rechter boog zich naar voren, steunend op zijn ellebogen, alsof hij hevig geboeid was door de wijze woorden van dit begaafde juridische brein.

Fink had zijn publiek. 'Edelachtbare, het is ons standpunt, het standpunt van de eisers, dat deze zaak zo dringend is dat de zitting op korte termijn moest plaatsvinden. Het kind wordt vertegenwoordigd door zijn raadsvrouwe – een zeer competent juriste, wil ik opmerken – en geen van zijn wettelijke rechten zullen in gevaar worden gebracht door de afwezigheid van zijn moeder. Wij hebben begrepen dat de moeder bij het bed van de jongste zoon moet blijven en dat het nog wel even kan duren voordat zij een zitting zou kunnen bijwonen. Wij vinden het echter van groot belang om deze zitting te laten doorgaan.'

'Meent u dat nou?' vroeg Harry.

'Ja, meneer. Dat is onze positie.'

'Uw positie, meneer Fink,' zei Harry heel langzaam en heel luid, terwijl hij met zijn vinger in Finks richting priemde, 'is in die stoel daar. Ga alstublieft zitten en luister goed, want ik zeg dit maar één keer. Als ik het nog een keer moet zeggen, is dat op het moment dat ze u de handboeien omleggen en u wegvoeren om een nachtje in een van onze gerieflijke cellen door te brengen.'

Fink viel met een klap in zijn stoel, zijn mond wijdopen van verbazing.

Harry keek hem over zijn leesbril nijdig aan. 'Begrijp me goed, meneer Fink. Dit is geen toneel-rechtszaal in New Orleans, en ik ben geen federale rechter. Dit is mijn eigen zaaltje en ík bepaal de regels, meneer Fink. De eerste regel is dat u pas uw mond opendoet als ik u wat vraag. Regel twee is dat u zijne edelachtbare niet verveelt met ongevraagde toespraakjes, commentaren of opmerkingen. Regel nummer drie is dat zijne edelachtbare niet op het stemgeluid van advocaten gesteld is. Zijne edelachtbare hoort dat geluid nu al twintig jaar, en zijne edelachtbare weet hoe graag advocaten zichzelf horen praten. Regel nummer vier is dat u niet gaat staan. U blijft gewoon aan uw tafeltje zitten en u zegt zo weinig mogelijk. Is dat allemaal goed begrepen, meneer Fink?'

Fink staarde Harry verbijsterd aan en probeerde te knikken. Maar Harry was nog niet klaar. 'Dit is een kleine rechtszaal, meneer Fink, die ik jaren geleden zelf heb ontworpen voor besloten zittingen. We kunnen elkaar allemaal heel goed zien en horen, dus houd uw mond en blijf zitten, dan vinden we het samen wel.'

Fink probeerde nog steeds te knikken. Hij had zijn handen om de leuningen van zijn stoel geklemd alsof hij nooit meer wilde opstaan. McThune, die achter hem stond – en de pest aan advocaten had – kon een glimlach nauwelijks onderdrukken.

'Meneer McLemore, ik begrijp dat meneer Fink in deze zaak het woord zal voeren. Gaat u daarmee akkoord?'

'Geen bezwaar, edelachtbare.'

'Akkoord. Maar probeer hem in zijn stoel te houden.'

Mark was doodsbenauwd. Hij had gehoopt op een vriendelijke, zachtaardige oude man met veel liefde en begrip. Niet op zo'n bullebak. Hij keek snel naar Fink, die een rode nek had en zwaar zat te ademen. Bijna kreeg hij medelijden met hem.

'Mevrouw Love,' zei de rechter, opeens heel warm en begripvol, 'ik meen dat u een bezwaar naar voren wilt brengen uit naam van het kind.'

'Jawel, edelachtbare.' Ze leunde naar voren en sprak bewust in de richting van de stenografe. 'We hebben verschillende bezwaren, die ik graag genoteerd wil zien.'

'Natuurlijk,' zei Harry, alsof Reggie Love in alles haar zin kon krijgen. Fink zakte nog verder onderuit in zijn stoel en voelde zich nog stommer. Hij had indruk op het hof willen maken met zijn welsprekendheid. Nou, dat was dus niet gelukt.

Reggie raadpleegde haar aantekeningen. 'Edelachtbare, ik zou het op prijs stellen als de transcriptie van deze zitting meteen wordt uitgetypt, om een versnelde beroepsprocedure mogelijk te maken als dat nodig is.'

'Verzoek toegestaan.'

'Ik maak bezwaar tegen deze zitting op verscheidene gronden. Om te beginnen hebben het kind, zijn moeder en zijn advocaat niet genoeg tijd gehad. De moeder heeft pas drie uur geleden de dagvaarding ontvangen, en hoewel ik het kind nu al drie dagen vertegenwoordig... zoals alle betrokkenen weten... ben ik pas vijf kwartier geleden van de zitting op de hoogte gesteld. Dat is oneerlijk, absurd en een inbreuk op de discretie van het hof.'

'Wanneer wilt u de zitting dan houden, mevrouw Love?' vroeg Harry.

'Vandaag is het donderdag,' zei ze. 'Wat dacht u van volgende week dinsdag of woensdag?'

'Uitstekend. Laten we zeggen dinsdagochtend om negen uur.' Harry keek naar Fink, die zich nog steeds niet had bewogen en haast geen antwoord durfde geven. 'Natuurlijk moet het kind tot die tijd wel in hechtenis blijven, mevrouw Love.'

'Het kind hóórt niet in hechtenis, edelachtbare.'

'Ik heb zelf het bevel ondertekend, en ik zal het niet intrekken zolang we nog op de zitting wachten. Onze wetten, mevrouw Love, maken het mogelijk een verdachte onmiddellijk in hechtenis te nemen, en uw cliënt krijgt dezelfde behandeling als iedereen. Bovendien spelen er in het geval van Mark Sway nog andere overwegingen, die ongetwijfeld nog aan de orde zullen komen.'

'Als mijn cliënt in hechtenis blijft, ga ik niet akkoord met uitstel.'

'Goed,' zei zijne edelachtbare formeel, 'dan zullen we noteren dat het hof een verdaging heeft aangeboden die door het kind is afgewezen.'

'Laat u dan ook noteren dat het kind het uitstel heeft afgewezen omdat het niet langer dan strikt noodzakelijk in de cel wil zitten.'

'Akkoord,' zei Harry met de schaduw van een glimlach. 'Gaat u verder, mevrouw Love.'

'Wij protesteren ook tegen deze zitting omdat de moeder van het kind niet aanwezig is. Wegens externe omstandigheden kan zij hier op dit moment niet zijn. En vergeet niet, edelachtbare, dat de arme vrouw pas drie uur geleden op de hoogte is gebracht. Het kind is elf jaar oud en heeft recht op de steun van zijn moeder. Zoals u weet, edelachtbare, verzoekt de wet dringend om de aanwezigheid van de ouders op dit soort zittingen. Het zou niet eerlijk zijn om verder te gaan zonder Marks moeder.'

'Wanneer zou mevrouw Sway wél kunnen komen?'

'Dat weet niemand, edelachtbare. Ze is letterlijk aan het ziekbed van haar zoontje gekluisterd. Ricky is het slachtoffer van posttraumatische stress. Van de arts mag ze de kamer nooit langer dan een paar minuten verlaten. Het zou nog weken kunnen duren voordat ze beschikbaar is.'

'Dus u wilt de zitting voor onbepaalde tijd uitstellen?'

'Ja, meneer.'

'Goed. Toegestaan. Maar in de tussentijd blijft het kind natuurlijk in hechtenis.'

'Het kind hóórt niet in hechtenis, edelachtbare. Het kind zal zich beschikbaar houden om op ieder gewenst moment voor het hof te verschijnen. Het heeft geen enkel nut om Mark tot aan de zitting vast te houden.'

'Deze zaak is nogal gecompliceerd, mevrouw Love, en ik ben niet van zins om Mark vrij te laten voordat de zitting heeft plaatsgevonden en we hebben vastgesteld hoeveel hij weet. Eigenlijk is het heel simpel – ik dúrf hem nu niet vrij te laten. Als ik dat zou doen, en er zou hem iets overkomen, zou ik me tot mijn dood toe schuldig blijven voelen. Begrijpt u dat, mevrouw Love?'

Reggie begreep het, hoewel ze dat niet toegaf. 'Ik vrees dat u een besluit neemt op grond van niet-bewezen feiten.'

'Dat is mogelijk. Maar ik heb een ruime bevoegdheid in deze zaak en ik zal het kind niet laten gaan totdat ik andere bewijzen heb gehoord.'

'Nou, dan staat u er niet mooi op als we in beroep gaan,' zei ze bits. Dat beviel Harry niet erg.

'Noteer dat het kind uitstel is aangeboden totdat zijn moe-

der aanwezig kon zijn, en dat het kind dit uitstel heeft afgewezen.'

Waaraan Reggie snel toevoegde: 'Laat u dan ook noteren
dat het kind het uitstel heeft afgewezen omdat het niet langer dan strikt noodzakelijk in de cel wil zitten.'

'Genoteerd, mevrouw Love. Gaat u verder, alstublieft.'

'Het kind verzoekt het hof de eis te verwerpen omdat de beschuldiging geen geldige gronden heeft en alleen is ingediend om uit te zoeken wat het kind misschíén zou weten.
De indieners, Fink en Foltrigg, misbruiken deze zitting als
een middel om hun vastgelopen onderzoek te redden. Hun
eis, die onder ede is ingediend, hangt aan elkaar van vermoedens en gissingen. De waarheid is ver te zoeken. Ze zijn
wanhopig, edelachtbare. Ze doen gewoon een slag in de
lucht, in de hoop dat ze iets zullen raken. Deze eis moet
worden verworpen, zodat we allemaal weer rustig naar huis
kunnen gaan.'

Harry keek fronsend naar Fink en zei: 'Ik ben geneigd het
met haar eens te zijn, meneer Fink. Wat hebt u hierop te
zeggen?'

Fink zat nu rustig op zijn stoel en had tevreden gezien hoe
Reggies eerste twee bezwaren door zijne edelachtbare waren weggewuifd. Zijn ademhaling was bijna weer normaal
en zijn rood aangelopen gezicht had zijn gewone kleur
teruggekregen, maar opeens was de rechter het met háár
eens en vroeg hem om een verklaring.

Fink schoof haastig naar het puntje van zijn stoel. Bijna
kwam hij overeind, maar op het laatste moment bedacht
hij zich en stamelde: 'Eh... edelachtbare, wij eh... kunnen
onze beschuldiging natuurlijk bewijzen als we de kans krijgen. Wij eh... geloven wat er in onze eis staat...'

'Dat mag ik hopen,' sneerde Harry.

'Ja, meneer. We weten zeker dat dit kind ons onderzoek belemmert. We zijn ervan overtuigd dat we dat kunnen bewijzen, edelachtbare.'

'En zo niet?'

'Dan eh... zijn we er zeker van dat...'

'Eén ding, meneer Fink. Als uit de bewijsvoering blijkt dat u een spelletje speelt, kan ik u belediging van het hof ten laste leggen. Dat beseft u toch wel? En mevrouw Love kennende, weet ik zeker dat het kind een proces tegen u zal beginnen.'

'Wij zijn van plan morgenochtend vroeg al een aanklacht in te dienen, edelachtbare,' vulde Reggie behulpzaam aan. 'Tegen de heren Fink en Foltrigg. Zij misbruiken dit hof en het kinderstrafrecht van de staat Tennessee. Mijn staf werkt al aan de formulering van de aanklacht.'

Haar staf zat buiten op de gang met een Snicker en een blikje Cola Light. Maar in de rechtszaal klonk het dreigement indrukwekkend genoeg.

Fink keek naar George Ord, zijn collega, die naast hem een lijstje zat te maken van alles wat hij die middag nog moest doen. En niets op die lijst hield enig verband met Mark Sway of Roy Foltrigg. Ord had de leiding over achtentwintig juristen die aan meer dan duizend zaken werkten, en hij was totaal niet geïnteresseerd in Barry Muldanno en het lijk van Boyd Boyette. Die vielen buiten zijn jurisdictie. Ord was een drukbezet man en zijn tijd was te kostbaar om loopjongen te spelen voor Roy Foltrigg.

Maar Fink was geen lichtgewicht. Hij had een ruime ervaring met vervelende processen, vijandige rechters en sceptische jury's. En dus herstelde hij zich snel. 'Edelachtbare, er is niet veel verschil tussen een eis en een aanklacht. De waarheid kan alleen worden vastgesteld ter zitting. Ik stel dus voor om door te gaan, zodat wij onze beschuldiging kunnen waarmaken.'

Harry richtte zich tot Reggie: 'Ik zal uw verzoek om de eis te seponeren in beraad houden totdat ik de bewijzen van de indieners heb gehoord. Als die tekortschieten, zal ik uw verzoek toewijzen en zullen we verder zien.'

Reggie haalde haar schouders op alsof ze dit wel had verwacht.

'Verder nog iets, mevrouw Love?'

'Op dit moment niet.'

'Roep dan uw eerste getuige maar op, meneer Fink,' zei Harry. 'En houd het kort. Kom meteen ter zake. Als u mijn tijd verspilt, zal ik onmiddellijk ingrijpen – en niet zachtzinnig.'

'Jawel, edelachtbare. Onze eerste getuige is brigadier Milo Hardy van de politie van Memphis.'

Tijdens deze inleidende schermutselingen had Mark zich niet verroerd. Hij wist eigenlijk niet of Reggie alle discussies gewonnen of verloren had, maar om de een of andere reden kon hem dat weinig schelen. Er zat iets heel onrechtvaardigs in een systeem dat een kleine jongen in een rechtszaal bracht, omringd door advocaten die elkaar naar de strot vlogen, onder het spottende oog van een rechter die de kemphanen uit elkaar moest houden. En te midden van al dat gegoochel met wetten, teksten, verzoeken en juridische haarkloverijen moest je als kind dan maar begrijpen wat er precies gebeurde. Nee, dat was vreselijk onrechtvaardig.

En daarom staarde hij roerloos naar de grond voor de voeten van de stenografe. Zijn ogen waren nog steeds vochtig en ze wilden niet droog worden. Er viel een stilte toen brigadier Hardy werd opgeroepen. Zijne edelachtbare liet zich ontspannen achterover zakken en zette zijn leesbril af. 'Ik wil één ding duidelijk laten vastleggen,' zei hij, opnieuw met een fronsende blik naar Fink. 'Deze kwestie is vertrouwelijk en geheim. Dit is een besloten zitting, en met reden.

Laat niemand het in zijn hoofd halen ook maar één woord te herhalen dat hier wordt gezegd of ook maar één aspect van de zitting openbaar te maken. Ik begrijp, meneer Fink, dat u verantwoording schuldig bent aan de federale officier in New Orleans. Ik weet dat de heer Foltrigg de eis mede heeft ondertekend en daarom het recht heeft te weten wat er hier is gebeurd. Als u hem spreekt, zegt u hem dan vooral dat ik zeer ontstemd ben over zijn afwezigheid. Hij is een van de eisers, dus hij zou hier moeten zijn. U mag met hem spreken, maar alleen met hem en niemand anders. En zeg hem dat hij zijn grote mond dichthoudt. Is dat begrepen, meneer Fink?'

'Jawel, edelachtbare.'

'Als ik merk dat de vertrouwelijkheid van deze zitting is geschonden, beschuldig ik hem alsnog van belediging van het hof en zal ik mijn uiterste best doen hem achter de tralies te krijgen. Duidelijk?'

'Jawel, edelachtbare.'

Opeens keek hij strak naar McThune en K.O. Lewis, die vlak achter Fink en Ord zaten.

'Meneer McThune en meneer Lewis, u kunt de zaal nu verlaten,' zei Harry abrupt. Ze grepen zich aan hun stoelleuningen vast en zetten met een klap hun voeten op de grond. Fink draaide zich om, keek hen aan, en draaide zich toen weer naar de rechter.

'Eh, edelachtbare, zouden deze heren misschien toch...

'Ik vroeg of ze wilden vertrekken, meneer Fink,' zei Harry luid. 'Als ze moeten getuigen, roepen we hen wel weer binnen. Zo niet, dan hebben ze hier niets te zoeken en kunnen ze op de gang wachten, net als de rest van de kudde. Nou, heren, komt er nog wat van?'

McThune rende bijna naar de deur, zonder een spoor van gekwetste trots, maar K.O. Lewis had de pest in. Hij knoopte zijn jasje dicht en keek zijne edelachtbare strak aan, maar

dat duurde niet lang. Niemand had Harry Roosevelt ooit gedwongen zijn ogen neer te slaan en K.O. Lewis durfde de
strijd niet eens aan. Hij beende naar de deur, die al open
was omdat McThune naar buiten stormde.

Een paar seconden later kwam brigadier Hardy binnen en
nam plaats op de getuigenstoel. Hij was in uniform. Hij
schoof met zijn brede achterwerk over de beklede zitting
en wachtte af. Fink zat als verstijfd, bang om te beginnen
zonder toestemming van de rechter.

Harry Roosevelt reed zijn stoel naar het eind van de verhoging en keek op Hardy neer. Iets had zijn aandacht getrokken, maar Hardy bleef als een dikke pad op een paddestoel
zitten, totdat hij besefte dat zijne edelachtbare vlak naast
hem zat.

'Waarom draagt u een pistool?' vroeg Harry.

Hardy keek geschrokken op en draaide zijn hoofd toen
abrupt naar zijn rechterheup alsof het pistool een complete
verrassing voor hem was. Hij staarde ernaar met een gezicht
alsof dat vervloekte ding zich op de een of andere manier
aan zijn lichaam had vastgezogen.

'Nou, ik...'

'Bent u in functie of niet, brigadier Hardy?'

'Eh, nee, ik ben niet in functie.'

'Waarom draagt u dan een uniform en waarom hebt u in
vredesnaam een pistool mijn rechtszaal binnengebracht?'

Mark grijnsde, voor het eerst in uren.

De parketwachter begreep de hint en kwam haastig dichterbij, terwijl Hardy aan zijn koppel rukte en de pistoolholster
verwijderde. De parketwachter nam hem mee alsof het een
moordwapen was.

'Hebt u ooit eerder in een rechtszaal getuigd?' vroeg Harry.

Hardy glimlachte onnozel en zei: 'Ja, edelachtbare, al zo
vaak.'

'O ja?'

'Ja, meneer. Heel vaak.'

'En hoe vaak hebt u getuigd terwijl u uw pistool nog droeg?'

'Het spijt me, edelachtbare.'

Harry liet het erbij. Hij keek naar Fink en wuifde in Hardy's richting om aan te geven dat ze konden beginnen. Fink had in de loop van twintig jaar heel wat uren in rechtszalen doorgebracht en vond zichzelf een uitstekend pleiter. Zijn staat van dienst was indrukwekkend. Hij was handig en glad, en hij bewoog zich soepel.

Maar hij was traag als hij zat. Zittend een getuige ondervragen – dat was zo'n radicale manier om de waarheid te achterhalen, vond hij. Bijna stond hij op, maar hij bedwong zich nog net op tijd en pakte zijn notitieblok. De frustratie straalde van hem af.

'Wat is uw naam?' vroeg hij haastig en kortaf.

'Brigadier Milo Hardy, van de politie in Memphis.'

'En uw adres?'

Harry hief een hand op om Hardy te stoppen. 'Meneer Fink, waarom wilt u weten waar deze man woont?'

Fink keek hem ongelovig aan. 'Gewoon een routinevraag, edelachtbare.'

'Ik heb een grote hekel aan routinevragen, meneer Fink.'

'Eh... dat begin ik te begrijpen.'

'Routinevragen leiden nergens toe, meneer Fink. Routine-vragen kosten uren en uren van onze kostbare tijd. Ik wil geen routinevragen meer horen. Als het kan.'

'Natuurlijk, edelachtbare. Ik zal mijn best doen.'

'Ik weet dat het moeilijk is.'

Fink keek naar Hardy en zocht wanhopig naar een briljante, originele vraag. 'Brigadier, afgelopen maandag werd u naar de plaats van een zelfmoord gestuurd?'

Weer hief Harry zijn hand op. Fink zakte ontmoedigd onderuit. 'Meneer Fink, ik weet niet hoe het bij u in New Orleans toegaat, maar hier in Memphis laten wij getuigen zweren dat ze de waarheid zullen spreken. "De eed afnemen", noemen we dat. En dat doen we vóórdat ze hun verklaring afleggen. Klinkt dat misschien bekend?'

Fink masseerde zijn slapen en zei: 'Jawel, edelachtbare. Zou de getuige de eed willen afleggen?'

De oudere dame achter de tafel kwam opeens tot leven. Ze sprong overeind en gilde tegen Hardy, die nog geen vijf meter bij haar vandaan zat: 'Steek uw rechterhand omhoog!'

Hardy gehoorzaamde en verklaarde dat hij de waarheid zou spreken. De vrouw liep terug naar haar stoel en dommelde weer verder.

'Goed, meneer Fink, ga uw gang,' zei Harry met een gemeen lachje, tevreden dat hij Fink op zijn nummer had gezet. Hij leunde achterover in zijn grote stoel en luisterde aandachtig naar het snelle vraag-en-antwoordspel dat volgde.

Hardy vertelde opgewekt zijn verhaal, heel behulpzaam, met allerlei details. Hij beschreef de plaats van de zelfmoord, de positie van het lijk en de toestand van de auto. Er waren ook foto's, als zijne edelachtbare die wilde zien. Zijne edelachtbare bedankte. Ze waren absoluut niet relevant. Hardy produceerde een getypte transcriptie van het telefoongesprek dat Mark met de politie had gevoerd en bood aan het bandje af te spelen voor zijne edelachtbare. Niet nodig, vond zijne edelachtbare.

Daarna beschreef Hardy met groot plezier de aanhouding van de jonge Mark in de bossen bij de plaats van de zelfmoord, hun gesprekken in de politiewagen en in de stacaravan, in de auto naar het ziekenhuis en bij het eten in de kantine. Hij had meteen aangevoeld dat Mark hem niet de hele waarheid had verteld. Het verhaal van de jongen klonk verdacht, en met een handige ondervragingstactiek en de juiste subtiele aanpak had hij, brigadier Hardy, er talloze gaten in geschoten.

De leugens waren te doorzichtig. De jongen beweerde dat hij en zijn broertje toevallig op de auto en het lijk waren gestuit. Dat ze geen schot hadden gehoord. Dat ze gewoon in het bos aan het spelen waren, zonder iemand last te bezorgen, en bij toeval het lichaam hadden gevonden. Natuurlijk klopte er niets van dat verhaal, dat had Hardy al snel begrepen.

Uitvoerig beschreef Hardy de toestand van Marks gezicht, zijn gezwollen oog, zijn dikke lip en het bloed om zijn mond. Hij had op school gevochten, beweerde hij. Weer zo'n doorzichtige leugen.

Na een halfuur werd Harry ongedurig. Fink begreep de hint. Reggie wilde de getuige geen kruisverhoor afnemen, en toen Hardy opstond en de zaal verliet, twijfelde niemand eraan dat Mark Sway een leugenaar was die had geprobeerd de politie te misleiden. Maar het werd nog erger.

Toen zijne edelachtbare vroeg of Reggie nog vragen had voor brigadier Hardy, antwoordde ze simpel: 'Ik heb geen tijd gehad om vragen voor te bereiden voor deze getuige.'

McThune was de volgende die werd opgeroepen. Hij zwoer de waarheid te zullen spreken en ging op de getuigenstoel zitten. Reggie boog zich langzaam naar haar koffertje en haalde er een cassettebandje uit. Ze hield het nonchalant in haar hand. Toen McThune haar kant uit keek, tikte ze er zachtjes mee op haar schrijfblok. McThune sloot zijn ogen. Zorgvuldig legde ze het bandje op het papier en begon met haar pen de randen na te trekken.

Fink ondervroeg hem snel en zakelijk, en wist alles te vermijden wat maar in de verte op een routinevraag leek. Het was een nieuwe ervaring voor hem, dit efficiënte taalgebruik, maar het begon hem steeds beter te bevallen.

McThunes antwoorden waren droog als gort. Hij vertelde dat er overal vingerafdrukken waren gevonden: in de auto, op het pistool, op de fles en op de achterbumper. Hij speculeerde over de jongens en de tuinslang en hij toonde de Virginia Slim sigarettenpeuken die onder de boom waren aangetroffen. Ook liet hij Harry het zelfmoordbriefje zien dat Clifford had achtergelaten, en zei iets over de woorden die er met een andere pen aan waren toegevoegd. Hij toonde de Bic-pen die in de auto was gevonden. Het leed geen twijfel dat Clifford die pen had gebruikt om de laatste woorden op het briefje te krabbelen. Hij vertelde over het bloedvlekje op Cliffords hand – niet Cliffords eigen bloed, maar dezelfde bloedgroep als van Mark Sway, die toevallig ook een kapotte lip en een paar andere verwondingen aan de ontmoeting had overgehouden.

'Denkt u dat Jerome Clifford het kind op een gegeven moment heeft geslagen?' vroeg Harry.

'Dat denk ik wel, edelachtbare.'

McThunes gedachten en meningen vormden natuurlijk geen enkel bewijs, maar Reggie protesteerde niet. Ze had Harry al zo vaak meegemaakt; ze wist dat hij alles zou aanhoren en zelf wel zou bepalen wat hij moest geloven en wat niet. Protesteren werkte averechts.

Harry vroeg hoe de FBI aan Marks vingerafdrukken was gekomen. McThune haalde diep adem en vertelde over het blikje Sprite in het ziekenhuis. Haastig voegde hij eraan toe dat ze het kind niet als verdachte beschouwden toen dit gebeurde. Mark was maar een getuige en daarom vonden ze het verantwoord om zijn vingerafdrukken van het blikje te halen. Dat beviel Harry niet, maar hij had geen commentaar. McThune benadrukte dat ze nooit in het geniep een vingerafdruk zouden hebben genomen als het kind een verdachte was geweest. Nooit.

'Natuurlijk niet,' zei Harry, zo sarcastisch dat McThune begon te blozen. Fink nam de gebeurtenissen van dinsdag – de dag na de zelfmoord, toen Mark een advocaat had genomen – met hem door. Ze hadden wanhopig geprobeerd met hem te praten, of met zijn advocaat, maar de problemen waren steeds groter geworden.

McThune gedroeg zich netjes en beperkte zich tot de feiten. Toen Fink met hem klaar was, vertrok hij haastig uit de rechtszaal. Wat hij achterliet was de ontegenzeggelijke indruk dat Mark een grote leugenaar was.

Tijdens de ondervraging van Hardy en McThune had Harry zo nu en dan naar Mark gekeken. De jongen reageerde totaal niet en staarde voortdurend naar een en dezelfde plek op de grond. Zijn gevoelens waren moeilijk te peilen. Hij zat onderuitgezakt in zijn stoel en het grootste deel van de tijd negeerde hij Reggie. Zijn ogen waren vochtig, maar hij huilde niet. Hij leek moe en zielig. Soms keek hij op naar de getuigen, als die zijn leugens benadrukten.

Harry had Reggie al heel wat keren meegemaakt in dit soort omstandigheden. Meestal zat ze dicht bij haar jeugdige cliënten en fluisterde hen van alles in het oor terwijl de zaak zich ontwikkelde. Ze klopte hen op de schouder, kneep hen in de arm, stelde hen gerust of riep hen tot de orde als dat nodig was. Normaal was ze voortdurend in beweging om haar cliëntjes te beschermen tegen de harde realiteit van het volwassen rechtsstelsel. Maar vandaag niet. Soms keek ze even naar haar cliënt, alsof ze op een teken wachtte, maar hij bleef haar negeren.

'Roep uw volgende getuige maar,' zei Harry tegen Fink, die op zijn ellebogen steunde en nog steeds moeite had om te blijven zitten. Hij keek hulpzoekend naar Ord en toen weer naar zijne edelachtbare.

'Eh... edelachtbare, het klinkt misschien vreemd, maar ik zou zelf graag getuigen.'

Harry rukte zijn leesbril van zijn neus en keek Fink vernietigend aan. 'U bent een beetje in de war, meneer Fink. U bent de aanklager, geen getuige.'

'Dat weet ik, meneer, maar ik ben ook een van de eisers. Het is heel ongebruikelijk, dat geef ik toe, maar ik denk dat mijn getuigenis van belang kan zijn.'

'Thomas Fink, eiser, aanklager en getuige. Wilt u ook nog optreden als parketwachter, meneer Fink? Of als stenograaf? Misschien wilt u mijn toga even aantrekken? Dit lijkt geen rechtszaal meer, meneer Fink, maar een theater! Waarom kiest u niet iedere rol die u bevalt?'

Fink staarde naar de tafel, maar zonder Harry aan te kijken. 'Ik kan het uitleggen, edelachtbare,' zei hij timide.

'Dat is niet nodig, meneer Fink. Ik ben niet blind. Jullie zijn hier slecht voorbereid naartoe gekomen. Roy Foltrigg zou hier moeten zijn, maar hij is er niet. En nu hebben jullie hem nodig. Jullie hebben snel een aanklacht in elkaar geflanst en een FBI-chef en meneer Ord voor je karretje gespannen, in de hoop dat jullie zoveel indruk op mij zouden maken dat ik alles zou doen wat jullie wilden. Zal ik u eens wat vertellen, meneer Fink?'

Fink knikte.

'Ik ben absoluut niet onder de indruk. Ik heb beter voorbereide zaken gezien op middelbare scholen waar ze rechtszaaltje speelden. De helft van de eerstejaars rechtenstudenten hier aan Memphis State zou zonder probleem de vloer met u aanvegen – en de andere helft zou Roy Foltrigg de oren wassen.'

Fink was het daar niet mee eens, maar hij bleef knikken. Hij wist zelf niet waarom. Ord schoof zijn stoel een paar centimeter bij die van Fink vandaan.

'Wat vindt u ervan, mevrouw Love?' vroeg Harry.

'Edelachtbare, de regels voor procedures en ethisch gedrag zijn heel duidelijk op dit punt. Een officier kan in dezelfde zaak niet aanklager en getuige zijn. Heel simpel.' Ze zei het op een verveelde, vermoeide toon, alsof zelfs een kind dat wist.

'Meneer Fink?'

Fink herstelde zich. 'Edelachtbare, dan wil ik het hof graag onder ede enkele feiten vertellen die verband houden met Jerome Cliffords optreden kort voor de zelfmoord. Mijn excuses voor dit verzoek, maar de omstandigheden dwingen me ertoe.'

Er werd geklopt en de parketwachter opende de deur op een kier. Marcia kwam binnen met een bord met een fors broodje rosbief en een groot plastic glas ijsthee. Ze zette het voor zijne edelachtbare neer, die haar bedankte. Marcia verdween.

Het was bijna één uur en iedereen rammelde opeens van de honger. De rosbief, de radijs, de augurken en de extra portie uienringen verspreidden een heerlijke geur die door de hele kamer zweefde. Alle ogen waren op het broodje gericht toen Harry het oppakte en er een flinke hap van nam. Harry zag dat de jonge Mark Sway al zijn bewegingen volgde. Zijn hand bleef in de lucht zweven. Fink, Ord, Reggie en zelfs de parketwachter keken in machteloze verwachting toe.

Harry legde het broodje neer en schoof het bord opzij. 'Meneer Fink,' zei hij, wijzend met zijn vinger, 'u blijft zitten. Zweert u de waarheid te zullen spreken?'

'Dat zweer ik.'

'Dat is u geraden. U staat nu onder ede. U hebt vijf minuten om me te vertellen wat u dwarszit.'

'Ja. Dank u, edelachtbare.'

'Graag gedaan.'

'Ziet u, Jerome Clifford en ik hebben samen gestudeerd en we kenden elkaar al heel lang. We hebben samen veel zaken behandeld – als tegenstanders, natuurlijk.'

'Natuurlijk.'

'Toen Barry Muldanno in staat van beschuldiging was gesteld werd de druk op Jerome steeds groter en begon hij zich vreemd te gedragen. Achteraf gezien denk ik dat hij een zenuwinzinking nabij was, maar op dat moment dacht ik er nauwelijks over na. Ik bedoel, Jerome was altijd al een rare.'

'Juist.'

'Ik werkte iedere dag aan de zaak, van vroeg tot laat, en ik sprak Jerome een paar keer per week. We dienden verzoeken in en zo, dus soms kwam ik hem ook op de rechtbank tegen. Hij zag er verschrikkelijk uit. Hij werd steeds dikker, hij dronk te veel en hij kwam te laat op zijn afspraken. Hij waste zich niet goed en vaak beantwoordde hij zijn telefoontjes niet eens, wat voor Jerome heel uitzonderlijk was. Ongeveer een week voordat hij stierf belde hij me op een avond thuis, stomdronken, en praatte bijna een uur tegen me aan. Ik kon het allemaal niet goed volgen. Hij leek wel gek. De volgende ochtend vroeg belde hij me op kantoor om zijn excuses te maken. Hij kletste maar door. Hij probeerde te weten te komen of hij zijn mond voorbij had gepraat. Kennelijk was hij bang dat hij die avond te veel had gezegd. Minstens twee keer begon hij over Boyd Boyette en ik was ervan overtuigd dat hij wist waar het lijk verborgen was.'

Fink wachtte even om zijn woorden te laten bezinken, maar Harry keek hem ongeduldig aan.

'Nou, daarna belde hij me nog een paar keer, en steeds be-

gon hij over het lijk. Ik probeerde hem uit zijn tent te lokken. Ik insinueerde dat hij inderdaad zijn mond voorbij
had gepraat toen hij dronken was. Ik zei dat we overwogen
een aanklacht tegen hem in te dienen wegens belemmering
van de rechtsgang.'

'Daar bent u nogal dol op, schijnt het,' zei Harry droog.

'Hoe dan ook, Jerome dronk te veel en hij gedroeg zich
eigenaardig. Ik vertelde hem dat de FBI hem vierentwintig
uur per etmaal schaduwde. Dat was niet helemaal waar,
maar hij scheen het te geloven. Hij werd vreselijk paranoïde
en belde me iedere dag wel een paar keer, vaak 's avonds
laat, als hij dronken was. Hij wilde over het lijk praten, maar
hij durfde me niet alles te vertellen. Tijdens ons laatste telefoongesprek deed ik hem een voorstel. Als hij ons vertelde
waar het lijk was, zouden wij ervoor zorgen dat hij er zonder
kleerscheuren af kwam – geen veroordeling, geen strafblad,
niets. Hij was doodsbang voor zijn cliënt en hij ontkende
niet één keer dat hij wist waar het lijk verborgen was.'

'Edelachtbare,' onderbrak Reggie hem. 'Dit is allemaal informatie uit de tweede hand, in het belang van de eiser zelf.
We kunnen onmogelijk controleren of het waar is.'

'Gelooft u me niet?' beet Fink haar toe.

'Nee.'

'Ik weet ook niet of ik u wel geloof, meneer Fink,' zei Harry. 'Bovendien vraag ik me af of het wel relevant is.'

'Ik probeer duidelijk te maken, edelachtbare, dat Jerome
Clifford wist waar het lijk zich bevond en dat hij op het punt
stond ons dat te vertellen. Hij werd gek van de spanning.'

'Zegt u dat wel, meneer Fink. Hij heeft een pistool in zijn
mond gestoken. Dan ben je wel ver heen.'

Fink keek hem roerloos aan, met zijn mond open, aarzelend
of hij verder moest gaan.

'Nog meer getuigen, meneer Fink?' vroeg Harry.

'Nee, edelachtbare. Maar gezien de zeer bijzondere omstandigheden van deze zaak zouden we het kind zelf graag
als getuige oproepen.'

Harry rukte zijn leesbril weer van zijn neus en boog zich
naar Fink toe. Als hij dichterbij had gezeten, had hij hem
misschien bij zijn overhemd gegrepen.

'Wat?'

'Wij eh... wij vinden...'

'Meneer Fink, hebt u het kinderrecht in dit district wel goed
bestudeerd?'

'Jazeker.'

'Fijn. Wilt u ons dan alstublieft vertellen welk artikel de eiser het recht geeft het kind tot een getuigenis te dwingen?'

'Het is een verzoek, meer niet.'

'Geweldig. En volgens welk artikel mag een eiser zo'n verzoek indienen?' Fink boog zijn hoofd nog wat dieper en
tuurde naar iets op zijn schrijfblok.

'Dit is geen wildwest-rechtbank, meneer Fink. We verzinnen geen nieuwe regels als het ons zo uitkomt. U kunt het
kind niet dwingen te getuigen, niet volgens het gewone
recht en niet volgens het kinderrecht. Dat moet u toch
weten.'

Fink was nog steeds in zijn aantekeningen verdiept.

'Ik schors de zitting tien minuten!' blafte zijne edelachtbare. 'Iedereen verlaat de zaal, behalve mevrouw Love.
Parketwachter, breng Mark naar een getuigenkamer.' Harry
was opgestaan terwijl hij deze instructies gromde.

Fink, die nauwelijks overeind durfde te komen, aarzelde
één seconde te lang voordat hij opstond. Dat irriteerde de
rechter. 'Verdwijn, meneer Fink!' zei hij grof, wijzend naar
de deur.

Fink en Ord vielen over elkaar heen in hun haast om bij de
deur te komen. De stenografe en de oudere dame volgden.

De parketwachter nam Mark mee. Toen de deur achter hen dichtviel, ritste Harry zijn toga los en wierp die op een tafel. Hij pakte zijn bord en zette het voor Reggie neer.

'Ook een hapje?' vroeg hij, terwijl hij het broodje in tweeën scheurde en de ene helft op een servetje naar haar toe schoof. De uienringen kwamen naast haar notitieblok terecht. Ze stak er een in haar mond en begon erop te knabbelen.

'Ga je ermee akkoord dat de jongen getuigt?' vroeg hij met zijn mond vol rosbief.

'Ik weet het niet, Harry. Wat vind jij?'

'Die Fink is een klootzak, dat vind ik.'

Reggie nam een hapje van het broodje en veegde haar mond af.

'Als je hem laat getuigen,' vervolgde Harry knarsend, 'zal Fink hem een paar zeer gerichte vragen stellen over wat zich in die auto tussen hem en Clifford heeft afgespeeld.'

'Dat weet ik. Daar ben ik juist bang voor.'

'En hoe zal Mark daarop antwoorden?'

'Ik zou het echt niet weten. Ik heb hem precies uitgelegd hoe de vork in de steel zit. We hebben er uitvoerig over ge-praat. Maar ik heb geen idee wat hij zal doen.'

Harry haalde diep adem en zag dat de ijsthee nog op zijn eigen tafel stond. Hij pakte twee papieren bekertjes van Finks tafel en schonk ze vol met thee.

'Het is duidelijk dat hij iets weet, Reggie. Waarom heeft hij steeds gelogen?'

'Hij is nog maar een kind, Harry. Hij was doodsbang. Hij heeft meer gehoord dan goed voor hem is. Hij heeft gezien hoe Clifford zich door zijn hoofd schoot. Dat was een vrese-lijke schok. Moet je zijn arme broertje zien. Het is een af-schuwelijke ervaring voor hen geweest. Daarom dacht Mark waarschijnlijk dat hij moeilijkheden zou krijgen, en dus heeft hij gelogen.'

'Dat kan ik hem niet kwalijk nemen,' zei Harry, terwijl hij nog een uienring pakte. Reggie beet in een augurk.

'Wat denk je?' vroeg ze.

Hij veegde zijn mond af en dacht een hele tijd na. Het kind viel nu onder zijn gezag. Mark was een van 'Harry's Kids' geworden en alle beslissingen die Harry nam zouden in Marks belang moeten zijn.

'Als ik reden heb om aan te nemen dat een kind iets weet dat heel belangrijk is voor een strafrechtelijk onderzoek in New Orleans, dan zijn er een paar mogelijkheden. Ik kan hem laten getuigen, zodat hij Fink moet vertellen wat hij weet. Dan is de zaak verder gesloten, wat mij betreft. De jongen mag weer naar huis, maar verkeert wel in groot gevaar. Als ik hem laat getuigen en hij weigert Finks vragen te beantwoorden, zal ik hem daartoe moeten dwingen. Als hij blijft weigeren, maakt hij zich schuldig aan belediging van het hof. Natuurlijk mag hij niet zwijgen als hij over belangrijke informatie beschikt. Hoe het ook afloopt, als Fink vandaag niet de antwoorden krijgt die hij zoekt, zal Roy Foltrigg snel in actie komen en hem voor een jury in New Orleans dagen. Als Mark daar ook blijft zwijgen, zal hij door de federale rechter zeker worden veroordeeld wegens belediging van het hof. Vermoedelijk draait hij dan de gevangenis in.'

Reggie knikte. Ze was het volledig met hem eens. 'Dus wat doen we, Harry?'

'Als Mark in New Orleans terechtkomt, kan ik niets meer voor hem doen. Ik zou hem liever hier houden. Als ik jou was, zou ik hem laten getuigen en hem adviseren de belangrijkste vragen niet te beantwoorden. Voorlopig niet, tenminste. Dat kan altijd later nog – morgen of overmorgen. Zeg maar dat hij zich niets van de rechter aantrekt en zijn mond houdt. Op dit moment. Dan stuur ik hem terug naar de cel.

Daar is hij in ieder geval veiliger dan in New Orleans. Op die manier kun je hem beschermen tegen die gangsters daar... waar ík zelfs doodsbenauwd voor ben... totdat de FBI een protectieprogramma voor hem regelt. Zo win je in elk geval tijd om te zien wat Roy Foltrigg in New Orleans van plan is.'

'Denk je dat hij groot gevaar loopt?'

'Ja. En zelfs als dat niet zo was, zou ik geen risico's nemen. Als hij nu alles vertelt wat hij weet, kan hij moeilijkheden krijgen. Ik ben niet van plan hem vandaag al vrij te laten, wat er ook gebeurt.'

'En als Mark weigert Finks vragen te beantwoorden en Foltrigg hem in New Orleans voor een jury daagt?'

'Dan laat ik hem niet gaan.'

Reggie had geen trek meer. Ze dronk haar thee uit het papieren bekertje en sloot haar ogen. 'Dit is zo oneerlijk tegenover die jongen, Harry. Hij verdient toch iets beters van ons rechtssysteem.'

'Dat ben ik met je eens. Ik sta open voor suggesties.'

'Als ik hem níet wil laten getuigen?'

'Dan houd ik hem toch vast, Reggie. In elk geval vandaag nog. Misschien dat ik hem morgen laat gaan, of overmorgen. Het gaat allemaal zo snel. We kunnen beter afwachten wat er in New Orleans gebeurt. Dat lijkt me veiliger.'

'Je hebt geen antwoord gegeven op mijn vraag. Wat doe je als ik hem niet laat getuigen?'

'Op grond van de bewijzen die ik heb gehoord, heb ik geen andere keus dan hem schuldig te verklaren aan een delict en hem terug te sturen naar Doreen. Die uitspraak kan ik morgen... of overmorgen... natuurlijk herzien.'

'Hij is niet schuldig aan een delict.'

'Misschien niet. Maar als hij iets weet wat hij niet wil vertellen, dan belemmert hij toch de rechtsgang.' Er viel een lange stilte. 'Hoeveel weet hij eigenlijk, Reggie? Als je me dat vertelt, kan ik hem beter helpen.'

'Dat kan ik je niet zeggen, Harry. Dat is vertrouwelijk.'

'Natuurlijk,' zei hij met een glimlach. 'Maar het is wel duidelijk dat hij belangrijke feiten kent.'

'Ja, dat zal wel.'

Harry boog zich naar voren en legde zijn hand op haar arm. 'Luister, meid. Onze kleine vriend heeft grote problemen. We moeten hem helpen. Laten we het maar per dag bekijken en hem een veilige plek geven waar wij alles onder controle hebben. Ondertussen kunnen we met de FBI overleggen over een goede manier om hem te beschermen. Als er een protectieprogramma kan worden geregeld voor Mark en zijn familie, kan hij rustig zijn afschuwelijke geheim vertellen zonder dat hij zichzelf in gevaar brengt.'

'Ik zal met hem praten.'

25

Onder het strenge toezicht van de parketwachter, een man die Grinder heette, werden ze weer verzameld en naar hun plaatsen gebracht. Fink keek angstig om zich heen, aarzelend of hij moest gaan zitten, staan, spreken of onder de tafel kruipen. Ord pulkte aan de nagelriem van zijn duim. Baxter McLemore schoof zijn stoel zo ver mogelijk bij Fink vandaan.

Zijne edelachtbare dronk de rest van zijn thee op en wachtte tot het stil was. 'Noteer,' zei hij in de richting van de stenografe. 'Mevrouw Love, ik wil weten of Mark bereid is te getuigen.'

Ze zat bijna een halve meter achter haar cliënt en keek van opzij naar zijn gezicht. Zijn ogen waren nog nat.

'Gezien de omstandigheden,' zei ze, 'heeft hij niet veel keus.'

'Is dat ja of nee?'

'Ik zal hem laten getuigen,' zei ze, 'zolang meneer Fink hem geen agressieve vragen stelt.'

'Edelachtbare, alstublieft...' zei Fink.

'Stil, meneer Fink. Weet u de eerste regel nog? U houdt uw mond totdat u iets wordt gevraagd.'

Fink keek Reggie woedend aan. 'Dat was onder de gordel,' snauwde hij.

'Rustig aan, meneer Fink,' zei Harry. En het was weer stil. Zijne edelachtbare was opeens de vriendelijkheid zelf. 'Mark,' zei hij met warme stem, 'je kunt gewoon naast je advocaat blijven zitten terwijl ik je een paar vragen stel.'

Fink knipoogde tegen Ord. Eindelijk zou het joch zijn mond opendoen. Dit werd hun grote moment.

'Steek je rechterhand op, Mark,' zei rechter Roosevelt. Mark gehoorzaamde langzaam. Zijn handen trilden allebei. De oudere dame kwam voor Mark staan en nam hem de eed af. Mark stond niet op maar schoof wat dichter naar Reggie toe.

'Goed, Mark, dan heb ik een paar vragen voor je. Als je iets niet begrijpt, mag je rustig met je advocaat overleggen. Oké?'

'Ja, meneer.'

'Ik zal proberen de vragen kort en simpel te houden. Als je even naar buiten wilt om met Reggie... mevrouw Love... te praten, dan is dat toegestaan. Akkoord?'

'Ja, meneer.'

Fink draaide zijn stoel naar Mark toe en keek als een hongerige pup die op zijn Bonzo wachtte. Ord was klaar met zijn nagels en hield pen en schrijfblok gereed.

Harry raadpleegde even zijn aantekeningen en glimlachte

toen naar de getuige. 'Mark, kun je me precies vertellen hoe jij en je broertje op maandag meneer Clifford hebben gevonden?'

Mark klemde zijn handen om de leuningen van zijn stoel en schraapte zijn keel. Dit had hij niet verwacht. Hij had nog nooit een film gezien waarin de rechter de vragen stelde.

'We waren het bos achter het caravanpark in gegaan om stiekem een sigaretje te roken,' begon hij. Langzaam vertelde hij verder, tot aan het punt waarop Romey voor het eerst de tuinslang in de uitlaat had gestoken en weer in zijn auto was gestapt.

'Wat deed je toen?' vroeg zijne edelachtbare bezorgd.

'Ik heb hem eruit getrokken,' zei Mark. Hij vertelde over zijn sluiptochten door het gras om Romey's zelfmoordplannen te saboteren. Hoewel hij het al eerder had verteld, één of twee keer aan zijn moeder en dr. Greenway en een paar keer aan Reggie, had hij het nooit een amusant verhaal gevonden. Maar nu zag hij dat de ogen van de rechter begonnen te twinkelen en dat zijn grijns steeds breder werd. Hij grinnikte zacht. Ook de parketwachter vond het grappig. De stenografe, die tot nu toe niets had laten blijken, amuseerde zich ook. En zelfs de oudere dame achter de griffierstafel zat aandachtig te luisteren, voor het eerst met een glimlach om haar lippen.

Maar hun lach verdween toen Mark vertelde hoe Clifford hem in de kraag vatte, hem door elkaar rammelde en hem de auto in sleurde. Mark beleefde het allemaal opnieuw. Met een strak gezicht staarde hij naar de bruine pumps van de stenografe.

'Dus je hebt met meneer Clifford in de auto gezeten voordat hij stierf?' vroeg zijne edelachtbare voorzichtig, en heel ernstig nu.

'Ja, meneer.'

'En wat deed hij toen hij je in de auto had?'

'Hij gaf me nog een paar klappen, hij gilde tegen me en hij bedreigde me.' Mark vertelde alles wat hij zich nog herinnerde over het pistool, de whiskyfles en de pillen.

Het was doodstil in de kleine rechtszaal. Niemand lachte meer. Mark koos zijn woorden met zorg. Hij meed de blikken van de anderen en hij sprak alsof hij in trance was.

'Heeft hij ook geschoten?' vroeg rechter Roosevelt.

'Ja, meneer,' antwoordde Mark, en hij vertelde over het pistoolschot.

Toen hij klaar was met dit deel van het verhaal, wachtte hij op de volgende vraag. Harry dacht er een lange minuut over na.

'Waar was Ricky toen?'

'Die had zich verstopt in de struiken. Op een gegeven moment zag ik hem door het gras kruipen en ik dacht dat hij de slang weer uit de uitlaat had getrokken. Dat was ook zo, zag ik later. Meneer Clifford beweerde dat hij het effect van het gas kon voelen, en hij vroeg steeds of ik ook wat merkte. Ik zei maar ja... Twee keer, geloof ik. Maar ik wist dat Ricky de slang had losgemaakt.'

'En wist meneer Clifford dat Ricky in de buurt was?' Het was zomaar een vraag, niet van enig belang, maar Harry kon zo gauw niets anders bedenken.

'Nee, meneer.'

Weer een lange stilte.

'Dus je hebt met meneer Clifford gesproken toen je in de auto zat?'

Mark wist wat er komen ging, net als iedereen in de rechtszaal. Haastig gaf hij antwoord, in een poging om de echte vraag te ontwijken.

'Ja, meneer. Hij was niet goed bij zijn hoofd. Hij riep maar steeds dat hij wilde wegzweven om de grote tovenaar te zien, de Tovenaar van Oz, in sprookjesland. Het ene moment begon hij tegen me te schreeuwen omdat ik zat te huilen, en daarna riep hij weer dat het hem speet dat hij me geslagen had.'

Het bleef even stil. Harry wachtte totdat hij zeker wist dat Mark uitgesproken was. 'Was dat alles wat hij zei?'

Mark keek snel naar Reggie, die hem scherp in de gaten hield. Fink boog zich nog dichter naar hem toe. De stenografe zat als bevroren.

'Wat bedoelt u?' vroeg Mark, om tijd te winnen.

'Heeft meneer Clifford verder nog iets gezegd?'

Mark dacht weer even na. Opeens had hij de pest aan die stomme Reggie. Als hij nu 'Nee' zou zeggen, was alles achter de rug. Nee, edelachtbare, meneer Clifford heeft verder niets gezegd. Hij kraamde maar wat onzin uit. Na vijf minuten viel hij in slaap, en toen ben ik er als de bliksem vandoor gegaan.

Als hij Reggie nooit had ontmoet, als zij geen preek tegen hem had gehouden dat hij onder ede stond en de waarheid moest vertellen, zou hij gewoon 'Nee, meneer' kunnen zeggen en dan mocht hij naar huis – of naar het ziekenhuis, of wat dan ook.

Zou het echt zo zijn gegaan? In de vierde klas hadden ze ooit een voorlichtingsmiddag over het werk van de politie gehad. Een van de agenten had toen een leugendetector gedemonstreerd. Hij had Joey McDermott, de grootste leugenaar van de klas, aan het apparaat gelegd en iedereen had de wijzer zien uitslaan zodra Joey zijn mond opendeed. 'Zo komen we er altijd achter of een misdadiger liegt,' had de politieman trots beweerd.

Met al die smerissen en FBI-agenten om hem heen kon de leugendetector nooit ver weg zijn. Hij had al zoveel leugens verteld sinds Romey's zelfmoord. Hij had er genoeg van om nog langer te moeten liegen.

'Mark, ik vroeg je wat. Heeft meneer Clifford verder nog iets gezegd?'

'Zoals?'

'Iets over senator Boyd Boyette, bijvoorbeeld?'

'Wie?'

Harry lachte even. Heel kort maar. 'Mark, heeft meneer Clifford je iets verteld over een zaak waaraan hij werkte in New Orleans? Een zaak die verband hield met een zekere Barry Muldanno en wijlen senator Boyd Boyette?'

Een kleine spin liep langs de bruine pumps van de stenografe. Mark keek hem na tot hij onder het statief verdwenen was. Hij dacht weer aan die vervloekte leugendetector. Reggie zei dat ze zich daar met hand en tand tegen zou verzetten, maar als de rechter het toch nodig zou vinden?

De lange stilte voordat hij antwoord gaf was duidelijk genoeg. Finks hart bonsde in zijn keel en sloeg driemaal zo snel als anders. Aha! Die kleine etter wist het dus!

'Daar wil ik eigenlijk geen antwoord op geven,' zei Mark, starend naar de grond. Hij wachtte tot de spin weer terugkwam.

Fink keek hoopvol naar de rechter.

'Mark, kijk me eens aan,' zei Harry als een vriendelijke opa. 'Ik wil dat je antwoord geeft. Heeft meneer Clifford iets over Barry Muldanno of Boyd Boyette gezegd?'

'Ik heb toch het recht om te zwijgen?'

'Nee.'

'Waarom niet? Geldt dat soms niet voor kinderen?'

'Ja, maar niet in dit geval. Jij hebt niets te maken met de dood van senator Boyette. Je bent zelf niet bij een misdrijf betrokken.'

'Waarom hebt u me dan laten opsluiten?'

351

'Als je geen antwoord geeft, ga je terug naar de cel.'

'Nou, ik beroep me toch op het recht om te zwijgen.' Ze keken elkaar nijdig aan, de getuige en de rechter, maar de getuige knipperde het eerst. Zijn ogen werden vochtig en hij haalde twee keer zijn neus op. Hij beet op zijn lip en probeerde manmoedig niet te huilen. Hij klemde zijn handen om de stoelleuningen totdat het bloed uit zijn knokkels trok. De tranen druppelden langs zijn wangen, maar hij bleef in de zwarte ogen van rechter Harry Roosevelt staren.

De tranen van een onschuldige kleine jongen. Harry draaide zich opzij en haalde een tissue van onder zijn tafel. Zijn eigen ogen werden ook vochtig. 'Wil je met je advocaat overleggen, onder vier ogen?' vroeg hij.

'We hebben al gepraat,' zei Mark met een klein stemmetje. Hij veegde met zijn mouw over zijn wang.

Fink was een hartaanval nabij. Hij had nog zoveel te zeggen, zoveel vragen voor dat lastige joch, zoveel suggesties hoe het hof deze zaak moest aanpakken. Die jongen wíst het, verdomme! Waarom dwong de rechter hem niet te antwoorden?

'Mark, ik vind dit niet leuk, maar je zult antwoord moeten geven. Als je dat niet doet, ben je schuldig aan belediging van het hof. Begrijp je wat ik zeg?'

'Ja, meneer. Dat heeft Reggie me uitgelegd.'

'En heeft ze erbij gezegd dat ik je kan terugsturen naar de detentievleugel?'

'Ja, meneer. U mag het best de gevangenis noemen. Dat maakt mij niet uit.'

'Dank je. Wil je terug naar de gevangenis?'

'Niet echt, maar ik kan toch nergens anders heen.' Zijn stem klonk weer wat krachtiger en hij huilde niet meer. Het vooruitzicht van de gevangenis was niet echt beangstigend, nu hij er was geweest. Hij zou het er wel een paar dagen uithouden. Waarschijnlijk hield hij het zelfs langer vol dan de rechter. Hij wist zeker dat zijn naam binnenkort weer in de krant zou komen. De journalisten zouden er natuurlijk achter komen dat hij door Harry Roosevelt was opgesloten omdat hij niets wilde zeggen. En reken maar dat ze de rechter het leven zuur zouden maken omdat hij een jochie gevangen had gezet dat niets had misdaan.

Reggie had hem gezegd dat hij ieder moment op zijn besluit kon terugkomen zodra hij genoeg had van de gevangenis.

'Heeft meneer Clifford de naam van Barry Muldanno genoemd?'

'Ik heb het recht om te zwijgen.'

'Heeft meneer Clifford de naam van Boyd Boyette genoemd?'

'Ik heb het recht om te zwijgen.'

'Heeft meneer Clifford iets gezegd over de moord op Boyd Boyette?'

'Ik heb het recht om te zwijgen.'

'Heeft meneer Clifford iets gezegd over de vindplaats van het lijk van Boyd Boyette?'

'Ik heb het recht om te zwijgen.'

Harry zette voor de tiende keer zijn leesbril af en wreef over zijn gezicht. 'Je hebt niet het recht om te zwijgen.'

'Jawel.'

'Ik draag je op deze vragen te beantwoorden.'

'Dat weet ik, meneer. Het spijt me.'

Harry pakte een pen en begon te schrijven.

'Edelachtbare,' zei Mark, 'ik heb respect voor u en voor wat u wilt doen. Maar ik kan geen antwoord geven omdat ik bang ben voor wat er met mij en mijn familie kan gebeuren.'

'Dat begrijp ik, Mark, maar de wet staat burgers niet toe informatie achter te houden die van wezenlijk belang kan zijn voor een strafrechtelijk onderzoek. Ik moet me aan de wet houden. Het is niets persoonlijks. Je maakt je schuldig aan belediging van het hof. Ik ben helemaal niet boos op je, maar je laat me geen keus. Ik stuur je terug naar de detentie-vleugel van de jeugdgevangenis, waar je zult moeten blijven totdat je doet wat ik je heb bevolen.'

'En hoe lang gaat dat duren?'

'Dat hangt van jezelf af, Mark.'

'En als ik nooit antwoord zou geven op die vragen?'

'Dat weet ik niet. Laten we het voorlopig maar van dag tot dag bekijken.' Harry bladerde zijn agenda door, vond een plekje en maakte een aantekening. 'Morgenmiddag om twaalf uur komen we hier weer bijeen, als iedereen daarmee akkoord gaat.'

Fink was verbijsterd. Hij kwam overeind en wilde wat zeggen, maar Ord greep hem bij zijn arm en trok hem naar beneden. 'Edelachtbare, ik vrees dat ik hier morgen niet kan zijn,' zei hij. 'Zoals u weet is mijn kantoor in New Orleans, en...'

'O, u bent hier morgenmiddag wél, meneer Fink. U en de heer Foltrigg. Allebei. U hebt er zelf voor gekozen dit geding in Memphis aan te spannen, bij mijn gerechtshof, en dus valt u nu onder mijn jurisdictie. Zodra u hier vertrekt, raad ik u aan Roy Foltrigg te bellen en hem mee te delen dat hij hier morgenmiddag moet zijn. Ik wil beide eisers, Fink en Foltrigg, precies om twaalf uur in deze zaal aanwezig zien. Als u er niet bent, beschouw ik dat als belediging van het hof en zullen u en uw baas de volgenden zijn die naar de gevangenis worden gebracht.'

Fink opende zijn mond, maar er kwam geen geluid uit. Voor het eerst nam Ord nu het woord. 'Edelachtbare, ik meen dat de heer Foltrigg morgenochtend bezig is met een federale zaak. Barry Muldanno heeft een nieuwe raadsman die om

354

uitstel heeft gevraagd, en de rechter heeft voor morgenochtend een zitting vastgesteld.'

'Is dat zo, meneer Fink?'

'Ja, meneer.'

'Zeg dan tegen Roy Foltrigg dat hij me een kopie faxt van
de rechterlijke instructie waarin het tijdstip van de zitting
wordt genoemd. Dan zal ik hem excuseren. Maar zolang
Mark in de gevangenis zit wegens belediging van het hof,
ben ik van plan hem eens in de twee dagen te laten voorkomen om te horen of hij al bereid is om te praten. En ik
verwacht dat beide eisers daarbij aanwezig zijn.'

'Dat is een heel probleem voor ons, edelachtbare.'

'Niet zo'n probleem als wanneer u níet verschijnt. U hebt
dit gerechtshof zelf gekozen, meneer Fink. U zult ermee
moeten leven.'

Fink was zes uur geleden naar Memphis gevlogen zonder
een tandenborstel of schoon ondergoed. Nu zag het ernaar
uit dat hij een appartement zou moeten huren met slaap-
kamers voor hemzelf en Foltrigg.

De parketwachter had zich bij de muur achter Reggie en
Mark opgesteld en wachtte op een teken van zijne edelachtbare.

'Mark, ik zal je nu excuseren,' zei Harry, terwijl hij iets op
een formulier noteerde. 'Ik zie je morgen weer. Als er problemen zijn in de detentievleugel, vertel het me dan morgen, dan zal ik maatregelen nemen. Oké?'

Mark knikte. Reggie gaf hem een kneepje in zijn arm en zei:
'Ik zal wel met je moeder praten. Morgenochtend kom ik
naar je toe.'

'Zeg tegen ma dat ze zich geen zorgen maakt,' fluisterde hij
haar in het oor. 'Ik zal proberen haar vanavond te bellen.'

Hij stond op en vertrok met de parketwachter.

'Laat die FBI-mensen maar binnenkomen,' zei Harry tegen

355

de bewaker voordat hij de deur achter zich sloot.

'Kunnen we gaan, edelachtbare?' vroeg Fink. Zweet parelde op zijn voorhoofd. Hij wilde hier zo snel mogelijk weg om Foltrigg te bellen met het slechte nieuws.

'Waarom zo'n haast, meneer Fink?'

'O eh... nee hoor, ik heb geen haast.'

'Rustig aan dan. Ik wil nog even met u praten en met de mensen van de FBI. Officieus. Een minuutje maar.' Harry stuurde de stenografe en de oudere dame weg. McThune en Lewis kwamen binnen en gingen achter de advocaten zitten.

Harry ritste zijn toga los maar trok hem niet uit. Hij veegde zijn gezicht af met een tissue en dronk het laatste restje van zijn thee op. De anderen keken toe en wachtten.

'Ik ben niet van plan dit kind erg lang op te sluiten,' zei hij, met een blik naar Reggie. 'Een paar dagen misschien, maar langer niet. Ik ben ervan overtuigd dat hij belangrijke informatie bezit, en die zal hij moeten prijsgeven.'

Fink begon te knikken.

'Hij is bang, en dat is heel begrijpelijk. Misschien kunnen we hem overreden zijn mond open te doen als we zijn eigen veiligheid en die van zijn moeder en broertje kunnen garanderen. Daarvoor zou ik de hulp van meneer Lewis willen inroepen. Ik sta open voor suggesties.'

K.O. Lewis had zijn antwoord al klaar. 'Edelachtbare, we hebben de eerste stappen al genomen om de jongen als getuige onder ons protectieprogramma te plaatsen.'

'Ik heb van die protectie gehoord, meneer Lewis, maar ik ken de bijzonderheden niet.'

'Het is heel simpel. We laten het gezin naar een andere stad verhuizen. Ze krijgen een nieuwe identiteit. We zoeken een goede baan voor de moeder en een mooi huis. Geen stacaravan of een appartement, maar een echt huis. We sturen de jongens naar een goede school. Ze krijgen een bedrag in contant geld, en wij houden een oogje in het zeil.'

'Dat klinkt aanlokkelijk, mevrouw Love,' zei Harry.

Dat klonk het zeker. Op dat moment hadden de Sway's niet eens een woning meer. Dianne moest sloven voor een laag loontje. En ze hadden geen familie in Memphis.

'Ze kunnen nu niet weg,' zei ze. 'Ricky ligt nog in het ziekenhuis.'

'We hebben in Portland al een ziekenhuis gevonden met een afdeling kinderpsychiatrie die hem wil opnemen,' zei Lewis. 'Het is een privé-kliniek, een van de beste in het land, geen liefdadigheidsziekenhuis zoals het St. Peter's. Ricky kan er onmiddellijk worden opgenomen, en natuurlijk betalen wij de behandeling. Zodra hij is hersteld, verhuizen wij het gezin naar een andere stad.'

'Hoe lang zou het duren om het hele gezin veilig te laten verdwijnen?' vroeg Harry.

'Minder dan een week,' antwoordde Lewis. 'Directeur Voyles heeft het de hoogste prioriteit gegeven. De papierwinkel kost een paar dagen – een nieuw rijbewijs, nieuwe sofinummers, geboorteakten, creditcards, dat soort dingen. Het gezin moet de beslissing nemen en de moeder moet ons vertellen waar ze heen wil. De rest regelen wij.'

'Wat denkt u, mevrouw Love?' vroeg Harry. 'Zou mevrouw Sway daarmee akkoord gaan?'

'Ik zal met haar praten. Ze staat nu onder grote druk. Eén kind in coma, het andere in de gevangenis, en vannacht is haar caravan afgebrand en is ze al haar bezittingen kwijtgeraakt. De gedachte om midden in de nacht weg te sluipen spreekt haar misschien niet erg aan. Op dit moment niet, tenminste.'

'Maar u zult uw best doen?'

'Ik zie wel.'

'Denkt u dat ze morgen op de zitting aanwezig kan zijn? Ik zou graag met haar praten.'

'Ik zal het de dokter vragen.'

'Fijn. Dan is de zitting verdaagd. Ik verwacht iedereen hier morgenmiddag om twaalf uur terug.'

De parketwachter droeg Mark over aan twee agenten in burger, die hem door een zijdeur naar het parkeerterrein brachten. Toen ze waren vertrokken, liep de parketwachter de trap op naar de eerste verdieping en dook de toiletten in. Er was niemand, behalve Slick Moeller.

Even later stonden ze naast elkaar voor het urinoir en staarden naar de graffiti.

'Zijn we alleen?' vroeg de parketwachter.

'Ja. Hoe ging het?' Slick had zijn gulp opengeritst en stond met zijn handen op zijn heupen. 'Snel.'

'Die jongen wilde niets zeggen, dus hij is teruggestuurd naar de cel. Belediging van het hof.'

'Wat weet hij?'

'Alles, zou ik zeggen. Het is heel duidelijk. Hij heeft bij Clifford in de auto gezeten en ze hebben over allerlei dingen gepraat. Toen Harry hem over die toestand in New Orleans ondervroeg, antwoordde de jongen dat hij het recht had om te zwijgen. Een lastig knulletje.'

'Maar hij weet wel iets?'

'O, absoluut. Maar hij zegt niets. De rechter wil hem morgenmiddag om twaalf uur weer spreken om te horen of hij van gedachten is veranderd na een nachtje in de lik.'

Slick ritste zijn broek dicht en stapte bij het urinoir vandaan. Hij haalde een opgevouwen briefje van honderd dollar uit zijn zak en gaf het aan de parketwachter.

'Je weet het niet van mij,' zei de man.

'Je vertrouwt me toch wel?'

'Natuurlijk,' zei de parketwachter. En dat was ook zo. Mol Moeller bracht zijn tipgevers nooit in problemen.

Moeller had drie fotografen opgesteld op strategische punten rondom het Jeugdgerechtshof. Hij kende de situatie beter dan de politie zelf, en hij veronderstelde dat ze de zijdeur bij de goedereningang zouden gebruiken om Mark Sway ongezien af te voeren. Dat was precies wat ze deden, en ze hadden bijna hun onopvallende auto bereikt toen een dikke vrouw in een overal uit een geparkeerde bestelwagen sprong en een Nikon op hen richtte. De agenten schreeuwden tegen haar en probeerden de jongen achter zich te verbergen, maar het was al te laat. Haastig renden ze naar de auto en duwden Mark op de achterbank.

Geweldig, dacht Mark. Het was nog geen twee uur 's middags, maar inmiddels was hun caravan afgebrand, was hijzelf in het ziekenhuis gearresteerd, hadden ze hem in de cel gesmeten, was hij door rechter Roosevelt verhoord, en nu had zo'n vervloekte fotograaf een plaatje geschoten dat morgen natuurlijk weer op de voorpagina zou staan.

Terwijl de auto er met piepende banden vandoor ging, liet Mark zich onderuit in de kussens zakken. Hij had pijn in zijn maag, niet van honger maar van angst. Hij stond er weer alleen voor.

26

Foltrigg keek naar het verkeer in Poydras Street en wachtte op een telefoontje uit Memphis. Hij had genoeg van het ijsberen en klokkijken. Hij had genoeg van het opbellen en brieven dicteren, maar er zat niets anders op. Hij kon nergens anders aan denken dan aan dat prachtige beeld van

Mark Sway in de getuigenbank ergens in Memphis, gedwongen om al zijn geheimen te vertellen. De zitting was twee uur geleden begonnen, maar natuurlijk zou er wel een schorsing zijn waarin Fink naar een telefoon kon rennen om hem op de hoogte te brengen.

Larry Trumann hield zich gereed, wachtend op het telefoontje, zodat de FBI meteen kon uitrukken om het lijk op te graven. De afgelopen acht maanden hadden ze heel wat ervaring met graafwerk opgedaan. Alleen hadden ze geen lijk gevonden.

Maar vandaag zou het anders gaan. Roy zou het telefoontje aannemen, naar Trumanns kantoor lopen en hem vertellen waar wijlen Boyd Boyette te vinden was. Foltrigg praatte in zichzelf, niet fluisterend of mompelend, maar met krachtige stem – een breedvoerige toespraak tot de pers waarin hij verklaarde dat ze... ja, inderdaad... de stoffelijke resten van de senator hadden ontdekt en dat hij... ja, inderdaad... om het leven was gekomen door zes kogelwonden in het hoofd. Het pistool was een .22 en de kogelresten waren zonder enige twijfel afkomstig uit het handvuurwapen waarvan de politie na subliem speurwerk had vastgesteld dat het toebehoorde aan de verdachte, de heer Barry Muldanno.

Dat zou een prachtig moment zijn, die persconferentie.

Iemand klopte zacht en de deur ging open voordat Roy zich kon omdraaien. Het was Wally Boxx, de enige die zomaar in en uit mocht lopen.

'Al iets gehoord?' vroeg Wally. Hij liep naar het raam en bleef naast zijn chef staan.

'Nee. Nog geen woord. Ik wou dat Fink eens belde. Hij heeft duidelijke orders.'

Zwijgend keken ze naar buiten.

'Hoe gaat het in de rechtszaal?' vroeg Roy.

'Het gebruikelijke werk. Routinezaken.'

'Wie is er nu bezig?'

'Hoover. Hij is bijna klaar met die drugzaak in Gretna. Vanmiddag is het wel achter de rug.'

'Staat er voor morgen iets op de rol?'

'Nee. Het is een drukke week geweest. We hebben gisteren beloofd dat ze morgen vrij konden nemen. Waar dacht je aan?'

Foltrigg verplaatste zijn gewicht van de ene voet op de andere en krabde aan zijn kin met een verre blik in zijn ogen. Hij staarde naar de auto's beneden, maar hij zag ze niet. Diep nadenken kostte hem soms grote moeite. 'Stel dat Fink de mist in gaat op die zitting in Memphis. Stel dat het joch om de een of andere reden blijft zwijgen. Wat doen we dan? Volgens mij moeten we hen dan voor de jury in New Orleans slepen – Mark Sway én zijn advocaat. Dat joch zal toch wel geschrokken zijn. En nu zit hij nog in Memphis. Als we hem hiernaartoe halen, wordt hij nog banger.'

'Waarom wil je zijn advocaat dagvaarden?'

'Om haar bang te maken. Intimidatie, anders niet. Ik wil hen allebei de stuipen op het lijf jagen. Laten we vandaag die dagvaarding regelen. Dan houden we de papieren vast tot morgenmiddag, als alles dichtgaat voor het weekend. Pas op het laatste moment overhandigen we hen allebei een dagvaarding met het bevel om maandagochtend om tien uur voor een juryrechtbank te verschijnen. Dan kunnen ze niet meer naar de rechter lopen om die dagvaardingen te laten vernietigen, want dat lukt niet in het weekend. Alles is gesloten en de rechters zijn de stad uit. Uit angst zullen ze maandagochtend wel móéten verschijnen. Op ons terrein, Wally. Aan het eind van de gang, in ons eigen gebouw.'

'En als die jongen niets weet?'

Roy schudde geïrriteerd zijn hoofd. Dat gesprek hadden ze

de afgelopen achtenveertig uur al tien keer gevoerd.

'Begin je nou weer? Die jongen weet waar Boyette begraven is.'

'Misschien. Wie weet vertelt hij dat nu al aan Fink.' 'Dat denk ik ook.'

Een secretaresse meldde zich via de intercom: 'Meneer Fink op lijn één.'

Foltrigg liep naar zijn bureau en greep de telefoon. 'Ja?'

'De zitting is voorbij, Roy,' zei Fink. Hij klonk opgelucht en vermoeid.

Foltrigg zette de luidspreker aan en liet zich in zijn stoel vallen. Wally posteerde zijn smalle billen op de hoek van het bureau. 'Wally is hier ook, Tom. Zeg het maar. Wat is er gebeurd?'

'Niet veel. De jongen zit weer in de cel. Hij wilde niet praten, daarom is hij schuldig bevonden aan belediging van het hof.'

'Hij wilde niet praten? Wat bedoel je?'

'Precies wat ik zeg. De rechter heeft hem zelf ondervraagd. De jongen gaf toe dat hij bij Clifford in de auto heeft gezeten, maar toen de rechter over Boyette en Muldanno begon, beriep het joch zich op het vijfde artikel.'

'Het vijfde artikel?'

'Ja. Het recht om te zwijgen. Hij wilde niets zeggen. Hij vond het niet erg om terug naar de gevangenis te gaan, want hij kon toch nergens anders heen.'

'Maar die kleine schooier wéét het wel. Ja toch, Tom?'

'O, dat staat wel vast. Clifford heeft hem alles verteld.'

Foltrigg klapte in zijn handen. 'Zie je wel! Ik wist het, ik wist het. Dat heb ik al drie dagen tegen jullie gezegd.' Hij sprong overeind en wreef zich in zijn handen. 'Ik wist het!'

'De rechter heeft de zitting verdaagd naar morgenmiddag twaalf uur. Dan wil hij de jongen vragen of hij van gedachten is veranderd. Ik ben niet optimistisch.'

'Zorg dat je erbij bent, Tom.'

'Ja. Maar de rechter wil dat jij ook komt, Roy. Ik heb gezegd dat je morgen op de rechtbank moest zijn vanwege dat verzoek om uitstel. Je moet hem een kopie van de rechterlijke instructie faxen, Roy. Dan zou hij je excuseren, zei hij.'

'Die vent is gek!'

'Nee, zeker niet. Hij wil de volgende week nog een paar zittingen houden en hij verwacht dat wij als eisers allebei aanwezig zullen zijn.'

'Een gek, dat zei ik al.'

Wally rolde met zijn ogen en schudde zijn hoofd. Die arrondissementsrechters gedroegen zich soms zo vreemd.

'Na de zitting heeft de rechter met ons overlegd om de jongen en zijn familie als getuigen onder protectie te plaatsen. Hij denkt dat hij het joch wel kan overhalen om te praten als hij zijn veiligheid kan garanderen.'

'Maar dat kan weken duren.'

'Dat dacht ik ook, maar K.O. zei tegen de rechter dat het binnen een paar dagen geregeld kon zijn. Eerlijk gezegd denk ik niet dat die jongen zijn mond opendoet voordat wij hem garanties kunnen bieden, Roy. Het is een eigengereid baasje.'

'En zijn advocaat?'

'Die hield zich gedeisd en zei niet veel, maar zij kent de rechter goed. Ik had de indruk dat ze die jongen uitvoerig had geïnstrueerd. Het is een slimme tante.'

Wally moest ook iets zeggen. 'Tom, Wally hier. Wat denk je dat er in het weekend gebeurt?'

'Wie zal het zeggen? Ik geloof niet dat het joch zomaar van gedachten zal veranderen, en de rechter laat hem voorlopig niet vrij. Hij weet dat Gronke en die twee gorilla's van Muldanno in de stad zijn en volgens mij heeft hij die jongen voor zijn eigen veiligheid ingesloten. Morgen is het vrijdag, dus die knul zal het weekend wel in de cel doorbrengen. En ik weet zeker dat de rechter ons maandag weer bijeen zal roepen.'

'Kom je terug, Tom?' vroeg Roy.

'Ja, over een paar uur neem ik het vliegtuig. Morgenochtend vlieg ik wel weer terug.' Fink klonk dodelijk vermoeid.

'Ik blijf hier op je wachten, Tom. Knap werk.'

'Ja.'

Fink hing op en Roy drukte op de knop.

'Regel die dagvaarding voor een proces in New Orleans,' snauwde hij tegen Wally, die van het bureau sprong en naar de deur liep. 'Zeg Hoover dat hij zich even vrijmaakt. Dit is zo gebeurd. En geef me het dossier over Mark Sway. Zeg tegen de griffier dat de dagvaardingen verzegeld blijven tot ze worden uitgereikt – morgenmiddag laat.'

Wally was de deur al uit. Foltrigg liep terug naar het raam, mompelend in zichzelf. 'Ik wist het. Ik wist het!'

De agent in het pak tekende Doreens formulier en vertrok weer met zijn partner. 'Kom maar mee,' zei ze tegen Mark, op een toon alsof hij zich weer had misdragen en haar geduld nu opraakte. Hij volgde haar, starend naar haar brede achterste dat heen en weer schudde in een strakke zwarte polyesterbroek. Er zat een brede, glimmende riem om haar smalle middel gesnoerd, met een verzameling sleutelbossen, twee zwarte doosjes – bliepers, veronderstelde Mark – en een paar handboeien. Geen pistool. Ze droeg een officieel wit overhemd met strepen op de mouwen en een gouden randje langs de kraag.

De gang was leeg toen ze de deur van zijn cel opende en opzij stapte. Mark ging het kamertje weer binnen. Ze kwam achter hem aan en liep langs de muren als een hasj-hond op een vliegveld. 'Ik ben eigenlijk verbaasd je terug te zien,' zei ze, terwijl ze de wc inspecteerde.

Daar wist hij niets op te antwoorden, en bovendien was hij niet in de stemming voor een praatje. Hij keek naar haar toen ze zich bukte en dacht aan haar man die dertig jaar moest uitzitten voor een bankoverval. Als ze haar mond niet hield, zou hij daarover beginnen. Dan zou ze wel afdruipen.

'Heb je rechter Roosevelt kwaad gemaakt?' vroeg ze met een blik door het raam.

'Dat zal wel.'

'Hoe lang moet je zitten?'

'Dat zei hij niet. Ik moet morgen weer terug.'

Ze liep naar de britsen en klopte op de dekens. 'Ik heb over jou en je broertje gelezen. Vreemde zaak. Hoe gaat het met hem?'

Mark bleef bij de deur staan en hoopte dat ze zou oprotten. 'Ik ben bang dat hij het niet overleeft,' zei hij triest.

'Dat meen je niet!'

'Ja, erg hè? Hij ligt in coma. Hij zuigt op zijn duim, en soms gromt en kwijlt hij wat. Zijn ogen zijn naar achteren gedraaid en hij wil niet eten.'

'Sorry dat ik het vroeg.' Ze had haar zwaar opgemaakte ogen wijd opengesperd en stond opeens doodstil.

Ja, dat zal wel, dacht Mark. 'Ik zou bij zijn bed moeten zitten,' vervolgde hij. 'Mijn moeder is bij hem, maar ze kan er niet meer tegen. Ze slikt handenvol pillen.'

'O, wat vreselijk.'

'Ja, heel erg. En zelf ben ik steeds duizelig. Misschien ga ik er ook wel onderdoor, net als mijn broertje.'

'Kan ik iets voor je halen?'

'Nee, ik wil alleen maar even liggen.' Hij liep naar het stapelbed en liet zich op de onderste brits vallen. Doreen

knielde bij hem neer, duidelijk bezorgd. 'Als je iets wilt,
dan zeg je het maar, schat. Oké?'
'Ja. Een pizza zou wel lekker zijn.'
Ze stond op en dacht na. Hij sloot zijn ogen alsof hij vrese-
lijk veel pijn had.
'Ik zal zien wat ik kan doen.'
'Ik heb ook geen lunch gehad.'
'Ik ben zo terug,' zei ze, en ze vertrok. De deur viel met een
luide klik in het slot. Mark sprong overeind en drukte zijn
oor ertegenaan.

27

De kamer was donker, zoals gewoonlijk. De lichten waren
gedoofd, de deur gesloten en de jaloezieën dicht. Het enige
licht kwam van de bewegende blauwe schaduwen op het
zwijgende tv-scherm hoog aan de muur. Dianne was geestelijk uitgeput en lichamelijk kapot. Ze had acht uur bij
Ricky op bed gelegen, terwijl ze hem streelde, omhelsde,
geruststellend tegen hem praatte en probeerde sterk te blijven in deze klamme, donkere, kleine cel.
Twee uur geleden was Reggie langsgekomen en hadden ze
een halfuurtje op de rand van het opklapbed zitten praten.
Reggie had haar verteld hoe de zitting was verlopen en haar
verzekerd dat Mark geen enkel gevaar liep en goed te eten
kreeg. Ze beschreef zijn cel in de detentievleugel – ze kende
die cellen – en zei tegen Dianne dat hij daar veilig was. Ze
sprak over rechter Roosevelt en het aanbod van de FBI om
Dianne en haar zoontjes een nieuwe identiteit te geven.
Eerst was dat wel een aantrekkelijk idee, zeker in deze omstandigheden – verhuizen naar een nieuwe stad, met nieuwe
namen, een nieuwe baan en een fatsoenlijk huis. Dan kon-

den ze aan deze ellende ontsnappen om een nieuw leven te beginnen. Ze zouden een grote stad kunnen kiezen, met grote scholen, waar de jongens niet opvielen. Maar hoe meer ze erover nadacht, ineengerold op het bed, starend naar de muur boven Ricky's kleine hoofd, des te minder het haar beviel. Eigenlijk was het een afschuwelijk idee om altijd op de vlucht te moeten zijn, altijd bang voor onverwachte bezoekers, altijd in paniek als een van de jongens te laat thuiskwam, altijd liegend over het verleden.

Want als ze ja zei, zat ze er voorgoed aan vast. Over vijf of tien jaar, lang na het proces in New Orleans, zou iemand zijn mond voorbij kunnen praten. Een oude kennis, iemand die ze vroeger eens had ontmoet. Stel dat de verkeerde mensen dat zouden horen en haar spoor zouden volgen? Stel dat Mark, die dan misschien in de hoogste klas van de middelbare school zat, na een sportwedstrijd zou worden opgewacht door iemand die hem een pistool tegen zijn hoofd drukte? Dan zou hij natuurlijk geen Mark Sway meer heten, maar hij zou er niet minder dood om zijn.

Ze had al bijna besloten om het FBI-aanbod af te wijzen, toen Mark haar uit de gevangenis belde. Hij zei dat hij juist een grote pizza had gegeten, dat hij zich geweldig voelde, dat het er veel leuker was dan in het ziekenhuis en dat het eten er veel beter was. Hij klonk zo opgewekt dat ze meteen wist dat hij loog. Hij was al bezig zijn ontsnapping voor te bereiden, zei hij. Het zou niet lang meer duren voordat hij vrij was. Ze praatten over Ricky, over de caravan en over de zitting van vandaag en de volgende morgen. Mark vertrouwde op Reggies adviezen, en dat vond Dianne ook het beste. Hij verontschuldigde zich dat hij niet bij haar kon zijn om haar met Ricky te helpen, en Dianne had moeite haar tranen te bedwingen toen ze hem zo volwassen hoorde praten. Ten slotte zei hij nog eens dat hij spijt had van de hele toestand.

Het was maar een kort gesprek. Dianne vond het moeilijk met hem te praten. Ze had weinig moederlijke adviezen voor hem en ze vond dat ze tekortschoot omdat haar elfjarige zoontje in de gevangenis zat en ze hem niet vrij kon krijgen. Ze kon niet eens bij hem op bezoek. Ze kon niet met de rechter praten. En ze kon hem niet adviseren of hij de waarheid moest vertellen of zijn mond moest houden omdat ze zelf ook bang was. Ze kon helemaal niets doen, behalve hier in dit smalle bed liggen, starend naar de muren en biddend dat ze wakker zou worden en de nachtmerrie voorbij zou zijn.

Het was zes uur, tijd voor het plaatselijke nieuws. Ze keek naar het geluidloze gezicht van de nieuwslezeres en hoopte dat het niet zou komen. Maar het kwam wel, en snel. Na een zandlawine met twee doden verscheen er opeens een zwartwitfoto van Mark en de rechercheur die zij 's ochtends een klap had gegeven. Ze zette het geluid aan.

De nieuwslezeres gaf de belangrijkste feiten over de inhechtenisneming van Mark Sway – ze noemde het geen arrestatie – en schakelde toen over naar een verslaggever die voor het Jeugdgerechtshof stond. Die kletste een paar seconden over een zitting waar hij niets van af wist en meldde toen buiten adem dat de jongen, Mark Sway, naar de detentievleugel was teruggebracht en dat rechter Roosevelt de volgende morgen weer een zitting zou houden. Terug naar de studio, waar de nieuwslezeres wat meer details gaf over de relatie tussen de jeugdige Mark en de tragische zelfmoord van Jerome Clifford. Er werd een korte opname getoond van de begrafenisgangers die dezelfde ochtend een kapel in New Orleans verlieten, gevolgd door een haastig interview met Roy Foltrigg onder een paraplu. Daarna herkauwde de nieuwslezeres de krantenartikelen van Slick Moeller. De verdenking nam toe, besloot ze. De politie van Memphis, de FBI, het kantoor van de federale officier en de kinderrechter weigerden ieder commentaar. Ze begaf zich op nog gladder ijs toen ze zich beriep op allerlei vage, anonieme bronnen die geen feiten kenden maar wel met theorieën kwamen. Eindelijk – godzijdank! – was ze uitgesproken en maakte ze plaats voor de reclame. Wie niet beter wist, zou na deze reportage denken dat de jonge Mark Sway niet alleen Jerome Clifford had doodgeschoten, maar ook senator Boyd Boyette.

Dianne kreeg kramp in haar maag en zette de televisie uit, waardoor het nog donkerder werd in de kamer. Ze had al in tien uur geen hap gegeten. Ricky bewoog en gromde in zijn slaap, en dat irriteerde haar. Ze liet zich uit het bed glijden, gefrustreerd door Ricky's toestand en door Greenway die zo weinig voor hem kon doen. Ze had genoeg van dit ziekenhuis met zijn sombere decor en zijn gebrekkige verlichting, en ze was diep geschokt door een systeem dat kinderen opsloot omdat het kinderen waren. Maar ze was vooral doodsbang voor die duistere machten die Mark hadden bedreigd, de caravan in brand hadden gestoken en kennelijk bereid waren nog veel verder te gaan. Ze deed de deur van de badkamer achter zich dicht, ging op de rand van het bad zitten en stak een Virginia Slim op. Haar handen trilden en ze kon nauwelijks meer helder denken. Vanuit haar nek kwam een hevige migraine opzetten, en ze wist dat ze tegen middernacht verlamd zou zijn van pijn. Misschien konden die pillen helpen.

Ze spoelde de dunne peuk weg en ging weer op de rand van Ricky's bed zitten. Ze had gezworen dat ze niet verder dan één dag vooruit zou kijken, maar het leek wel of het iedere dag erger werd. Ze kon niet veel meer hebben.

Barry het Mes had de armoedige kleine bar gekozen omdat

het er rustig en donker was. In zijn tienerjaren was hij er weleens geweest, toen hij nog een jonge, ambitieuze straat-boef was. Nu kwam hij er niet vaak meer, maar de bar lag diep in de Franse wijk van New Orleans, dus kon hij zijn auto in Canal Street parkeren en tussen de toeristen in Royal en Bourbon Street verdwijnen zonder dat de FBI hem zou kunnen volgen.

Hij vond een kleine tafel achterin en bestelde een wodka-cocktail terwijl hij op Gronke wachtte.

Het liefst was hij zelf naar Memphis gegaan, maar hij was op borgtocht vrij en zijn bewegingen waren beperkt. Als hij de staat wilde verlaten, moest hij eerst toestemming vragen, en zo gek was hij nu ook weer niet. Het contact met Gronke verliep heel moeizaam. De paranoia had hem bij de keel. Al acht maanden lang voelde hij constant de blikken van de po-litie in zijn rug. Iedere voetganger die in het donker achter hem liep zou een FBI-agent kunnen zijn. Zijn telefoon werd afgeluisterd en er waren microfoontjes in zijn huis en in zijn auto aangebracht. De helft van de tijd was hij bang zijn mond open te doen omdat hij de sensors en de verborgen microfoontjes bijna kon voelen.

Hij dronk zijn glas leeg en bestelde er nog een. Een dubbele. Gronke was twintig minuten te laat. Hij perste zijn omvang-rijke gestalte in een stoel in de hoek van de bar. Het plafond was ruim twee meter boven hun hoofd.

'Leuke tent,' zei Gronke.

'Hoe gaat het?'

'Redelijk.' Barry knipte met zijn vingers en de ober kwam naar hen toe.

'Bier. Grolsch,' zei Gronke.

'Ben je gevolgd?' vroeg Barry.

'Ik geloof het niet. Ik ben zigzaggend door de halve wijk ge-lopen.'

'Wat gebeurt er allemaal?'

'In Memphis?'

'Nee, in Milwaukee, klootzak,' zei Barry met een grijns.

'Hoe is het met die jongen?'

'Hij zit in de cel en hij doet zijn bek niet open. Ze hebben hem vanochtend opgepakt. Vanmiddag heeft de kinderrechter hem ondervraagd en daarna is hij weer naar de gevangenis teruggestuurd.'

De barkeeper liep met een groot blad met vuile bierpullen de klapdeuren door, naar de groezelige kleine keuken. Toen de deuren achter hem dichtvielen, werd hij aangehouden door twee FBI-agenten in jeans. Een van hen liet zijn legitimatie zien, terwijl de ander het blad overnam.

'FBI. Doe ons een plezier,' zei speciaal agent Scherff op rustige, zakelijke toon. De andere agent deed een stap naar voren. De barkeeper had al twee veroordelingen achter de rug en was nog geen zes maanden vrij. Hij was willig genoeg.

'Natuurlijk. Zeg het maar.'

'Hoe heet je?'

'Eh, Dole. Link Dole.' Hij had in de loop der jaren al zoveel verschillende namen gebruikt dat hij zelf soms in de war raakte.

De agenten deden nog een stap naar voren en Link was bang dat ze hem zouden aanvallen. 'Oké, Link. Wil je ons helpen?'

Link knikte snel. De kok stond in een pan met rijst te roeren. Hij had een sigaretje in zijn mond dat ieder moment van zijn lip kon glijden. Hij keek één keer hun kant uit, maar hij had andere dingen aan zijn hoofd.

'In de achterste hoek zitten twee mannen aan een tafeltje te drinken. Helemaal rechts, waar het plafond het laagst is.'

'Ja, ik weet het. Ik heb toch niks gedaan?'

'Nee, Link. Luister.' Scherff haalde een peper- en zoutstelletje uit zijn zak. 'Zet dit op een blad, met een fles ketchup. Loop naar het tafeltje, heel nonchalant, en verwissel het voor het stel dat er nu staat. Vraag die lui of ze iets willen eten of nog een drankje willen bestellen. Duidelijk?'

Link knikte, maar hij begreep er niets van. 'Eh... wat zit hier dan in?'

'Zout en peper,' zei Scherff. 'En een klein microfoontje waarmee we kunnen horen wat ze zeggen. Het zijn gangsters, Link. Wij schaduwen hen.'

'Ik wil er niks mee te maken hebben,' zei Link, hoewel hij wist dat hij bij het eerste dreigement tot alles bereid was.

'Wil je me kwaad maken?' vroeg Scherff, zwaaiend met de peper- en zoutvaatjes.

'Oké, oké.'

Een ober trapte de klapdeuren open en schoof met een blad vuile borden achter hen langs. Link pakte het peper- en zoutstel aan. 'Als je het maar tegen niemand zegt,' zei hij trillend.

'Afgesproken, Link. Het blijft ons geheimpje. Is er hier ergens een lege kast?' vroeg Scherff. Hij wierp een blik door de kleine, volgestouwde keuken. Het antwoord was wel duidelijk. Er was al vijftig jaar geen vrije vierkante decimeter in dit krot te vinden geweest.

Link dacht even na, om zijn nieuwe vrienden toch vooral van dienst te zijn. 'Nee, maar boven de bar is een klein kantoor.'

'Geweldig, Link. Verwissel jij die vaatjes maar, dan kunnen wij boven onze apparatuur opstellen.' Link hield het peper- en zoutstelletje voorzichtig vast, alsof het ieder moment kon exploderen, en liep terug naar de bar. Een ober zette een zware groene fles Grolsch voor Gronke neer en verdween.

'Die kleine etter weet iets, of niet?' vroeg het Mes.

'Natuurlijk. Anders werd er niet zo'n drukte over gemaakt. Waarom zou hij anders een advocaat hebben genomen? Waarom zou hij zijn mond dan zo stijf dichthouden?' Gronke sloeg de helft van zijn Grolsch in één teug achterover.

Link kwam naar hun tafeltje met een blad met een stuk of tien peper- en zoutstelletjes, flessen ketchup en potjes mosterd. 'Willen jullie ook wat eten?' vroeg hij zakelijk, terwijl hij het garnituur op het tafeltje verwisselde.

Barry wuifde hem weg. 'Nee,' zei Gronke. En Link was weer verdwenen. Nog geen tien meter verder bogen Scherff en drie andere agenten zich over een klein bureau en openden een zwaar koffertje. Een van de agenten pakte de koptelefoon en zette hem op. Toen grijnsde hij.

'Dat joch maakt me bang, man,' zei Barry. 'Hij heeft het natuurlijk aan zijn advocaat verteld, dus nu zijn er al twee die het weten.'

'Ja, maar hij zegt geen woord, Barry. Denk even na. We hebben hem de stuipen op het lijf gejaagd. Ik heb hem die foto laten zien. We hebben die caravan in de fik gestoken. Dat joch pist in zijn broek van angst.'

'Ik weet het niet. Kunnen we op de een of andere manier bij hem komen?'

'Nu niet. Ik bedoel, verdomme... de politie heeft hem nou. Hij zit opgesloten.'

'Toch zijn er altijd mogelijkheden. Een jeugdgevangenis wordt nooit zo zwaar beveiligd.'

'Jawel, maar de politie is ook bang. Overal in het ziekenhuis lopen smerissen rond, en er zitten bewakers op de gang. Ik heb zelfs FBI-agenten gezien die zich als dokter hadden verkleed. Ze zijn als de dood voor ons.'

'Maar ze kunnen hem dwingen om te praten. Ze kunnen hem bescherming aanbieden, zijn moeder een flinke bom duiten beloven. Stel dat ze een nieuwe caravan voor hen kopen, twee keer zo breed of zo. Het bevalt me niet, Paul. Als dat joch niks zou weten maakten ze er niet zoveel werk van.'

'We kunnen die jongen niet omleggen, Barry.'

'Waarom niet?'

'Omdat het een kind is. En omdat iedereen hem in de gaten houdt. Als we hem vermoorden, laat de politie ons nooit meer met rust. Nee, vergeet het maar.'

'Zijn moeder of zijn broertje dan? Die kunnen we toch te pakken nemen?' Gronke nam nog een flinke slok bier en schudde vermoeid zijn hoofd. Hij was een harde crimineel die er niet voor terugdeinsde iemand te bedreigen, maar in tegenstelling tot zijn vriend was hij geen moordenaar. Deze pogingen om in het wilde weg een slachtoffer te vinden maakten hem nerveus. Hij zei niets.

'En zijn advocaat?' vroeg Barry.

'Waarom zou je háár vermoorden?'

'Misschien omdat ik de pest aan advocaten heb. Misschien omdat dat joch dan zo bang wordt dat hij in coma raakt, net als zijn broertje. Weet ik het.'

'Is het wel zo verstandig om onschuldige mensen in Memphis te elimineren? Die jongen neemt gewoon een andere advocaat.'

'Die maken we ook koud. Denk eens na, Paul. Dit zou een zegen kunnen zijn voor de juridische bedrijfstak,' zei Barry met een luide lach. Toen boog hij zich naar voren alsof er een heel persoonlijke gedachte bij hem opkwam. Met zijn kin op een paar centimeter van het zoutvaatje zei hij: 'Als we de advocaat van dat knulletje koud maken zou geen andere advocaat het nog in zijn hoofd halen hem te verdedigen. Begrijp je?'

'De spanning is je te veel geworden, Barry. Dit is krankzinnig.'

'Ja, dat weet ik. Maar toch is het een geweldig idee, vind je niet? Vermoord je zijn advocaat, dan zal het joch met niemand meer durven praten. Zelfs niet met zijn eigen moeder. Hoe heet ze ook alweer? Rollie, of Ralphie?'
'Reggie. Reggie Love.'
'Wat is dat in godsnaam voor een naam voor een wijf?'
'Moet je mij niet vragen.'
Barry dronk zijn glas leeg en knipte weer met zijn vingers om de aandacht van de ober te trekken. 'Hebben jullie haar telefoon al afgetapt?' vroeg hij zachtjes, vlak boven het zoutvaatje.
'Nee. We konden gisteravond niet binnenkomen.'
Het Mes werd opeens kwaad. 'Wat?' Zijn gemene ogen glinsterden van woede.
'Onze man zal vanavond een tap aanbrengen, als alles goed gaat.'
'Waar zit ze ergens?'
'Ze heeft een kantoortje in een grote flat in het centrum. Het zal wel lukken.'
Scherff drukte de koptelefoon nog steviger tegen zijn oren. Twee van zijn collega's deden hetzelfde. Het enige geluid in de kamer was het zachte geklik van de recorder.
'Zijn die lui goed?'
'Nance weet wat hij doet. Die is wel bestand tegen de druk. Maar zijn partner, Cal Sisson, is een zenuwwrak. Die schrikt van zijn eigen schaduw.'
'Die telefoons móéten vanavond worden afgetapt.'
'Het komt voor elkaar.'
Barry stak een Camel zonder filter op en blies de rook naar het plafond. 'Wordt die advocaat ook beschermd?' vroeg hij, met zijn ogen halfdicht.
Gronke keek hem niet aan.
'Ik geloof het niet.'

'Waar woont ze? In wat voor een huis?'
'Ze heeft een leuk appartementje achter het huis van haar moeder.'
'Woont ze alleen?'
'Ik geloof het wel.'
'Dus ze zou een gemakkelijk doelwit zijn, of niet? We breken in, we schieten haar neer, we stelen een paar dingen. Gewoon een inbraak die uit de hand is gelopen. Wat vind je?'
Gronke schudde zijn hoofd en bestudeerde een jonge blondine aan de bar.
'Wat vind je?' herhaalde Barry.
'Ja, het zou vrij eenvoudig zijn.'
'Laten we het dan doen. Luister je wel, Paul?'
Paul luisterde, maar hij ontweek de gemene ogen. 'Ik ben niet in de stemming om iemand te vermoorden,' zei hij, nog steeds met zijn blik op de blondine gericht.
'Goed. Ik zal Pirini erop afsturen.'

Een paar jaar eerder was een jongen van twaalf jaar – een gedetineerde, zoals ze in het Jeugddetentiecentrum werden genoemd – in de cel naast die van Mark aan een epileptische aanval overleden. De pers had er schande van gesproken, en een vervelende rechtszaak was het gevolg geweest. Hoewel Doreen geen dienst had gehad toen het gebeurde, was ze toch vreselijk ontdaan geweest. Er kwam een onderzoek, twee mensen waren ontslagen en er waren allerlei nieuwe regels opgesteld.
Doreens dienst eindigde om vijf uur, en het laatste wat ze deed was een kijkje nemen bij Mark. De hele middag was ze ieder uur even bij hem langs geweest en ze had tot haar grote bezorgdheid geconstateerd dat het steeds slechter met hem ging. Ze zag hem voor haar ogen achteruitgaan. Bij

ieder bezoekje sprak hij minder. Hij lag daar maar op zijn bed, starend naar het plafond. Om vijf uur bracht ze een verpleegkundige mee, die Mark haastig onderzocht maar niets bijzonders kon vinden. Al zijn vitale functies waren in orde. Toen Doreen vertrok, masseerde ze zijn slapen als een lieve grootmoeder en beloofde de volgende morgen – vrijdagochtend – vroeg weer terug te zijn. En ze liet nog een pizza komen.

Mark hoopte dat hij het wel zou redden, zei hij. Hij zou proberen de nacht door te komen. Blijkbaar had ze instructies achtergelaten, want de bewaarster van de volgende verdieping, een kleine dikke vrouw die Telda heette, klopte meteen op zijn deur en stelde zich voor. De volgende vier uur klopte Telda regelmatig en kwam ze de cel binnen om ongerust in zijn ogen te staren, alsof hij gek was en ieder moment amok kon maken.

Mark keek naar de televisie – er was geen kabel – tot het nieuws van tien uur begon. Toen poetste hij zijn tanden en deed het licht uit. Het bed was niet slecht, en hij dacht aan zijn moeder die probeerde te slapen op dat krakkemikkige veldbed dat de verpleegsters in Ricky's kamer hadden gezet.

De pizza was van Domino's, niet zo'n leerachtig stuk kaas dat iemand in een magnetron had geschoven, maar een echte pizza die Doreen waarschijnlijk zelf had betaald. Het bed was warm, de pizza was lekker en de deur zat op slot. Hij voelde zich beschermd, niet alleen tegen zijn medegevangenen, de bendes en het geweld dat niet ver weg kon zijn, maar vooral tegen de man met de stiletto die zijn naam kende en zijn foto had. De man die de caravan in brand had gestoken. Sinds hij gisteren in alle vroegte uit de lift was gevlucht had hij ieder uur wel een keer aan die man gedacht gisteravond op de veranda van Moeder Love en vanmiddag in de rechtszaal toen hij naar Hardy en McThune zat te luisteren. Hij maakte zich zorgen dat die vent nog ergens in het ziekenhuis rondsloop zonder dat Dianne het wist.

Het was middernacht en hij zat in een geparkeerde auto in Third Street, in het hartje van Memphis. Cal Sisson kon zich wel wat leukers en veiligers voorstellen, maar de portieren zaten op slot en er lag een pistool onder zijn stoel. Vanwege zijn strafblad mocht hij zelf geen vuurwapens bezitten of bij zich hebben, maar dit was de auto van Jack Nance. Hij stond achter een bestelwagen bij Madison, een paar straten van het Sterlick Building. De auto viel nauwelijks op en er was niet veel verkeer.

Twee agenten in uniform slenterden op de stoep voorbij. Ze bleven op een meter van de auto staan en tuurden naar Cal. Hij keek in het spiegeltje en zag nog twee agenten naderen. Vier smerissen! Een van de agenten ging op de kofferbak zitten en Cal voelde de auto schudden. Stond de parkeermeter al op nul? Nee, hij had er voor een uur kwartjes in gegooid en hij stond hier nog geen tien minuten. Nance had beloofd dat hij binnen een halfuur weer terug zou zijn.

Nog twee agenten voegden zich bij hun collega's op de stoep. Het zweet brak Cal uit. Hij maakte zich ongerust over het pistool, maar een goede advocaat zou zijn reclasserings-ambtenaar er wel van overtuigen dat het wapen niet van hem was. Hij reed toevallig in Nances auto, dat was alles. Een onopvallende politiewagen stopte achter hem en twee politiemannen in burger liepen naar de agenten toe. Acht smerissen!

Een van de mannen, gekleed in een spijkerbroek en een sweatshirt, boog zich voorover en hield zijn legitimatie voor het raampje van Cals portier. Cal had een zendertje naast zich op de stoel liggen. Een halve minuut geleden had hij de blauwe knop moeten indrukken om Nance te waarschuwen. Nu was het te laat. De agenten waren uit het niets opgedoken.

Langzaam draaide hij zijn raampje omlaag. De smeris stak zijn hoofd naar binnen, met zijn gezicht vlak bij Sisson. 'Goeienavond, Cal. Inspecteur Byrd van de politie van Memphis.'

Het feit dat de man hem Cal noemde voorspelde weinig goeds. Cal probeerde kalm te blijven. 'Wat kan ik voor u doen, inspecteur?'

'Waar is Jack?'

Cals hart sloeg een slag over en het zweet droop van zijn lijf. 'Jack wie?'

Jack wie. Byrd keek over zijn schouder en glimlachte tegen zijn maat. De agenten in uniform hadden de auto omsingeld. 'Jack Nance. Een goeie vriend van je. Waar is hij?'

'Ik heb hem niet gezien.'

'Dat is toevallig. Ik ook niet. Het afgelopen kwartier niet meer, tenminste. Ik heb Jack voor het laatst gezien op de hoek van Union Avenue en Second Street, nog geen halfuur geleden, toen hij uit deze auto stapte. Jij reed weg en nu sta je hier. Over toeval gesproken!'

Cals ademhaling ging moeizaam. 'Ik weet niet wat u bedoelt.'

Byrd ontgrendelde het slot en opende het portier. 'Uitstappen, Cal,' beval hij, en Cal gehoorzaamde. Byrd sloeg het portier dicht en duwde hem ertegenaan. Vier agenten kwamen om hem heen staan. De andere drie keken in de richting van het Sterick Building. Byrd stond vlak voor hem.

'Luister goed, Cal. Op medeplichtigheid aan inbraak staat zeven jaar. Je hebt al drie veroordelingen achter de rug, dus zul je als recidivist worden berecht. Enig idee hoe lang je dan de bak indraait?'

Cal klappertandde en hij trilde over zijn hele lichaam. Hij schudde zijn hoofd, alsof hij het niet wist en het ook niet wilde weten.

'Dertig jaar, zonder aftrek voor goed gedrag.'

Cal sloot zijn ogen. Hij begon steeds moeilijker te ademen.

'Maar,' vervolgde Byrd, heel kalm en heel wreed, 'wij maken ons geen zorgen om Jack Nance. Als hij klaar is met de telefoon van mevrouw Love wordt hij door onze mensen buiten het gebouw opgewacht en aangehouden. Uiteindelijk zal hij wel in de cel belanden, maar we denken niet dat hij veel zal zeggen. Kun je me volgen?'

Cal knikte haastig.

'Maar wij dachten dat jij misschien wel bereid zou zijn ons een handje te helpen, Cal. Als wij in ruil daarvoor een oogje zouden dichtknijpen. Begrijp je wat ik bedoel?'

Hij knikte nog steeds, wat sneller nu.

'Als jij ons vertelt wat we willen weten, dan zullen we je laten gaan.'

Cal keek hem wanhopig aan. Zijn mond hing open en zijn borst ging snel op en neer.

Byrd wees naar de stoep aan de overkant van Madison Street. 'Zie je die stoep, Cal?'

Cal wierp een lange, hoopvolle blik op het verlaten trottoir. 'Ja,' zei hij gretig.

'Die is van jou. Beantwoord een paar vragen en je kunt vertrekken, oké? Ik bied je dertig jaar vrijheid aan, Cal. Wees nou niet dom.'

'Goed.'

'Wanneer komt Gronke uit New Orleans terug?'

'Morgenochtend om een uur of tien.'

'Waar logeert hij?'

'In de Holiday Inn aan Crowne Plaza.'

'Welke kamer?'

'Nummer 782.'

'En Bono en Pirini?'

'Dat weet ik niet.'

'Toe nou, Cal, we zijn niet gek. Waar zitten ze?'

'In kamer 783 en 784.'

'Wie is hier verder nog uit New Orleans?'

'Dat is alles. Verder weet ik niets.'

'Kunnen we nog meer mensen uit New Orleans verwachten?'

'Dat weet ik niet. Ik zweer het.'

'Hebben ze plannen om die jongen, zijn familie of zijn advocaat om zeep te helpen?'

'Er is over gesproken, maar er zijn geen definitieve plannen. Daar heb ik trouwens niets mee te maken.'

'Dat weet ik, Cal. Moesten jullie nog meer telefoons afluisteren?'

'Nee. Alleen het toestel van die advocaat.'

'Ook bij haar thuis?'

'Nee, niet dat ik weet.'

'Geen andere microfoontjes of afluisterapparatuur?'

'Niet dat ik weet.'

'Geen plannen om iemand te vermoorden?'

'Nee.'

'Als je liegt, zal ik je weten te vinden, Cal. Dertig jaar in de bak, vergeet het niet.'

'Ik zweer het.'

Opeens sloeg Byrd hem tegen de rechterkant van zijn gezicht, greep hem bij zijn kraag en klemde een sterke hand om zijn hals. Cals mond viel open en hij sperde zijn ogen wijdopen van angst. 'Wie heeft die caravan in brand gestoken?' snauwde Byrd, terwijl hij de man nog harder tegen de auto drukte.

'Bono en Pirini,' zei Cal zonder enige aarzeling.

381

'Was jij er ook bij, Cal?'

'Nee. Ik zweer het.'

'Staan er nog meer branden op het programma?'

'Ik weet van niets.'

'Wat spoken ze hier dan uit, verdomme?'

'Ze wachten af en ze luisteren. Je weet wel... Ze blijven in de buurt, om in actie te komen als het nodig is. Dat hangt van die jongen af.'

Byrd kneep Cals strot nog verder dicht, ontblootte zijn tanden en rukte aan zijn kraag. 'Eén leugen, Cal, en ik breek al je botten, begrepen?'

'Het is de waarheid, dat zweer ik je,' riep Cal met schrille stem.

Byrd liet hem weer los en knikte in de richting van de stoep. 'Goed. Ga en zondig niet meer.' Het kordon van agenten week uiteen. Cal liep langs hen heen en stak de straat over. Rennend bereikte hij de overkant en verdween in de duisternis.

28

Op vrijdagmorgen, in het grijze licht van de vroege ochtend, dronk Reggie een kop sterke zwarte koffie en bereidde zich voor op een nieuwe, onvoorspelbare dag als Mark Sway's advocaat. Het was een koele, heldere ochtend, de eerste van vele in september – een teken dat de warme, drukkende zomer van Memphis ten einde liep. Ze zat op de rieten schommelstoel op het kleine balkon aan de achterkant van haar appartement en probeerde de afgelopen vijf uur van haar leven te ontrafelen.

Om halftwee had de politie haar gebeld. Er was iets aan de hand in haar kantoor, zeiden ze. Of ze zo snel mogelijk wilde komen. Ze had Clint gebeld en samen waren ze naar haar kantoor gereden, waar een stuk of zes politiemensen op hen wachtten. Ze hadden Jack Nance zijn vuile werk laten doen en hem pas in de kraag gegrepen toen hij het gebouw verliet. Ze lieten Reggie en Clint de zendertjes zien die in de hoorns van de drie telefoons waren aangebracht. Nance verstond zijn vak, zeiden ze erbij.

Terwijl Reggie toekeek, verwijderden ze de zendertjes als bewijsstukken. Ze vertelden haar hoe Nance was binnengedrongen en maakten een paar kritische opmerkingen over het gebrek aan beveiliging. Reggie antwoordde dat ze daar niet in geïnteresseerd was. Er viel toch niets te stelen in het kantoor. Ze controleerde haar archief, maar alles leek in orde. Het dossier van Mark Sway zat thuis in haar koffertje, dat ze bij zich hield als ze sliep. Clint inspecteerde zijn bureau en dacht dat Nance misschien zijn dossiers had doorgewerkt. Maar zijn bureau was nogal rommelig en hij wist het niet echt zeker.

De politie had van tevoren geweten dat Nance zou komen. Hoe ze dat wisten, zeiden ze er niet bij. Ze hadden hem alle kans gegeven het gebouw binnen te dringen – open deuren, afwezige bewakers, enzovoort – terwijl ze hem met een man of twaalf in de gaten hielden. Hij was nu in verzekerde bewaring gesteld, maar hij had nog niets gezegd. Een van de rechercheurs had haar apart genomen en haar fluisterend ingelicht over Nances connecties met Gronke, Bono en Pirini. Die laatste twee hadden ze niet kunnen vinden. Hun hotelkamers waren verlaten. Gronke was in New Orleans, waar hij werd geschaduwd.

Nance hing een gevangenisstraf van twee jaar of langer boven het hoofd. Heel even was Reggie weer voorstander van de doodstraf.

Ten slotte waren de politiemensen vertrokken. Om een uur

of drie zaten Reggie en Clint weer alleen in het lege kantoor, in het verbijsterende besef dat hun telefoons door een professional waren afgetapt. Iemand was hier zomaar binnengedrongen, een man die door beroepsmoordenaars was ingehuurd om informatie te verzamelen die eventueel voor nieuwe moordaanslagen kon worden gebruikt. De omgeving maakte Reggie nerveus, en kort na het vertrek van de politie waren zij en Clint ook weggegaan, naar een koffieshop in de binnenstad.

En nu zat ze weer aan de koffie, met maar drie uur slaap achter de rug en een zenuwslopende dag in het verschiet. Ze keek naar de lucht in het oosten, die langzaam oranje kleurde. Het was nog maar nauwelijks twee dagen geleden, op woensdag, dat Mark doodsbang haar kantoor was binnengestapt, druipend van de regen, en haar had verteld dat hij was bedreigd door een man met een stiletto. Het was een grote, lelijke man, die met een knipmes had gezwaaid en hem een familiefoto uit de caravan had laten zien. Vol afschuw had Reggie geluisterd toen dat kleine, huiverende jochie de stiletto had beschreven. Maar hoe akelig het ook klonk, het was iemand ánders overkomen. Reggie was er niet persoonlijk bij betrokken geweest. Niemand had een mes op háár gericht.

Dat was woensdag. Nu was het vrijdag en waren dezelfde gangsters haar kantoor binnengedrongen, wat het allemaal veel dreigender maakte. Haar kleine cliënt zat veilig in de cel, omringd door bewakers, maar zij zat hier in haar eentje in het donker en dacht over Bono en Pirini en wie er verder nog op haar loerden.

Om de hoek stond een onopvallende auto die vanuit het huis van Moeder Love niet zichtbaar was. In die auto hielden twee FBI-agenten de wacht, voor alle zekerheid. Reggie had daarmee ingestemd.

Ze stelde zich een hotelkamer voor, vol sigarettenrook en

lege bierflessen, de gordijnen gesloten en een kleine groep slecht geklede boeven die naar een bandrecorder op een tafeltje zaten te luisteren. Op de band klonken haar eigen gesprekken met cliënten, met dr. Levin, met Moeder Love, nietsvermoedend en ongedwongen, zonder het besef dat er iemand meeluisterde. De gangsters luisterden met een verveeld gezicht, maar zo nu en dan bromden en grinnikten ze wat.

Mark had haar nooit op kantoor gebeld, dus was het belachelijk om haar telefoon af te luisteren. Blijkbaar geloofden die mensen dat Mark iets over het lijk van Boyette wist en dat hij of zijn advocaat stom genoeg zou zijn om dat via de telefoon te bespreken.

De telefoon in de keuken ging en Reggie schrok. Ze keek op haar horloge. Tien voor halfzeven. Dat betekende niet veel goeds. Niemand zou normaal op zo'n tijd bellen. Ze liep naar binnen en nam op toen het toestel voor de vierde keer overging. 'Hallo?'

Het was Harry Roosevelt. 'Morgen, Reggie. Sorry dat ik je uit bed bel.'

'Ik was al op.'

'Heb je de krant gezien?'

Ze slikte. 'Nee. Wat staat erin?'

'Een artikel over de hele breedte van de voorpagina, met twee grote foto's van Mark – op het moment dat hij het ziekenhuis verlaat, onder arrest zoals het onderschrift beweert, en als hij uit de rechtbank komt, ingesloten door twee politiemensen. Slick Moeller heeft het geschreven, en hij weet alles over de zitting. Zijn feiten kloppen, voor de verandering. Hij zegt dat Mark mijn vragen over de zaak Boyette niet wilde beantwoorden en dat ik hem daarom in bewaring heb gesteld wegens belediging van het hof. Hij maakt een soort Hitler van me.'

'Maar hoe weet hij dat?'

'Bronnen die onbekend wensen te blijven.'

Reggie telde de aanwezigen in de rechtszaal op haar vingers af. 'Fink?' vroeg ze toen.

'Dat betwijfel ik. Waarom zou hij het laten uitlekken? Daar heeft hij niets bij te winnen. En het is veel te gevaarlijk. Nee, het moet iemand zijn met weinig verstand.'

'Dat zeg ik toch? Fink.'

'Jawel, maar ik denk niet dat het een advocaat was. Ik zal meneer Moeller dagvaarden. Vanmiddag om twaalf uur. Als hij me zijn bron niet noemt, laat ik hem ook in de cel gooien wegens belediging van het hof.'

'Goed idee.'

'Dat hoeft niet veel tijd te kosten. Daarna beginnen we met onze zitting over Mark. Akkoord?'

'Natuurlijk. Harry, luister. Ik moet je wat vertellen. Het is een lange nacht geweest.'

'Ik luister,' zei hij. Reggie vertelde hem in het kort over de poging om haar telefoon af te luisteren. Ze beklemtoonde vooral de namen van Bono en Pirini en het feit dat die nog niet waren gevonden.

'Allemachtig,' zei hij. 'Die lui zijn gek.'

'En gevaarlijk.'

'Ben je bang?'

'Natuurlijk ben ik bang. Ze hebben in mijn kantoor ingebroken, Harry, en het is een angstig idee dat ze me hebben bespied.'

Het bleef lange tijd stil aan de andere kant van de lijn. 'Reggie, ik ben niet van plan Mark vrij te laten. Vandaag nog niet, in elk geval. Laten we eerst het weekend maar afwachten. Hij is veel veiliger waar hij nu zit.'

'Dat ben ik met je eens.'

'Heb je al met zijn moeder gesproken?'

'Ja, gisteren. Ze was niet zo enthousiast over het protectieprogramma van de FBI. Het kan nog wel even duren. Ze is op
van de zenuwen, het arme mens.'
'Praat nog eens met haar. Kan ze vandaag bij de zitting zijn?
Ik zou haar graag eens zien.'
'Ik doe mijn best.'
'Tot vanmiddag dan.'
Ze schonk nog een kop koffie in en liep terug naar het balkon. Axle lag onder de schommelstoel te slapen. Het eerste
daglicht kroop tussen de takken van de bomen door. Reggie
hield de warme mok met twee handen vast en trok haar voeten onder haar dikke badmantel. Ze snoof het aroma op.
God, wat had ze een hekel aan de pers. De hele wereld wist
nu alles over de zitting van gisteren. Achter gesloten deuren! Ja, ja. Haar kleine cliënt was opeens veel kwetsbaarder.
Het was iedereen nu duidelijk dat hij iets wist wat hij beter
niet had kunnen weten. Anders zou hij de vragen van de
rechter wel hebben beantwoord.
Het gevaar werd met het uur groter. En zij, Reggie Love,
advocaat en raadsvrouwe, zou Mark moeten helpen en
adviseren. Hij zou haar met die angstige blauwe ogen
aankijken en haar vragen wat hij moest doen. Hoe moest
zíj dat in godsnaam weten? Ze maakten nu ook jacht op
haar.

Doreen maakte Mark al vroeg wakker. Ze had broodjes met
bessenjam voor hem gesmeerd en ze sloeg hem bezorgd
gade terwijl ze zelf ook een broodje at. Mark ging op een
stoel zitten met een broodje in zijn hand, zonder ervan te
eten. Hij staarde naar de grond, nam een hapje van het
broodje en liet zijn hand weer in zijn schoot zakken. Doreen
hield hem scherp in de gaten.
'Alles in orde, schat?' vroeg ze.

Mark knikte langzaam. 'Ja hoor, prima,' zei hij met een holle, schorre stem.

Doreen klopte hem op zijn knie, toen op zijn schouder. Ze had haar ogen halfdicht en ze was duidelijk ongerust. 'Nou, ik ben de hele dag in de buurt,' zei ze, terwijl ze opstond en naar de deur liep. 'Ik kom regelmatig kijken.'

Mark negeerde haar en nam nog een kleine hap van zijn broodje. Zodra de deur met een klik in het slot was gevallen, propte hij het broodje naar binnen en pakte er snel nog een. Hij zette de televisie aan, maar omdat er geen kabel was, moest hij naar Bryant Gumbel kijken. Geen cartoons, geen oude films – alleen Willard met een hoed op, die maïskolven en zoete aardappels at.

Doreen kwam twintig minuten later terug. Mark hoorde de sleutels rammelen. Het slot klikte en de deur ging open. 'Kom maar mee, Mark,' zei ze. 'Er is bezoek voor je.'

Opeens zat hij weer doodstil, teruggetrokken in zijn eigen wereld. Langzaam keek hij op. 'Wie dan?' vroeg hij met zijn holle stem.

'Je advocaat.'

Hij stond op en liep achter haar aan de gang in. 'Weet je zeker dat je je wel goed voelt?' vroeg ze, terwijl ze bleef staan en voor hem op de grond hurkte. Hij knikte sloom, en ze liepen naar de trap.

Reggie zat te wachten in een kleine spreekkamer, een verdieping lager. Ze praatte even met Doreen – oude kennissen – en daarna vertrok de bewaarster en deed de deur op slot. Ze zaten tegenover elkaar aan een kleine ronde tafel.

'Zijn we weer vrienden?' vroeg ze met een lachje.

'Ja. Het spijt me van gisteren.'

'Je hoeft je niet te verontschuldigen, Mark. Ik begrijp het wel, heus. Heb je goed geslapen?'

'Ja, veel beter dan in het ziekenhuis.'

'Doreen maakt zich ongerust over je, zegt ze.'

'Er is niks aan de hand. Ik heb het lang niet zo moeilijk als Doreen.'

'Goed.' Reggie haalde een krant uit haar koffertje en legde de voorpagina op tafel. Heel langzaam las hij het artikel.

'Je bent nu al drie dagen voorpaginanieuws,' zei ze om hem een lachje te ontlokken.

'Daar ben ik al aan gewend. Ik dacht dat het een besloten zitting was.'

'Dat is ook zo. Rechter Roosevelt belde me vanochtend vroeg. Hij is woedend over dat verhaal. Hij wil de journalist voor het gerecht slepen en hem ondervragen.'

'Dat is te laat, Reggie. Het staat nu al in de krant. Iedereen kan het lezen. Het is heel duidelijk dat ik te veel weet.'

'Ja.' Ze wachtte toen hij het nog eens doorlas en de foto's van zichzelf bestudeerde.

'Heb je met je moeder gebeld?' vroeg ze.

'Jazeker. Gistermiddag om een uur of vijf. Ze klonk vermoeid.'

'Dat is ze ook. Ik ben nog even bij haar geweest, voordat jij belde. Ze houdt het vol, maar het kost moeite. Ricky had een zware dag.'

'Ja. Dankzij die stomme smerissen. Kunnen we hen niet aanklagen?'

'Later misschien. Eerst moeten we samen praten. Toen jij gisteren naar de gevangenis werd teruggebracht, heeft rechter Roosevelt met de advocaten en de FBI gesproken. Hij wil jou, je moeder en Ricky onder protectie van de FBI laten plaatsen. Dat is de beste manier om jullie te beschermen, vindt hij. En ik ben het met hem eens.'

'Hoe werkt dat dan?'

'De FBI laat jullie verhuizen naar een andere stad, hier ver vandaan. In het geheim, natuurlijk. Jullie krijgen een nieuwe naam, een nieuwe school, alles nieuw. Je moeder krijgt een baan die meer betaalt dan zes dollar per uur. De kans bestaat dat ze jullie na een paar jaar opnieuw laten verhuizen, voor alle zekerheid. Ze sturen Ricky naar een beter ziekenhuis dan waar hij nu ligt, totdat hij helemaal genezen is. En de regering betaalt, dat spreekt vanzelf.'

'Krijg ik ook een nieuwe fiets?'

'Vast wel.'

'Grapje. Ik heb het eens in een film gezien, een film over de maffia. Het ging over een tipgever die bescherming zou krijgen van de FBI. Hij kreeg zelfs plastische chirurgie, ze zochten een nieuwe vrouw voor hem, noem maar op. En toen stuurden ze hem naar Brazilië.'

'Hoe liep het af?'

'Het kostte de maffia ongeveer een jaar om hem te vinden. Hij werd vermoord, en zijn vrouw ook.'

'Dat was maar een film, Mark. Je hebt echt geen keus. Het is de veiligste oplossing.'

'Maar voordat ze ons zo fantastisch gaan helpen, moet ik hun natuurlijk alles vertellen wat ik weet.'

'Dat is de voorwaarde, ja.'

'De maffia vergeet nooit een verrader, Reggie.'

'Je hebt te veel films gezien, Mark.'

'Misschien. Maar zijn er dan nooit getuigen vermoord die door dat protectieprogramma werden beschermd?'

Het antwoord was ja, maar Reggie kon zich zo gauw geen voorbeelden herinneren. 'Ik weet het niet. We zullen het met hen bespreken, dan kun je alles vragen wat je op je hart hebt.'

'En als ik niet met ze wil spreken? Als ik liever in mijn kleine cel blijf tot ik twintig ben en rechter Roosevelt eindelijk dood is? Dan mag ik er toch uit?'

'Best. Maar hoe moet het dan met je moeder en Ricky? Wat

zal er met hen gebeuren als Ricky uit het ziekenhuis wordt ontslagen en ze hebben geen huis om naar terug te gaan?'

'Dan trekken ze hier maar in. Doreen zorgt wel voor ons.'

Verdomme, hij was wel ad rem voor een jochie van elf. Reggie wachtte even en lachte tegen hem. Hij keek nijdig terug.

'Luister, Mark, vertrouw je me?'

'Ja, Reggie, ik vertrouw je. Je bent de enige ter wereld die ik op dit moment vertrouw. Help me, alsjeblieft.'

'Er ís geen eenvoudige oplossing.'

'Dat weet ik wel.'

'Jouw veiligheid is het enige waar het mij om gaat. Jouw veiligheid en die van je familie. Zo denkt rechter Roosevelt er ook over. Het zal een paar dagen duren om de details van het protectieprogramma uit te werken. De rechter heeft de FBI gisteren opgedragen er meteen mee te beginnen. Dat lijkt me echt de beste oplossing.'

'Heb je het met mijn moeder overlegd?'

'Ja. Ze wil er nog eens over praten, maar ik geloof dat ze het wel een goed idee vond.'

'Maar hoe weet je dat het zal werken, Reggie? Hoe weet je dat het echt veilig is?'

'Niets is honderd procent veilig, Mark. Er zijn geen garanties.'

'Geweldig. Misschien krijgen ze ons te pakken, misschien niet. Dat maakt het leven spannend, zeker?'

'Heb jij soms een beter idee?'

'Natuurlijk. Heel eenvoudig. We innen het geld van de verzekering voor de verbrande caravan. We zoeken een andere, en we verhuizen. Ik houd mijn mond dicht en we leven nog lang en gelukkig. Het zal me een zorg zijn of ze dat lijk vinden, Reggie. Het kan me echt niet schelen.'

'Het spijt me, Mark, maar dat is onmogelijk.'

'Waarom?'

'Omdat je gewoon pech hebt. Je beschikt over belangrijke informatie en je problemen kunnen alleen worden opgelost als je die informatie prijsgeeft.'

'Maar dat kan mijn dood betekenen.'

'Dat geloof ik niet, Mark.'

Hij sloeg zijn armen over elkaar en sloot zijn ogen. De lichte kneuzing boven zijn linkerwang was bruin verkleurd. Het was nu vrijdag. Op maandag had Clifford hem geslagen. Dat leek al weken geleden, maar die kneuzing herinnerde haar eraan dat alles veel te snel ging. Het arme kind vertoonde nog steeds de sporen van die aanval.

'Waar zouden we naartoe kunnen?' vroeg hij zacht, met zijn ogen dicht.

'Heel ver weg. Meneer Lewis van de FBI had het over een kinderziekenhuis in Portland – een van de beste in het land. Daar kunnen ze Ricky heel goed behandelen.'

'Zouden ze ons daar niet kunnen vinden?'

'Laat dat maar aan de FBI over.'

Hij keek haar aan. 'Waarom heb je opeens zoveel vertrouwen in de FBI?'

'Omdat we niemand ánders kunnen vertrouwen.'

'En hoe lang gaat dat allemaal duren?'

'Er zijn twee problemen. Om te beginnen de papieren en alle details, maar volgens meneer Lewis kunnen die binnen een week geregeld zijn. Het andere probleem is Ricky. Het kan wel een paar dagen duren voor dokter Greenway toestemming geeft om hem te vervoeren.'

'Dus dan zit ik nog een week in de gevangenis?'

'Daar ziet het wel naar uit. Het spijt me.'

'Dat hoeft niet, Reggie. Ik vind het hier niet zo erg. Ik zou het hier zelfs heel lang kunnen uithouden als iedereen me met rust liet.'

'Maar dat doen ze niet.'

'Ik wil met mijn moeder praten.'

'Misschien komt ze vandaag ook op de zitting. Rechter Roosevelt vroeg of ze kwam. Ik denk dat hij ook een gesprek met de FBI wil hebben – vertrouwelijk. Dan kunnen we over het protectieprogramma praten.'

'Als ik toch in de gevangenis moet blijven, waar is die zitting dan voor nodig?'

'Bij belediging van het hof is de rechter verplicht je regelmatig op te roepen om je de kans te geven je fout te herstellen – met andere woorden: zijn bevel op te volgen.'

'Al die wetten zijn grote onzin, Reggie. Vind je ook niet?'

'Vaak wel, ja.'

'Gisteravond had ik een rare gedachte toen ik in slaap probeerde te komen. Als het lijk nu ergens anders ligt dan waar Clifford zei? Als Clifford nou gestoord was en uit zijn nek kletste? Heb je daar wel aan gedacht, Reggie?'

'Ja. Heel vaak.'

'Stel dat het allemaal één grote grap is?'

'Dat risico kunnen we niet nemen, Mark.'

Hij wreef in zijn ogen, schoof zijn stoel naar achteren en begon door de kleine kamer te ijsberen, opeens heel nerveus.

'Dus we moeten gewoon onze biezen pakken en een nieuw leven beginnen. Dat kun jij makkelijk zeggen, Reggie. Het is jouw nachtmerrie niet. Jij kunt verder leven alsof er niets is gebeurd. Jij en Clint en Moeder Love. Met je leuke kantoortje. En al je cliënten. Maar wij niet. Wij zullen de rest van ons leven bang zijn.'

'Dat geloof ik niet.'

'Maar je weet het niet zeker, Reggie. Het is makkelijk om hier te zitten en te zeggen dat alles wel goed komt. Jouw leven staat niet op het spel.'

'Je hebt geen keus, Mark.'

'O jawel. Ik kan nog altijd liegen.'

Het was gewoon een verzoek om uitstel, meestal een vrij saaie en routineuze juridische schermutseling – maar niets was saai met Barry het Mes Muldanno als verdachte en Willis Upchurch als zijn raadsman. Voeg daarbij het enorme ego van Dominee Roy Foltrigg en de handigheid waarmee Wally Boxx de pers bespeelde, en dit onschuldige verzoek om uitstel kreeg het karakter van een openbare terechtstelling. De rechtszaal van de edelachtbare James Lamond was tot de nok toe gevuld met nieuwsgierigen, journalisten en een legertje jaloerse advocaten die belangrijker dingen te doen hadden maar toevallig in de buurt waren. Ze slenterden rond en fluisterden tegen elkaar op ernstige toon, terwijl ze tersluiks de media in de gaten hielden. Camera's en verslaggevers hadden nu eenmaal dezelfde aantrekkingskracht op advocaten als een plas bloed op een school haaien.

Voor de balustrade die de spelers van het publiek scheidde stond Foltrigg in het midden van een kleine kring van assistenten die fluisterden en fronsten alsof ze een invasie voorbereidden. Foltrigg was op zijn paasbest. Zijn haar zat onberispelijk en hij droeg een donker driedelig pak met een wit overhemd, een roodblauwe zijden das en glimmend gepoetste schoenen. Hij stond met zijn gezicht naar het publiek, maar natuurlijk had hij het veel te druk om iemand op te merken. Aan de andere kant zat Muldanno, met zijn rug naar de publieke tribune toe, en deed alsof hij iedereen negeerde. Zijn paardenstaart zat perfect en viel precies op de onderste rand van zijn kraag. Willis Upchurch zat op de rand van zijn tafel, ook met zijn gezicht naar de pers, terwijl hij een zeer geanimeerd gesprek voerde met een juridisch medewerker. Voorzover dat menselijkerwijs mogelijk was, genoot Upchurch nog meer van al die aandacht dan Foltrigg.

Muldanno was nog niet op de hoogte van de arrestatie van Jack Nance in Memphis, acht uur geleden. Hij wist niet dat Cal Sisson zijn mond open had gedaan tegen de politie. Hij had nog niets van Bono of Pirini gehoord en hij had Gronke die ochtend naar Memphis teruggestuurd zonder enige notie van wat er die nacht allemaal was gebeurd.

Foltrigg voelde zich heel voldaan. Op basis van de informatie die ze dankzij het zoutvaatje hadden verzameld, zou hij Muldanno en Gronke maandag meteen in staat van beschuldiging stellen wegens belemmering van de rechtsgang. De veroordeling was slechts een formaliteit. Dit zou Muldanno op vijf jaar komen te staan.

Maar nog steeds had hij geen lijk. En een veroordeling wegens belemmering van de rechtsgang haalde het niet bij de publiciteit van een proces wegens moord, compleet met kleurenfoto's van het halfvergane lijk en de sectierapporten over kogelwonden en ballistische bijzonderheden. Zo'n proces zou weken kunnen duren, met Roy iedere avond in een glansrol op het journaal. Hij zag het al voor zich.

Hij had Fink eerder die ochtend naar Memphis teruggestuurd met de dagvaarding om Mark Sway en zijn advocaat voor de jury in New Orleans te dagen. Dat zou wel wat leven brengen in de brouwerij. Zo tegen maandagmiddag zou dat knulletje zijn mond wel opendoen, en met een beetje geluk zou hij maandagavond de stoffelijke resten van Boyd Boyette hebben gevonden. Met die gedachte was hij de vorige avond tot drie uur 's nachts op zijn kantoor gebleven.

Hij beende zonder duidelijke reden naar de tafel van de griffier, en liep toen weer terug, met een woeste blik naar Muldanno, die hem negeerde.

Een parketwachter stelde zich voor de verhoging op en riep dat iedereen moest plaatsnemen. De zitting was begonnen, onder leiding van de edelachtbare James Lamond. Lamond verscheen door een zijdeur, geëscorteerd door een assistent die een stapel dikke dossiers droeg. Lamond was voor in de vijftig, nog maar een broekje in het korps van federale rechters. Hij was een van de vele benoemingen van Ronald Reagan, en dat straalde hij ook uit – zakelijk en serieus, wars van ellenlange discussies, popelend om aan de slag te gaan. Hij was Foltriggs voorganger als federaal officier van het zuidelijke district van Louisiana, en hij kon Foltriggs bloed wel drinken. Zes maanden nadat Foltrigg zijn functie had overgenomen, had hij een toernee door het hele district gemaakt, langs alle Rotary-clubs en verwante gezelschappen, die hij kaarten en statistieken had laten zien om aan te tonen dat het kantoor van de officier nu veel efficiënter werkte dan in jaren het geval was geweest. Er werden meer vervolgingen ingesteld, drugdealers kwamen achter de tralies, ambtenaren werden zenuwachtig, de onderwereld raakte in paniek en de burgers werden steeds beter beschermd sinds hij, Roy Foltrigg, als federale aanklager het roer had overgenomen.

Dat was een stomme zet geweest, omdat Lamond zich dodelijk beledigd had gevoeld en ook de andere rechters er aanstoot aan hadden genomen. Sindsdien was de Dominee niet echt populair meer.

Lamond wierp een blik door de drukke rechtszaal. Iedereen was gaan zitten. 'Mijn hemel,' begon hij, 'ik ben zeer gevleid door al die belangstelling, maar het gaat om niets anders dan een simpel verzoek om uitstel.' Hij keek nijdig naar Foltrigg, die tussen zes assistenten zat. Upchurch werd geflankeerd door twee plaatselijke advocaten, met twee medewerkers achter zich.

'Aan de orde is het verzoek tot uitstel dat door de verdachte, Barry Muldanno, is ingediend. Wij tekenen hierbij aan dat de datum voor het proces oorspronkelijk was vastgesteld op maandag over drie weken. Meneer Upchurch, u hebt namens uw cliënt dit verzoek ingediend. U hebt het woord. Maar houd het kort, alstublieft.'

Dat deed Upchurch, tot ieders verbazing. Hij beperkte zich tot de algemeen bekende feiten – de dood van Jerome Clifford – en voegde eraan toe dat hij maandag over drie weken als pleiter in een federale zaak in St. Louis moest optreden. Hij was glad, ontspannen en voelde zich volledig op zijn gemak in deze onbekende rechtszaal. Uitstel was nodig, verklaarde hij verrassend simpel, omdat hij meer tijd nodig had voor de voorbereidingen van dit proces, dat ongetwijfeld lang zou gaan duren. Binnen tien minuten was hij uitgesproken.

'Hoeveel uitstel dacht u nodig te hebben?' informeerde Lamond.

'Edelachtbare, ik heb een zeer drukke agenda, die ik u graag wil laten zien. Zes maanden uitstel lijkt mij een redelijk verzoek.'

'Dank u. Verder nog iets?'

'Nee, edelachtbare. Dank u zeer.' Upchurch ging weer zitten toen Foltrigg overeind kwam en naar het spreekgestoelte tegenover de rechter liep. Hij wierp een blik op zijn aantekeningen en wilde beginnen, maar Lamond was hem vóór.

'Meneer Foltrigg, u wilt toch niet bestrijden dat de verdediging wat meer tijd verdient, gezien de bijzondere omstandigheden?'

'Nee, edelachtbare, dat bestrijd ik ook niet. Maar zes maanden lijkt me wel erg lang.'

'Wat stelt u dan zelf voor?'

'Een maand of twee. Ziet u, edelachtbare, ik...'

'Ik heb geen zin in een koehandel over twee of drie of vier of zes maanden, meneer Foltrigg. Als u vindt dat de verdediging recht heeft op uitstel, dan neem ik daar nota van en zal ik in mijn agenda een nieuwe datum voor het proces prikken.'

Lamond wist dat Foltrigg nog meer bij uitstel was gebaat dan Muldanno. Maar hij kon er niet om vragen. Het Openbaar Ministerie was nu eenmaal de aanvallende partij en daarom kon een officier geen verzoek tot uitstel indienen.

'Eh... natuurlijk, edelachtbare,' zei Foltrigg luid, 'maar wij willen onnodig tijdverlies voorkomen. Deze zaak heeft al lang genoeg gesleept.'

'Bedoelt u daarmee dat het hof te laks is geweest, meneer Foltrigg?'

'Nee, edelachtbare, maar de verdediging wel. De raadsman van de verdachte heeft alle onzinnige verzoeken ingediend die hij maar in de Amerikaanse jurisprudentie kon vinden, enkel en alleen om het proces te vertragen. Hij heeft alle listen en trucs gebruikt om...'

'Meneer Foltrigg, Jerome Clifford is dood. Hij kan geen verzoeken meer indienen. Inmiddels heeft de verdachte een nieuwe raadsman, die – voorzover ik weet – nog maar één verzoek heeft ingediend.'

Tandenknarsend las Foltrigg zijn aantekeningen door. Hij had niet verwacht dat hij deze detailkwestie zou winnen, maar evenmin dat de rechter de vloer met hem zou aanvegen.

'Hebt u verder nog iets nuttigs bij te dragen?' informeerde zijne edelachtbare, alsof Foltrigg nog niets zinnigs had gezegd.

Foltrigg pakte zijn notitieblok en liep haastig naar zijn stoel terug. Een trieste vertoning. Hij had beter een ondergeschikte kunnen sturen.

'Had u nog iets, meneer Upchurch?' vroeg Lamond.

'Nee, edelachtbare.'

'Goed. Ik dank iedereen voor de belangstelling voor deze zaak. Het spijt me dat het zo snel voorbij is. Misschien kunnen we er de volgende keer wat meer van maken. Binnenkort hoort u de nieuwe datum voor het proces.'

Lamond stond weer op, een paar minuten nadat hij had plaatsgenomen, en verliet de zaal. De verslaggevers dromden naar buiten, gevolgd door Foltrigg en Upchurch. Op de gang aangekomen liepen ze ieder een kant uit om een geïmproviseerde persconferentie te geven.

29

Hoewel Slick Moeller gevangenisopstanden, verkrachtingen en vechtpartijen had verslagen, en hoewel hij al heel wat keren aan de veilige kant van de gevangenispoort en de tralies had gestaan, had hij nog nooit een cel van binnen gezien. Die gedachte hield hem nu bezig, maar uiterlijk bewaarde hij zijn kalmte en probeerde hij het beeld op te houden van de zelfverzekerde verslaggever die volledig op het eerste artikel van de grondwet vertrouwde. Hij werd geflankeerd door twee advocaten, duurbetaalde krachtpatsers van een honderd man sterk advocatenkantoor dat *The Memphis Press* al tientallen jaren vertegenwoordigde. De afgelopen twee uur hadden ze hem minstens tien keer verzekerd dat de Amerikaanse grondwet aan zijn kant stond en hem zou beschermen. Slick droeg jeans, een safari-jack en afgetrapte schoenen – op en top de harde journalist die in weer en wind zijn werk moest doen.

Harry was niet onder de indruk van het imago dat deze wezel probeerde over te brengen. En hij werd ook niet zenuwachtig van die dure, arrogante Republikeinse juristen die hij nog nooit eerder in zijn rechtszaal had gezien. Harry had de pest in. Hij ging achter zijn balie zitten en las voor de tiende keer Slicks artikel van die ochtend door. Daarna bladerde hij nog eens in de jurisprudentie over verslaggevers, het eerste artikel van de grondwet en het recht van journalisten om hun bronnen te beschermen.

De deuren waren gesloten. De parketwachter, Slicks vriend Grinder, had zich nerveus naast de tafel van de rechter opgesteld. Op Roosevelts bevel hadden er twee bewakers achter Slick en zijn advocaten plaatsgenomen. Ze waren in uniform en ze leken ieder moment in actie te kunnen komen. Dat gaf Slick en zijn verdedigers een onbehaaglijk gevoel, maar ze probeerden niets te laten merken.

Dezelfde stenografe, in een nog korter rokje, zat haar nagels te vijlen en wachtte tot de zitting zou beginnen. Dezelfde norse oudere dame zat aan haar griffierstafel een *National Enquirer* te lezen. Iedereen wachtte en wachtte. Het was al bijna half een. Zoals gewoonlijk had Roosevelt een volle agenda en liep hij op zijn schema achter. Marcia had al een dubbele sandwich voor hem klaargezet, voor tussendoor. De volgende zitting was de zaak Mark Sway.

Hij leunde naar voren op zijn ellebogen en wierp een norse blik op Slick, die met zijn achtenvijftig kilo nog niet de helft woog van Harry's gewicht. 'We zijn begonnen,' blafte hij tegen de stenografe, die meteen begon te tikken.

Hoe onverschillig hij ook leek, Slick schoot overeind bij deze eerste woorden.

'Meneer Moeller, ik heb u hier gedagvaard wegens overtreding van een bepaling in de wet van Tennessee met betrekking tot de vertrouwelijkheid van wat zich in mijn rechtszaal afspeelt. Dat is een ernstige zaak, omdat het hier de veiligheid en het welzijn van een klein kind betreft. Helaas staat de wet mij geen zwaardere aanklacht toe dan belediging van het hof.'

Hij zette zijn leesbril af en begon de glazen met een zakdoek schoon te poetsen. 'Meneer Moeller,' vervolgde hij op de toon van een teleurgestelde grootvader, 'hoe ontstemd ik ook ben over u en uw verhaal, mijn woede geldt vooral degene die u deze vertrouwelijke informatie heeft toegespeeld. Iemand die zich tijdens de zitting van gisteren in deze rechtszaal bevond. Dat zit mij bijzonder dwars.'

Grinder leunde tegen de muur en drukte zijn kuiten ertegenaan om zijn knikkende knieën te verbergen. Hij durfde niet naar Slick te kijken. Zes jaar geleden had hij zijn eerste hartaanval gehad. Als hij zich niet beheerste, zou de volgende – een veel zwaardere – niet ver weg zijn.

'Neemt u plaats in de getuigenstoel, meneer Moeller,' beval Harry met een handgebaar. 'Ga uw gang.'

De norse oudere dame nam Slick de eed af. Hij legde zijn ene wandelschoen op zijn andere knie en keek hulpzoekend naar zijn advocaten. Ze ontweken zijn blik. Grinder bestudeerde de plafondtegels.

'U staat nu onder ede, meneer Moeller,' zei Harry een paar seconden nadat Slick had gezworen de waarheid te zullen spreken.

'Jawel, edelachtbare,' mompelde hij, met een zwakke poging tot een glimlach tegen deze reus van een man die hoog boven hem uittorende en over de rand van zijn tafel op hem neerkeek.

'Hebt u het artikel in de ochtendkrant waar uw naam boven staat inderdaad geschreven?'

'Jawel, edelachtbare.'

'Hebt u het helemaal alleen geschreven of heeft iemand u geholpen?'

'Ieder woord is van mij, edelachtbare, als u het zo bedoelt.'

'Zo bedoel ik het, ja. In de vierde alinea van uw verhaal schrijft u, en ik citeer: "Mark Sway weigerde vragen te beantwoorden over Barry Muldanno of Boyd Boyette." Einde citaat. Hebt u dat geschreven, meneer Moeller?'

'Ja, edelachtbare.'

'En was u gisteren aanwezig op de zitting waar het kind getuigde?'

'Nee, meneer.'

'Was u in dit gebouw?'

'Eh... ja, meneer. Maar dat is toch niet verboden?'

'Stil, meneer Moeller. Ik stel hier de vragen en u geeft antwoord. Is die rolverdeling u duidelijk?'

'Ja, edelachtbare.' Slick keek weer hulpeloos naar zijn advocaten, maar die waren in hun stukken verdiept. Hij voelde zich alleen.

'Dus u was niet op de zitting. Hoe weet u dan, meneer Moeller, dat Mark Sway geen vragen wilde beantwoorden over Barry Muldanno of Boyd Boyette?'

'Ik had een bron.'

Grinder had zichzelf nooit als een bron beschouwd. Hij was gewoon een slechtbetaalde parketwachter met een uniform, een pistool en rekeningen die moesten worden voldaan. Het postorderbedrijf wilde hem al aanklagen wegens misbruik van de creditcard van zijn vrouw. Hij wilde het zweet van zijn voorhoofd vegen, maar hij durfde zich niet te bewegen.

'Een bron,' herhaalde Harry spottend. 'Natuurlijk had u een bron, meneer Moeller. Daar ging ik al van uit. Want u was niet hier. Iemand moet het u hebben verteld. Dus had u een bron. Maar wie wás die bron?'

De advocaat met de meeste grijze haren kwam snel overeind om wat te zeggen. Hij droeg de standaardkleding van de grote kantoren: een donkergrijs pak, een wit overhemd met een button-down kraag, een rode das met een gewaagde gele streep en zwarte schoenen. Zijn naam was Alliphant. Hij was een van de vennoten en hij kwam nog maar zelden in een rechtszaal. 'Edelachtbare, als u me toestaat...'

Harry maakte een grimas en draaide zich langzaam naar de spreker toe. Zijn mond viel open, alsof hij geschokt was door deze brutale interruptie. Woedend keek hij naar Alliphant, die herhaalde: 'Als u me toestaat, edelachtbare...'

Harry liet hem een eeuwigheid wachten en zei toen: 'U bent nog niet eerder in mijn rechtszaal geweest, nietwaar meneer Alliphant?'

'Nee, edelachtbare,' antwoordde de verdediger, die nog steeds stond.

'Dat vermoedde ik al. Niet uw vaste stek, om het zo maar eens te zeggen. Hoeveel advocaten werken er op uw kantoor, meneer Alliphant?'

'Honderdzeven, volgens de laatste telling.'

Harry floot en schudde zijn hoofd. 'Dat is niet mis! En komen die advocaten weleens op het Jeugdgerechtshof?'

'Sommigen wel, edelachtbare. Daar ben ik van overtuigd.'

'Welke dan?'

Alliphant stak één hand in zijn zak en streek met zijn vinger langs de rand van zijn schrijfblok. Hij hoorde hier niet. Zijn juridische wereld was er een van directiekamers en dikke dossiers, van hoge honoraria en dure lunches. Hij was rijk omdat hij driehonderd dollar per uur rekende en dertig vennoten had die hetzelfde deden. Zijn kantoor deed goede zaken omdat er zeventig associés werkten die vijftigduizend dollar per jaar verdienden maar vijf keer zoveel voor de firma moesten verdienen. Ogenschijnlijk was hij hier omdat hij het dossier van de krant onder zich had, maar in werkelijkheid omdat niemand van de specialisten binnen twee uur beschikbaar was geweest voor deze zaak.

Harry had een hekel aan de man, aan zijn kantoor en aan het type advocaat dat hij vertegenwoordigde. Hij hield niet van die bedrijfsjuristen in hun wolkenkrabbers die zich alleen onder het voetvolk mengden als het niet anders kon. Ze waren arrogant en bang om vuile handen te maken.

'Ga zitten, meneer Alliphant,' zei hij, wijzend naar de stoel. 'In mijn rechtszaal staat niemand op. Zitten!'

Alliphant liet zich onhandig in zijn stoel zakken.

'Wat wilde u zeggen, meneer Alliphant?'

'Eh, edelachtbare, wij maken bezwaar tegen deze vragen en tegen deze zitting omdat het artikel van de heer Moeller onder het recht op vrije meningsuiting valt, een recht dat wordt gegarandeerd door het eerste artikel van de grondwet. Dus...'

'Meneer Alliphant, hebt u het wetsartikel gelezen dat betrekking heeft op vertrouwelijke zittingen in verband met jeugdige delinquenten? Ik neem aan van wel.'

'Inderdaad, edelachtbare. En eerlijk gezegd heb ik wat moeite met die bepaling.'

'Werkelijk? Gaat u door.'

'Ja, meneer. Naar mijn mening is dit artikel in strijd met de grondwet zoals het er staat. Ik heb hier enkele gevallen uit andere...'

'In strijd met de grondwet?' vroeg Harry met opgetrokken wenkbrauwen.

'Ja, edelachtbare,' antwoordde Alliphant ferm.

'Weet u wie dat wetsartikel heeft geschreven, meneer Alliphant?'

Alliphant wendde zich tot zijn associé alsof die alles wist. De man schudde zijn hoofd.

'Ikzelf, meneer Alliphant,' zei Harry luid. 'Ik. Ondergetekende. *Moi*. En als u ook maar íets had gelezen over de kinderrechtspraak in deze staat, zou u weten dat ik de expert ben omdat ik de wetten heb geschreven. Wat hebt u daarop te zeggen?'

Slick zakte onderuit in zijn stoel. Hij had honderden rechtszaken verslagen. Hij had gezien hoe advocaten door nijdige rechters werden aangepakt. Meestal waren hun cliënten de dupe.

'Toch houd ik vol dat het in strijd met de grondwet is, edelachtbare,' zei Alliphant dapper.

'Het laatste waar ik behoefte aan heb, meneer Alliphant, is een lange, verhitte discussie met u over het eerste artikel van de grondwet. Als de wet u niet bevalt, ga dan in beroep en probeer een wijziging voor elkaar te krijgen. Het zal mij eerlijk gezegd een zorg zijn. Maar op dit moment loop ik mijn lunch mis, en daarom zou ik het op prijs stellen als uw cliënt mijn vraag zou willen beantwoorden.' Hij draaide zich weer om naar Slick, die zwetend afwachtte. 'Wel, meneer Moeller, wie was uw bron?'

Grinder had het gevoel dat hij moest braken. Hij stak zijn duimen onder zijn riem en drukte ze tegen zijn maag. Slick had de naam dat hij woord hield. Hij beschermde zijn bronnen.

'Ik kan mijn bron niet onthullen,' zei Slick zo dramatisch mogelijk, als een martelaar die de brandstapel onder ogen durfde zien. Grinder haalde diep adem. Die woorden klonken hem als muziek in de oren.

Harry gebaarde meteen naar de twee bewakers. 'Dan maakt u zich schuldig aan belediging van het hof, meneer Moeller. En dus laat ik u in hechtenis nemen.' De bewakers stonden al naast Slick, die hulpzoekend om zich heen keek. 'Edelachtbare,' zei Alliphant. Zonder erbij na te denken sprong hij overeind. 'Wij protesteren! Dat kunt u niet zomaar...'

Harry negeerde Alliphant en zei tegen de bewakers: 'Breng hem maar naar het huis van bewaring. Geen speciale behandeling. Geen gunsten. Maandag kan hij hier weer verschijnen voor een nieuwe poging.'

Ze sleurden Slick overeind en legden hem de handboeien om. 'Doe iets!' riep hij tegen Alliphant, die zei: 'Edelachtbare, u maakt inbreuk op zijn recht op vrije meningsuiting en het recht van een journalist zijn bronnen te beschermen. Dit kunt u niet doen.'

'Toch doe ik het, meneer Alliphant,' riep Harry. 'En als u niet snel gaat zitten, komt u in dezelfde cel terecht als uw cliënt.'

Alliphant liet zich in zijn stoel vallen.

De bewakers sleepten Slick de zaal uit. Op het moment dat ze de deur openden, riep Harry hem nog na: 'Meneer Moeller, als ik één woord in de krant lees dat u hier in de gevangenis hebt geschreven, laat ik u een maand zitten voordat ik u hier weer ontbied. Is dat duidelijk?'

Slick was sprakeloos. 'We gaan in beroep, Slick,' beloofde Alliphant toen zijn cliënt naar buiten werd geduwd en de deur achter hem dichtviel. 'We gaan in beroep.'

Dianne Sway zat in een zware houten stoel, met haar armen om haar oudste zoon heen geslagen, starend naar het zonlicht dat door de stoffige, kapotte jaloezieën van getuigenkamer B naar binnen viel. Ze had geen tranen meer en ze wist niets te zeggen.

Na de vijf dagen en vier nachten van haar gedwongen verblijf op de psychiatrische afdeling, was ze aanvankelijk blij geweest dat ze weg mocht. Maar blijheid kwam deze dagen maar in heel kleine doses, en nu wilde ze weer terug naar Ricky's bed. Ze had Mark gezien, hem in haar armen gehouden en samen met hem gehuild. Ze wist dat hij veilig was. Meer kon een moeder in deze omstandigheden niet vragen. Ze vertrouwde niet langer op haar eigen intuïtie en oordeel. Vijf dagen in zo'n spelonk berooft een mens van zijn gevoel voor realiteit. Dianne was volkomen murw en uitgeput door alle schokken die ze te verwerken had gekregen. De medicijnen – pillen om te slapen, pillen om wakker te worden, pillen om op de been te blijven – hadden haar zo versuft dat haar leven een serie foto's leek die een voor een op tafel werden gegooid. Haar hersenen werkten nog wel, maar in slow motion.

'Ze willen dat we naar Portland verhuizen,' zei ze, terwijl ze hem over zijn arm wreef.

'Heeft Reggie met je gepraat?'

'Ja, we hebben gisteren een lang gesprek gehad. Er is daar een goed ziekenhuis voor Ricky en wij kunnen een heel nieuw leven beginnen.'

'Het klinkt goed, maar het maakt me ook bang.'

'Mij ook, Mark. Ik wil de volgende veertig jaar niet steeds over mijn schouder hoeven kijken. Ik heb eens een stukje in een tijdschrift gelezen over een maffia-verrader die de FBI had geholpen en daarna in dat protectieprogramma werd opgenomen. Hetzelfde wat ze met ons willen doen. Ik geloof dat het de maffia twee jaar kostte voordat ze hem hadden gevonden en zijn auto de lucht in lieten vliegen.'

'Ja. Ik denk dat ik de film heb gezien.'

'Zo kan ik niet leven, Mark.'

'Kunnen we niet een andere caravan krijgen?'

'Ik denk het wel. Ik heb vanochtend met meneer Tucker gesproken en hij zegt dat de caravan goed verzekerd was. Hij zal wel een andere voor ons vinden. En ik heb mijn baan nog. Vanochtend hebben ze mijn loonzakje zelfs bij het ziekenhuis afgeleverd.'

Mark glimlachte bij de gedachte om naar het caravanpark terug te gaan en weer gewoon met zijn vriendjes te kunnen spelen. Hij verlangde zelfs terug naar school.

'Die mensen zijn levensgevaarlijk, Mark.'

'Dat weet ik. Ik ben hen tegengekomen.'

Ze dacht even na en vroeg toen: 'Wat?'

'O... dat ben ik vergeten je te zeggen.'

'Vertel het nu dan maar.'

'Het gebeurde een paar dagen geleden, in het ziekenhuis. Ik weet niet meer op welke dag. De dagen lopen allemaal door elkaar.' Hij haalde diep adem en vertelde haar over zijn ontmoeting met de man met de stiletto en de familiefoto. Normaal gesproken zou Dianne geschokt zijn geweest, zoals iedere moeder. Nu was het niet meer dan een incident in een reeks afschuwelijke gebeurtenissen.

'Waarom heb je me dat niet verteld?' vroeg ze.

'Omdat ik je niet ongerust wilde maken.'

'Weet je, misschien hadden we niet zo in de problemen gezeten als je me vanaf het eerste moment alles eerlijk had verteld.'

'Hou op ma, daar kan ik nu niet tegen.'

Zij ook niet, dus hield ze haar mond. Reggie klopte en kwam binnen. 'We worden verwacht,' zei ze. 'De zitting gaat beginnen.'

Ze volgden haar door de gang, een hoek om. Twee bewakers slenterden achter hen aan. 'Ben je zenuwachtig?' fluisterde Dianne.

'Nee. Het valt wel mee, ma.'

Harry zat op zijn sandwich te kauwen en in het dossier te bladeren toen ze de rechtszaal binnenkwamen. Fink, Ord en Baxter McLemore, de aanklager van die dag, zaten allemaal achter hun tafeltje, rustig en gedwee, en wachtten verveeld op Marks komst. Ze gingen ervan uit dat hij niets zou zeggen en meteen zou worden teruggestuurd. Fink en Ord staarden naar het korte rokje en de benen van de stenografe. Haar figuur was bijna onfatsoenlijk – een smalle taille, flinke borsten, slanke benen. Ze was het enige lichtpuntje in deze sombere, armoedige rechtszaal. Fink moest toegeven dat hij de vorige dag in het vliegtuig naar New Orleans nog aan haar hàd gedacht. En ook in het vliegtuig terug naar Memphis. Ze stelde hem niet teleur. Het rokje schoof weer langzaam over haar dijen omhoog.

Harry keek naar Dianne en lachte zo vriendelijk mogelijk met zijn grote, perfecte tanden en zijn warme ogen. 'Goedemiddag, mevrouw Sway,' zei hij hartelijk. Dianne knikte en probeerde te glimlachen.

'Heel plezierig u te zien. Het spijt me dat de omstandigheden zo onaangenaam zijn.'

'Dank u, edelachtbare,' zei ze zacht tegen de man die haar zoon naar de gevangenis had gestuurd.

Harry wierp een verachtelijke blik op Fink. 'Ik neem aan dat iedereen vanochtend *The Memphis Press* heeft gelezen. Er staat een boeiend artikel in over onze zitting van gisteren. De man die het heeft geschreven zit nu in de cel. Ik zal de zaak nog verder uitzoeken, en ik weet zeker dat ik het lek zal vinden.'

Grinder, die bij de deur stond, voelde zich opeens weer misselijk.

'En als ik het lek gevonden heb, zal ik het dichten met een veroordeling wegens belediging van het hof. Dus houd uw lippen stijf op elkaar, dames en heren. Alles wat zich hier afspeelt is strikt vertrouwelijk.' Hij pakte het dossier. 'Goed, meneer Fink. Waar is de heer Foltrigg?'

'In New Orleans, edelachtbare,' antwoordde Fink, die keurig op zijn plaats bleef zitten. 'Ik heb hier een kopie van de rechterlijke instructie waarom u had gevraagd.'

'Goed. Ik zal u op uw woord geloven. Griffier, wilt u de getuige de eed afnemen?'

De oudere dame stak een hand omhoog en blafte tegen

Mark: 'Hef je rechterhand op.' Mark stond onhandig op en de dame nam hem de eed af.

'Blijf maar zitten,' zei Harry. Reggie zat rechts van Mark, Dianne aan zijn linkerkant.

'Mark, ik ga je een paar vragen stellen, oké?'

'Ja, meneer.'

'Heeft Jerome Clifford voor zijn dood nog iets tegen jou gezegd over een zekere Barry Muldanno?'

'Daar geef ik geen antwoord op.'

'Heeft Jerome Clifford de naam van Boyd Boyette genoemd?'

'Daar geef ik geen antwoord op.'

'Heeft Jerome Clifford iets gezegd over de moord op Boyd Boyette?'

'Daar geef ik geen antwoord op.'

'Heeft Jerome Clifford je verteld waar het lichaam van Boyd Boyette te vinden is?'

'Daar geef ik geen antwoord op.'

Harry zweeg en raadpleegde zijn aantekeningen. Dianne hield haar adem in en keek Mark ontzet aan. 'Maak je geen zorgen, ma,' fluisterde hij.

'Edelachtbare,' vervolgde hij met een krachtige, zelfverzekerde stem, 'ik heb dezelfde reden als gisteren om uw vragen niet te beantwoorden. Ik ben gewoon bang. Meer niet. Dat wilde ik even zeggen.'

Harry knikte uitdrukkingsloos. Hij was niet boos en niet tevreden. 'Parketwachter, breng Mark terug naar de getuigenkamer en houd hem daar tot we hier klaar zijn. Hij mag nog met zijn moeder praten voordat hij naar de detentievleugel wordt teruggebracht.'

Grinders knieën knikten, maar hij slaagde er toch in Mark naar buiten te brengen.

Harry ritste zijn toga los. 'Dit is officieus. De griffier en de stenografe kunnen gaan lunchen.' Het was geen verzoek maar een bevel. Harry wilde zo min mogelijk toehoorders in de rechtszaal.

Juffrouw Gregg zwaaide haar benen in Finks richting. Zijn hart stond bijna stil. Hij en Ord keken met open mond toe toen ze opstond, haar tasje pakte en met wiegende heupen de rechtszaal verliet.

'Laat de FBI-agenten maar binnenkomen, meneer Fink,' zei Harry.

McThune en een vermoeide K.O. Lewis werden uit de gang gehaald en gingen achter Ord zitten. Lewis was een drukbezet man met honderden belangrijke zaken op zijn bureau in Washington, en hij had zich de afgelopen vierentwintig uur al tientallen keren afgevraagd waarom hij in godsnaam naar Memphis was gekomen. Natuurlijk, directeur Voyles had hem gevraagd erheen te gaan. Dat maakte zijn prioriteiten veel eenvoudiger.

'Meneer Fink, voor het begin van de zitting zei u dat u een belangrijke kwestie wilde bespreken.'

'Jawel, edelachtbare. Ik geef het woord aan de heer Lewis.'

'Meneer Lewis, wilt u het kort houden?'

'Natuurlijk, edelachtbare. Het gaat hierom. Wij schaduwen Barry Muldanno nu al enkele maanden, en gisteren hebben we langs elektronische weg een gesprek opgevangen tussen Muldanno en Paul Gronke. Dat gesprek vond plaats in een bar in de Franse wijk in New Orleans, en ik vind dat u de inhoud ervan moet weten.'

'Hebt u een bandje?'

'Ja, meneer.'

'Laat maar horen.' Harry had opeens geen haast meer.

McThune zette snel een cassettespeler en een luidspreker op het tafeltje voor Fink, en Lewis stak de mini-cassette erin. 'De eerste stem die u hoort is die van Muldanno,' zei hij, als een chemicus die een proefje uitlegt. 'Daarna die van Gronke.'

Het werd stil in de rechtszaal toen de metaalachtige maar goed verstaanbare stemmen uit de luidspreker klonken. Het hele gesprek was opgenomen: het voorstel van Muldanno om Mark te vermoorden; Gronkes twijfel of ze bij hem in de buurt konden komen; de suggestie om Marks moeder of zijn broertje om zeep te helpen; Gronkes protesten tegen het doden van onschuldige mensen; Muldanno's idee om de advocaat koud te maken; het gelach toen hij opmerkte dat het een zegen voor de juridische bedrijfstak zou zijn; Gronkes stoere verslag over het in brand steken van de caravan en ten slotte de plannen om Reggies telefoon die avond af te tappen.

Het was verbijsterend. Fink en Ord hadden het nu al tien keer gehoord, dus zij reageerden niet meer. Reggie sloot haar ogen toen er zo nonchalant over haar leven werd gesproken. Dianne zat verstijfd van angst. Harry staarde naar de luidspreker alsof hij de gezichten van de twee mannen kon zien. Toen het bandje afgelopen was en Lewis op de knop drukte, zei hij alleen maar: 'Laat het nog eens horen.' Ze luisterden voor de tweede keer. De eerste schrik was nu voorbij. Dianne zat te trillen. Reggie pakte haar bij de arm en probeerde dapper te zijn, maar de luchthartige suggestie om Marks advocaat te elimineren deed de rillingen over haar rug lopen. Dianne kreeg kippenvel en haar ogen werden vochtig. Ze dacht aan Ricky, die ze onder de hoede van Greenway en een verpleegster had achtergelaten, en ze bad voor zijn veiligheid.

'Ik heb wel genoeg gehoord,' zei Harry toen het gesprek was afgelopen. Lewis ging weer zitten. Iedereen wachtte op de reactie van zijne edelachtbare. Harry veegde met een zakdoek over zijn ogen en nam een grote slok ijsthee.

Toen glimlachte hij tegen Dianne. 'Begrijpt u nu, mevrouw Sway, waarom wij Mark hebben laten insluiten?'

'Ik geloof het wel.'

'Om twee redenen. In de eerste plaats omdat hij weigerde mijn vragen te beantwoorden, maar de tweede reden is op dit moment veel belangrijker. Hij verkeert in groot gevaar, zoals u zojuist hebt gehoord. Wat zou u willen dat ik deed?'

Dat was een oneerlijke vraag aan een bange, ernstig ongeruste en verwarde moeder. Dianne was er niet blij mee. Ze schudde haar hoofd. 'Dat weet ik niet,' mompelde ze.

Harry sprak langzaam, en niemand twijfelde eraan dat hij precies wist wat er nu gebeuren moest. 'Reggie heeft me verteld dat ze het protectieprogramma van de FBI met u besproken heeft. Wat vindt u daarvan?'

Dianne hief haar hoofd op en beet op haar lip. Ze dacht een paar seconden na en probeerde haar blik scherp te stellen op de cassettespeler. 'Ik wil niet dat die mensen...' – ze knikte nadrukkelijk naar de cassettespeler – 'mij en mijn kinderen de rest van ons leven zullen achtervolgen. En ik ben bang dat het zo zal gaan als Mark u vertelt wat u weten wilt.'

'U krijgt de bescherming van de FBI en alle andere overheidsinstanties die u kunnen helpen.'

'Maar niemand kan onze veiligheid garanderen. Het zijn mijn kinderen, edelachtbare, en ik ben een alleenstaande moeder. We hebben verder niemand. Als ik een fout maak, zou ik... ik kan me de gevolgen niet eens voorstellen.'

'Ik denk dat u veilig zult zijn, mevrouw Sway. Op dit moment worden er duizenden getuigen door dit protectieprogramma beschermd.'

'Maar toch wordt er zo nu en dan iemand gevonden, of niet?'

Ze vroeg het rustig, maar de vraag kwam hard aan. Noch

McThune, noch Lewis, noch Harry kon ontkennen dat sommige getuigen waren vermoord. Er viel een lange stilte.

'Maar mevrouw Sway,' zei Harry ten slotte, met veel meegevoel in zijn stem, 'wat is het alternatief?'

'Waarom kunt u die mensen niet arresteren en opsluiten? Ik bedoel, het lijkt wel of zij vrij kunnen rondlopen om mij en mijn kinderen... en Reggie hier... de stuipen op het lijf te jagen. Waarom doet de politie niets, verdomme?'

'Ik heb begrepen, mevrouw Sway, dat er vannacht al iemand is aangehouden. De politie is nog op zoek naar de twee mannen die uw caravan in brand hebben gestoken – Bono en Pirini, twee gangsters uit New Orleans – maar die zijn nog niet gevonden. Is dat juist, meneer Lewis?'

'Inderdaad, edelachtbare. Wij denken dat ze nog in de stad zijn. En ik wil eraan toevoegen dat de federale officier in New Orleans van plan is Muldanno en Gronke in staat van beschuldiging te stellen wegens belemmering van de rechtsgang. Ze zullen dus binnenkort worden aangehouden.'

'Maar we praten toch over de maffia?' zei Dianne.

Iedere idioot die een krant kon lezen wist dat het om de maffia ging. Het was een maffiamoord geweest, uitgevoerd door een maffiamoordenaar uit een maffiafamilie die al veertig jaar berucht was in New Orleans. Haar vraag klonk heel simpel, en de achterliggende gedachte was duidelijk genoeg: de maffia is een onzichtbaar leger met talloze soldaten.

Lewis wilde geen antwoord geven en wachtte op zijne edelachtbare, die ook niet wist wat hij moest zeggen. En dus viel er een lange, pijnlijke stilte. Dianne schraapte haar keel en zei met een veel krachtiger stem: 'Edelachtbare, als u me een plan voorlegt om mijn kinderen volledig te kunnen beschermen, zal ik u helpen. Maar eerder niet.'

'Dus u wilt dat hij in de gevangenis blijft?' vloog Fink op.

Dianne draaide zich om en wierp een nijdige blik op Fink,

die nog geen drie meter bij haar vandaan zat. 'Meneer, ik zie hem liever in een cel dan in het graf.'

Fink zakte onderuit in zijn stoel en tuurde naar de grond. De seconden tikten weg. Harry keek op zijn horloge en ritste zijn toga weer dicht. 'Ik stel voor om maandagmiddag om twaalf uur weer bijeen te komen. Laten we de zaak maar van dag tot dag bekijken.'

30

Paul Gronke beëindigde zijn onverwachte omweg via Minneapolis toen de Northwest 727 van de startbaan opsteeg en koers zette naar Atlanta. Daar hoopte hij op een rechtstreekse vlucht naar New Orleans te stappen, en eenmaal thuis was hij niet van plan om voorlopig nog op reis te gaan. Misschien wel in geen jaren. Ondanks zijn vriendschap met Muldanno had Gronke schoon genoeg van de hele toestand. Hij zag er geen been in om iemand een duim of een been te breken als dat nodig was, en hij kon bijna iedereen terroriseren, maar hij hield er niet van om kleine jongetjes te besluipen en met stiletto's te bedreigen. Hij verdiende een leuke smak geld met zijn clubs en zijn biertenten, en als het Mes hulp nodig had, moest hij zijn familie maar inschakelen. Gronke was geen familie. Hij hoorde niet bij de maffia. En hij was niet van plan een moord te plegen voor Muldanno. Die avond had hij, zodra zijn vliegtuig in Memphis was geland, twee telefoontjes gepleegd – zonder enig resultaat, omdat er niemand opnam, wat hem zeer verbaasde. Hij draaide het reservenummer om een boodschap in te spreken, maar ook daar werd niet opgenomen. Snel liep hij naar de balie van Northwest en betaalde contant voor een enkele reis Dallas-Fort Worth. Daarna kocht hij bij United een ticket naar Chicago. Een uur lang slenterde hij door de aan-komsthal en de aangrenzende ruimten om te zien of hij werd gevolgd, maar hij kon niemand ontdekken. Op het laatste moment ging hij aan boord van de 727.

Bono en Pirini hadden strenge instructies. Dat er op beide telefoonnummers niet werd opgenomen, kon maar twee dingen betekenen: ze waren door de politie in hun kraag ge-grepen, of ze waren op de vlucht geslagen. Beide mogelijk-heden waren niet erg geruststellend.

De stewardess bracht twee biertjes. Het was een paar minu-ten over een, eigenlijk te vroeg om te gaan drinken, maar hij was nerveus en het kon hem niet schelen. Ergens op de wereld was het wel vijf uur.

Muldanno zou door het lint gaan en met dingen smijten. Hij zou meteen naar zijn oom rennen om nog meer gangsters te lenen. Hij zou een hele knokploeg naar Memphis sturen om botten te breken. Muldanno stond niet bekend om zijn sub-tiele aanpak.

Hun vriendschap dateerde van de middelbare school. Ze hadden elkaar ontmoet in de vierde klas. Daarna waren ze van school gegaan en hadden carrière gemaakt in de onder-wereld van New Orleans. Barry's toekomst was al bepaald door zijn familie. Bij Gronke lag dat minder eenvoudig. Ze waren begonnen als helers, en hadden daar goed mee ver-diend. Maar de winsten werden door Barry ingepikt en aan zijn familie doorgegeven. Ze handelden wat in drugs, ze hielden zich bezig met illegale loterijen en ze runden een bordeel. Allemaal goede investeringen, die contant geld op-leverden. Maar Gronke zag van de winst maar weinig terug. Na tien jaar maakte hij een eind aan de eenzijdige samen-werking en zei tegen Barry dat hij voor zichzelf wilde be-ginnen. Barry hielp hem bij de aankoop van een topless bar en daarna een pornozaak. Gronke verdiende goed en ging verstandig met zijn geld om. Omstreeks die tijd pleegde Barry zijn eerste moorden en nam Gronke nog meer afstand van hem.

Maar ze bleven vrienden. Ongeveer een maand na de verdwijning van Boyd Boyette hadden ze samen met een paar strippers een lang weekend doorgebracht in het huis van Johnny Sulari in Acapulco. Toen de meiden op een avond door de drank waren gevloerd, hadden ze met zijn tweeën een lange strandwandeling gemaakt. Barry dronk tequila en praatte meer dan anders. Hij was juist genoemd als verdachte in de zaak Boyette, en hij pochte tegen zijn vriend over de moord.

De vuilstort in Lafourche Parish was voor de familie Sulari miljoenen waard. Het was Johnny's bedoeling om uiteindelijk het grootste deel van het stadsafval uit New Orleans daar te verwerken. Ze hadden niet gerekend op de tegenstand van senator Boyette. Zijn optreden had veel negatieve publiciteit over de vuilstortplaats veroorzaakt en hoe meer de kranten over Boyette schreven, des te fanatieker hij met zijn kruistocht doorging. Hij had een federaal onderzoek gelast. Hij had tientallen milieubureaucraten opgetrommeld die lijvige rapporten hadden opgesteld waarin de vuilstort werd veroordeeld. Hij had het ministerie van Justitie in Washington zo lang bestookt tot het een eigen onderzoek was begonnen naar de beschuldigingen van maffiaconnecties. Kortom, senator Boyette vormde het grootste obstakel voor Johnny's goudmijn.

Dus was het besluit genomen om Boyette uit de weg te ruimen.

Drinkend uit een fles Cuervo Gold had Barry lachend over de moord verteld. Hij had Boyette zes maanden gevolgd en had tot zijn genoegen ontdekt dat de senator, die gescheiden was, een voorkeur voor jongedames had. Goedkope jongedames in bordelen, die hij voor vijftig dollar kon krijgen. Zijn favoriete tent was een groezelig wegcafé halverwege New Orleans en Houma, de plaats waar de vuilstort zou moeten komen. Het was een aardoliegebied waar veel ruige offshore-types kwamen, die op hun beurt weer leuke jonge hoertjes aantrokken. Blijkbaar kende de senator de eigenaar van de zaak en had hij een speciale regeling getroffen. Hij parkeerde altijd achter een vuilniscontainer, uit de buurt van de parkeerplaats die vol stond met grote pick-ups en Harley's. En hij nam altijd de achteringang bij de keuken.

De bezoekjes van de senator aan Houma werden steeds frequenter. Hij ging tekeer op bijeenkomsten in de stad en iedere week hield hij een persconferentie. En hij genoot van de terugreis naar New Orleans, met zijn vluggertjes in het wegcafé.

De moord was een makkie, zei Barry toen ze in het zand gingen zitten, met het schuimende zoute water om hun voeten. Na een rumoerige vergadering over de vuilstort in Houma was hij dertig kilometer achter Boyette aan gereden, op weg naar het café. Daar had hij rustig in het donker staan wachten, bij de achterdeur. Toen Boyette na zijn kortstondige pleziertje weer naar buiten kwam, had hij hem met een knuppel buiten westen geslagen en hem op de achterbank van zijn auto gegooid. Een paar kilometer verderop was hij langs de weg gestopt en had hem vier kogels door het hoofd gejaagd. Vervolgens had hij het lijk in vuilniszakken gewikkeld en in de kofferbak gelegd.

Stel je voor! Barry kon er nog steeds niet over uit. Een senator die in het donker achter een goedkoop bordeel te grazen was genomen! De man had er eenentwintig dienstjaren op zitten, hij was voorzitter geweest van invloedrijke commissies, hij had op het Witte Huis gedineerd, hij was de hele wereld afgereisd op zoek naar manieren om het geld van de belastingbetalers uit te geven, hij had achttien assistenten en duvelstoejagers, en toch was hij te grazen genomen met zijn broek op zijn schoenen! Barry vond het een geweldige grap. Een van zijn makkelijkste klussen, zei hij, alsof hij al honderden mensen had vermoord.

Vijftien kilometer buiten New Orleans was hij door een politiewagen aangehouden wegens te hard rijden. Moet je nagaan! Hij had met die smeris staan praten terwijl het lijk in de kofferbak nog warm was. Ze hadden het over football gehad, en hij was er met een waarschuwing van afgekomen. Maar toen was hij in paniek geraakt en had besloten het lijk op een andere plaats te verbergen. Gronke had bijna gevraagd waar, maar op het laatste moment bedacht hij zich.

Er waren niet veel bewijzen tegen hem. Uit de gegevens van de verkeersagent bleek dat Barry wel in de buurt was geweest omstreeks het tijdstip van Boyettes verdwijning, maar zonder lijk was er geen bewijs dat de senator was vermoord. Een van de prostituees had op de parkeerplaats een man gezien die op Barry leek en die in het duister stond te wachten terwijl Boyette werd verwend. Het hoertje had FBI-bescherming gekregen, maar een erg goede getuige was ze niet. Barry's auto was grondig schoongemaakt en ontsmet. Er waren geen bloedsporen, vezels of haren in gevonden. De ster van de aanklacht was een maffia-tipgever, een man die twintig van zijn tweeënveertig jaren in de gevangenis had doorgebracht en die vermoedelijk al vóór het proces zou worden vermoord. In het appartement van een van Barry's vriendinnen was een .22 kaliber Ruger gevonden, maar zonder lijk was het nu eenmaal onmogelijk een doodsoorzaak vast te stellen. Barry's vingerafdrukken zaten op het pistool. Het was een cadeautje, beweerde de vriendin.

Jury's spreken niet graag het schuldig uit zonder dat ze zeker weten of het slachtoffer wel dood is. En Boyette was zo'n excentrieke figuur geweest dat er de wildste geruchten de ronde deden over zijn verdwijning. Eén krantenartikel beschreef zijn recente psychiatrische problemen en gaf zo voedsel aan de populaire theorie dat hij gek geworden was en met een tienerhoertje de benen had genomen. Hij had speelschulden, hij dronk te veel, zijn ex-vrouw had hem aangeklaagd wegens fraude in hun echtscheidingszaak, enzovoort, enzovoort.

Boyette had voldoende reden gehad om te verdwijnen.

En nu wist een elfjarig jongetje in Memphis waar zijn lijk begraven was. Gronke trok nog een biertje open.

Doreen pakte Mark bij zijn arm en bracht hem naar zijn cel. Hij liep met afgemeten passen en staarde voor zich uit naar de grond alsof hij zojuist de explosie van een autobom op een druk marktplein had gezien.

'Voel je je wel goed, schat?' vroeg ze. De rimpels rond haar ogen trokken zich bezorgd samen.

Hij knikte en liep stram de gang door. Snel opende ze de deur en legde hem op de onderste brits.

'Ga daar maar liggen, jochie,' zei ze, terwijl ze de dekens terugsloeg en zijn benen op het bed zwaaide. Toen knielde ze naast hem neer en keek hem vragend in zijn ogen. 'Weet je zeker dat je niets mankeert?'

Hij knikte, maar hij kon niets zeggen.

'Zal ik een dokter halen?'

'Nee,' zei hij moeizaam, met een holle stem. 'Niks aan de hand.'

'Ik laat toch maar een dokter roepen,' zei ze. Hij greep haar bij de arm en kneep er hard in.

'Ik heb alleen wat slaap nodig,' mompelde hij. 'Dat is alles.'

Ze opende de deur met haar sleutel en stapte langzaam naar

buiten, haar ogen nog steeds op Mark gericht. Toen de deur achter haar dichtviel en in het slot klikte, zwaaide Mark zijn benen weer op de grond.

Vrijdagmiddag om drie uur was Harry Roosevelts legendarische geduld uitgeput. Hij zou het weekend gaan vissen in de Ozarks, samen met zijn twee zonen. Terwijl hij van achter zijn tafel zijn blik door de rechtszaal liet glijden, vol met waardeloze vaders die op een veroordeling wachtten omdat ze hun alimentatie niet hadden betaald, gingen zijn gedachten voortdurend naar koele bergbeekjes en lange slaperige ochtenden. Nog minstens vijfentwintig mannen vulden de banken van rechtszaal nummer één, de meesten met hun huidige echtgenote of vriendin zenuwachtig aan hun zij. Sommigen hadden een advocaat meegebracht, hoewel er op dit moment geen enkele juridische ontsnappingsmogelijkheid meer was. Binnenkort zouden ze allemaal een weekendstraf moeten uitzitten op de Shelby County Penal Farm wegens achterstallige betaling voor het onderhoud van hun kinderen.

Harry had om vier uur willen stoppen, maar hij betwijfelde of dat zou lukken. Zijn twee zonen zaten al op de achterste rij te wachten. Buiten stond de jeep, helemaal gepakt. Na Harry's laatste hamerslag zouden ze zijne edelachtbare meteen naar buiten sleuren en hem in de auto zetten, op weg naar de Buffalo River. Tenminste, dat was het plan. Voorlopig zaten ze zich stierlijk te vervelen. Ze waren hier al zo vaak geweest.

Ondanks de chaos voor in de rechtszaal – griffiers die met stapels dossiers liepen te sjouwen, advocaten die met elkaar fluisterden terwijl ze op hun beurt wachtten, bewakers die bij de deuren stonden opgesteld, verdachten die naar Harry's tafel werden geduwd en daarna de deur uit geloodst –

draaide Harry's juridische lopende band als een goed ge-
oliede machine. Hij keek de verdachten fronsend aan,
veegde hun de mantel uit of hield een korte preek, tekende
dan een bevel en ging over tot de volgende zaak.

Reggie schoof de rechtszaal binnen en liep naar de griffier
die naast de rechter zat. Ze fluisterden even met elkaar en
Reggie wees op een document dat ze bij zich had. Ze lachte
om iets dat waarschijnlijk helemaal niet zo grappig was,
maar Harry hoorde het en wenkte haar.

'Problemen?' vroeg hij met zijn hand over de microfoon.

'Nee. Met Mark gaat het wel goed, geloof ik. Ik wilde je om
een gunst vragen. Een andere zaak. Er is haast bij.'

Harry glimlachte en schakelde de microfoon uit. Typisch
Reggie. Haar zaken waren altijd het belangrijkst en vroegen
onmiddellijke aandacht. 'Wat dan?' vroeg hij.

De griffier gaf Harry het dossier, terwijl Reggie hem een instructie overhandigde. 'Weer zo'n rommelige zaak van
Welzijn,' zei ze zacht. Niemand luisterde. Niemand was
geïnteresseerd.

'Wie is die jongen?' vroeg hij, terwijl hij het dossier doorbladerde.

'Ronald Allan Thomas III, alias Trip Thomas. Hij is gisteravond door Welzijn van de straat gehaald en in een pleegge-
zin geplaatst. Zijn moeder heeft me een uur geleden in de
arm genomen.'

'Hier staat dat hij is verwaarloosd en in de steek gelaten.'

'Dat is niet waar, Harry. Het is een lang verhaal, maar ik
verzeker je dat hij goede ouders en een keurig huis heeft.'

'En jij wilt dat hij wordt vrijgelaten?'

'Ja. Onmiddellijk. Als het moet ga ik hem zelf wel halen en
neem ik hem mee naar Moeder Love.'

'Om lasagne te eten.'

'Natuurlijk.'

Harry las de instructie door en zette zijn handtekening eronder. 'Ik vertrouw helemaal op jou, Reggie.'

'Dat doe je altijd. Ik zag Damon en Al zitten. Ze vervelen zich nogal, geloof ik.'

Harry gaf de instructie aan de griffier, die er een stempel op zette. 'Ik ook. Als ik dit uitschot mijn zaal uit heb gewerkt, gaan we vissen.'

'Veel succes. Ik zie je maandag.'

'Prettig weekend, Reggie. Jij houdt een oogje op Mark?'

'Natuurlijk.'

'Probeer zijn moeder te overtuigen. Hoe langer ik erover nadenk, des te meer ik ervan overtuigd raak dat ze maar beter met de FBI kan meewerken en aan het protectieprogramma kan deelnemen. Verdorie, ze hebben toch niets te verliezen met een nieuw begin? Probeer haar duidelijk te maken dat de FBI hen goed zal beschermen.'

'Ik zal mijn best doen. Ik ga in de loop van het weekend wel bij haar langs. Misschien kunnen we de zaak maandag afronden.'

'Goed. Tot maandag.'

Reggie knipoogde tegen hem en liep bij zijn tafel vandaan. De griffier gaf haar een afschrift van de instructie en ze verliet de rechtszaal.

31

Na weer zo'n spannende vliegreis vanuit Memphis stapte Thomas Fink op vrijdagmiddag om halfvijf Foltriggs kantoor binnen. Wally Boxx zat als een trouwe schoothond op de sofa. Hij was bezig een tekst te schrijven. Waarschijnlijk een speech voor zijn baas, dacht Fink, of een persbericht over komende processen. Roy had zijn schoenen uitgetrokken en zijn voeten op het bureau gelegd. Hij hield de telefoon tussen zijn nek en zijn schouder geklemd en luisterde met gesloten ogen. Het was een rampzalige dag geweest. Lamond had hem in een volle rechtszaal voor schut gezet en Roosevelt had dat knulletje nog steeds niet kunnen dwingen zijn mond open te doen. Roy had schoon genoeg van rechters.

Fink trok zijn jasje uit en ging zitten. Foltrigg maakte een eind aan het telefoongesprek en hing op. 'Waar zijn die dagvaardingen voor het juryproces?' vroeg hij.

'Ik heb ze persoonlijk aan de federale marshal in Memphis gegeven, met strikte orders om ze pas aan de gedaagden te overhandigen als jij het teken geeft.' Boxx stond op van de sofa en ging naast Fink zitten. Hij wilde niets van het gesprek missen.

Roy wreef in zijn ogen en streek met zijn vingers door zijn haar. Frustrerend, heel frustrerend allemaal. 'Wat gaat die jongen nu doen, Thomas? Jij bent er geweest. Jij hebt zijn moeder gezien. Je hebt haar horen praten. Welke kant gaat het op?'

'Ik weet het niet. Het is duidelijk dat die knul voorlopig nog zijn mond dichthoudt. Hij en zijn moeder zijn doodsbang. Ze hebben te veel tv-series gezien waarin maffia-tipgevers werden doodgeschoten. Ze is ervan overtuigd dat het protectieprogramma niet voldoende bescherming biedt. Ze is echt bang. Ze heeft natuurlijk een afschuwelijke week achter de rug.'

'Ik ben diep geroerd,' mompelde Boxx.

'Dan heb ik geen andere keus dan die dagvaardingen te gebruiken,' zei Foltrigg ernstig, alsof hij daar grote moeite mee had. 'Ze laten me geen andere mogelijkheid. We hebben ons eerlijk en redelijk opgesteld. We hebben de kinderrechter in Memphis gevraagd die jongen te helpen, maar het is gewoon niet gelukt. Nu is het tijd om die mensen hierheen te halen, op ons eigen terrein, in onze eigen rechtszaal, voor onze eigen mensen. Dan zullen ze wel praten. Denk je ook niet, Thomas?'

Fink aarzelde nog. 'De jurisdictie bevalt me niet. Officieel valt dat joch nu onder de jurisdictie van de kinderrechter in Memphis. Ik weet niet precies wat er gebeurt als hij die dagvaarding krijgt.'

Roy glimlachte. 'Dat is waar, maar de rechtbank is in het weekend gesloten. Wij hebben wat onderzoek gedaan en volgens mij zijn de staatswetten in dit geval ondergeschikt aan de federale wetten. Mee eens, Wally?'

'Ja, ik dacht het wel,'zei Wally.

'Bovendien heb ik met het bureau van de marshal hier in New Orleans overlegd. Ik heb hun gezegd dat hun collega's in Memphis die jongen morgenochtend moeten ophalen om hem naar New Orleans te brengen, zodat hij maandag voor de jury kan verschijnen. Ik denk niet dat de plaatselijke autoriteiten in Memphis de federale marshal zullen dwarsbomen. We hebben voorzieningen getroffen om hem hier in de jeugdafdeling van het huis van bewaring in te sluiten. Geen probleem.'

'En de advocaat?' vroeg Fink. 'Je kunt haar niet dwingen te getuigen. Als ze iets weet, heeft ze dat te horen gekregen als raadsvrouwe van die jongen. Dat is vertrouwelijke informatie.'

'Zuivere intimidatie,' gaf Foltrigg grijnzend toe. 'Reken maar dat ze maandag de schrik in de benen hebben, zij en die jongen. Hier hebben wíj het voor het zeggen, Thomas.'

'Over maandag gesproken. Rechter Roosevelt heeft ons maandag weer ontboden. Om twaalf uur.'

Roy en Wally moesten daar hartelijk om lachen. 'Nou, dan kan hij lang wachten,' zei Foltrigg grinnikend. 'Jij, ik, die jongen en zijn advocaat zitten allemaal hier. Wat een idioot.'

Fink kon er niet om lachen.

Om vijf uur klopte Doreen op de deur van de cel en opende het slot met haar rinkelende sleutelbos. Mark zat op de grond tegen zichzelf te dammen. Meteen veranderde hij in een zombie. Hij ging op zijn voeten zitten en staarde naar het dambord alsof hij in trance was.

'Alles in orde, Mark?'

Mark gaf geen antwoord.

'Mark, schat, ik maak me echt ongerust. Ik denk dat ik de dokter maar bel. Misschien raak je in een shocktoestand, net als je broertje.'

Hij schudde langzaam zijn hoofd en keek haar met trieste ogen aan. 'Nee, ik red het wel. Ik heb alleen wat rust nodig.'

'Wil je iets eten?'

'Een pizza, misschien.'

'Natuurlijk, jongen. Ik zal er een bestellen. Hoor eens, schat, over vijf minuten zit mijn dienst erop, maar ik zal Telda zeggen dat ze goed op je past, oké? Denk je dat je het volhoudt tot ik morgenochtend terugkom?'

'Misschien,' kreunde hij.

'Arm kind. Je hoort hier niet.'

'Ik sleep me er wel doorheen.'

Telda maakte zich veel minder zorgen dan Doreen. Ze kwam twee keer bij Mark kijken. Bij haar derde bezoekje, om een uur of acht, had ze bezoekers bij zich. Ze klopte en deed langzaam de deur open. Mark wilde alweer in trance gaan toen hij de twee forse kerels in pakken zag.

'Mark, deze heren zijn federale marshals,' zei Telda zenuwachtig. Mark stond bij de wc. Opeens leek de cel heel klein.

'Hallo, Mark,' zei de voorste van de twee. 'Ik ben Vern

Duboski, hulp-marshal.' Zijn stem klonk zorgvuldig en afgemeten. Een noorderling. Dat was het enige wat Mark opviel. De man had papieren in zijn hand.

'Jij bent Mark Sway?'

Hij knikte, niet in staat iets te zeggen.

'Je hoeft niet bang te zijn, Mark. We zijn hier alleen om je
deze papieren te geven.'

Hij keek hulpzoekend naar Telda, maar die kon hem ook
niet wijzer maken. 'Wat voor papieren?' vroeg hij nerveus.

'Een dagvaarding om voor een juryrechtbank te verschijnen. Maandag, in New Orleans. Maak je geen zorgen. Morgenmiddag komen we je halen om je ernaartoe te rijden.'

Van de zenuwen kreeg hij kramp in zijn maag en voelde hij
zich slap worden. Zijn mond was droog. 'Waarom?' vroeg
hij.

'Daar kunnen we je geen antwoord op geven, Mark. Eigenlijk is dat onze zaak niet. Wij doen alleen wat ons is opgedragen.'

Mark staarde naar de papieren waar Vern mee zwaaide.
New Orleans!

'Hebt u dat al aan mijn moeder verteld?'

'Wij moeten haar een afschrift geven van deze papieren,
Mark. We zullen haar alles uitleggen en haar zeggen dat je
niets kan gebeuren. Als ze wil, mag ze zelfs met ons mee.'

'Ze kan niet mee. Ze moet bij Ricky blijven.'

De marshals keken elkaar aan. 'Nou ja, we zullen het haar
uitleggen.'

'Ik heb ook een advocaat. Weet zij het al?'

'Nee. We hoeven haar niet in te lichten, maar je mag haar
wel bellen, als je wilt.'

'Kan hij telefoneren?' vroeg de tweede man aan Telda.

'Alleen als ik hem een toestel breng,' zei ze.

'Kun je nog een halfuurtje blijven?'

'Als het moet,' zei Telda.

'Over een halfuur kun je je advocaat bellen, Mark.' Duboski wachtte even en keek naar zijn collega. 'Nou, sterkte dan maar, Mark. We wilden je niet laten schrikken. Sorry.'

Ze vertrokken terwijl hij nog bij de wc stond, tegen de muur geleund, meer in de war dan ooit. Doodsbang en kwaad. Het hele systeem deugde niet. Hij had schoon genoeg van wetten, advocaten en rechtbanken, van smerissen, FBI-agenten en marshals, van journalisten, rechters en bewaarders. Verdomme!

Hij rukte een papieren handdoek van de muur en veegde zijn ogen af. Toen ging hij op de wc zitten.

Hij zwoer tegen de muren dat hij niet naar New Orleans zou gaan.

Twee andere hulp-marshals zouden een afschrift van de dagvaarding overhandigen aan Dianne, en twee van hun collega's waren al onderweg naar het huis van Reggie Love, met haar dagvaarding. Dat gebeurde allemaal om ongeveer dezelfde tijd. Natuurlijk had één hulp-marshal – of desnoods een werkloze betonvlechter – de drie dagvaardingen op zijn gemak binnen het uur kunnen afgeven, maar het was leuker zes mannen met zendertjes, telefoons en pistolen in drie auto's op weg te sturen en om snel toe te slaan onder dekking van de duisternis, alsof het een actie van de commando's was.

Ze klopten op Moeder Loves keukendeur en wachtten tot het licht van de veranda aanging en Reggies moeder achter de hordeur verscheen. Ze wist meteen dat het mis was. Tijdens de nachtmerrie van Reggies echtscheiding, haar opname in de inrichting en haar juridische gevecht met Joe Cardoni, waren er ook op de vreemdste uren mannen in donkere pakken aan de deur gekomen. En ze brachten nooit goed nieuws.

'Kan ik u helpen?' vroeg ze met een geforceerd lachje.

'Jawel, mevrouw. Wij zoeken ene Reggie Love.'

Ze praatten zelfs als smerissen. 'En wie bent u?' vroeg ze.

'Ik ben Mike Hedley en dit is Terry Flagg. Wij zijn federale marshals.'

'Marshals of hulp-marshals? Mag ik uw legitimatie zien?'

Dat bracht hen van hun stuk, maar als één man staken ze hun hand in hun zak en haalden hun legitimatie tevoorschijn. 'Wij zijn hulp-marshals, mevrouw.'

'Dat is niet wat u zei,' zei Moeder Love, terwijl ze de legitimatie bekeek die de mannen tegen het gaas van de hordeur drukten.

Reggie zat koffie te drinken op het kleine balkon van haar appartement toen ze de autoportieren hoorde dichtslaan. Ze keek voorzichtig om de hoek en zag de twee mannen in het licht van de veranda staan. Ze hoorde stemmen, maar ze kon niet verstaan wat er werd gezegd.

'Neemt u ons niet kwalijk, mevrouw,' zei Hedley.

'Wat willen jullie van Reggie?' vroeg Moeder Love met een argwanende frons.

'Woont ze hier?'

'Misschien wel, misschien niet. Wat willen jullie van haar?'

Hedley en Flagg keken elkaar aan. 'We moeten haar een dagvaarding overhandigen.'

'Een dagvaarding waarvoor?'

'Mag ik vragen wie u bent?' informeerde Flagg.

'Ik ben haar moeder. Waar is die dagvaarding voor?'

'Een bevel om voor een juryrechtbank te verschijnen. Maandag, in New Orleans. We kunnen de papieren ook bij u achterlaten, als u dat wilt.'

'Nee, ik accepteer ze niet,' zei Moeder Love, alsof ze het iedere week met gerechtsdienaren aan de stok had. 'Jullie moeten haar die dagvaarding persoonlijk overhandigen, als ik me niet vergis.'

'Waar is ze?'

'Ze woont hier niet.'

Dat irriteerde hen. 'Daar staat haar auto,' zei Hedley met een knikje naar Reggies Mazda.

'Ze woont hier niet,' herhaalde Moeder Love.

'Goed, maar is ze hier nu?'

'Nee.'

'Weet u dan waar ze is?'

'Hebt u haar kantoor al geprobeerd? Ze werkt dag en nacht.'

'Maar waarom staat haar auto hier dan?'

'Soms rijdt ze mee met Clint, haar secretaris. Misschien zijn ze gaan eten of zoiets.'

De twee mannen keken elkaar wanhopig aan. 'Ik denk dat ze hier is,' zei Hedley, opeens agressief.

'Je wordt niet betaald om te denken, vriend. Je wordt betaald om die vervloekte papieren af te geven, en ik zeg je dat ze hier niet is.' Moeder Love verhief haar stem, en Reggie kon haar nu verstaan.

'Mogen we het huis doorzoeken?' vroeg Flagg.

'Als je een huiszoekingsbevel bij je hebt. Zo niet, dan wordt het tijd dat jullie van mijn erf verdwijnen.'

Ze deden allebei een stap terug en bleven toen staan. 'Ik hoop niet dat u het aanbieden van een federale dagvaarding probeert te belemmeren,' zei Hedley ernstig. Hij probeerde een sombere, onheilspellende klank in zijn stem te leggen, maar die poging mislukte jammerlijk.

'En ik hoop niet dat jullie een oude vrouw proberen te bedreigen.' Ze zette haar handen in haar zij, klaar voor de strijd.

Ze gaven het op en draaiden zich om. 'We komen terug,' beloofde Hedley toen hij het portier van zijn auto opende.

'Ik zal op jullie wachten,' riep ze nijdig. Ze deed de voordeur open en keek hen vanaf de kleine veranda na toen ze achteruit naar de straat terugreden. Ze wachtte vijf minuten tot ze zeker wist dat ze verdwenen waren. Toen liep ze naar Reggies appartement boven de garage.

Dianne nam zwijgend de dagvaarding van de beleefde en verontschuldigende marshal in ontvangst en las de tekst bij het licht van het zwakke lampje naast Ricky's bed. Er stonden geen nadere bijzonderheden in, alleen een oproep aan Mark om maandagochtend om tien uur op het aangegeven adres voor de jury te verschijnen. Nergens stond hoe hij daar moest komen of wanneer hij weer terug zou zijn. Ook werden er geen sancties vermeld voor het geval hij niet zou komen opdagen of zou weigeren te praten.
Ze belde Reggie, maar er werd niet opgenomen.

Hoewel Clints appartement een kwartiertje rijden bij haar vandaan lag, duurde de rit bijna een uur. Reggie zigzagde door het hele centrum en scheurde toen over de snelweg zonder een duidelijk doel. Pas toen ze zeker wist dat ze niet gevolgd werd, liet ze de Mazda achter in een straat waar veel andere auto's stonden geparkeerd. Vandaar was het nog vier straten lopen naar Clints appartement.

Om negen uur had hij een afspraakje gehad waar hij zich veel van voorstelde. Hij had het op het laatste moment moeten afzeggen. 'Het spijt me,' zei Reggie toen hij de deur opendeed en langs hem heen naar binnen glipte.
'Dat geeft niet. Alles in orde?' Hij pakte haar tas aan en wuifde naar de bank. 'Ga zitten.'
Reggie was hier al eerder geweest. Ze haalde een Cola Light uit de koelkast en ging op een barkruk zitten. 'Twee federale marshals met een dagvaarding om maandagochtend tien uur voor de jury in New Orleans te verschijnen.'

431

'En hebben ze je gevonden?'

'Nee. Moeder Love heeft hen afgepoeierd.'

'Dus je bent ontsnapt.'

'Ja, tenzij ze me vinden. Er is geen wet tegen het ontlopen van een dagvaarding. Ik moet Dianne bellen.'

Clint gaf haar een telefoon en ze toetste uit haar hoofd het nummer in. 'Kalm aan, Reggie,' zei hij, en hij gaf haar een vriendschappelijke zoen op haar wang. Daarna ruimde hij een paar verspreide tijdschriften op en zette de stereo aan. Reggie kreeg Dianne aan de lijn, maar na drie woorden kwam ze er al niet meer tussen. Het regende dagvaardingen, zo te horen. Een voor Reggie, een voor Dianne, een voor Mark. Reggie probeerde haar gerust te stellen. Dianne had de gevangenis gebeld maar ze had Mark niet kunnen bereiken. Op dit uur van de avond mochten de gedetineerden niet meer bellen, kreeg ze te horen. Ze praatten vijf minuten. Reggie, die zelf ook flink geschrokken was, probeerde Dianne ervan te overtuigen dat het allemaal wel mee zou vallen. Zij, Reggie, had alles onder controle. Ze beloofde dat ze de volgende morgen weer zou bellen en hing toen op.

'Ze kunnen Mark niet meenemen,' zei Clint. 'Hij valt onder de jurisdictie van de kinderrechter.'

'Ik moet Harry spreken, maar die is de stad uit.'

'Waarheen?'

'Vissen, met zijn zonen.'

'Dit is belangrijker dan vissen, Reggie. We moeten hem vinden. Hij kan hier toch een stokje voor steken?'

Reggie dacht aan honderd dingen tegelijk. 'Het is een handige streek, Clint. Denk maar na. Foltrigg heeft pas op vrijdagmiddag die dagvaardingen voor maandagochtend uitgereikt. Hij heeft bewust tot het laatste moment gewacht.'

'Kan dat zomaar?'

'Ja hoor. Dat zie je. In een strafzaak als deze kan een federale jury iedere getuige dagvaarden, waar hij ook woont, ongeacht het tijdstip of de afstand. En de getuige moet verschijnen, tenzij hij of zij de dagvaarding teniet kan doen.'

'Hoe krijg je dat voor elkaar?'

'Door bij een federale rechtbank een verzoekschrift in te dienen om de dagvaarding ongedaan te maken.'

'Laat me raden. Bij een federale rechtbank in New Orleans?'

'Precies. Wij moeten nu maandagochtend heel vroeg een rechter in New Orleans opsporen en hem vragen een extra zitting te houden om die dagvaarding in te trekken.'

'Dat lukt dus nooit, Reggie.'

'Natuurlijk niet. Daarom heeft Foltrigg het op deze manier aangepakt.' Ze nam een grote slok cola. 'Heb je ook koffie?'

'Ja hoor.' Hij begon laden open te trekken.

Reggie dacht hardop. 'Als ik de dagvaarding tot maandag kan ontlopen, is Foltrigg gedwongen een tweede uit te schrijven. Dan heb ik misschien genoeg tijd om die aan te vechten. Maar het probleem is Mark. Ze hebben het natuurlijk niet op mij voorzien. Ze kunnen míj toch niet dwingen om te praten.'

'Weet jij eigenlijk waar dat vervloekte lijk verborgen is, Reggie?'

'Nee.'

'En Mark?'

'Ja.'

Hij verstijfde even, en deed toen water in de pot.

'We moeten een manier bedenken om Mark hier te houden, Clint. Ze mogen hem niet meenemen naar New Orleans.'

'Bel Harry.'

'Harry is vissen in de bergen.'

'Bel dan zijn vrouw. Vraag waar hij ergens zit. Ik ga hem wel zoeken, als het niet anders kan.'
'Je hebt gelijk!' Ze greep de telefoon en begon te bellen.

32

De bewaarders in de jeugdgevangenis deden om tien uur 's avonds hun laatste ronde om te zien of alle lichten en televisies uit waren. Mark hoorde Telda met haar sleutels rammelen en bevelen roepen door de gang. Zijn shirt was doorweekt, de knoopjes zaten los. Het zweet liep over zijn borst en had een plasje gevormd in zijn navel en rond de ritssluiting van zijn jeans. De televisie stond uit. Zijn ademhaling ging moeizaam. Zijn dikke haar was vochtig en het zweet droop over zijn wenkbrauwen en van het puntje van zijn neus. Telda was bij de cel naast hem aangekomen. Marks gezicht was rood en heet.
Telda klopte aan en maakte de deur open. Het licht was nog aan, wat haar meteen irriteerde. Ze deed een stap naar binnen, keek naar de brits, maar zag hem niet.
Toen zag ze zijn voeten, naast de wc. Hij lag helemaal ineengerold, met zijn knieën tegen zijn borst, bewegingloos op zijn snelle, moeizame ademhaling na.
Zijn ogen waren dicht en hij had zijn linkerduim in zijn mond.
'Mark!' riep ze, opeens doodsbang. 'Mark! O, mijn god!' Ze rende de cel uit om hulp te halen. Binnen een paar seconden was ze weer terug met Denny, haar collega, die een snelle blik op de jongen wierp.
'Hier was Doreen al bang voor,' zei Denny, terwijl hij zijn hand op Marks bezwete buik legde. 'Verdomme, hij is kletsnat.'

Telda voelde zijn pols. 'Zijn hartslag is veel te snel. Moet je zien hoe hij ademt. Bel een ambulance!'

'Die arme knul is in een shocktoestand geraakt, denk je niet?'

'Bel een ambulance!'

Denny liep met dreunende voetstappen de cel uit. De vloer trilde. Telda tilde Mark op en legde hem voorzichtig op de onderste brits, waar hij zijn knieën weer tegen zijn borst trok, stijf ineengerold. Nog steeds had hij zijn duim in zijn mond. Denny kwam terug met een klembord. 'Dit moet Doreens handschrift zijn. Ze schrijft hier dat we ieder half-uur bij hem moeten gaan kijken en hem meteen naar het St. Peter's moeten laten brengen als we het niet vertrouwen. De arts die we moeten bellen is een zekere dokter Greenway.'

'Het is allemaal mijn schuld,' zei Telda. 'Ik had die ver-vloekte marshals niet moeten toelaten. Ze hebben die arme jongen een doodschrik bezorgd.'

Denny knielde bij haar neer en trok met zijn dikke duim Marks ooglid naar achteren. 'Verdomme. Zijn ogen zijn naar achteren gedraaid. Hij is er niet best aan toe,' ver-klaarde hij met de ernst van een hersenchirurg.

'Haal eens een washandje,' zei Telda. Denny gehoor-zaamde. 'Doreen zei dat dit ook met zijn broertje was ge-beurd. Ze hebben maandag die zelfmoord gezien, allebei, en die kleine is al meteen in een shocktoestand geraakt.'

Denny gaf haar het washandje en Telda veegde Marks voor-hoofd schoon.

'Verdomme, straks begeeft zijn hart het nog,' zei Denny, en hij liet zich op zijn knieën naast Telda zakken. 'Hij ligt zo zwaar te hijgen.'

'Arme knul. Ik had die marshals moeten wegsturen,' zei Telda.

'Ja, ik had hen nooit doorgelaten. Ze hebben hier niets te

zoeken.' Denny trok Marks linker ooglid terug. Mark kreunde en schokte. Toen begon hij hetzelfde vreemde, lage geluid voort te brengen als Ricky, waardoor Denny en Telda nog meer schrokken. Het was een laag, dof, toonloos gekreun, diep uit zijn keel. Tegelijkertijd zoog hij heftig op zijn duim.

Een broeder van de hoofdgevangenis, drie verdiepingen lager, stormde de cel binnen, op de voet gevolgd door nog een bewaarder. 'Wat is er aan de hand?' vroeg hij. Telda en Denny keken op.

'Ik denk dat hij een traumatische shock heeft. Zo noemen ze dat toch?' vroeg Telda. 'Hij doet de hele dag al vreemd, en een uurtje geleden kwamen er twee federale marshals om hem een dagvaarding te overhandigen.' De broeder luisterde niet naar haar. Hij pakte Mark bij de arm en zocht zijn polsslag. Telda ratelde door. 'Hij schrok vreselijk van die kerels. Daardoor is hij in een shocktoestand geraakt, denk ik. Ik had hem in de gaten moeten houden, maar ik had het te druk.'

'Ik zou die klootzakken hebben weggestuurd,' zei Denny. Ze stonden nu allebei naast de verpleegkundige.

'Met zijn broertje is hetzelfde gebeurd. Je weet wel, de kranten schrijven er al een week over. Die zelfmoord in dat bos.'

'Hij moet hier weg,' zei de broeder, terwijl hij fronsend overeind kwam en zijn zendertje pakte. 'Schiet op met die brancard!' blafte hij. 'Derde verdieping. Een jongen in shocktoestand.'

Denny hield de broeder het klembord voor. 'Hier staat dat hij naar het St. Peter's moet worden gebracht en dat we een zekere dokter Greenway moeten waarschuwen.'

'Daar ligt zijn broertje ook,' voegde Telda eraan toe. 'Doreen heeft me er alles over verteld. Ze was bang dat dit zou gebeuren. Bijna had ze vanmiddag al de ambulance laten komen. In de loop van de dag was hij al een paar keer versuft geraakt, zei ze. Ik had beter moeten opletten.'

De brancard arriveerde, met nog twee broeders. Mark werd er haastig op gelegd, met een deken over zich heen. Toen werd hij met riemen over zijn dijbenen en zijn borst vastgesnoerd. Zijn ogen bleven dicht en hij hield zijn duim in zijn mond.

Nog steeds bracht hij dat pijnlijke, eentonige gekreun voort dat de broeders de stuipen op het lijf joeg. Snel reden ze de brancard langs de balie naar de lift.

'Heb je ooit zoiets meegemaakt?' mompelde een van de verpleegkundigen zacht.

'Nee, ik kan het me niet herinneren.'

'Zijn voorhoofd is heet.'

'Normaal is de huid juist koel en klam bij een shock. Ik heb dit nog nooit gezien.'

'Is dit die jongen waar de maffia achteraan zit?'

'Ja. Het stond gisteren en vandaag nog op de voorpagina.'

'Hij kon de druk zeker niet aan.'

De lift stopte en ze reden de brancard haastig een serie korte gangen door. Het was druk – de gebruikelijke vijdagavonddrukte in de gevangenis. Een dubbele deur vloog open en ze stonden voor de ambulance.

De rit naar het St. Peter's duurde nog geen tien minuten, maar toen ze aankwamen moesten ze nog vijf minuten wachten. Drie andere ziekenwagens stonden juist een groep gewonden uit te laden. Het St. Peter's kreeg het grootste aantal steekwonden, kogelwonden, verkeersslachtoffers en afgetuigde echtgenotes binnen. Vierentwintig uur per dag was het er druk, maar van vrijdagavond tot zondagnacht was het helemaal een gekkenhuis. De broeders reden de brancard door de deuren naar de wit betegelde vloer van de receptie, waar ze stopten om een paar formulieren in te vullen. Een legertje verpleegkundigen en artsen verdrong zich om een nieuwe patiënt. Ze schreeuwden door elkaar heen. Mensen renden alle kanten op. Een stuk of zes politiemannen stonden door de ruimte verspreid en drie andere brancards waren op willekeurige plaatsen in de brede gang geparkeerd.

Een verpleegster waagde zich dichterbij, bleef even staan en vroeg de broeders: 'Wat is er aan de hand?' Een van hen gaf haar een formulier.

'Hij bloedt dus niet,' zei ze, alsof dat het enige was wat telde.

'Nee. Zo te zien heeft hij een shock of zoiets. Het zit blijkbaar in de familie.'

'Dan kan hij wel wachten. Rijd hem maar naar Opname. Ik ben over een minuutje terug.' En ze was verdwenen.

Ze zigzagden met de brancard door het drukke verkeer naar een kamertje in de hoofdgang. Daar gaven ze de formulieren aan een andere verpleegster, die er iets op schreef zonder naar Mark te kijken. 'Waar is dr. Greenway?' vroeg ze de broeders.

Ze keken elkaar aan en haalden hun schouders op.

'Hebben jullie hem niet gebeld?' vroeg ze.

'Eh... nee.'

'Eh... nee,' herhaalde ze bij zichzelf en trok haar wenkbrauwen op. Wat een stelletje jokers. 'Luister, dit is de afdeling zwaargewonden, oké? Veel bloed en gebroken botten. Het afgelopen halfuur zijn er op die gang al twee mensen overleden. Psychiatrische gevallen hebben hier geen voorrang.'

'Moeten we hem eerst neerschieten?' vroeg een van de broeders, met een knikje naar Mark.

Dat viel duidelijk verkeerd. 'Nee. Verdwijn maar. Ik neem hem wel van jullie over, maar lazer nou op.'

'U hebt de papieren getekend, dame. U mag hem hebben.'
Ze grijnsden tegen haar en liepen naar de deur.
'Is er een politieman bij hem?' vroeg ze nog.
'Nee. Hij komt uit de jeugdgevangenis.' En ze waren verdwenen.
Mark wist zich op zijn linkerzij te draaien en zijn knieën tegen zijn borst te trekken. De riemen zaten niet zo strak. Heel voorzichtig opende hij zijn ogen. In een hoek van de kamer lag een zwarte man over drie stoelen heen. Een lege brancard met bloedvlekken op de lakens stond bij een groene deur naast een fonteintje. De verpleegster nam een rinkelende telefoon op, gaf een paar korte antwoorden en liep de kamer uit. Snel maakte Mark de riemen los en sprong van de brancard. Hij was niet bang om betrapt te worden. Het maakte niet uit of hij rondliep. Hij was nu toch een psychiatrisch geval.

De formulieren die ze had ingenomen lagen op het bureau. Hij griste ze weg en duwde de brancard de groene deur door die uitkwam op een smalle gang met kleine kamers aan weerszijden. Hij liet de brancard achter en gooide de formulieren in een afvalemmer. De bordjes met UITGANG brachten hem naar een deur met een raam erin. Hij keek door de ruit en zag de chaos van de afdeling Opname.

Mark glimlachte bij zichzelf. Hij was hier al eerder geweest. Door het glas sloeg hij het gekkenhuis een tijdje gade en zag de plek waar hij en Hardy hadden gestaan nadat Greenway en Dianne met Ricky waren verdwenen. Hij glipte de deur door en liep nonchalant door de menigte van zieken en gewonden die zo snel mogelijk opgenomen wilden worden. Als hij zou rennen, zou hij misschien opvallen, dus liep hij heel rustig. Hij nam zijn favoriete roltrap naar het souterrain en zag een verlaten rolstoel bij de trap staan. Het was een stoel voor volwassenen, maar zijn armen waren lang genoeg om de wielen te kunnen bedienen. Rustig reed hij langs de kantine naar het mortuarium.

Clint was op de bank in slaap gevallen. De show van Letterman was al bijna voorbij toen de telefoon ging. Reggie nam meteen op. 'Hallo?'

'Hallo Reggie, met mij. Mark.'

'Mark! Hoe gaat het, schat?'

'Geweldig, Reggie. Fantastisch.'

'Hoe heb je me gevonden?' vroeg ze, terwijl ze de tv afzette.

'Ik heb Moeder Love gebeld. Ze sliep al. Zij gaf me dit nummer. Je bent toch bij Clint?'

'Ja. Hoe kom je aan een telefoon? Zo laat nog?'

'Eh... ik ben niet meer in de gevangenis.'

Ze stond op en liep naar de eetbar. 'Waar dan, jochie?'

'In het ziekenhuis. Het St. Peter's.'

'O. En hoe ben je daar gekomen?'

'Ze hebben me er in een ambulance naartoe gebracht.'

'Je mankeert toch niets?'

'Nee hoor.'

'Waarom hebben ze je dan met een ambulance vervoerd?'

'Ik had een aanval van post-traumatische stress. Daarom hebben ze me als de bliksem naar het ziekenhuis gebracht.'

'Wil je dat ik naar je toe kom?'

'Misschien. Hoe zit dat met die dagvaarding?'

'Een poging om je bang te maken, in de hoop dat je je mond opendoet. Dat is alles.'

'Nou, die poging is geslaagd. Ik ben doodsbenauwd.'

'Je klinkt oké.'

'Nerveuze energie, Reggie. Ik ben echt doodsbang.'

'Ik bedoel, je klinkt niet alsof je een shock hebt of zo.'

'Ik ben heel snel hersteld. Ik heb hen gewoon belazerd, Reggie. Ik heb een halfuur door mijn kleine cel gejogd.

Toen ze me vonden, was ik drijfnat van het zweet en deed ik net of ik van de wereld was.'

Clint kwam overeind op de bank en luisterde gespannen.

'Ben je al bij een dokter geweest?' vroeg Reggie, fronsend tegen Clint.

'Niet echt.'

'Wat bedoel je?'

'Ik bedoel dat ik stiekem uit Opname ben weggeslopen. Ik ben gewoon gevlucht, Reggie. Het was doodsimpel.'

'O, mijn god.'

'Geen paniek. Ik mankeer niks. Maar ik ga niet terug naar de gevangenis, Reggie. En ik ga niet naar New Orleans om voor die jury te verschijnen. Die sluiten me toch weer op, maar dan in New Orleans. Ja toch?'

'Luister, Mark, dit gaat niet. Je kunt niet zomaar vluchten. Je moet...'

'Ik bén al gevlucht, Reggie. En zal ik je eens wat zeggen?'

'Nou?'

'Volgens mij heeft niemand het nog gemerkt. Het is hier zo druk. Ik denk niet dat iemand me al heeft gemist.'

'En de politie?'

'Welke politie?'

'Is er geen agent met je meegegaan naar het ziekenhuis?'

'Nee. Ik ben nog maar een kind, Reggie. Er waren twee stevige ziekenbroeders bij me, maar ik ben een kind, en bovendien was ik in coma en zoog ik op mijn duim en lag ik te kreunen, net als Ricky. Je zou trots op me zijn geweest. Het leek wel een film. Toen ik in het ziekenhuis was, vertrokken ze weer en kon ik gewoon de benen nemen. Geen probleem.'

'Maar dat kan niet, Mark.'

'Het is al gebeurd, oké? En ik ga niet terug.'

'En je moeder?'

'O, die heb ik een uurtje geleden al gebeld. Ze kreeg zowat een toeval, maar ik heb haar verzekerd dat alles in orde was. Het beviel haar niet erg en ze zei dat ik naar Ricky's kamer moest komen. We hebben flink ruzie gemaakt door de telefoon. Na een tijdje kalmeerde ze wat. Volgens mij slikt ze weer pillen.'

'Maar je bent nog steeds in het ziekenhuis?'

'Ja.'

'Waar? In welke kamer?'

'Ben je nog steeds mijn advocaat?'

'Natuurlijk.'

'Goed. Dus als ik je iets vertel, mag je het niet doorvertellen. Klopt dat?'

'Dat klopt.'

'En ben je mijn vriendin, Reggie?'

'Natuurlijk ben ik je vriendin.'

'Gelukkig, want op dit moment ben je de enige vriendin die ik heb. Wil je me helpen, Reggie? Ik ben echt vreselijk bang.'

'Ik zal alles voor je doen, Mark. Waar zit je nu?'

'In het lijkenhuis. Er is een klein kantoortje in de hoek. Daar heb ik me verborgen, onder het bureau. Het licht is uit. Als ik plotseling ophang, is dat omdat er iemand binnenkomt. In de tijd dat ik er ben hebben ze al twee doden binnengebracht, maar niemand is nog in het kantoortje geweest.'

'Het lijkenhuis?'

Clint sprong overeind en kwam naast haar staan.

'Ja. Ik ben er weleens eerder geweest. Ik ken het ziekenhuis heel goed, vergeet dat niet.'

'Dat is zo.'

'Wie is er in het lijkenhuis?' fluisterde Clint. Ze fronste tegen hem en schudde haar hoofd.

'Ma zei dat jij ook een dagvaarding zou krijgen, Reggie. Is dat waar?'

'Ja, maar ze hebben hem niet kunnen overhandigen. Daarom zit ik nu bij Clint. Als ze me niet weten te vinden, hoef ik ook niet naar New Orleans.'

'Dus jij bent ook ondergedoken?'

'Ja, eigenlijk wel.'

Opeens hoorde Reggie een klik en de kiestoon. Ze staarde naar de hoorn en legde snel neer. 'Hij heeft opgehangen,' zei ze.

'Wat is er in godsnaam aan de hand?' vroeg Clint.

'Het was Mark. Hij is uit de gevangenis ontsnapt.'

'Wat?!'

'Hij houdt zich verborgen in het mortuarium van het St. Peter's,' zei ze op een toon alsof ze het zelf niet geloofde. De telefoon ging en ze nam haastig op. 'Hallo?'

'Het spijt me. De deur ging open en weer dicht. Ik dacht dat ze weer een dode kwamen brengen.'

'Ben je daar wel veilig, Mark?'

'Nee, natuurlijk ben ik hier niet veilig, verdomme. Maar ik ben een kind, oké? En nu ben ik zelfs een psychiatrisch geval. Als ze me vinden, raak ik gewoon weer in een shocktoestand. Dan leggen ze me wel in een kamertje en kan ik een manier verzinnen om weer te ontsnappen.'

'Je kunt je niet de rest van je leven blijven verstoppen.'

'Jij ook niet.'

Weer verbaasde ze zich over zijn scherpe tong. 'Daar heb je gelijk in, Mark. Dus wat doen we nu?'

'Dat weet ik niet. Ik zou het liefst uit Memphis willen verdwijnen. Ik baal van de politie en de gevangenis.'

'Waar wil je dan heen?'

'Ik wil je wat vragen. Als jij me komt halen en we zouden samen de stad uit vluchten, dan kun jij een heleboel problemen krijgen omdat je me geholpen hebt te ontsnappen. Dat is toch zo?'

'Ja. Dan zou ik medeplichtig zijn.'

'Wat zou er met je gebeuren?'

'Dat zien we dan wel weer. Ik heb wel ergere dingen gedaan.'

'Dus je wilt me helpen?'

'Ja, Mark, ik zal je helpen.'

'En je zegt het tegen niemand?'

'Misschien hebben we Clints hulp nodig.'

'Goed, je mag het wel tegen Clint zeggen. Maar verder tegen niemand, oké?'

'Ik geef je mijn woord.'

'En zul je me niet proberen over te halen om weer terug naar de gevangenis te gaan?'

'Dat beloof ik je.'

Het bleef een hele tijd stil. Clint was bijna in paniek.

'Goed, Reggie. Ken je de grote parkeerplaats, naast dat hoge groene gebouw?'

'Ja.'

'Rijd daarheen alsof je een parkeerplaats zoekt. Heel langzaam. Ik verberg me wel tussen een paar auto's.'

'Het is daar donker en gevaarlijk, Mark.'

'Het is vrijdagavond, Reggie. Het is hier overal donker en gevaarlijk.'

'Maar er zit toch een bewaker bij de uitgang?'

'Die zit de helft van de tijd te slapen. En het is maar een bewaker, geen smeris. Ik weet heus wel wat ik doe, oké?'

'Weet je het zeker?'

'Nee. Maar je zei dat je me zou helpen.'

'Dat doe ik ook. Wanneer moet ik er zijn?'

'Zo snel als je kunt.'

'Ik kom in Clints auto. Een zwarte Honda Accord.'

'Goed. Wacht niet te lang.'

'Ik ben al onderweg. Wees voorzichtig, Mark.'

444

'Geen zorg, Reggie. Het is net een film.'

Ze hing op en haalde diep adem.

'Mijn auto?' vroeg Clint.

'Ja. Ik word ook gezocht.'

'Je bent niet wijs, Reggie. Dit is krankzinnig. Je kunt niet vluchten met een ontsnapte gevangene... of wat hij dan ook is. Dan word je gearresteerd en veroordeeld wegens medeplichtigheid. Dat kost je je praktijk.'

'Waar is mijn tas?'

'In de slaapkamer.'

'Ik heb je sleuteltjes nodig en je creditcards.'

'Mijn creditcards? Luister, Reggie. Ik hou heel veel van je, schat, maar om je nou mijn auto en mijn plastic geld te geven'

'Hoeveel heb je contant?'

'Veertig dollar.'

'Geef me die ook maar. Je krijgt ze terug.' Ze liep naar de slaapkamer.

'Je bent gek.'

'Dat ben ik al eerder geweest, weet je nog?'

'Toe nou, Reggie.'

'Maak je geen zorgen, Clint. We doen heus niets stoms. Ik moet Mark nu eenmaal helpen. Hij zit in een donker kantoortje van het mortuarium in St. Peter's en hij heeft mijn hulp nodig. Wat moet ik anders doen?'

'Verdomme! Waarom pak je geen karabijn en schiet je je een weg naar binnen? Als Mark Sway maar gered wordt!'

Ze gooide haar tandenborstel in een canvastas. 'Geef me je creditcards en je geld nou maar, Clint. Ik heb haast.'

Hij zocht in zijn zakken. 'Je bent niet goed bij je hoofd. Dit is belachelijk.'

'Blijf bij de telefoon en ga hier niet weg, oké? Ik bel je straks nog wel.' Ze pakte zijn sleuteltjes en twee creditcards – Visa en Texaco.

Hij liep met haar mee naar de deur. 'Doe het rustig aan met die Visa-card. Die is bijna aan zijn limiet.'

'Gek hè, maar dat verbaast me niks.' Ze kuste hem op zijn wang. 'Bedankt, Clint. Pas goed op Moeder Love.'

'Bel me,' zei hij, volledig overdonderd.

Ze glipte de deur uit en verdween in de duisternis.

33

Vanaf het moment dat Mark in de auto sprong en zich op de vloer verborg, was Reggie medeplichtig aan zijn vlucht. Maar zolang hij niemand vermoordde voordat ze werden aangehouden, zou ze er vermoedelijk met een lichte straf van afkomen. Een paar weken sociale dienstverlening, veronderstelde ze, misschien een boete, en een proeftijd van veertig jaar. Verdomme, ze had er al haar krediet voor over. Het zou haar eerste overtreding zijn. Zij en haar advocaat zouden aannemelijk kunnen maken dat het kind door de maffia werd gezocht, dat hij moederziel alleen was en dat iemand toch iets voor hem moest doen! Ze kon zich niet met juridische haarkloverijen bezighouden terwijl het leven van haar cliënt gevaar liep. Misschien kon ze zelfs haar invloed bij een paar goede kennissen aanwenden om ervoor te zorgen dat ze haar praktijk mocht blijven uitoefenen.

Ze betaalde de bewaker van de parkeerplaats vijftig dollarcent en hield haar hoofd afgewend. Ze had maar één rondje over de parkeerplaats gemaakt. De bewaker had geen enkele belangstelling voor haar. Mark lag stijf ineengerold in het donker onder het dashboard en bleef daar totdat Reggie naar Union Avenue afsloeg en de kant van de rivier op reed.

'Is alles veilig?' vroeg hij zenuwachtig.

'Ik geloof het wel.'

Hij hees zich meteen op de stoel en keek om zich heen. Op het digitale klokje was het tien voor een. De zes rijbanen van Union Avenue waren verlaten. Reggie reed drie straten verder, haalde op het nippertje alle stoplichten en wachtte tot Mark iets zou zeggen.

'Waar wil je heen?' vroeg ze ten slotte.

'Fort Alamo.'

'Fort Alamo?' herhaalde ze zonder een spoor van een glimlach.

Hij schudde zijn hoofd. Volwassenen waren soms zo stom.

'Een geintje, Reggie.'

'Sorry.'

'Ik neem aan dat je *Pee Wee's Big Adventures* niet hebt gezien.'

'Is dat een film?'

'Geeft niet. Laat maar zitten.' Ze wachtten voor een stoplicht.

'Ik vind jouw auto leuker,' zei hij terwijl hij met zijn hand over de console van de Accord streek, opeens in de auto geïnteresseerd.

'Fijn, Mark. Luister, deze straat eindigt bij de rivier, dus wil je me nu zeggen waar je heen wilt?'

'Uit Memphis weg. Dat is het enige wat ik nu wil, oké? Verder kan het me niet schelen. Ik wil gewoon uit Dodge vandaan.'

'En als we de stad uit zijn, wat dan? Ik zou het prettig vinden als ik wist waar we naartoe gingen.'

'Laten we de brug bij de Pyramid maar oversteken. Goed?'

'Mij best. Wil je naar Arkansas?'

'Waarom niet? Welja, rij maar naar Arkansas.'

'Goed.'

Nu dat besluit genomen was, boog hij zich naar voren en inspecteerde aandachtig de radio. Hij drukte een toets in, draaide aan een knop en Reggie zette zich al schrap voor een oorverdovende dosis rap of heavy metal. Met twee handen stelde Mark de zender in. Gewoon een kind met een nieuw speeltje. Eigenlijk hoorde hij nu warm in bed te liggen en de volgende dag lekker uit te slapen omdat het zaterdag was. En als hij uit bed kwam zou hij naar tekenfilms moeten kijken en daarna in pyjama op zijn spelcomputer moeten spelen, zoals hij nu met die radio bezig was.

De Four Tops waren net uitgezongen. 'Luister je naar gouwe ouwe?' vroeg ze, oprecht verbaasd.

'Soms. Ik dacht dat jij dat leuk vond. Het is bijna een uur in de nacht – niet de beste tijd voor het zware werk.'

'Waarom denk je dat ik van gouwe ouwe hou?'

'Nou, Reggie, eerlijk gezegd zie ik je niet bij een rap-concert. Bovendien stond jouw radio daarop afgestemd toen ik de laatste keer bij je in de auto zat.'

Union Avenue eindigde bij de rivier. Ze wachtten weer voor een stoplicht. Een politiewagen bleef naast hen staan. De agent achter het stuur keek fronsend naar Mark.

'Niet terugkijken,' waarschuwde Reggie.

Het licht sprong op groen en ze sloeg rechtsaf naar Riverside Drive. De politiewagen kwam achter hen aan. 'Niet omkijken,' fluisterde ze. 'Doe maar heel gewoon.'

'Verdomme, Reggie, waarom volgt hij ons?'

'Geen idee. Kalm blijven.'

'Hij heeft me herkend. Mijn foto heeft de hele week in de krant gestaan. Hij heeft me gewoon herkend. Geweldig, Reggie! Onze grote ontsnapping! Binnen tien minuten hebben ze ons al te pakken.'

'Stil nou, Mark. Ik probeer te rijden en hem tegelijkertijd in het oog te houden.'

Mark liet zich langzaam onderuit zakken tot hij op het

randje van de stoel zat en zijn hoofd nog maar net boven de portierkruk uit kwam. 'Wat doet hij?' fluisterde hij.

Haar ogen schoten heen en weer tussen het spiegeltje en de straat. 'Hij rijdt gewoon achter ons aan. Nee, wacht. Daar komt-ie.'

De politiewagen haalde hen in, gaf gas en verdween uit het gezicht. 'Hij is weg.' Mark durfde weer adem te halen.

Ze namen de afslag vanuit het centrum naar de I-40 en staken de brug over de Mississippi over. Mark keek naar de helder verlichte Pyramid aan zijn rechterhand en draaide zich toen snel naar achteren om het silhouet van Memphis in de verte te zien verdwijnen. Hij leek diep onder de indruk, alsof hij het nooit eerder had gezien. Reggie vroeg zich af of het arme kind weleens buiten Memphis was geweest.

De radio draaide een nummer van Elvis. 'Hou je van Elvis?' vroeg hij.

'Mark, geloof het of niet, maar toen ik als tiener in Memphis opgroeide, fietsten we op zondag soms met een groep meiden naar Elvis' huis om hem te zien voetballen. Toen was hij nog niet zo beroemd en woonde hij nog bij zijn ouders in een leuk klein huisje. Hij zat op de Humes High School in wat ze nu Northside noemen.'

'Ik woon ook in het noorden van Memphis. Tenminste, daar woonde ik. Ik weet niet waar ik nu woon.'

'We gingen naar zijn concerten en we zagen hem wel in de stad. Hij was een gewone jongen, in het begin. Later werd dat anders. Toen werd hij zo beroemd dat hij geen normaal leven meer kon leiden.'

'Net als ik, Reggie,' zei hij met een plotselinge grijns. 'Moet je nagaan. Elvis en ik. Allebei onze foto op de voorpagina. Overal fotografen. Allerlei mensen die ons zoeken. Het is niet gemakkelijk om beroemd te zijn.'

'Nee. Wacht maar tot morgen, als de zondagskranten uitkomen. Ik zie de koppen al voor me, grote koppen – SWAY ONTSNAPT.'

'Geweldig! Dan staat mijn grijnzende smoel weer op de voorpagina, met smerissen om me heen, alsof ik een soort seriemoordenaar ben. Maar diezelfde stomme smerissen zullen heel wat moeite hebben om uit te leggen hoe een elfjarig jochie uit de gevangenis kon ontsnappen. Misschien ben ik wel de jongste gevangene die ooit de benen heeft genomen.'

'Dat zou best kunnen.'

'Toch vind ik het zielig voor Doreen. Denk je dat ze er last mee krijgt?'

'Had ze dienst?'

'Nee, Telda en Denny. Die mogen van mij wel ontslagen worden.'

'Met Doreen komt het wel goed, denk ik. Ze werkt er al zo lang.'

'Ik heb haar belazerd, weet je. Ik deed net of ik een shock had, alsof ik naar het sprookjesland vertrok, zoals Romey het noemde. Steeds als ze bij me kwam kijken ging ik me vreemder gedragen. Ik zei niets meer, ik staarde alleen nog naar het plafond en begon te kreunen. Ze weet hoe het met Ricky is en ze wist zeker dat het met mij ook die kant opging. Gisteren haalde ze er nog een verpleegkundige bij. Die kon niets bijzonders vinden, maar Doreen bleef ongerust. Ik heb haar gewoon gebruikt.'

'Hoe ben je precies ontsnapt?'

'Ik speelde dat ik een shock had. Ik had een halfuurtje door mijn cel gerend, zodat ik flink begon te zweten. Toen rolde ik me op tot een bal en stak mijn duim in mijn mond. Daar schrokken ze zo van dat ze de ambulance belden. Als ik eenmaal in het St. Peter's was, zou ik kunnen ontsnappen. Dat wist ik. Het is daar zo'n zootje.'

'En toen ben je gewoon verdwenen?'

'Ze hadden me op een brancard gelegd, maar zodra ze zich omdraaiden ben ik opgestaan en... ja, gewoon weggelopen. Moet je horen, Reggie, links en rechts lagen mensen dood te gaan. Niemand bekommerde zich om mij. Er was geen kunst aan.'

Ze reden over de brug Arkansas in. De weg was vlak, met wegrestaurants en motels aan twee kanten. Mark draaide zich om omdat hij het silhouet van Memphis nog eens wilde zien, maar het was in de duisternis verdwenen.

'Waar kijk je naar?' vroeg ze.

'Naar Memphis. Naar die torenflats in het centrum. Een leraar zei een keer dat er in die flats echt mensen wonen. Ik kan het nauwelijks geloven.'

'Waarom niet?'

'Ik heb eens een film gezien over een rijk jochie dat in zo'n torenflat woonde, midden in de stad. Hij zwierf over straat en amuseerde zich. Hij kende de agenten bij hun voornaam, hij hield taxi's aan als hij ergens heen wilde en 's nachts zat hij op het balkon en keek naar de stad beneden. Ik vond dat altijd een prachtige manier van leven. Geen goedkope stacaravan. Geen vunzige buren. Geen open vrachtwagens voor je deur geparkeerd.'

'Dat kun je allemaal krijgen, Mark. Je hoeft het maar te zeggen.'

Hij keek haar een paar seconden aan. 'Hoe dan?'

'Op dit moment wil de FBI je alles geven waar je om vraagt. Je kunt in een torenflat in de stad wonen, of in een blokhut in de bergen. Je zegt het maar.'

'Ik heb er wel over gedacht.'

'Je kunt aan het strand gaan wonen om in zee te spelen, of in Orlando om iedere dag naar Disney World te gaan.'

'Dat is wel leuk voor Ricky, maar daar ben ik te oud voor. En de kaartjes zijn me te duur.'

'Waarschijnlijk geven ze je een levenslang abonnement als je erom vraagt. Jij en je moeder kunnen alles gedaan krijgen van de FBI.'

'Ja, Reggie, maar wat heb je daaraan als je bang bent voor je eigen schaduw? Ik heb al drie nachten akelig gedroomd over die lui. Ik heb geen zin om de rest van mijn leven bang te moeten zijn. Want ooit krijgen ze me te pakken, dat weet ik zeker.'

'Wat wil je dan, Mark?'

'Ik weet het nog niet, maar ik heb wel een plannetje.'

'Ik luister.'

'Het voordeel van de gevangenis is dat je tijd genoeg hebt om na te denken.' Hij legde een voet over zijn andere knie en strengelde zijn vingers eromheen. 'Stel dat Romey tegen me heeft gelogen, Reggie. Hij was dronken, hij slikte pillen en hij was gestoord. Misschien praatte hij alleen maar om zijn eigen stem te horen. Ik zat naast hem, dus ik kan het weten. Die vent was gek. Hij zei de raarste dingen. In het begin geloofde ik alles nog. Ik was doodsbang en ik kon niet helder denken. Mijn kop deed pijn waar hij me geslagen had. Maar nu weet ik het niet zo zeker meer. De hele week heb ik nagedacht over alles wat hij zei en deed. Het sloeg gewoon nergens op. En misschien wilde ik het wel geloven.'

Reggie reed precies negentig kilometer per uur en luisterde gespannen naar ieder woord. Ze had geen idee waar hij heen wilde – of waar ze naartoe reden.

'Maar ik kon geen risico nemen. Nee toch? Stel dat ik de politie alles had verteld en ze zouden het lijk hebben gevonden op de plaats die Romey zei? Dan was iedereen gelukkig geweest, behalve de maffia, en wat zou er dan met mij gebeurd zijn? En als ik het de politie had verteld en ze zouden het lijk niet hebben gevonden omdat Romey gelogen had? Dan was ik van het gedonder af omdat ik dus niets wist. Wat een grapjas, die Romey. Maar dat risico durfde ik niet te nemen.' Hij zweeg bijna een kilometer. De Beach Boys zongen *California Girls*. 'Maar toen kreeg ik een idee.'

Opeens voelde ze het aankomen. Haar hart sloeg een slag over en het kostte haar moeite de auto tussen de witte strepen van de rechterbaan te houden. 'Wat voor een idee?' vroeg ze nerveus.

'We moeten maar gaan kijken of Romey gelogen heeft of niet.'

Haar mond voelde droog aan. Ze schraapte haar keel. 'Het lijk gaan zoeken, bedoel je?'

'Precies.'

Ze wilde lachen om de humor van die hyperactieve hersentjes, maar ze had er de kracht niet voor. 'Dat is een grapje, zeker?'

'Nou, laten we er eens over praten. Maandagochtend moeten we allebei voorkomen in New Orleans, jij en ik.'

'Ja, dat zal wel. Hoewel ik nog geen dagvaarding heb gezien.'

'Maar ik ben je cliënt en ik heb wel een dagvaarding gekregen. Dus zelfs als jij er geen krijgt, moet je toch met mij mee.'

'Dat is waar.'

'En nu zijn we op de vlucht. Jij en ik, Bonnie en Clyde, op de vlucht voor de politie.'

'Zo zou je het kunnen zeggen.'

'Wat is de laatste plek waar ze ons zullen zoeken? Denk goed na, Reggie. Wat is de laatste plek ter wereld waar ze ons verwachten?'

'In New Orleans.'

'Juist. Nou, ik weet niet veel over onderduiken, maar jij probeert een dagvaarding te ontlopen en je bent advocaat en zo, dus heb je veel met misdadigers te maken... Het zal jou toch wel lukken om ongezien in New Orleans te komen. Niet?'

'Ik denk het wel.' Ze schrok van haar eigen woorden, maar ze begon te begrijpen wat hij bedoelde.

'Als jij naar New Orleans rijdt, zullen we Romey's huis ook wel vinden.'

'Waarom Romey's huis?'

'Daar zou het lijk moeten liggen.'

Dat was nou het laatste wat ze wilde weten. Langzaam zette ze haar bril af en wreef in haar ogen. Er kwam een lichte hoofdpijn opzetten tussen haar slapen, en die zou alleen maar erger worden.

Romey's huis? Het huis van wijlen Jerome Clifford? Mark had het heel langzaam gezegd en het drong ook heel langzaam tot haar door. Ze staarde naar de achterlichten voor hen maar zag niets anders dan een rode vlek. Romey's huis? Dus het slachtoffer van de moord lag begraven in het huis van de advocaat van de verdachte? Dat was niet bizar, dat was krankzinnig. Haar gedachten draaiden in kringetjes terwijl ze zichzelf tientallen vragen stelde die ze niet kon beantwoorden. Ze keek in het spiegeltje en zag opeens dat Mark haar met een vreemd lachje aanstaarde.

'Nu weet je het dus, Reggie,' zei hij.

'Maar hoe, waarom...'

'Vraag het me niet, want ik weet niet waarom. Het is idioot. Daarom denk ik dat Romey het misschien verzonnen heeft. Dat hij zo geflipt was dat hij niet helder meer kon denken en daarom riep dat het lijk bij hem thuis begraven lag.'

'Dus je denkt dat het niet waar is?' vroeg ze, in de hoop dat hij haar gerust zou stellen.

'Dat weten we pas als we gaan kijken. Als het er niet ligt, ben ik uit de problemen en kan ik weer gewoon verder leven.'

'Maar als het er wél ligt?'

'Dat zien we dan wel weer.'

'Ik vind het toch niet zo'n goed idee.'

'Waarom niet?'

'Luister, Mark... knul, goede vriend, cliënt van me... als jij denkt dat ik naar New Orleans rijd om een lijk op te graven, ben je niet goed bij je hoofd.'

'Dat ben ik ook niet. Ricky en ik zijn zo gek als een deur.'

'Ik doe het niet.'

'Waarom niet, Reggie?'

'Het is veel te gevaarlijk, Mark. Het is krankzinnig en we lopen de kans vermoord te worden. Ik ga niet, en ik laat jou ook niet gaan.'

'Waarom zou het gevaarlijk zijn?'

'Ik weet het niet... omdat ik het zeg.'

'Denk nou eens na, Reggie. We gaan kijken of het lijk er ligt, oké? Als we het niet kunnen vinden op de plaats die Romey heeft genoemd, ben ik gered. Dan kunnen we de politie vragen alle aanklachten tegen ons in te trekken en zal ik hun in ruil daarvoor alles vertellen wat ik weet. En omdat ik de juiste plaats niet weet, is de maffia ook niet langer in mij geïnteresseerd. Einde van het verhaal.'

Einde van het verhaal. Die jongen zag te veel films. 'En als we het lijk wél vinden?'

'Goede vraag. Denk eens na, Reggie. Probeer als een kind te denken. Als we het lijk vinden, bel jij de FBI en zeg je dat je precies weet waar het ligt omdat je het met je eigen ogen hebt gezien. Dan zullen ze je alles beloven wat je vraagt.'

'En wat wil je dan?'

'Een ticket naar Australië, denk ik. Een mooi huis, genoeg geld voor mijn moeder, een nieuwe auto, misschien een nieuw gezicht. Dat heb ik eens in een film gezien, over een man die een stel drugdealers had verraden. De politie

gaf hem geld voor plastische chirurgie. Eerst was hij foei-
lelijk, maar daarna zag hij eruit als een filmster. Twee jaar
later gaven de drugdealers hem weer een nieuw gezicht.'
'Meen je dat nou?'
'Over die film?'
'Nee, over Australië.'
'Misschien.' Hij zweeg en keek uit het raam. 'Misschien.'
Ze luisterden naar de radio. Een paar kilometer reden ze
zwijgend verder. Er was niet veel verkeer. Ze kwamen
steeds verder van Memphis.
'Kunnen we iets afspreken?' vroeg hij met een blik uit het
raampje.
'Misschien.'
'We gaan naar New Orleans.'
'Ik ga geen lijk opgraven.'
'Goed, goed. Maar laten we er toch naartoe rijden. Niemand
verwacht ons daar. Als we er zijn, praten we wel verder.'
'We hebben er al over gepraat.'
'Rij nou maar naar New Orleans, oké?'
Ze reden over een viaduct dat een andere snelweg kruiste.
Reggie wees naar rechts. Vijftien kilometer verder was het
silhouet van Memphis weer te zien, glinsterend verlicht on-
der de halve maan. 'Wauw!' zei Mark vol ontzag. 'Wat
mooi.'
Ze konden geen van beiden weten dat het zijn laatste blik op
Memphis zou zijn.

Ze stopten in Forrest City, Arkansas, voor benzine en een
hapje. Reggie betaalde de koeken, een grote beker koffie
en een Sprite, terwijl Mark zich op de vloer van de auto verborgen hield. Een paar minuten later reden ze weer op de
Interstate, in de richting van Little Rock.
De damp sloeg van de plastic beker toen Reggie onder het

rijden een slok nam. Ze zag hoe Mark zonder blikken of blozen vier grote gevulde koeken verorberde. Hij at als een kind, met de kruimels op zijn broek en op de stoel en de banketbakkersroom aan zijn vingers. Hij likte ze af alsof hij in een maand geen eten had gezien. Het was bijna half-drie. De weg was verlaten, afgezien van de grote vrachtwa-gencombinaties die in konvooi reden. Reggie stelde de cruise-control op honderd kilometer in.

'Denk je dat ze al achter ons aan zitten?' vroeg hij toen hij de laatste koek naar binnen had gewerkt en het blikje Sprite opentrok. Zijn stem klonk bijna enthousiast.

'Ik denk het niet. De politie zal het ziekenhuis wel hebben doorzocht, maar waarom zouden ze op het idee komen dat wij er samen vandoor zijn?'

'Ik maak me wel ongerust over ma. Ik heb haar gesproken voordat ik jou belde. Ik zei haar dat ik was ontsnapt en me in het ziekenhuis verborgen hield. Ze werd vreselijk kwaad. Maar ze begreep wel dat ik veilig was, geloof ik. Ik hoop dat ze het haar niet echt moeilijk maken.'

'Vast niet. Maar natuurlijk is ze ongerust.'

'Dat weet ik. Ik wil niet gemeen klinken, maar ik denk dat ze het wel aankan. Moet je zien wat ze al heeft meegemaakt. Mijn moeder is een taaie, hoor.'

'Ik zal Clint zeggen dat hij haar in de loop van de dag moet bellen.'

'Wil je Clint vertellen waar we heen gaan?'

'Ik wéét niet eens waar we heen gaan.'

Hij dacht daar even over na terwijl er twee trucks voorbij-denderden en de Honda naar rechts werd gedrukt.

'Wat zou jij doen, Reggie?'

'Om te beginnen zou ik niet zijn ontsnapt.'

'Dat lieg je.'

'Pardon?'

'Natuurlijk. Jij probeert toch die dagvaarding te ontlopen? Ik doe precies hetzelfde. Wat is het verschil? Jij wil niet voor de jury verschijnen. Ik ook niet, daarom hebben we de benen genomen. We zitten in hetzelfde schuitje, Reggie.'

'Ja, maar met één verschil. Jij bent uit de gevangenis ontsnapt. Dat is een misdrijf.'

'Ik zat in een detentievleugel voor jongeren, en jongeren plegen geen misdrijven. Dat heb je toch zelf gezegd? Jongeren zijn soms onhandelbaar en dan moeten ze onder toezicht worden gesteld. Ze plegen wel delicten, maar geen misdrijven. Nee toch?'

'Als jij het zegt. Maar toch was het verkeerd om te vluchten.'

'Het is nu gebeurd. Ik kan het niet meer veranderen. Jij ontduikt de wet toch ook. Is dat dan niet verkeerd?'

'Nee hoor. Er bestaan geen wetten tegen het ontlopen van een dagvaarding. Ik had helemaal niets misdaan, totdat ik jou oppikte.'

'Stop maar. Dan stap ik uit.'

'Toe nou, Mark. Wees even serieus.'

'Ik bén serieus.'

'Goed. En wat wil je dan doen als je bent uitgestapt?'

'O, dat weet ik niet. Ik probeer zo ver mogelijk te komen. En als ik word opgepakt, raak ik weer in een shocktoestand en brengen ze me terug naar Memphis. Ik doe gewoon of ik gek ben, dan komen ze er nooit achter dat jij er iets mee te maken had. Dus je mag stoppen wanneer je wilt. Dan stap ik uit.' Hij boog zich naar voren en drukte de kanaalkiezer van de radio in. Acht kilometer lang luisterden ze naar Conway Twitty en Tammy Wynette.

'Ik hou niet van country,' zei ze, en hij zette de radio uit.

'Mag ik je wat vragen?' zei ze.

'Ga je gang.'

'Stel dat we naar New Orleans rijden en het lijk vinden. Stel dat we iets kunnen regelen met de FBI, zoals jij denkt, en dat ze jou, Dianne en Ricky naar Australië sturen om een nieuw leven te beginnen in de zon, of wat dan ook.'

'Ja?'

'Waarom vertel je het hun nú dan niet?'

'Aha, nou begin je na te denken, Reggie,' zei hij patroniserend, alsof ze eindelijk wakker werd en het licht zag.

'Hartelijk dank,' zei ze.

'Ik heb er ook een tijd over moeten denken, maar het antwoord is heel simpel. Ik vertrouw de FBI niet helemaal. Jij wel?'

'Niet echt, nee.'

'Daarom wil ik hun niet vertellen wat ik weet totdat mijn moeder, mijn broertje en ik veilig uit de buurt zijn. Jij bent een goede advocaat, Reggie. Jij zou toch niet willen dat je cliënt risico's loopt?'

'Ga door.'

'Voordat ik die eikels wat vertel, wil ik zeker weten dat we zelf veilig zijn. Het zal wel wat tijd kosten om Ricky te vervoeren. Als ik het hun nu vertel, krijgt de maffia het misschien te horen voordat wij ons uit de voeten kunnen maken. Dat is me veel te link.'

'Maar als je het hun nu vertelde en ze kunnen het lijk niet vinden? Stel dat het een... een grap was van Clifford?'

'Dat kom ik niet meer te weten, want op dat moment ben ik al naar een andere stad verhuisd, met een nieuwe neus en een nieuwe naam... Tommy of zo. Allemaal voor niets. Nee, het is veel verstandiger om eerst uit te zoeken of Romey me de waarheid heeft verteld, Reggie.'

Ze schudde haar hoofd en zei verbijsterd: 'Ik begrijp het niet helemaal.'

'Ik weet niet eens of ik het zélf begrijp. Maar één ding staat vast. Ik ga niet met die marshals mee naar New Orleans. Ik ben niet van plan om maandag voor een juryrechtbank te verschijnen. Ik geef toch geen antwoord op hun vragen, dus dan draai ik daar de cel in.'

'Dat is zo. Wat zijn dan je plannen voor het weekend?'

'Hoe ver is het nog naar New Orleans?'

'Vijf of zes uur rijden.'

'Rij er maar heen. We kunnen ons altijd nog bedenken als we er zijn.'

'Is het moeilijk om dat lijk te vinden?'

'Nee, ik denk het niet.'

'Mag ik je vragen wáár het precies ligt in Cliffords huis?'

'Nou, het hangt niet in een boom en het ligt niet tussen de struiken. We moeten er wel wat moeite voor doen.'

'Dit is volslagen krankzinnig, Mark.'

'Dat weet ik. Het was ook een krankzinnige week.'

34

Daar ging zijn rustige zaterdagochtend met de kinderen. Jason McThune staarde naar zijn voeten op het kleedje naast het bed en tuurde toen naar de klok aan de muur naast de badkamerdeur. Het was bijna zes uur, buiten was het nog donker, en door de wijn van de vorige avond had hij nog spinrag voor zijn ogen. Zijn vrouw had zich op haar zij gedraaid en mompelde iets dat hij niet verstond.

Twintig minuten later was ze weer diep onder de dekens weggekropen toen hij haar kuste en vertrok. Hij kon wel een week wegblijven, zei hij, hoewel hij betwijfelde of ze het hoorde. Zaterdags werken en soms wekenlang van huis waren niets bijzonders. Dat hoorde erbij.

Maar dit zou geen gewone dag worden. Hij opende de deur en de hond rende de achtertuin in. Hoe kon een elfjarig jochie zomaar verdwijnen? De politie van Memphis had geen idee. Volgens de inspecteur was hij gewoon in rook opgegaan.

Zoals hij al had verwacht was het stil op straat toen hij door de ochtendschemering naar het Federal Building reed. Hij toetste een nummer in op zijn autotelefoon, belde de agenten Brenner, Latchee en Durston uit hun bed en vroeg of ze meteen naar het bureau wilden komen. Toen bladerde hij zijn zwarte boekje door en vond het nummer van K.O. Lewis in Alexandria.

K.O. Lewis lag niet in bed, maar hij vond het ook niet prettig om gestoord te worden. Hij zat juist aan een ontbijt van koffie en havermout, samen met zijn vrouw. Hoe kon een knul van elf jaar in godsnaam aan de politie zijn ontsnapt? wilde hij weten. McThune vertelde hem wat hij wist – niet veel dus – en vroeg of Lewis naar Memphis zou kunnen komen als dat nodig was. Het zou een lang weekend worden. K.O. antwoordde dat hij een paar telefoontjes zou plegen en het vliegtuig zou reserveren. Hij zou McThune nog wel terugbellen op kantoor.

Op het bureau aangekomen belde McThune met Larry Trumann in New Orleans. Tot zijn grote genoegen nam Trumann heel slaperig op en klonk zijn stem verward. Dit was Trumanns zaak, hoewel McThune er de hele week aan had gewerkt. Zuiver voor de lol belde hij George Ord en vroeg hem om ook naar het kantoor te komen. Hij had honger, zei hij erbij, dus als George een paar broodjes ei kon meebrengen?

Tegen zeven uur zaten Brenner, Latchee en Durston in McThunes kantoor al aan de koffie, terwijl ze de wildste theorieën bedachten. Ord was de volgende die arriveerde, zonder de broodjes, en daarna klopten twee geüniformeerde agenten van de plaatselijke politie op de deur van de wacht-

461

kamer. Ze waren in het gezelschap van Ray Trimble, de adjunct-commissaris van Memphis, een legende in politie-kringen.

Ze verzamelden zich in McThunes kantoor. Trimble liet er geen gras over groeien. 'Omstreeks half tien gisteravond is de verdachte per ambulance van de detentievleugel naar het St. Peter's ziekenhuis vervoerd,' begon hij op de toon van een echte diender. 'Daar aangekomen is de verdachte door de ambulancebroeders bij de eerste-hulp van het ziekenhuis afgeleverd, waarna de broeders weer vertrokken. De ver-dachte werd niet vergezeld door politiemensen of gevange-nispersoneel. De broeders weten zeker dat een verpleeg-kundige, een zekere Gloria Watts – blank, vrouwelijk – de verdachte officieel van hen heeft overgenomen, maar de bij-behorende formulieren zijn onvindbaar. Mevrouw Watts verklaarde desgevraagd dat zij de verdachte om onduidelij-ke redenen in een opnamekamer van de eerstehulp heeft achtergelaten. Ze was niet langer dan tien minuten afwezig, maar bij haar terugkeer trof ze de verdachte niet meer aan. De formulieren waren eveneens verdwenen en mevrouw Watts veronderstelde dat de verdachte naar de eerste-hulp was gebracht voor onderzoek en behandeling.' Trimble schraapte zijn keel alsof dit om de een of andere reden on-plezierig was, en vervolgde wat rustiger: 'Omstreeks vijf uur vanochtend, voordat mevrouw Watts haar dienst beëin-digde, controleerde ze de administratie nog eens. Ze herin-nerde zich de verdachte en stelde enkele vragen. De ver-dachte bleek niet op de eerste-hulp te zijn behandeld en zijn formulieren waren nergens meer te vinden. De bewa-king van het ziekenhuis werd gebeld, en daarna de politie. Inmiddels was men al bezig het ziekenhuis te doorzoeken.' 'Zes uur later...' zei McThune ongelovig. 'Pardon?' vroeg Trimble.

'Dus u kwam er pas na zes uur achter dat die jongen verdwenen was.'

'Inderdaad, maar het ziekenhuis is onze verantwoordelijkheid niet.'

'Waarom is die jongen zonder bewaking naar het ziekenhuis gebracht?'

'Daar kan ik geen antwoord op geven. Dat wordt nog onderzocht. Het lijkt een nalatigheid.'

'Waarom werd de jongen naar het ziekenhuis gebracht?'

Trimble haalde een dossier uit een koffertje en gaf McThune een kopie van Telda's verslag. Hij las het aandachtig door. 'Hij is dus in een shocktoestand geraakt toen de marshals waren geweest. Wat hadden die marshals daar in vredesnaam te zoeken?'

Trimble sloeg het dossier weer open en gaf McThune de dagvaarding. McThune bestudeerde de tekst en gaf haar toen aan George Ord.

'Verder nog iets, commissaris?' vroeg hij aan Trimble, die niet was gaan zitten maar langzaam door het kantoor ijsbeerde. Hij wilde zo snel mogelijk weg.

'Nee. We gaan door met de zoekactie. Als we iets ontdekken, zullen we het u meteen laten weten. We hebben bijna vijftig man naar het ziekenhuis gestuurd, die nu ruim een uur bezig zijn.'

'Hebt u met de moeder van de jongen gesproken?'

'Nee, nog niet. Ze slaapt nog. We houden de kamer in de gaten voor het geval hij met haar in contact probeert te komen.'

'Ik praat wel met haar, commissaris. Over een uurtje. Zorg dat niemand haar vóór die tijd vertelt wat er aan de hand is.'

'Geen probleem.'

'Dank u, commissaris.'

Trimble sloeg zijn hakken tegen elkaar, en even leek het of

hij zou salueren. Toen was hij verdwenen, samen met zijn agenten.

McThune keek naar Brenner en Latchee. 'Verzamel alle beschikbare agenten en haal hen hiernaartoe. Nu meteen.' De mannen liepen haastig de kamer uit.

'Hoe zit het met die dagvaarding?' vroeg hij aan Ord, die het papier nog steeds in zijn hand hield.

'Ik kan het niet geloven! Foltrigg is gek geworden.'

'Wist jij er niks van?'

'Natuurlijk niet. Die jongen valt onder de jurisdictie van de kinderrechter. Ik zou er niet over peinzen om hem onder Roosevelts neus weg te kapen. Zou jij Harry Roosevelt op je nek willen hebben?'

'Liever niet. We moeten hem maar bellen. Zal ik het doen? Dan bel jij Reggie Love. Ik praat liever niet met haar.'

Ord vertrok om een telefoon te zoeken. 'En bel het kantoor van de marshals,' snauwde McThune tegen Durston. 'Vraag hoe het met die dagvaarding zit. Ik wil het precies weten.'

Durston vertrok, en opeens was McThune alleen. Hij bladerde snel het telefoonboek door tot hij de lijst met Roosevelts had gevonden. Maar geen Harry. Blijkbaar had hij een geheim nummer, wat heel begrijpelijk was met minstens vijftigduizend alleenstaande moeders die probeerden achterstallige betalingen los te krijgen van de vaders van hun kinderen. McThune belde snel drie advocaten die hij kende. De derde wist dat Harry in Kensington Street woonde. Zodra hij iemand kon missen zou McThune er een agent heen sturen.

Ord kwam terug en schudde zijn hoofd. 'Ik heb met de moeder van Reggie Love gesproken, maar zij wist nog minder dan ik. Ik geloof niet dat ze thuis is.'

'Ik zal er zo snel mogelijk iemand naartoe sturen. En bel Roy Foltrigg, die klootzak.'

'Ja, laten we dat maar doen.' Ord draaide zich om en liep weer terug.

Om acht uur stapte McThune uit de lift op de achtste verdieping van het St. Peter's, met Brenner en Durston op zijn hielen. Drie andere agenten, in verschillende soorten ziekenhuiskleding, vingen hem bij de lift op en liepen met hem mee naar kamer 943. Drie potige bewakers stonden bij de deur. McThune klopte zachtjes aan en wuifde zijn kleine legertje weg. Hij wilde de arme vrouw niet laten schrikken.

De deur ging op een kier. 'Ja?' vroeg een zwakke stem uit het duister.

'Mevrouw Sway, ik ben Jason McThune, speciaal agent van de FBI. We hebben elkaar gisteren tijdens de rechtszitting gezien.'

De deur ging wat verder open en Dianne kwam tevoorschijn. Zwijgend wachtte ze wat hij te zeggen had.

'Kan ik u onder vier ogen spreken?'

Ze wierp een blik naar links – drie bewakers, twee agenten en drie mannen in overals en laboratoriumjasjes. 'Onder vier ogen?' herhaalde ze.

'Misschien kunnen we een stukje lopen, deze kant op,' zei hij met een knikje naar het eind van de gang.

'Is er iets aan de hand?' vroeg ze, alsof het niet erger kon worden dan het al was.

'Ja, mevrouw.'

Ze haalde diep adem en verdween. Even later kwam ze weer naar buiten met haar sigaretten en deed de deur zachtjes achter zich dicht. Langzaam liepen ze door het midden van de verlaten gang.

'U hebt Mark zeker niet gesproken?' vroeg McThune.

'Gistermiddag heeft hij me gebeld, vanuit de gevangenis,' zei ze, terwijl ze een sigaret tussen haar lippen stak. Het

was geen leugen. Mark had haar inderdaad uit de gevangenis gebeld.

'En daarna?'

'Daarna niet meer,' loog ze. 'Hoezo?'

'Hij wordt vermist.'

Ze aarzelde een stap en vroeg toen: 'Hoe bedoelt u, vermist?' Ze bleef verbazend kalm. Waarschijnlijk was ze gewoon murw gebeukt, dacht McThune. Hij beschreef in het
kort wat er was gebeurd. Ze bleven voor het raam staan en
keken neer op de stad.

'Mijn god, denkt u dat de maffia hem te pakken heeft?'
vroeg ze. Meteen sprongen de tranen in haar ogen. Ze hield
de sigaret met trillende vingers vast, niet in staat hem aan te
steken.

McThune schudde beslist zijn hoofd. 'Nee. Zij weten niet
eens dat hij is ontsnapt. We houden het geheim. Ik denk
dat hij gewoon de benen heeft genomen. Hier, in het ziekenhuis. We dachten dat u misschien iets van hem had gehoord.'

'Hebt u het ziekenhuis doorzocht? Hij kent het als zijn
broekzak.'

'Er wordt al drie uur gezocht, maar ik denk niet dat we hem
zullen vinden. Waar zou hij anders kunnen zijn?'

Eindelijk stak ze haar sigaret aan, nam een lange trek en
blies een kleine rookwolk uit. 'Ik heb geen idee.'

'Mag ik u dan iets anders vragen? Weet u iets over Reggie
Love? Is zij dit weekend in de stad of zou ze weggaan?'

'Hoezo?'

'We kunnen haar ook niet vinden. Ze is niet thuis en haar
moeder zegt niet veel. Gisteravond hebt u een dagvaarding
gekregen, nietwaar?'

'Ja, dat is zo.'

'Mark heeft er ook een gekregen en ze hebben geprobeerd

er Reggie Love een te overhandigen, maar ze konden haar niet vinden. Zou Mark soms bij haar zijn?'

Ik hoop het, dacht Dianne. Hier had ze niet aan gedacht. Ondanks de pillen had ze nog geen vijftien minuten geslapen sinds Marks telefoontje. Maar dat hij samen met Reggie op de vlucht zou zijn was een nieuwe gedachte. Een gedachte die haar veel meer hoop gaf.

'Ik weet het niet. Het zou kunnen.'

'En waar zouden ze nu dan zijn?'

'Hoe moet ik dat in godsnaam weten? Jullie zijn de FBI. Vijf seconden geleden was dat idee nog niet eens bij me opgekomen, en nu vraagt u mij waar ze zijn. Toe nou.'

McThune voelde zich onnozel. Het was geen slimme vraag, en Dianne was niet zo zwak als hij had gedacht.

Dianne trok aan haar sigaret en keek naar de auto's die beneden voorbijkropen. Als ze Mark kende, stond hij nu waarschijnlijk luiers te verschonen op de kinderafdeling, hielp hij de orthopedisch chirurg of maakte hij roereieren in de keuken. Het St. Peter's was het grootste ziekenhuis in de staat, met duizenden mensen verspreid over allerlei afdelingen. Mark had door de gangen gezworven en tientallen vrienden gemaakt. Het zou de politie dagen kosten om hem te vinden. Ze verwachtte dat hij haar elk moment zou bellen.

'Ik moet weer terug,' zei ze, en ze drukte de filter in een asbak uit.

'Als hij contact opneemt, waarschuwt u ons dan?'

'Natuurlijk.'

'En als u iets hoort van Reggie Love zou ik dat ook graag weten. Ik zal twee van mijn mensen op deze verdieping achterlaten, voor het geval u hen nodig hebt.'

Ze liep terug.

Tegen halfnegen had Foltrigg de gebruikelijke ploeg in zijn kantoor verzameld: Wally Boxx, Thomas Fink en Larry Trumann, die het laatst binnenkwam, met zijn haar nog nat van een haastige douche.

Foltrigg was gekleed als een professor op zijn zondags, in een geperste ribbroek, een gesteven katoenen overhemd en glimmende instappers. Trumann droeg een joggingpak. 'Die advocaat is ook pleite,' verklaarde hij, terwijl hij een kop koffie inschonk uit een thermoskan.

'Wanneer heb je dat gehoord?' vroeg Foltrigg.

'Vijf minuten geleden, via de autotelefoon. McThune belde me. Ze zijn naar haar huis gegaan om haar die dagvaarding te overhandigen, maar ze konden haar niet vinden. Ze is verdwenen.'

'Wat zei McThune verder nog?'

'Het hele ziekenhuis wordt doorzocht. Dat joch heeft er drie dagen rondgezworven, dus hij kent het op z'n duimpje.'

'Ik denk niet dat hij daar nog is,' zei Foltrigg, die meteen conclusies trok zonder de feiten te kennen.

'Denkt McThune dat die jongen bij zijn advocaat is?' vroeg Boxx.

'Wie zal het zeggen? Het zou nogal stom van haar zijn om dat joch te helpen uit de gevangenis te vluchten, niet?'

'Zo slim is ze ook niet,' zei Foltrigg minachtend.

Nee, jij ook niet, dacht Trumann. Jij bent zo stom geweest die dagvaardingen rond te sturen, waardoor we nu in de problemen zitten. 'McThune heeft vanochtend twee keer met K.O. Lewis gesproken. Hij houdt zich gereed. Ze blijven het ziekenhuis doorzoeken tot twaalf uur, daarna stoppen ze ermee. Als Mark Sway dan nog niet is gevonden, komt Lewis zelf naar Memphis.'

'Denk je dat Muldanno erachter zit?' vroeg Fink.

'Dat betwijfel ik. Volgens mij heeft dat joch hen allemaal

belazerd totdat hij veilig in het ziekenhuis was – op zijn eigen terrein. Ik durf te wedden dat hij daarna zijn advocaat heeft gebeld en dat ze zich nu ergens in Memphis schuilhouden.'

'Ik vraag me af of Muldanno het al weet,' zei Fink, met een blik naar Foltrigg.

'Zijn mensen zitten nog steeds in Memphis,' zei Trumann. 'Gronke is hier, maar Bono en Pirini hebben we niet gezien. Verdomme, misschien heeft hij er al twaalf man naartoe gestuurd.'

'Heeft McThune al zijn agenten ingezet?' vroeg Foltrigg.

'Ja. Het hele bureau werkt eraan. Ze houden haar huis en het appartement van haar secretaris in het oog. Ze hebben zelfs twee man op weg gestuurd om rechter Roosevelt te zoeken, die ergens in de bergen aan het vissen is. En de plaatselijke politie heeft het ziekenhuis afgegrendeld.'

'En de telefoon?'

'Welke telefoon?'

'De telefoon in die ziekenkamer. Hij is maar een kind, Larry. Natuurlijk zal hij zijn moeder bellen.'

'Daar hebben we toestemming van het ziekenhuis voor nodig. McThune zei dat ze eraan werkten. Maar het is zaterdag en de bevoegde mensen zijn er niet.'

Foltrigg kwam overeind achter zijn bureau en liep naar het raam. 'Die jongen had al een voorsprong van zes uur toen ze ontdekten dat hij weg was, niet?'

'Dat zeggen ze.'

'En hebben ze de auto van die advocaat gevonden?'

'Nee. Ze zoeken nog.'

'Wedden dat die niet in Memphis staat? Volgens mij zijn mevrouw Love en dat joch er samen vandoor.'

'Meen je dat nou?'

'Ja. Ze hebben gewoon de benen genomen.'

'En waarheen dan wel?'
'Heel ver weg.'

Om halftien gaf een agent in Memphis het kenteken van een foutgeparkeerde Mazda door. De wagen behoorde toe aan een zekere Reggie Love. De melding werd meteen doorgegeven aan Jason McThune op zijn kantoor in het Federal Building.

Tien minuten later klopten twee FBI-agenten op de deur van het appartement aan Bellevue Gardens nummer 28. Ze wachtten en klopten toen nog eens. Clint verborg zich in de slaapkamer. Als ze de deur intrapten, zou hij nog gewoon in bed liggen op deze heerlijke, rustige zaterdagmorgen. Ze klopten voor de derde keer, en op hetzelfde moment ging de telefoon. Clint schrok en deed bijna een sprong naar het toestel. Maar zijn antwoordapparaat stond aan. Als de politie voor de deur stond, zouden ze ook niet aarzelen hem te bellen. Na de pieptoon hoorde hij Reggies stem. Snel nam hij de hoorn op en fluisterde: 'Reggie, bel straks nog een keer.' En hij hing weer op.

Toen hij na vier keer kloppen nog niet had gereageerd, vertrokken de agenten. De lichten waren uit en de gordijnen dicht. Clint staarde vijf minuten naar de telefoon, tot het toestel eindelijk weer overging. Het antwoordapparaat speelde de tekst af, toen volgde de pieptoon en daarna Reggies stem.

'Hallo,' zei Clint snel.

'Morgen, Clint,' zei ze opgewekt. 'Hoe gaat het in Memphis?'

'O, z'n gewone gangetje. Politie die mijn appartement in de gaten houdt. Agenten voor de deur. Een saaie zaterdagochtend, je kent dat wel.'

'Politie?'

'Ja. Al een uur lang. Ik heb in de kast naar mijn draagbare tv zitten kijken. Het is op alle journaals. Jouw naam wordt nog niet genoemd, maar Marks verdwijning is groot nieuws. Ze noemen het nog een verdwijning – geen ontsnapping.'

'Heb je Dianne al gebeld?'

'Ja, een uur geleden. De FBI had haar juist verteld dat Mark was verdwenen. Ik zei dat hij bij jou was en toen kalmeerde ze wat. Eerlijk gezegd geloof ik dat ze zoveel schokken te verduren heeft gekregen dat het nauwelijks meer tot haar doordrong, Reggie. Waar zit je nu?'

'In een motel in Metairie.'

'Wat? Zei je Metairie? Dat is toch in Louisiana? Vlak bij New Orleans?'

'Ja. We hebben de hele nacht gereden.'

'Wat heb je daar in godsnaam te zoeken, Reggie? Van alle plaatsen waar je je kunt schuilhouden kies jij een voorstad van New Orleans! Waarom niet Alaska?'

'Omdat niemand ons in New Orleans verwacht, Clint. Maak je niet ongerust. Ik heb contant betaald en me onder een andere naam ingeschreven. We gaan nu een paar uur slapen en daarna de stad bekijken.'

'De stad bekijken? Toe nou, Reggie! Wat zijn jullie werkelijk van plan?'

'Dat vertel ik je later nog wel. Heb je Moeder Love gesproken?'

'Nee. Ik zal haar zo meteen bellen.'

'Doe dat. Ik bel vanmiddag nog.'

'Je bent gek, Reggie, weet je dat? Je bent niet goed wijs.'

'Dat weet ik. Maar ik ben al eerder gek geweest. Tot ziens, Clint.'

Hij zette de telefoon weer op het tafeltje en strekte zich uit op het afgehaalde bed. Inderdaad, ze was al eens eerder gek geweest.

35

Barry het Mes stapte in zijn eentje het pakhuis binnen. Weg was de stoere tred van de revolverheld. Weg was de arrogante grijns van de brutale straatboef. Weg waren het opvallende pak en de Italiaanse instappers. De oorringetjes zaten in zijn zak. De paardenstaart was onder zijn kraag weggestopt. En hij had zich een uur geleden geschoren.

Hij beklom de roestige trap naar de eerste verdieping en herinnerde zich dat hij als kind hier had gespeeld. Zijn vader leefde toen nog, en na schooltijd hing hij hier vaak rond totdat het donker werd, turend naar de vrachtschepen die kwamen en gingen. Hier luisterde hij naar de stuwadoors, leerde hun taal, rookte hun sigaretten en bekeek hun tijdschriften. Ja, het was een prachtige plek om op te groeien, vooral voor een jongen die niets liever wilde worden dan gangster.

Nu stond het pakhuis er verlaten bij. Barry liep over het looppad langs de vuile, geschilderde ramen die uitzicht boden op de rivier. Het geluid van zijn stappen weergalmde door de grote leegte beneden. Een paar stoffige containers stonden hier en daar verspreid. Ze waren in geen jaren meer verplaatst. De zwarte Cadillacs van zijn ooms stonden naast elkaar bij de kade geparkeerd. Tito, de trouwe chauffeur, was een spatbord aan het poetsen. Hij keek op toen hij de voetstappen hoorde en zwaaide naar Barry.

Hoe nerveus hij ook was, hij liep heel rustig – maar niet ál te zelfverzekerd – met zijn handen diep in zijn zakken. Door de oude ramen keek hij naar de rivier. Een nagebouwde raderboot met een lading toeristen voer de rivier af voor een adembenemende tocht langs nog meer pakhuizen en misschien een paar schuiten. Het looppad eindigde bij een metalen deur. Hij drukte op een knop en keek recht in de camera boven zijn hoofd. De deur ging open met een luide klik. Mo, een voormalige stuwadoor die hem zijn eerste biertje had gegeven toen hij twaalf was, liet hem binnen. Hij droeg een afgrijselijk pak en hij had minstens vier pistolen bij zich of onder handbereik. Hij knikte tegen Barry en wuifde hem verder. Mo was een aardige vent geweest totdat hij pakken ging dragen – ongeveer in dezelfde tijd dat hij *The Godfather* had gezien. Daarna had hij nooit meer geglimlacht. Barry liep door een kamer met twee lege bureaus, haalde diep adem en klopte op de volgende deur. 'Binnen,' zei een vriendelijk stem, en hij stapte het kantoor van zijn oom binnen.

De jaren waren mild geweest voor Johnny Sulari. Hij was een forse man van in de zeventig, met een rechte rug en snelle bewegingen. Zijn haar was glinsterend grijs en zijn haarlijn was nog geen fractie teruggeweken. Hij had een klein voorhoofd. Zijn haar begon vijf centimeter boven zijn wenkbrauwen en was in glanzende slagen achterovergekamd. Zoals gewoonlijk droeg hij een donker pak, waarvan het jasje aan een kapstok bij het raam hing. De bijbehorende stropdas was marineblauw en vreselijk saai. De rode bretels waren zijn handelsmerk. Hij glimlachte tegen Barry en wuifde hem naar een versleten leren stoel, dezelfde waarin Barry als kind nog had gezeten.

Johnny was op en top een heer, een van de laatste in een afglijdend metier dat snel werd overgenomen door jongeren die veel hebzuchtiger en meedogenlozer waren. Jongeren zoals zijn neef hier.

Johnny's glimlach was geforceerd. Dit was geen sociaal bezoekje. Ze hadden de afgelopen drie dagen meer gepraat dan in de afgelopen drie jaar.

'Slecht nieuws, Barry?' vroeg Johnny, die het antwoord al wist.

'Dat kun je wel zeggen. Dat joch uit Memphis is verdwenen.'
Johnny keek Barry ijzig aan. Geheel tegen zijn gewoonte in
ontweek Barry die blik. Zijn ogen weigerden dienst. De legendarische dodelijke ogen van Barry het Mes Muldanno
knipperden en staarden naar de grond.
'Hoe heb je zo stom kunnen zijn?' vroeg Johnny kalm. 'Zo
stom om dat lijk te laten rondslingeren? Zo stom om het je
advocaat te vertellen? Stom, stom, stom.'
Barry's ogen knipperden nog sneller. Hij schuifelde met
zijn voeten en knikte berouwvol. 'Ik heb hulp nodig, oké?'
'Natuurlijk heb je hulp nodig. Je hebt je in de nesten gewerkt en nu moet iemand je komen redden.'
'Het gaat ons allemaal aan, vind ik.'
Johnny's ogen bliksemden van woede, maar zoals altijd
wist hij zich te beheersen. 'O ja? Is dat een dreigement, Barry? Jij komt mijn kantoor binnen om me om hulp te vragen
en jij durft me te bedreigen? Wou je eindelijk je mond opendoen? Ik luister, jongen. Als je wordt veroordeeld, kost het
je je kop.'
'Dat weet ik, maar ik word liever niet veroordeeld. Er is nog
tijd.'
'Je bent een rund, Barry. Heb ik je dat weleens gezegd?'
'Ik geloof het wel.'
'Je hebt die man wekenlang geschaduwd. Je hebt hem opgewacht toen hij uit een smerige kleine hoerenkast kwam. Je
hoefde hem alleen maar neer te slaan, hem een paar kogels
door zijn donder te jagen en het lijk achter te laten, zodat die
hoertjes erover zouden struikelen. Dan hadden de smerissen
het voor een goedkope moord aangezien en zouden ze niet
verder hebben gezocht. Maar nee, Barry, jij was te stom om
het simpel te houden.'
Barry schoof heen en weer op zijn stoel en keek naar de
grond.

Johnny staarde hem nijdig aan en wikkelde het cellofaan van een sigaar. 'Ik zal je een paar vragen stellen en ik wil dat je rustig antwoord geeft, oké? Maar ik wil niet te veel weten. Duidelijk?'

'Ja.'

'Ligt het lijk hier in de stad?'

'Ja.'

Johnny knipte het puntje van de sigaar en likte er langzaam aan. Hij schudde minachtend zijn hoofd. 'Heel stom. Is er makkelijk bij te komen?'

'Ja.'

'Is de FBI er al in de buurt geweest?'

'Ik geloof het niet.'

'Ligt het onder de grond?'

'Ja.'

'Hoeveel tijd kost het om het op te graven of wat je er ook mee wilt doen?'

'Een uur, hooguit twee.'

'Het ligt dus niet in de aarde.'

'In cement.'

Johnny stak de sigaar met een lucifer aan. De rimpels boven zijn ogen verdwenen. 'Cement,' herhaalde hij. Misschien was de jongen toch niet zo onnozel als hij dacht. Ach, jawel. Hij was zo stom als het achtereind van een koe. 'Hoeveel man heb je nodig?'

'Twee of drie. Ik kan het zelf niet doen. Ze houden mij in de gaten. Als ik in de buurt kom, breng ik hen naar het lijk.'

Als het achtereind van een koe. Johnny blies een rookkring. 'Een parkeerplaats? Een stoep?'

'Onder een garage.' Barry schoof weer heen en weer op zijn stoel en staarde nog steeds naar de grond.

Johnny blies nog een rookkringetje. 'Een garage. Een par-keergarage?'

'Een garage achter een huis.'

Johnny bestudeerde de dunne laag as aan het eind van zijn sigaar en stak hem langzaam weer tussen zijn tanden. Erger nog dan stom – een randdebiel. Johnny nam twee trekken van zijn sigaar. 'Als je het over een huis hebt, bedoel je dan een huis in een straat met andere huizen in de buurt?'

'Ja.' Tegen de tijd dat hij werd begraven had Boyd Boyette al vijfentwintig uur in de kofferbak gelegen. De mogelijkheden waren beperkt. Barry was bijna in paniek geraakt en durfde de stad niet te verlaten. Op dat moment had het niet zo'n slechte oplossing geleken.

'En in die andere huizen wonen mensen, neem ik aan? Mensen met ogen en oren?'

'Ik heb hen niet ontmoet, maar het zal wel.'

'Hou je grote smoel.'

Barry schoof een paar centimeter naar achteren. 'Sorry,' zei hij.

Johnny stond op en liep langzaam naar de getinte ramen recht boven de rivier. Hij schudde ongelovig zijn hoofd en trok gefrustreerd aan zijn sigaar. Toen draaide hij zich om en liep terug naar zijn stoel. Hij legde de sigaar op de asbak en leunde naar voren op zijn ellebogen. 'Wiens huis?' vroeg hij met een onbewogen gezicht, klaar om te exploderen.

Barry slikte moeilijk en kruiste zijn benen andersom. 'Van Jerome Clifford.' De explosie bleef uit. Het was bekend dat Johnny ijswater in zijn aderen had en er prat op ging dat hij nooit zijn zelfbeheersing verloor. Dat was een zeldzaamheid in zijn beroep, maar met zijn koele aanpak had hij heel veel geld verdiend. En heel veel vijanden overleefd. Hij legde zijn linkerhand volledig over zijn mond, alsof hij dit onmogelijk kon geloven. 'Jerome Cliffords huis,' herhaalde hij.

Barry knikte. Op dat moment was Clifford op skivakantie

476

geweest in Colorado. Dat wist Barry, omdat Clifford hem ook had uitgenodigd. Hij woonde alleen in een groot huis met veel hoge bomen. De garage stond in de achtertuin, los van het huis. Het had Barry een ideale plaats geleken waar niemand ooit zou zoeken.

En hij had gelijk gehad – het wás een ideale plek. De FBI was nooit op het idee gekomen. Het was geen foute beslissing geweest. Later zou hij het weleens weghalen. De fout was geweest om het aan Clifford te vertellen.

'En jij wilt dat ik drie man stuur om dat lijk op te graven... zonder dat iemand het hoort of ziet... om zich er definitief van te ontdoen?'

'Ja, Johnny. Dan ben ik gered.'

'Waar ben je eigenlijk bang voor?'

'Ik ben bang dat die jongen weet waar het lijk ligt. En vannacht is hij verdwenen. Wie weet wat hij uitspookt? Het is gewoon veel te link. We moeten dat lijk daar weghalen, Johnny. Ik smeek het je.'

'Niet doen, daar hou ik niet van. Maar als we gesnapt worden, Barry? Als een van de buren iets hoort en de politie belt? Als de smerissen komen kijken omdat ze een indringer verwachten, maar in plaats daarvan drie kerels vinden die een lijk staan op te graven? Allejezus!'

'Ze worden niet gesnapt.'

'Hoe weet je dat? Hoe heb je het eigenlijk gedaan? Hoe heb je hem daar in het cement begraven zonder dat iemand het merkte?'

'Een kwestie van ervaring, oké?'

'Ik wil het weten!'

Barry ging wat meer rechtop zitten en kruiste zijn benen weer andersom. 'De dag nadat ik hem had vermoord heb ik zes zakken kant-en-klare cement naar die garage gebracht. Ik heb ze afgeleverd in een truck met een vals nummerbord en verzonnen opschriften, je weet wel. Ik had zelf een overal aangetrokken, maar niemand lette op me. Het dichtstbijzijnde huis staat minstens dertig meter verderop en er zijn veel bomen. Om middernacht ben ik in dezelfde truck teruggegaan en heb ik het lijk in de garage gedumpt. Daarna ben ik weggereden. Er loopt een greppel achter die garage, met een bos aan de andere kant. Ik ben gewoon tussen de bomen door gelopen, de greppel overgestoken en de garage binnengeslopen. Het kostte me een halfuurtje om een ondiep graf te graven, het lijk erin te leggen en het cement te mengen. De vloer van de garage is van grind, wit grind. De volgende nacht ben ik teruggegaan, toen het cement droog was, en heb ik het grind eroverheen geharkt. Jerome had daar een oude boot staan, die ik weer boven de plek op zijn plaats heb geschoven. Er was niets meer van te zien toen ik vertrok. Clifford had geen idee.'

'Totdat je het hem vertelde, natuurlijk.'

'Ja, totdat ik het hem vertelde. Dat was niet slim, dat geef ik toe.'

'Het lijkt me een hele klus.'

'Ik had het al eens eerder gedaan, oké? Geen probleem. Ik wilde het lijk later weghalen, maar toen kregen we dat gedonder met de FBI en die hebben me acht maanden lang gevolgd.'

Johnny werd wat zenuwachtig. Hij stak zijn sigaar weer aan en liep naar het raam. 'Weet je, Barry,' zei hij, turend naar het water, 'je hebt wel talent, maar je weet absoluut niet hoe je je sporen moet uitwissen. Wij hebben altijd gebruikgemaakt van de Golf. Waar is de tijd van de vaten, de kettingen en de gewichten gebleven?'

'Ik beloof je dat het niet weer zal gebeuren. Als je me nu helpt, zal ik de volgende keer geen fouten maken.'

'Er komt geen volgende keer, Barry. Als je dit op de een of

andere manier overleeft, mag je een tijdje op een vrachtwagen rijden en daarna een jaartje de heler spelen of zo. Ik
weet het nog niet. Misschien stuur ik je wel naar Vegas
om bij Rock in de leer te gaan.'

Barry keek naar Johnny's zilvergrijze achterhoofd. Hij zou
braaf ja zeggen, maar natuurlijk was hij niet van plan op een
vrachtwagen te gaan rijden of naar Rocks pijpen te dansen.
'Je zegt het maar, Johnny. Als je me maar helpt.'

Johnny liep terug naar zijn stoel achter het bureau en kneep
in de brug van zijn neus. 'Er is zeker haast bij?'

'Het moet vanavond gebeuren. Dat joch loopt vrij rond. Hij
is bang. Het is slechts een kwestie van tijd voordat hij het
aan iemand vertelt.'

Johnny sloot zijn ogen en schudde zijn hoofd.

'Geef me drie man,' vervolgde Barry. 'Ik zal hun precies
vertellen hoe ze het moeten doen en ik beloof je dat ze niet
worden gesnapt. Het is heel simpel.'

Johnny knikte langzaam en met tegenzin. 'Goed, goed.' Hij
keek Barry doordringend aan. 'En sodemieter nou op.'

Na zeven uur zoeken verklaarde adjunct-commissaris
Trimble dat Mark Sway zich niet in het St. Peter's ziekenhuis verborgen hield. Hij verzamelde zijn mensen in de hal
van Opname en maakte een eind aan de zoekactie. Ze zouden door de tunnels en gangen blijven patrouilleren en de
liften en de trappen blijven bewaken, maar iedereen was ervan overtuigd dat de jongen was ontsnapt. Trimble belde
McThune op zijn kantoor.

McThune was niet verbaasd. De hele ochtend was hij regelmatig van de resultaten van de zoekactie op de hoogte gehouden. Van Reggie was ook geen spoor gevonden. Ze hadden Moeder Love nog twee keer lastiggevallen, maar die
deed nu de deur niet meer open. Eerst een huiszoekingsbe-

vel, had ze gezegd, en anders wegwezen. Er was geen enkele plausibele reden voor een huiszoekingsbevel en dat wist Moeder Love heel goed, vermoedde McThune. Het ziekenhuis had toestemming gegeven voor het afluisteren van de telefoon in kamer 943. Nog geen halfuur eerder waren twee agenten, verkleed als broeders, de kamer binnengegaan terwijl Dianne aan het eind van de gang met de politie van Memphis stond te praten. In plaats van een apparaatje te monteren hadden ze gewoon het toestel omgeruild. Binnen een minuut stonden ze weer buiten. Het kind lag te slapen en had zich niet bewogen, meldden ze. Het toestel had een rechtstreekse buitenlijn. Een tap aanbrengen via de centrale van het ziekenhuis zou minstens twee uur hebben gekost en de medewerking van andere mensen hebben vereist. Ze hadden Reggies secretaris Clint nog niet gevonden, maar omdat ze ook in zijn geval geen huiszoekingsbevel konden krijgen, zat er weinig anders op dan zijn appartement in het oog te houden.

Harry Roosevelt was opgespoord in een gehuurd bootje ergens op de rivier de Buffalo in Arkansas. McThune had omstreeks elf uur met hem gesproken. Harry was woedend geweest – en dat was nog voorzichtig uitgedrukt – en was inmiddels op de terugweg naar Memphis.

Ord had Foltrigg in de loop van de ochtend twee keer gebeld, maar geheel tegen zijn gewoonte in had de grote man maar heel weinig te zeggen. Zijn briljante idee om Mark en Reggie in New Orleans voor een juryrechtbank te dagen had totaal averechts gewerkt en Foltrigg probeerde te redden wat er nog te redden viel.

K.O. Lewis zat al in de directiejet van FBI-directeur Voyles en McThune had twee agenten gestuurd om hem van het vliegveld te halen. Hij werd om een uur of twee verwacht.

Er was een algemeen aanhoudingsbevel voor Mark Sway uitgegaan. McThune wilde de naam van Reggie Love er liever niet aan toevoegen. Hij had de pest aan advocaten, maar hij kon niet geloven dat zij haar cliënt daadwerkelijk bij een vluchtpoging zou helpen. Maar naarmate de ochtend verstreek en er nog steeds geen spoor van haar gevonden was, raakte hij er langzaam van overtuigd dat haar verdwijning geen toeval kon zijn. Daarom voegde hij om elf uur ook haar signalement aan het aanhoudingsbevel toe, met de opmerking dat zij vermoedelijk in het gezelschap reisde van Mark Sway. Als ze inderdaad samen waren en ze de grens van de staat waren overgestoken, had Reggie zich schuldig gemaakt aan een federaal misdrijf cn zou hij haar met plezier in de kraag grijpen.

Verder konden ze weinig anders doen dan afwachten. McThune en George Ord trakteerden zichzelf op een lunch van koude sandwiches en koffie. Regelmatig belden er journalisten op met vragen. Het antwoord luidde steeds hetzelfde: geen commentaar.

Weer werd er gebeld. Agent Durston kwam het kantoor binnen en stak drie vingers op. 'Lijn drie,' zei hij. 'Brenner, in het ziekenhuis.' McThune drukte op de knop. 'Ja?' blafte hij in de hoorn.

Brenner zat in kamer 945, naast die van Ricky. 'Hoor eens, Jason,' fluisterde hij. 'We hebben zojuist een gesprek van Clint van Hooser met Dianne Sway afgeluisterd. Hij belde haar om te zeggen dat hij met Reggie Love had gesproken. Zij en Mark Sway zitten in New Orleans en ze maken het goed.'

'In New Orleans!'

'Dat zei hij, ja. Hij zei niet wáár in New Orleans. Dianne reageerde nauwelijks en het hele gesprek duurde nog geen twee minuten. Clint zei dat hij uit het appartement van zijn vriendin in East-Memphis belde en hij beloofde dat hij later nog zou terugbellen.'

'Waar in East-Memphis?'

'Geen idee. Dat zei hij niet. We konden het gesprek niet traceren, daarvoor was het te kort. Misschien lukt het de volgende keer. Ik zal je het bandje laten bezorgen.'

'Doe dat.' McThune drukte op een andere knop en Brenner was verdwenen. Meteen belde hij Larry Trumann in New Orleans.

36

Het huis stond in de bocht van een oude, lommerrijke straat. Toen ze het naderden, zakte Mark onwillekeurig wat onderuit in zijn stoel totdat alleen zijn ogen en zijn kruin nog zichtbaar waren door het raampje. Hij droeg een zwartgouden Saints-pet die Reggie bij een Wal-Mart voor hem had gekocht, plus een spijkerbroek en twee sweatshirts. Naast de handrem was een onhandig opgevouwen stadsplattegrond gefrommeld.

'Het is een groot huis,' zei hij van onder zijn pet toen ze zonder snelheid te minderen de bocht namen. Reggie probeerde zoveel mogelijk te zien, maar ze reed door een vreemde straat en wilde niet opvallen. Het was drie uur 's middags, nog uren voordat het donker werd, en de rest van de middag zouden ze er nog vaak genoeg langs kunnen rijden. Reggie droeg zelf ook een Saints-pet, helemaal zwart, die haar korte grijze haar bedekte. Haar ogen had ze verborgen achter een grote zonnebril.

Ze hield haar adem in toen ze de brievenbus passeerden met op de zijkant de naam Clifford in kleine gouden plakletters. Het was inderdaad een groot huis, maar voor die buurt was dat niets bijzonders. Het was gebouwd in Engelse Tudor-stijl, met donker hout en donkere bakstenen. Een van de zij-muren en het grootste deel van de gevel waren met klimop begroeid. Het was niet echt mooi, vond ze. Het miste duide-lijk een vrouwelijke toets. Ze herinnerde zich het kranten-artikel waarin stond dat Clifford was gescheiden en een dochter had.

Hoewel ze er maar één snelle blik op kon werpen toen ze de bocht door reed, schoten haar ogen toch alle kanten op, speurend naar buren, agenten of gangsters. Ze zag de ga-rage, en het viel haar op dat er geen bloemen in de tuin ston-den en dat de heggen nodig gesnoeid moesten worden. Ach-ter de ramen hingen donkere, sombere gordijnen.

Maar al was het niet mooi, rustig was het wel. Het stond midden op een groot terrein met tientallen zware eiken eromheen. De oprit liep langs een dichte heg en verdween ergens aan de achterkant. Hoewel Clifford al vijf dagen dood was, was het gras keurig gemaaid. Niets wees erop dat het huis niet langer bewoond werd. Nergens was iets verdachts te zien. Misschien was het inderdaad de ideale plek om een lijk te verbergen.

'Daar is de garage,' zei Mark, die een voorzichtige blik door het raampje wierp. De garage stond apart, een meter of vijf-tien van het huis, en was er pas later bijgebouwd, dat was duidelijk te zien. Een klein tegelpaadje liep naar het huis. Naast de garage stond een rode Triumph Spitfire op blok-ken.

Mark draaide zich snel om en tuurde door de achterruit toen ze het huis waren gepasseerd. 'Wat denk je, Reggie?'

'Het ziet er heel rustig uit, vind je niet?'

'Ja.'

'Is dit wat je verwachtte?' vroeg ze.

'Ik weet het niet. Ik kijk altijd naar die politieseries op de televisie. Eigenlijk had ik me voorgesteld dat Romey's huis zou zijn afgezet met van die gele linten, om het publiek op afstand te houden.'

'Waarom? Er is toch geen misdaad gepleegd? Dit is alleen het huis van iemand die zelfmoord heeft gepleegd. Waarom zou de politie daarin geïnteresseerd zijn?'

Het huis was uit het gezicht verdwenen. Mark draaide zich weer om en ging rechtop zitten. 'Denk je dat ze het hebben doorzocht?' vroeg hij.

'Dat zal wel. Ik denk dat ze een huiszoekingsbevel hebben gekregen voor Cliffords huis en zijn kantoor, maar wat konden ze daar vinden? Hij heeft zijn geheim met zich meegenomen.'

Ze stopten bij een kruising en maakten toen nog een rondje door de buurt. 'Wat zal er met dit huis gebeuren?' vroeg Mark.

'Hij zal wel een testament hebben nagelaten. Zijn erfgenamen krijgen zijn huis en zijn andere bezittingen.'

'Ja. Weet je, Reggie, eigenlijk moet ik zelf ook een testament maken. Omdat iedereen achter me aan zit, en zo... Wat vind jij?'

'Eh, wat heb je voor bezittingen?'

'Nu ik beroemd ben, zal ik wel aanbiedingen krijgen uit Hollywood. Op dit moment woon ik nergens meer, dat weet ik wel, maar dat zal wel veranderen. Denk je ook niet, Reggie? Ik bedoel, we zullen toch wel een plek vinden om te wonen? En natuurlijk wil Hollywood een film maken over de jongen die te veel wist. Het is geen prettige gedachte, maar als die gangsters mij om zeep helpen wordt die film nog een veel groter succes. Dan zouden ma en Ricky een kapitaal kunnen verdienen. Begrijp je?'

'Ik geloof het wel. Je wilt een testament maken om Dianne en Ricky de filmrechten op je eigen leven na te laten.'

'Precies.'

'Dat hoeft niet.'

'Waarom niet?'

'Die rechten gaan automatisch op hen over.'

'Mooi zo. Dat bespaart mij de kosten van een notaris.'

'Kunnen we ergens anders over praten dan over testamenten en doodgaan?'

Hij zweeg en keek naar de huizen aan zijn kant van de straat. Het grootste deel van de nacht had hij op de achterbank liggen slapen en daarna had hij in de motelkamer nog vijf uur op bed gelegen. Reggie had de hele nacht achter het stuur gezeten en in het motel maar twee uurtjes kunnen slapen. Ze was moe en bang en ze begon tegen hem te snauwen.

In rustig tempo reden ze door de slingerende, door bomen omzoomde straten. Het was een warme, heldere dag. Overal waren mensen bezig het gras te maaien, onkruid te wieden of de luiken te schilderen. Aan de statige eiken hing Spaans mos. Het was Reggies eerste kennismaking met het Garden District en ze vond het jammer dat de omstandigheden niet anders waren.

'Krijg je genoeg van me, Reggie?' vroeg hij zonder haar aan te kijken.

'Natuurlijk niet. Krijg jij genoeg van mij?'

'Nee, Reggie. Jij bent mijn enige vriendin op de hele wereld. Ik hoop alleen dat ik niet op je zenuwen werk.'

'Natuurlijk niet.'

Reggie had twee uur lang de plattegrond bestudeerd. Ze beschreef een wijde lus tot ze weer in Romey's straat uitkwamen. Rustig reden ze langs het huis, zonder snelheid te minderen. Allebei tuurden ze naar de dubbele garage met het schuine dak boven de opklapbare deuren. Een lik verf zou geen overbodige luxe zijn. Zes meter vóór de deuren maakte de betonnen oprit een bocht naar de achterkant van het huis. Een slordige heg van bijna twee meter hoog liep langs een van de zijmuren en verborg de garage voor het dichtstbijzijnde huis, dat minstens dertig meter verderop stond. Achter de garage lag een klein grasveld dat eindigde bij een ijzeren hek. Voorbij het hek begon een dichtbebost park.

Ze zeiden niets toen ze voor de tweede keer langs Romey's huis reden. De zwarte Accord reed nog een tijdje doelloos door de buurt en stopte toen bij een tennisbaan op een open terrein dat het West Park heette. Reggie vouwde de plattegrond open en spreidde hem uit totdat hij het grootste deel van de voorstoel bedekte. Mark keek naar twee zwaargebouwde huisvrouwen die op de tennisbaan stonden te krukken. Maar hij vond hen wel grappig, met hun roze-groene sokken en hun bijpassende zonneklepjes. Een fietser kwam aanrijden over een smal asfaltpaadje en verdween diep in het bos.

Reggie deed weer een poging de kaart volgens de regels op te vouwen. 'Ja, hier moeten we zijn,' zei ze.

'Durf je niet meer?' vroeg hij.

'Eigenlijk niet. Jij?'

'Ik weet het niet. We zijn al zo ver gekomen. Het is stom om nou weer terug te gaan. Die garage ziet er ongevaarlijk uit.' Ze was nog steeds bezig de kaart op te vouwen. 'We kunnen eens gaan kijken. Als het link wordt, rennen we gewoon weer terug.'

'Waar zijn we nu?'

Ze opende het portier. 'Kom mee, dan gaan we een eindje lopen.'

Het fietspad liep langs een voetbalveld en doorsneed een dicht gedeelte van het bos. De takken van de bomen vormden een koepel, waardoor het pad een tunnel leek. Hier en daar viel het felle zonlicht erdoorheen. Zo nu en dan moesten ze opzij stappen voor een fietser.

De wandeling was verfrissend. Na drie dagen in het ziekenhuis, twee dagen in de gevangenis, zeven uur in de auto en zes uur in het motel kon Mark zich nauwelijks inhouden toen ze door het bos liepen. Hij miste zijn fiets. Wat zou het heerlijk zijn om samen met Ricky over dit pad te fietsen en zorgeloos tussen de bomen door te racen. Gewoon weer kind zijn. Hij miste de drukke straten van het caravanpark, waar overal kinderen liepen en allerlei spelletjes spontaan opkwamen. Hij miste de stille paadjes in zijn eigen bos achter de Tucker Wheel Estates en de lange eenzame wandelingen waar hij altijd zo van genoot. Vreemd genoeg miste hij zelfs de schuilplaatsen onder zijn eigen bomen en naast zijn eigen kreekjes, waar hij rustig kon nadenken en één of twee sigaretjes kon paffen. Sinds maandag had hij geen sigaret meer aangeraakt.

'Wat doe ik hier eigenlijk?' vroeg hij, nauwelijks verstaanbaar.

'Het was je eigen idee,' zei Reggie, met haar handen diep in de zakken van haar nieuwe jeans, ook afkomstig van de Wal-Mart.

'Dat is mijn favoriete vraag deze week: "Wat doe ik hier?" Dat vroeg ik me steeds af in het ziekenhuis, in de gevangenis, op de rechtbank. Overal.'

'Wil je naar huis, Mark?'

'Wat is thuis?'

'Memphis. Ik kan je terugbrengen naar je moeder.'

'Ja, maar ik kan toch niet bij haar blijven. Misschien halen we Ricky's kamer niet eens voordat ze me in de kraag grijpen en me terugsturen naar de gevangenis, terug naar de rechtbank, terug naar Harry. Die zal wel de pest in hebben, denk je niet?'

'Ja, maar ik kan Harry wel aan.'

Niemand kon Harry aan, had Mark allang gemerkt. Hij zag zich al in de rechtszaal zitten om uit te leggen waarom hij was ontsnapt. Harry zou hem meteen weer laten opsluiten en zijn lieve Doreen zou hem nu heel anders behandelen. Geen pizza's meer. Geen televisie. Waarschijnlijk zouden ze hem in een isoleercel zetten, met kettingen om zijn enkels.

'Ik kan niet terug, Reggie. Niet nu.'

Ze hadden alle mogelijkheden al uitvoerig besproken, tot ze het spuugzat waren. Ze kwamen er niet uit. Ieder nieuw plan wierp meteen tien problemen op. Iedere nieuwe suggestie leidde uiteindelijk tot een ramp. Langs verschillende wegen waren ze allebei tot de onafwendbare conclusie gekomen dat een simpele uitweg niet bestond. Er wás geen redelijke oplossing. Geen van die plannetjes was ook maar enigszins aantrekkelijk.

Reggie bleef staan bij een kilometerpaaltje. Links lag een open grasvlakte met in het midden een overdekte picknicktafel. Rechts leidde een smal voetpad nog dieper het bos in. 'Laten we deze kant maar proberen,' zei ze, en ze verlieten het fietspad.

Mark liep dicht achter haar. 'Weet je waar je heen gaat?'

'Nee, maar kom toch maar mee.'

Het pad werd wat breder en hield toen plotseling op. De grond lag bezaaid met lege bierflesjes en chipszakken. Ze zigzagden tussen de bomen en struiken door tot ze bij een kleine open plek kwamen. Opeens stonden ze weer in de heldere zon. Reggie hield haar hand boven haar ogen en tuurde naar een rechte rij bomen voor hen uit.

'Dat is de kreek, geloof ik.'

'Welke kreek?'

'Volgens de plattegrond grenst Cliffords tuin aan het West

Park en op de grens loopt een dunne groene lijn die blijkbaar een kreek, een *bayou* of iets anders aangeeft. Achter
zijn huis.'

'Ik zie alleen maar bomen.'

Reggie schoof een paar meter opzij, bleef toen staan en
wees. 'Kijk, zie je die daken voorbij de bomen? Volgens
mij is dat Cliffords straat.'

Mark kwam naar haar toe en ging op zijn tenen staan. 'Ja, ik
zie ze.'

'Kom maar mee,' zei ze, en ze liepen in de richting van de
bomenrij.

Het was een prachtige dag. Ze liepen te wandelen in een bos
dat voor iedereen toegankelijk was. Niets om bang voor te
zijn.

De kreek was een droge bedding van zand en afval. Ze
zochten hun weg omlaag, tussen de ranken en de struiken
door, tot de plaats waar ooit het water had gestroomd. Jaren
geleden. Zelfs de modder was allang opgedroogd. Ze be-
klommen de tegenoverliggende oever, die veel steiler was,
maar met meer ranken en jonge boompjes als houvast.

Reggie liep zwaar te hijgen toen ze de andere kant van de
kreek hadden bereikt. 'Ben je bang?' vroeg ze.

'Nee. Jij?'

'Natuurlijk. En jij ook. Wil je nog verdergaan?'

'Ja. En ik ben niet bang. We zijn gewoon aan het wandelen,
dat is alles.' Hij was doodsbang. Het liefst was hij op de
vlucht geslagen, maar ze waren nu al zo ver gekomen zonder dat er iets was gebeurd. Bovendien had het wel iets
avontuurlijks om zo door de jungle te sluipen. Dat had hij
al duizend keer gedaan, rondom het caravanpark. Hij wist
dat ze moesten uitkijken voor slangen en giftige sumak.
Hij had geleerd hoe je groepjes van drie bomen in een vaste
positie moest onthouden om niet te verdwalen. Hij had ver-

stoppertje gespeeld in een veel ruiger gebied dan dit. Opeens dook hij ineen en rende gebukt vooruit. 'Kom mee!'

'Dit is geen spelletje,' zei ze.

'Kom nou maar mee. Tenzij je bang bent, natuurlijk.'

'Ik ben doodsbenauwd. Ik ben tweeënvijftig, Mark. Rustig aan.'

De eerste schutting die ze tegenkwamen was van cederhout. Ze bleven tussen de bomen en slopen achter de huizen langs. Een hond blafte vaag hun kant uit, maar ze waren vanuit het huis niet zichtbaar. Daarna kwamen ze bij een ijzeren hek, maar niet dat van Clifford. Het bos en het kreupelhout werden steeds dichter, maar vanuit het niets dook er opeens een paadje op dat evenwijdig aan de schuttingen liep.

En toen zagen ze het, aan de andere kant van een ijzeren afrastering: de rode Triumph Spitfire, eenzaam en verlaten naast Romey's garage. De bosrand eindigde op nog geen zes meter van het hek. Tussen de afrastering en de achtermuur van de garage stonden nog een stuk of tien eiken en iepen met Spaans mos, die hun schaduw over de achtertuin wierpen.

Romey was een sloddervos geweest, wat Reggie en Mark niet echt verbaasde. Achter de garage was het een grote puinhoop – planken, stenen, emmers en harken die zomaar waren neergesmeten, uit het zicht van de straat. Er zat een klein poortje in het ijzeren hek. In de achterwand van de garage bevonden zich een deur en een raampje. Zakken ongebruikte – en inmiddels onbruikbare – kunstmest lagen tegen de muur gestapeld. Bij de deur stond een oude grasmaaier zonder handvatten. De tuin was behoorlijk verwaarloosd, en niet alleen de laatste week. Het onkruid langs het hek stond kniehoog.

Ze hurkten tussen de bomen en tuurden naar de garage. Ze

konden niet dichterbij komen. De patio en de houtskoolgrill van de buurman lagen op een steenworp afstand.

Reggie probeerde haar ademhaling onder controle te houden, maar dat viel niet mee. Ze greep Marks hand. Ze kon zich nauwelijks voorstellen dat het lijk van een senator hier begraven lag, op nog geen dertig meter van de plaats waar zij zich nu verborgen hield.

'Gaan we naar binnen?' vroeg Mark. Het klonk bijna uitdagend, hoewel ze ook een spoor van angst in zijn stem herkende. Gelukkig, dacht ze. Hij was dus ook bang.

Ze haalde diep adem en fluisterde: 'Nee. Zo is het wel ver genoeg.'

Hij aarzelde een paar seconden en zei toen: 'We kunnen het gemakkelijk vinden.'

'Het is een grote garage.'

'Maar ik weet precies waar het ligt.'

'Ik heb het niet willen vragen, maar wordt het geen tijd dat je het me vertelt?'

'Het ligt onder een boot.'

'Heeft Clifford je dat verteld?'

'Ja. Hij was heel precies. Het lijk ligt begraven onder een boot.'

'En als er geen boot ligt?'

'Dan gaan we ervandoor.'

Mark begon nu ook te zweten en te hijgen. Reggie had genoeg gezien. Gebukt liep ze achteruit. 'Ik ga weer terug,' zei ze.

K.O. Lewis hoefde niet eens uit het vliegtuig te stappen. McThune en zijn mannen stonden al te wachten toen hij landde en stapten haastig aan boord terwijl het toestel werd bijgetankt. Een halfuur later waren ze op weg naar New Orleans, waar Larry Trumann met spanning op hen wachtte.

Het beviel Lewis niets. Wat had hij in vredesnaam in New Orleans te zoeken? Het was een grote stad. Ze hadden geen idee in wat voor een auto ze reed. Ze wisten niet eens of Reggie en Mark met de auto naar New Orleans waren gereden of het vliegtuig hadden genomen. Misschien wel een trein of een bus. New Orleans was een congresstad met duizenden hotelkamers en overvolle straten. Als ze geen fouten maakten, zouden Reggie en Mark nooit worden gevonden. Maar directeur Voyles vond dat hij ter plaatse moest zijn, en dus vertrok hij naar New Orleans. Vind dat joch en zorg dat hij zijn mond opendoet dat waren de orders. Beloof hem alles wat hij vraagt.

37

Twee van de drie, Leo en Ionucci, waren ervaren bottenbrekers in dienst van de Sulari's. Ze waren zelfs verre familie van Barry het Mes, hoewel ze dat dikwijls ontkenden. De derde, een forse vent met grote spierballen, een brede nek en zware heupen, stond bekend als de Stier, een bijnaam die geen toelichting behoefde. Hij was meegestuurd voor het zware werk. Barry had hun verzekerd dat het een simpele klus was. Het cement was dun en Boyd Boyette was een kleine man geweest. Een paar minuten hakken en ze zouden de zwarte vuilniszakken al zien.

Barry had een schema getekend van de vloer van de garage, waarop de positie van het graf nauwkeurig was aangegeven. Daarbij had hij een kaartje geschetst met een lijn vanaf de parkeerplaats bij het West Park, achter de tennisbanen langs, over het voetbalveld, door een paar bosjes, over een ander veld met een overdekte picknicktafel, langs een fietspad tot aan een voetpaadje dat bij de greppel uitkwam. Fluitje van een cent, had hij de hele middag geroepen.

Het fietspad was verlaten. Geen wonder, op zaterdagavond om tien over elf. De atmosfeer was drukkend, en tegen de tijd dat ze bij het voetpad kwamen, liepen ze te hijgen en te zweten. De Stier, die veel jonger en fitter was dan de anderen, sloot de rij en grijnsde toen hij zijn maten in het donker hoorde kankeren over de warmte en de vochtigheid. Ze waren tegen de veertig, schatte hij – kettingrokers die te veel dronken en te ongezond aten. Ze waren nog geen anderhalve kilometer onderweg en nu liepen ze al te vloeken en te zweten.

Leo had de leiding van de expeditie en hij droeg de zaklantaarn. Ze waren allemaal in het zwart gekleed. Ionucci volgde als een bloedhond met wormen, met zijn hoofd omlaag, puffend en kreunend, apathisch en kwaad op de hele wereld. 'Voorzichtig,' zei Leo toen ze door het dichte onkruid de oever van de droge kreek afdaalden. Geen van drieën waren ze echte woudlopers. Het bos was al griezelig genoeg geweest om zes uur, toen ze de route hadden verkend. Nu was het echt doodeng. De Stier verwachtte ieder moment op een dikke, kronkelende slang te trappen. Als hij werd gebeten, had hij natuurlijk een goed excuus om rechtsomkeert te maken, terug naar de auto – als hij die kon vinden. Dan moesten zijn twee makkers het maar alleen opknappen. Hij struikelde over een boomstronk maar bleef op de been. Hij verlangde bijna naar een slangenbeet...

'Voorzichtig,' zei Leo voor de tiende keer, alsof dat wat hielp. Ze worstelden zich tweehonderd meter door de donkere, overwoekerde kreek en klommen toen langs de andere oever omhoog. Leo doofde de zaklantaarn en ze slopen gebukt door de struiken tot ze het hek achter Cliffords huis hadden bereikt. Daar lieten ze zich op hun knieën zakken.

'Dit is stom,' zei Ionucci hijgend. 'Sinds wanneer graven wij lijken op?'

Leo tuurde naar Cliffords duistere achtertuin. Geen lichtje te zien. Een halfuur geleden waren ze langs het huis gereden en hadden ze een gaslampje zien branden in een bol naast de voordeur, maar de achterkant van het huis was aardedonker. 'Kop dicht,' zei hij zonder zijn hoofd om te draaien.

'Ja, ja,' mompelde Ionucci, 'maar toch is het stom.' Zijn longen piepten en het zweet droop van zijn kin. De Stier knielde naast hem neer en schudde zijn hoofd over hun gebrek aan conditie. Ze werkten voornamelijk als lijfwacht en chauffeur, bezigheden die niet veel fysieke inspanning vroegen. Volgens de verhalen had Leo zijn eerste moord gepleegd toen hij zeventien was maar had hij zijn carrière een paar jaar later moeten opgeven omdat hij de bak in draaide. De Stier had gehoord dat Ionucci in de loop der jaren twee keer was neergeschoten, maar dat gerucht was nooit bevestigd. De mensen die zulke verhalen vertelden stonden niet bekend om hun betrouwbaarheid. 'Goed, eropaf,' zei Leo als een veldmaarschalk. Ze renden over het gras naar het hek, glipten door het poortje naar binnen en zigzagden tussen de bomen door tot ze de achtermuur van de garage hadden bereikt. Ionucci kreeg kramp. Hij liet zich op handen en knieën zakken en hijgde als een karrepaard. Leo sloop naar de hoek en keek of er bij de buren iets te zien was. Helemaal niets. Geen beweging en geen geluid, behalve de voortekenen van Ionucci's hartaanval. De Stier keek om de andere hoek naar de achterkant van Cliffords huis.

De buurt sliep. Zelfs de honden lagen in hun mand.

Leo kwam overeind en probeerde de achterdeur te openen, maar die zat op slot. 'Blijf hier,' zei hij, en hij sloop om de garage heen naar de voorkant. De klapdeur zat ook dicht.

Hij liep weer naar de achterkant en zei: 'We moeten een ruitje inslaan. Alle deuren zitten op slot.'

Ionucci haalde een hamer uit een tasje aan zijn riem en Leo tikte voorzichtig tegen de smerige ruit vlak boven de deurknop. 'Let op die hoek,' zei hij tegen de Stier, die achter hem langs kroop om het huis van de buren, de Ballantines, in de gaten te houden.

Leo tikte wat harder, tot de ruit brak. Voorzichtig haalde hij de scherven los en gooide ze in het gras. Toen hij de scherpe randen had verwijderd, stak hij zijn linkerarm naar binnen en maakte de deur open. Hij knipte de zaklantaarn aan en ze slopen naar binnen.

Barry had hun verteld dat het een rotzooi was. Clifford had het blijkbaar te druk gehad om de garage nog op te ruimen voordat hij stierf. Het eerste wat hen opviel was dat er grind op de grond lag, geen beton. Leo schopte naar de witte kiezels onder zijn voeten. Hij kon zich niet herinneren dat Barry daar iets over had gezegd.

De boot stond midden in de garage. Het was een vijf meter lange speedboat met een buitenboordmotor. De boot zat onder het stof en de trailer had drie lekke banden. De boot was al jaren niet in het water geweest. Er stond allerlei rommel tegenaan: tuingereedschap, zakken met blikjes, stapels kranten, roestige tuinmeubels. Romey had geen vuilnisophaaldienst nodig gehad; hij had een garage. In alle hoeken zaten dikke spinnewebben. Aan de muren hing gereedschap.

Om de een of andere reden had Clifford een enorme hoeveelheid kleerhangertjes verzameld, minstens een paar duizend, allemaal van het draadgevlochten type. Ze hingen aan lijnen boven de boot. Rijen en rijen kleerhangers. Op een gegeven moment had hij blijkbaar geen zin meer gehad om draden te spannen en had hij gewoon een paar lange spijkers in de muur geslagen, waar ook honderden knaapjes aan hingen. Romey, milieuactivist bij uitstek, had ook blikjes en plastic verpakkingen verzameld, vermoedelijk met de nobele bedoeling ze te recyclen. Maar omdat hij het zo druk had, werd de helft van de garage nu in beslag genomen door een kleine berg groene vuilniszakken, vol met blikjes en flessen. Hij was zo slordig dat hij de zakken zelfs in de boot had gegooid.

Leo richtte de smalle lichtbundel van de zaklantaarn recht onder de hoofdas van de trailer en wenkte de Stier, die zich op handen en knieën liet zakken en het witte grind begon weg te vegen. Ionucci haalde een kleine troffel uit het tasje aan zijn riem. De Stier pakte het aan en schepte nog meer grind weg. Zijn twee makkers keken over zijn schouder mee.

Vijf centimeter dieper veranderde het schrapende geluid toen hij op cement stuitte. De boot stond in de weg. De Stier kwam overeind, tilde langzaam de dissel op en duwde de voorkant van de trailer met grote inspanning anderhalve meter opzij. De zijkant van het ding raakte de berg met blikjes, wat een luid gerinkel tot gevolg had. De mannen verstijfden en spitsten hun oren.

'Voorzichtig, man!' fluisterde Leo totaal overbodig. 'Blijf hier en verroer je niet.' Hij liet hen in het donker naast de boot staan en glipte door de achterdeur. Vanachter een boom bij de garage tuurde hij naar het huis van de Ballantines. Het bleef er donker en stil. Een lamp van de patio wierp een zwak schijnsel over de grill en de bloemperken, maar niets bewoog. Leo keek toe en wachtte. Het leek erop dat de buren zelfs door een drilboor heen zouden slapen. Hij sloop terug naar de garage en richtte het licht van zijn zaklantaarn weer op het cement onder het grind. 'Ga door,' zei hij, en de Stier liet zich op zijn knieën zakken.

Barry had hun verteld dat hij eerst een ondiep graf had gegraven van ongeveer één meter tachtig bij zestig centimeter, en niet meer dan een halve meter diep. Toen had hij het lijk erin gelegd, verpakt in zwarte vuilniszakken, en de droge, voorgemengde specie eroverheen gestort. Ten slotte had hij er water op gegoten. De volgende dag was hij teruggekomen om het grind eroverheen te vegen en de boot weer op zijn plaats te zetten.

Hij had goed werk geleverd. Met Cliffords lakse manieren had het nog wel vijf jaar kunnen duren voordat de boot eindelijk van zijn plaats was gehaald. Barry had erbij gezegd dat het maar een tijdelijke oplossing was geweest. Hij had het lijk later willen verplaatsen, maar toen werd hij al door de FBI geschaduwd. Leo en Ionucci hadden zich in hun leven ook al van enige lijken ontdaan – meestal in zware tonnen ergens op zee – maar ze waren onder de indruk van Barry's tijdelijke bergplaats.

De Stier schepte en veegde, en even later was al het cement vrij van grind. Ionucci knielde aan de andere kant. Met hamer en beitel begonnen de twee mannen het cement weg te hakken. Leo zette de zaklantaarn in het grind naast hen neer en sloop weer naar buiten. Gebukt liep hij naar de voorkant van de garage. Alles was rustig, maar het gehak van de beitels was wel te horen. Snel liep hij naar de achterkant van Cliffords huis, een meter of vijftien van de garage. Daar hoorde hij bijna niets meer. Hij glimlachte bij zichzelf. Zelfs als de Ballantines wakker waren konden ze dit niet horen.

Hij sprintte terug naar de garage en ging in het donker tussen de muur en de Spitfire zitten. Vanuit die positie kon hij de verlaten straat in het oog houden. Een kleine zwarte auto kwam langzaam de hoek om, reed langs het huis en verdween uit het gezicht. Verder was er geen verkeer. Door de heg zag hij de omtrekken van het huis van de Ballantines. Niets bewoog. Het enige geluid was het gedempte gehak van de beitels die het cement wegbikten boven het graf van Boyd Boyette.

Clints Accord stopte bij de tennisbanen. Een rode Cadillac stond bij de straat geparkeerd. Reggie doofde de koplampen en zette de motor uit.

Ze bleven zwijgend zitten en keken door de voorruit naar het donkere voetbalveld. Een ideale plaats om beroofd te worden, dacht Reggie, maar ze zei het niet. Ze waren al bang genoeg zonder aan overvallers te denken. Mark had niet veel meer gezegd sinds de duisternis was ingevallen. Ze hadden een pizza op hun hotelkamer laten bezorgen. Daarna hadden ze een uurtje liggen slapen, samen op één bed, en wat tv gekeken. Mark had haar regelmatig gevraagd hoe laat het was, alsof hij een afspraak had met een vuurpeloton. Tegen tien uur was ze ervan overtuigd dat hij zich zou bedenken. Om elf uur ijsbeerde hij door de kamer en liep voortdurend naar de wc.

Maar nu zaten ze hier, om tien over halftwaalf, in een warme auto op een donkere avond, klaar voor een avontuur waar ze geen van beiden zin in hadden.

'Zou iemand weten dat we hier zijn?' vroeg hij zacht.

Ze keek hem aan. Hij staarde naar een punt voorbij het voetbalveld. 'Hier in New Orleans, bedoel je?'

'Ja. Denk je dat iemand weet dat we in New Orleans zijn?'

'Nee, ik denk het niet.'

Dat antwoord stelde hem blijkbaar tevreden. Om zeven uur had ze Clint nog gebeld. Een tv-station in Memphis had gemeld dat Reggie Love ook werd vermist, maar verder was alles rustig. Clint was al twaalf uur zijn slaapkamer niet uit geweest, zei hij, dus hij zou het op prijs stellen als ze voortmaakten met hun plannen – wat die ook waren. Hij had Moeder Love gebeld. Ze maakte zich zorgen, maar verder ging het redelijk goed met haar, gezien de omstandigheden.

Ze stapten uit de auto en liepen over het fietspad.

'Weet je zeker dat je hiermee door wilt gaan?' vroeg ze, met een nerveuze blik om zich heen. Het was pikkedonker op het pad en op sommige plaatsen voorkwam alleen het asfalt onder hun voeten dat ze de weg kwijtraakten. Ze liepen langzaam, naast elkaar, hand in hand.

Terwijl ze de ene onzekere stap na de andere zette, vroeg Reggie zich af wat ze hier deed op dit fietspad, in dit bos, in deze stad, op dit moment, met deze jongen van wie ze heel veel hield maar voor wie ze toch niet wilde sterven. Ze klemde zijn hand in de hare en probeerde dapper te zijn. Er zou zo meteen wel iets gebeuren, bad ze, waardoor ze allebei doodsbang naar de auto zouden terugrennen en als een haas uit New Orleans zouden vertrekken.

'Ik heb nagedacht,' zei Mark.

'Alweer?'

'Misschien is het niet zo eenvoudig om het lijk echt... op te graven. Daarom heb ik het volgende bedacht. Blijf jij nou tussen de bomen, dicht bij de greppel, dan sluip ik door de achtertuin naar de garage. Ik zal onder die boot kijken om te zien of dat lijk er ligt, en dan gaan we ervandoor.'

'Denk je dat je het lijk onder die boot kunt zien liggen?'

'Misschien kan ik zien dat er iets is begraven, begrijp je?'

Ze klemde zijn hand nog steviger vast. 'Luister, Mark. We blijven samen, oké? Als jij naar die garage gaat, dan ga ik met je mee.' Haar stem klonk verbazend ferm. Natuurlijk zouden ze die garage nooit bereiken.

Ze kwamen bij een opening tussen de bomen. Er brandde een lamp aan een paal. Bij het licht was de overdekte picknickplaats te zien, links van hen. Rechts begon het voetpad. Mark drukte op een knopje en het licht van een kleine zaklantaarn viel op de grond voor hun voeten. 'Kom maar mee,' zei hij. 'Niemand kan ons hier zien.'

Hij sloop als een Indiaan door het bos. In de motelkamer had hij haar verhalen verteld over zijn nachtelijke wandelingen door de bossen rondom het caravanpark en de spelletjes die de jongens in het donker deden. Junglespelen, noemde hij ze. Met de zaklantaarn in zijn hand liep hij nu veel sneller. Zijn schouders streken langs de takken en hij ontweek de jonge boompjes op zijn pad.

'Niet zo snel, Mark,' zei ze meer dan eens.

Hij pakte haar bij de hand en hielp haar langs de oever omlaag. Ze klommen aan de andere kant omhoog en kropen door de struiken en het kreupelhout tot ze het mysterieuze pad hadden gevonden dat hen die middag ook al had verrast. Daar begonnen de schuttingen. Langzaam en geruisloos liepen ze het paadje af. Mark doofde de zaklantaarn.

Ze kwamen bij het dichte bos recht achter Cliffords huis. Daar zakten ze door hun knieën en hielden hun adem in. Door de struiken en het onkruid konden ze het silhouet van de garage zien.

'En als we het lijk níet vinden?' vroeg ze. 'Wat dan?'

'Dat zien we dan wel weer.'

Dit was niet het moment voor weer zo'n lange discussie over alle alternatieven. Op handen en knieën kroop hij naar de rand van het dichte struikgewas. Reggie volgde. Zes meter van het hek hielden ze halt in het dikke, natte onkruid. De achtertuin was donker en stil. Niets bewoog. Geen licht te zien, geen geluid te horen. De hele straat was diep in slaap.

'Reggie, blijf jij maar hier en houd je goed verborgen. Ik ben zo weer terug.'

'Helemaal niet,' fluisterde ze luid. 'Dat gaat niet, Mark!' Maar hij was al vertrokken. Dit was een spelletje voor hem, gewoon een junglespel met zijn vriendjes – kleine jongens die elkaar achternazaten en elkaar beschoten met waterpistolen met gekleurd water. Mark gleed door het gras als een hagedis en opende het poortje net ver genoeg om erdoorheen te kunnen glippen.

Reggie volgde hem op handen en knieën en bleef toen zitten. Mark was al uit het gezicht verdwenen. Hij hield halt achter de eerste boom en spitste zijn oren. Toen kroop hij naar de volgende, en opeens hoorde hij iets. Tik! Tik! Hij verstijfde, geknield in het gras. Het geluid kwam uit de garage. Tik! Tik! Heel langzaam keek hij om de boom heen en tuurde naar de achterdeur. Tik! Tik! Hij keek over zijn schouder naar Reggie, maar de bomen en struiken waren donker. Hij kon haar nergens ontdekken. Weer keek hij naar de deur. Er was iets veranderd. Hij kroop naar de volgende boom, drie meter dichterbij. Het geluid werd duidelijker. De deur stond op een kier en er was een ruitje kapotgeslagen.

Er was iemand in de garage! Tik! Tik! Tik! Iemand hield zich daar in het donker verborgen en zat te graven! Mark haalde diep adem en kroop achter een berg afval op nog geen drie meter van de garagedeur. Hij had geen enkel geluid gemaakt, dat wist hij. Het gras stond hoger rondom het afval. Mark kroop erdoorheen als een kameleon, heel langzaam. Tik! Tik!

Hij dook nog verder ineen en ging op weg naar de achterdeur. Zijn enkel bleef achter het ruwe eind van een verrotte balk haken en hij struikelde. De berg afval kwam in beweging en een lege verfemmer kletterde tegen de grond.

Leo sprong overeind en rende naar de achterkant van de garage. Hij rukte een .38 met geluiddemper van achter zijn riem en sprintte door de duisternis tot hij de hoek van de garage had bereikt, waar hij gehurkt bleef zitten luisteren. Het gebeitel in de garage was opgehouden. Ionucci wierp voorzichtig een blik door de achterdeur.

Reggie hoorde het lawaai achter de garage en liet zich op haar buik in het natte gras vallen. Ze sloot haar ogen en prevelde een schietgebed. Wat deed ze hier in godsnaam?

Leo kroop naar de berg afval en eromheen, met zijn pistool in de aanslag. Hij hurkte weer neer en bleef zitten, terwijl hij geduldig de donkere omgeving verkende. De schutting was nauwelijks te zien. Niets bewoog zich. Hij gleed naar een boom op vijf meter achter de garage en wachtte af. Ionucci hield hem scherp in de gaten. Langzaam verstreken de seconden. Er was niets te horen. Leo ging rechtop staan en liep rustig naar het hek. Een takje brak onder zijn schoen. Een moment lang bleef hij doodstil staan.

Hij liep de hele achtertuin door, wat minder voorzichtig nu, maar nog steeds met het pistool in de aanslag. Ten slotte leunde hij tegen een boom, een dikke eik waarvan de lage takken bijna tot aan de tuin van de buren reikten.

In de verwilderde heg, nog geen vier meter bij hem vandaan, zat Mark op handen en voeten. Hij hield zijn adem in en tuurde naar de donkere gestalte die in het donker tussen de bomen door sloop. Als hij geen geluid maakte, zou de man hem nooit vinden. Dat wist hij. Langzaam ademde hij weer uit, met zijn ogen strak gericht op het silhouet van de man bij de boom.

'Wat is er?' vroeg een zware stem vanuit de garage. Leo stak het pistool weer achter zijn broeksband en liep langzaam achteruit. Ionucci was naar buiten gestapt. 'Wat is er?' herhaalde hij.

'Ik weet het niet,' antwoordde Leo half fluisterend. 'Misschien een kat of zo. Gaan jullie maar door.'

De deur ging zachtjes dicht en Leo bleef nog vijf minuten geruisloos heen en weer lopen achter de garage. Vijf minuten, maar voor Mark leek het wel een uur.

Ten slotte verdween de donkere gestalte om de hoek van de garage en kwam niet meer terug. Mark tuurde scherp door de duisternis. Hij telde tot honderd en kroop toen langs de heg naar de afrastering terug. Bij het poortje hield hij halt en telde nog eens tot dertig. Niets te horen, behalve het gedempte gebeitel in de verte. Daarna sprintte hij naar de rand van het struikgewas, waar Reggie doodsbang gehurkt zat. Ze greep hem vast toen ze allebei het dichte kreupelhout in doken.

'Ze zijn er!' hijgde hij buiten adem.

'Wie?'

'Dat weet ik niet! Ze zijn het lijk aan het opgraven!' 'Wat is er gebeurd?'

Hij ademde snel. Zijn hoofd wipte op en neer toen hij een paar keer slikte en probeerde zijn stem te vinden. 'Ik struikelde ergens over en toen werd ik bijna gesnapt door een vent. Ik geloof dat hij een pistool had. Jezus, wat was ik bang!'

'Dat ben je nog steeds. En ik ook! We moeten hiervandaan!'

'Luister, Reggie. Wacht nou even! Luister. Kun je het horen?'

'Nee! Wat?'

'Dat gehak. Nee, ik hoor het ook niet meer. We zijn te ver weg.'

'Maar nog niet ver genoeg! Kom mee.'

'Wacht nou even, Reggie. Verdomme.'

'Het zijn moordenaars, Mark. Het zijn maffiosi. Wegwezen!'

Hij ademde tussen zijn opeengeklemde tanden door en keek haar nijdig aan. 'Rustig nou, Reggie. Kalm aan, oké? Nie-

503

mand ziet ons hier. Vanuit de garage zijn deze bomen niet eens te zien. Dat weet ik, want ik kom er net vandaan. Rustig nou even.'

Ze liet zich op haar knieën vallen en ze tuurden allebei naar de garage. Mark legde zijn vinger tegen zijn lippen. 'We zijn hier veilig,' fluisterde hij. 'Luister goed.'

Ze spitsten hun oren, maar het gebeitel drong niet zo ver door.

'Mark, dit zijn Muldanno's handlangers. Ze weten dat jij bent ontsnapt. Ze zijn in paniek. Ze hebben pistolen, messen en god mag weten wat nog meer. Ze zijn ons vóór geweest. Het is voorbij. Ze hebben gewonnen.'

'We kunnen hen dat lijk niet laten weghalen, Reggie. Denk nou eens na. Als zij ermee vandoor gaan wordt het nooit meer gevonden.'

'Goed. Dan heeft de maffia geen belangstelling meer voor jou en ben jij veilig. Kom mee.'

'Nee, Reggie. We moeten iets doen.'

'Wat dan? Wou je hen soms aanvallen? Een stel gewapende gangsters? Toe nou, Mark, dit is krankzinnig.'

'Nog heel even.'

'Oké, ik zal precies één minuut wachten. Dan ga ik terug.' Hij draaide zich om en lachte tegen haar. 'Je laat me heus niet in de steek, Reggie. Dat weet je zelf ook wel.'

'Drijf me niet te ver, Mark. Nu weet ik hoe Ricky zich voelde toen jij zo nodig Clifford moest helpen door die tuinslang weg te halen.'

'Stil nou even. Ik denk na.'

'Dat maakt me juist zo bang.'

Ze ging op haar achterste zitten, met haar benen gekruist. Bladeren en ranken streken langs haar hals en haar gezicht. Mark zat op handen en knieën heen en weer te wiegen als een leeuw die een prooi wil bespringen. Ten slotte zei hij:

'Ik heb een idee.'

'Ja, dat dacht ik wel.'

'Blijf hier.'

Opeens greep ze hem in zijn nek en trok zijn gezicht naar het hare toe. 'Luister goed, vriendje. Dit is geen junglespel waarbij je met rubberen pijlen schiet en met kluiten modder gooit. Dit zijn niet je speelkameraadjes die verstoppertje spelen, of GI-Joe, of wat voor spelletjes jullie ook doen. Dit is bittere ernst, Mark. Een zaak van leven of dood. Jij hebt één fout gemaakt, en die heb je overleefd. Met veel geluk. Als je er nog een maakt, ben je er geweest. We moeten hier weg. Nu!'

Hij luisterde zwijgend naar haar preek en rukte zich toen los. 'Blijf hier en verroer je niet,' zei hij met stijve kaken. Hij kroop onder de struiken vandaan en verdween door het gras naar de afrastering.

Vlak achter het hek lag een verwaarloosd, overwoekerd bloemperk met bielzen eromheen. Mark kroop ernaartoe en zocht drie stenen, met het kritische oog van een chefkok die op de markt tomaten koopt. Hij tuurde naar de twee hoeken van de garage en trok zich toen geruisloos weer in het donker terug.

Reggie zat te wachten. Ze had inderdaad geen vin verroerd. Hij wist dat ze in haar eentje de weg naar de auto niet kon terugvinden. Hij wist dat ze hem nodig had. Ze doken weer onder de struiken.

'Mark, dit is krankzinnig, jongen,' zei ze dringend. 'Luister nou. Die mensen spelen geen spelletjes.'

'Ze hebben het veel te druk om op ons te letten. Hier zijn we veilig, Reggie. Zelfs als ze nu naar buiten stormden, zouden ze ons nooit kunnen vinden. Er kan ons niets gebeuren, Reggie. Vertrouw maar op mij.'

'Op jou? Jij wilt zelfmoord plegen!'

'Blijf hier.'

'Wat? Alsjeblieft, Mark, geen spelletjes meer!'

Hij negeerde haar en wees naar een plek bij drie bomen, een meter of tien verderop. 'Ik kom zo terug,' zei hij, en hij verdween.

Hij kroop door de struiken tot hij achter het huis van de Ballantines was aangekomen. Hij kon de hoek van Romey's garage bijna niet meer zien. Reggie zat verscholen in het struikgewas.

De patio was klein en zwak verlicht. Er stonden drie witte rieten stoelen en een houtskoolgrill. Achter de patio bevond zich een grote spiegelruit, die Marks aandacht trok. Hij kwam overeind achter een boom en schatte de afstand – ongeveer de lengte van twee stacaravans. Hij zou laag genoeg moeten gooien om de takken te ontwijken, maar hoog genoeg om over een paar heggen heen te komen. Hij haalde diep adem en gooide een steen, met al zijn kracht.

Leo maakte een sprong van schrik toen hij het lawaai bij het buurhuis hoorde. Hij kroop naar de voorkant van de garage en loerde door de heg. De patio lag er stil en verlaten bij. Hij had het geluid van een steen gehoord die op een houten vloer terecht was gekomen en over bakstenen was weggerold. Misschien was het een hond geweest. Hij bleef nog een tijd zitten kijken, maar er gebeurde niets. Ze waren veilig. Het was weer vals alarm.

Meneer Ballantine draaide zich op zijn rug en staarde naar het plafond. Hij was voor in de zestig en hij had moeite met slapen sinds er anderhalf jaar geleden een tussenwervelschijf bij hem was weggenomen. Hij was juist ingedommeld toen hij wakker schrok van een geluid. Of verbeeldde hij het zich maar? Je was nergens meer veilig in New Orleans, daarom had hij een half jaar geleden een alarminstallatie van tweeduizend dollar laten aanleggen. De misdaad greep om zich heen. Hij en zijn vrouw dachten al aan verhuizen.

Hij draaide zich op zijn zij en had juist zijn ogen weer gesloten toen de ruit werd verbrijzeld. Hij sprong overeind, rende naar de deur, deed het licht in de slaapkamer aan en riep: 'Opstaan, Wanda! Opstaan!' Wanda greep haar ochtendjas, terwijl haar man het jachtgeweer uit de kast pakte. Het alarm loeide. Ze renden de gang door, schreeuwend tegen elkaar, terwijl ze onder het lopen de lichten aandeden. De spiegelruit van de huiskamer was gebroken. Meneer Ballantine richtte het geweer op het raam alsof hij een volgende aanval wilde afslaan. 'Bel de politie!' riep hij tegen haar. 'Bel 911!'

'Ja, ik weet het nummer wel!'

'Schiet op dan!' Voorzichtig liep hij op zijn pantoffels tussen de scherven door en dook ineen, met het geweer voor zich uit, alsof een inbreker het huis zou binnenkomen door het verbrijzelde raam. Toen draaide hij zich om, rende naar de keuken en drukte een paar toetsen op een controlepaneel in. De sirene zweeg.

Leo had juist zijn positie naast de Spitfire weer ingenomen toen het geluid van brekend glas de stilte verscheurde. Hij beet gemeen op zijn tong toen hij geschrokken overeind vloog en naar de heg rende. Een sirene begon te loeien, maar even later verstomde het geluid. Een man in een lang rood nachthemd rende met een geweer de patio op.

Snel kroop Leo naar de achterdeur van de garage. Ionucci en de Stier zaten doodsbang naast de boot gehurkt. Leo stapte op een hark en de steel sloeg met een klap tegen een zak met blikjes. Ze hielden alle drie hun adem in. Vanuit het buurhuis klonken stemmen.

'Wat was dat, verdomme?' vroeg Ionucci met opeengeklemde tanden. Hij en de Stier glommen van het zweet. Hun shirts kleefden aan hun lijf en hun hoofden waren drijfnat.

'Geen idee,' antwoordde Leo nijdig. Hij spuwde wat bloed uit en schoof voorzichtig naar het raam tegenover de heg die de twee tuinen scheidde. 'Er werd iets door een raam gesmeten, geloof ik. Ik weet het niet. Die gek heeft een jachtgeweer!'

'Wat?' gilde Ionucci bijna. Hij en de Stier kwamen langzaam overeind en voegden zich bij Leo achter het raam. De gek met het geweer stampte door zijn achtertuin en gilde tegen de bomen.

Meneer Ballantine had schoon genoeg van New Orleans – van de drugs, de criminaliteit, de schooiers die inbraken pleegden en mensen op straat beroofden. Hij had er genoeg van om steeds in angst te moeten leven. In zijn woede en frustratie stak hij zijn geweer omhoog en vuurde een schot op de bomen af. Dat zou die misselijke klootzakken leren! Hij liet niet met zich spotten. Als ze één voet in zijn huis zouden zetten, konden ze in een lijkwagen weer vertrekken. BOEM!

Mevrouw Ballantine verscheen in haar roze ochtendjas in de deuropening. Ze begon te gillen toen haar man op de bomen vuurde.

De drie hoofden in de garage ernaast doken weg toen het schieten begon. 'Die klootzak is gestoord!' krijste Leo. Langzaam hieven ze alledrie hun hoofd weer op, in perfecte harmonie. Juist op dat moment draaide de eerste politiewagen de oprit van de Ballantines in. Het roodblauwe zwaailicht knipperde fel.

Ionucci rende het eerst de deur uit, gevolgd door de Stier en Leo. Ondanks hun haast bleven ze voorzichtig, om toch vooral niet de aandacht te trekken van die idioot in het huis ernaast. Gebukt renden ze van de ene boom naar de andere, om de bosrand te bereiken voordat er nog meer schoten vielen. Het was een ordelijke terugtocht.

Mark en Reggie hielden zich diep in de struiken verborgen. 'Je bent gek!' mompelde ze steeds, en dat was niet zomaar een uitdrukking. Ze geloofde echt dat haar cliënt geestelijk in de war was. Maar toch sloeg ze haar armen om hem heen, en samen verscholen ze zich in het duister. Ze zagen de drie donkere gestalten pas toen ze door het poortje de tuin uit kwamen.

Mark wees. 'Daar heb je hen,' fluisterde hij. Nog geen dertig seconden eerder had hij haar al gewaarschuwd dat ze het poortje in de gaten moest houden.

'Drie man,' fluisterde hij. Het drietal deed een sprong naar het kreupelhout, nog geen zes meter van de plek waar zij zich verborgen hielden, en verdween toen in het bos.

Ze kropen nog dichter tegen elkaar aan. 'Je bent gek,' zei Reggie weer. 'Misschien. Maar het werkt wel.'

Reggie was volslagen in paniek geraakt toen ze het geweerschot hoorde. Ze was al zenuwachtig toen ze hier waren aangekomen. Ze was zich doodgeschrokken toen Mark terugkwam met het nieuws dat er iemand in de garage was. Ze was bijna gaan gillen toen hij die steen door het raam had gegooid. En het schot uit het jachtgeweer was de laatste druppel geweest. Haar hart bonsde in haar keel en haar handen trilden.

En ze zouden niet eens kunnen vluchten, besefte ze. Op dit moment bevonden de drie grafschenners zich tussen hen en de auto in. Er was geen uitweg meer.

Het geweervuur had de buurt tot leven gewekt. Overal in de tuinen gingen lichten aan. Mannen en vrouwen in ochtendjassen verschenen op hun patio's en tuurden in de richting van de Ballantines. Er werd geroepen. Honden blaften. Mark en Reggie trokken zich wat verder tussen de struiken terug.

Meneer Ballantine en een van de agenten liepen langs de schutting van zijn achtertuin, misschien op zoek naar de herkomst van die verraderlijke steen. Zonder resultaat. Reggie en Mark hoorden stemmen, maar ze konden niet verstaan wat er werd gezegd. Meneer Ballantine schreeuwde voortdurend.

De agenten wisten hem wat te kalmeren en hielpen hem een stuk doorzichtig plastic voor de gebroken ruit aan te brengen. Het roodblauwe zwaailicht werd uitgeschakeld, en na twintig minuten vertrok de politie weer.

Reggie en Mark wachtten af, hand in hand, bevend onder de struiken. Insekten kropen over hun huid. De muggen waren meedogenloos. Onkruid en distels bleven aan hun donkere sweatshirts haken. Ten slotte doofden de lichten bij de Ballantines. Reggie en Mark wachtten nog wat langer.

38

Een paar minuten over één begon de bewolking te breken en kwam de halve maan tevoorschijn, die Romey's garage en de achtertuin even in een bleek schijnsel zette. Reggie keek op haar horloge. Haar benen waren gevoelloos van het hurken. Haar onderrug deed pijn omdat ze te lang op haar achterste had gezeten. Maar vreemd genoeg was ze toch gehecht geraakt aan haar kleine plekje in de jungle. Ze had de gangsters, de politie en die idioot met zijn jachtgeweer overleefd, en ze voelde zich vreemd genoeg heel veilig. Haar ademhaling en haar polsslag waren weer normaal. Ze zweette niet langer, hoewel haar jeans en haar sweatshirt nog nat waren door de inspanningen en de vochtige atmosfeer. Mark sloeg naar de muggen en zei niet veel. Hij was bijna angstig kalm. Hij zat op een grassprietje te kauwen, starend naar het hek en de schuttingen, en gedroeg zich alsof hij – en hij alleen – precies wist wanneer ze hun volgende stap moesten zetten.

'Laten we maar een eindje gaan lopen,' zei hij, terwijl hij overeind kwam.

'Waarheen? Naar de auto?'

'Nee, alleen het pad af. Ik krijg kramp in mijn been.'

Haar rechterbeen was totaal gevoelloos onder de knie. Haar linkerbeen sliep vanaf de heup. Het kostte haar de grootste moeite om op te staan. Ze volgde Mark tussen de struiken door, tot ze het smalle paadje hadden bereikt dat evenwijdig liep aan de kreek. Zelfs zonder de zaklantaarn bewoog Mark zich soepel door het donker, terwijl hij naar de muggen sloeg en zijn benen strekte.

Diep in het bos hielden ze halt, op veilige afstand van de schuttingen, buiten het zicht van Romey's buren.

'We moeten nu toch weg, vind ik,' zei ze wat luider omdat de huizen niet meer te zien waren. 'Ik ben doodsbang dat ik op een slang zal trappen.'

Hij keek haar niet aan maar tuurde in de richting van de greppel. 'Ik denk niet dat het verstandig is om nu al terug te gaan,' fluisterde hij.

Ze wist dat hij een reden had om dat te zeggen. De afgelopen zes uur had ze geen enkele discussie meer van hem gewonnen. 'Waarom niet?'

'Omdat die lui misschien nog in de buurt zijn. Het zou me niet verbazen als ze hier vlakbij op de loer liggen, om weer terug te komen als alles rustig is. Als we nu naar de auto gaan, lopen we hen misschien tegen het lijf.'

'Mark, ik kan hier niet meer tegen, oké? Voor jou is het misschien een leuk spelletje, maar ik ben tweeënvijftig en ik heb er genoeg van. Ik kan nauwelijks geloven dat ik me hier om één uur 's nachts in dit oerwoud verborgen houd!'

Hij legde zijn wijsvinger tegen zijn lippen. 'Ssst! Je praat veel te hard, en dit is geen spelletje.'

'Verdomme, dat weet ik ook wel! Probeer me niet de les te lezen.'

'Kalm blijven, Reggie. We zijn nu veilig.'

'Veilig? Vergeet het maar. Ik voel me pas weer veilig als ik de deur van onze motelkamer achter me dicht heb getrokken.'

'Goed, ga dan maar terug naar de auto, als je die kunt vinden.'

'Ja, hoor. En jij blijft zeker hier?'

De maan verdween, en opeens was het weer pikdonker in het bos. Hij draaide haar zijn rug toe en liep terug naar hun schuilplaats. Intuïtief volgde ze hem, en dat irriteerde haar. Ze was nu afhankelijk van een jochie van elf jaar! Toch liep ze achter hem aan, over een pad dat ze niet kon zien, door een dicht bos, tot ze weer bij het struikgewas waren, ongeveer op dezelfde plaats waar ze zich al eerder hadden verborgen. De garage was bijna niet te zien.

De bloedsomloop in haar benen was weer op gang gekomen, hoewel ze nog behoorlijk stijf waren. Haar rug bonsde. Als ze met haar hand over haar voorhoofd streek, voelde ze de bulten van de muggebeten. Er zat een straaltje bloed op de rug van haar linkerhand, waarschijnlijk van een doornstruik of stekelig onkruid. Als ze ooit levend in Memphis terugkwam, zou ze meteen lid worden van een fitnessclub om haar conditie te verbeteren. Niet dat ze meer van dit soort uitstapjes van plan was, maar dat gehijg en die kramp waren ook niet alles.

Mark liet zich op één knie zakken, stak weer een grassprietje in zijn mond en tuurde naar de garage.

Ze wachtten nog een uur, bijna zonder een woord te zeggen.

Ten slotte was Reggie bereid hem achter te laten en in haar eentje naar de auto terug te rennen. 'Oké, Mark,' zei ze, 'ik ga weg. Doe maar wat je nodig vindt, maar ik ga ervandoor.' Maar ze bewoog zich niet.

Hij schoof naar haar toe en wees naar de garage alsof ze die nog niet had ontdekt. 'Ik kruip ernaartoe, oké? Ik neem de zaklantaarn mee, dan kan ik het lijk zien, of het graf, of waar ze ook naar zochten. Goed?'

'Nee.'

'Het hoeft niet lang te duren. Met een beetje geluk ben ik zo weer terug.'

'Ik ga met je mee,' zei ze.

'Nee, blijf nou maar hier. Ik ben bang dat die gangsters de garage nog in de gaten houden, vanaf de bosrand of zo. Als ze achter me aan komen, begin jij dan te gillen en ga er als een speer vandoor.'

'Nee, vergeet het maar, schat. Als jij naar dat lijk op zoek gaat, dan ga ik mee. En spreek me niet tegen, want dat is mijn laatste woord.'

Hij keek naar haar ogen, nog geen vijftien centimeter bij de zijne vandaan, en zag dat protesteren geen zin had. Ze schudde haar hoofd en had haar kaken stijf opeengeklemd. Ze had eigenlijk wel een leuk koppie, onder die pet.

'Nou, kom dan maar mee. Maar blijf zo laag mogelijk boven de grond en luister goed. Steeds blijven luisteren, oké?'

'Goed, goed. Ik ben nog niet compleet seniel. Ik word al redelijk handig in de tijgersluipgang.'

Op handen en knieën kropen ze uit het struikgewas vandaan, twee sluipende figuren in de stille duisternis. Het gras was nat en koel. Het hek, dat nog openstond na de overhaaste aftocht van de grafschenners, piepte even toen Reggie er met haar voet achter bleef haken. Mark keek nijdig om. Ze hielden halt achter de eerste boom en slopen toen naar de volgende. Niets te horen. Het was twee uur in de nacht en de buurt was doodstil. Toch maakte Mark zich zorgen over die krankzinnige buurman met zijn jachtgeweer. Hij betwijfelde of de man de slaap zou kunnen vatten met alleen een dun stukje plastic voor het raam. In gedachten zag hij hem al in de keuken zitten, turend naar de patio, om bij het eerste geluid van een brekend takje naar buiten te stormen en een salvo af te vuren. Ze stopten bij de volgende boom en toen bij de berg afval.

Reggie knikte even. Ze haalde snel en oppervlakkig adem. Gebukt renden ze naar de achterdeur van de garage, die op een kier stond. Mark stak zijn hoofd naar binnen, knipte de zaklantaarn aan en richtte de lichtbundel op de vloer. Reggie glipte achter hem naar binnen.

Er hing een vette, doordringende stank, als van een dood beest dat in de zon had liggen rotten. In een reflex sloeg Reggie haar hand voor haar neus en haar mond. Mark zuchtte diep en hield zijn adem in.

De enige open plek in de volgestouwde ruimte was in het midden, waar de boot had gestaan. Ze bogen zich over de plaat cement. 'Ik word misselijk,' zei Reggie, bijna zonder haar mond te openen.

Nog tien minuten en de drie mannen zouden het lijk hebben opgegraven. Ze waren in het midden begonnen, ter hoogte van de romp, en hadden aan weerskanten het cement weggebikt. De zwarte vuilniszakken, gedeeltelijk verteerd door het cement, waren al weggescheurd. In het cement was een kleine geul gehakt, naar de knieën en de voeten toe.

Mark had genoeg gezien. Hij raapte een beitel op, de enige die was achtergebleven, en ramde hem in het zwarte plastic. 'Niet doen!' fluisterde Reggie luid. Ze deinsde terug, maar ze bleef kijken. Met behulp van de beitel scheurde Mark de zakken verder open in de richting van het hoofd. De lichtbundel van de zaklantaarn volgde de scheur. Toen draaide hij zich langzaam opzij en trok het plastic met zijn vrije hand omhoog. Vol afgrijzen sprong hij overeind voordat hij het licht langzaam over het halfvergane gezicht van wijlen senator Boyd Boyette liet spelen.

Reggie deed nog een stap naar achteren en viel tegen een plastic zak met blikjes. Het maakte een geweldige herrie in de stille nacht. Ze probeerde overeind te krabbelen, maar maakte met haar gespartel nog meer lawaai. Mark greep haar bij een hand en sleurde haar naar de boot. 'Het spijt me!' fluisterde ze. Ze stond een halve meter van het lijk, maar lette er nauwelijks op.

'Sstt!' zei Mark. Hij klom op een kist en keek door het raam. Bij de buren ging het licht aan. Het jachtgeweer kon niet ver weg zijn.

'Wegwezen,' zei hij. 'En blijf vlak boven de grond!'

Ze slopen naar buiten en Mark deed de garagedeur achter zich dicht. Bij de buren hoorde hij een deur slaan. Hij liet zich op handen en knieën vallen en kroop om de berg afval heen, langs de bomen en door het hek. Reggie volgde hem op de voet. Toen ze de struiken bereikten, richtten ze zich op en renden gebukt naar het pad, zigzaggend als eekhoorns. Op het paadje aangekomen deed Mark de zaklantaarn aan. Ze hielden pas in toen ze bij de oever van de kreek kwamen. Daar dook hij tussen de struiken en doofde de lantaarn.

'Wat is er?' vroeg ze hijgend en doodsbang. Ze was niet van plan hier te blijven wachten.

'Heb je zijn gezicht gezien?' vroeg Mark, nog diep onder de indruk van wat ze zojuist hadden gedaan.

'Natuurlijk heb ik zijn gezicht gezien. Schiet op nou!'

'Ik wil het nog een keer zien.'

Bijna sloeg ze hem. Toen rechtte ze haar rug, zette haar handen in haar zij en liep in de richting van de kreek.

Mark rende achter haar aan met de zaklantaarn. 'Grapje.'

Ze bleef staan en keek hem woedend aan. Hij pakte haar hand en hielp haar langs de oever omlaag, naar de droge bedding van de kreek.

Bij de Superdome reden ze de snelweg op, in de richting van Metairie. Er was niet veel verkeer, hoewel het drukker was dan in de meeste andere steden om halfdrie zondagsnachts. Ze hadden nog geen woord gezegd sinds ze bij het West Park in de auto waren gesprongen en het Garden District hadden verlaten. Geen van tweeën hadden ze de behoefte de stilte te verbreken.

Reggie bedacht hoe dicht ze bij de dood was geweest. Maffia-gangsters, slangen, een krankzinnige buurman, politie, jachtgeweren, bossen, doodsangst, een hartaanval – het maakte niet uit. Ze mocht van geluk spreken dat ze hier nog in de auto zat, denderend over de snelweg, nat van het zweet, onder de insectenbeten en de schrammen, en smerig van een lange avond in de jungle. Het had nog veel erger kunnen zijn. In het motel zou ze eerst een heet bad nemen, misschien een paar uur slapen en zich dan pas zorgen maken over de volgende stap. Ze was volkomen uitgeput door de angst en de schokken die ze te verwerken had gekregen. Haar hele lichaam deed pijn van het kruipen en bukken. Ze was te oud voor dit soort onzin. Wat je als advocaat niet allemaal voor je cliënten deed...

Mark krabde zachtjes aan de muggebeten op zijn linker onderarm en zag de lichten van New Orleans steeds zwakker worden toen ze de stad achter zich lieten. 'Heb je dat bruine spul op zijn gezicht gezien?' vroeg hij, zonder haar aan te kijken.

Hoewel het gezicht voor altijd in haar geheugen stond gegrift, kon ze zich op dit moment geen bruin spul herinneren. Het was een klein, verschrompeld, gedeeltelijk weggerot gezicht geweest – een gezicht dat ze het liefst zo snel mogelijk wilde vergeten.

'Ik heb alleen die maden gezien.'

'Dat bruine spul was bloed,' zei hij met het gezag van een patholoog-anatoom. Ze wilde dit gesprek niet voortzetten. Ze hadden belangrijker dingen om over te praten nu het stilzwijgen eenmaal verbroken was.

'Wat ben je eigenlijk van plan, nu we deze kleine escapade achter de rug hebben?' vroeg ze, met een snelle blik opzij.

'We moeten snel zijn, Reggie. Die lui komen natuurlijk terug om het lijk op te graven, denk je ook niet?'

'Ja, dat ben ik met je eens – voor de verandering. Misschien zijn ze al bezig. Weten wij veel.'

Hij krabde aan zijn andere arm en sloeg zijn benen over elkaar. 'Ik heb nagedacht.'

'Ja, dat zal wel.'

'Twee dingen bevallen me niet aan Memphis. De hitte en het vlakke land. Nergens heuvels of bergen, begrijp je wat ik bedoel? Ik heb altijd in de bergen willen wonen, waar de lucht lekker koel is en waar 's winters een dikke laag sneeuw ligt. Lijkt jou dat niet leuk, Reggie?'

Ze glimlachte bij zichzelf en veranderde van rijstrook. 'Ja, dat klinkt geweldig. Had je een speciale berg in gedachten?'

'Ergens in het westen. Ik kijk graag naar die herhalingen van *Bonanza* op de tv, met Hoss en Little Joe. Adam was ook oké, maar ik had wel de pest in toen hij vertrok. Ik heb ernaar gekeken sinds ik heel klein was en ik heb altijd gedacht dat het leuk zou zijn om daar te wonen.'

'Dus geen torenflat in een drukke stad? Daar had je het toch over?'

'Ja, gisteren. Vandaag heb ik het over bergen.'

'Wil je daar echt wonen, Mark?'

'Ik geloof het wel. Zou dat kunnen?'

'Dat is wel te regelen, denk ik. Op dit moment gaat de FBI met alles akkoord.'

Hij hield op met krabben en strengelde zijn vingers om zijn knie. Zijn stem klonk vermoeid. 'Ik kan niet terug naar Memphis, of wel, Reggie?'

'Nee,' zei ze zacht.

'Dat dacht ik al.' Hij zweeg een paar seconden. 'Misschien is dat maar het beste. We hebben daar toch niets meer.'

'Probeer het als een nieuw avontuur te zien, Mark. Een nieuw huis, een nieuwe school, een nieuwe baan voor je moeder. Je komt in een veel mooiere omgeving te wonen, met nieuwe vrienden – en midden tussen de bergen, als je dat wilt.'

'Wees eens eerlijk, Reggie. Denk je dat ze me ooit zullen vinden?'

Ze moest nee zeggen. Op dit moment had hij geen keus. Ze kon niet langer met hem op de vlucht blijven en zich met hem verbergen. Ze moesten nu de FBI bellen en een regeling treffen of zichzelf aangeven. Dit uitstapje was bijna ten einde.

'Nee, Mark. Ze zullen je nooit vinden. Je moet de FBI vertrouwen.'

'Dat doe ik niet, en jij ook niet.'

'Ik wántrouw hen ook niet echt. En ze zijn de enigen die je bescherming kunnen bieden.'

'Dus moet ik maar toegeven?'

'Tenzij je iets beters weet.'

Mark stond onder de douche. Reggie toetste Clints nummer in en hoorde het toestel twaalf keer overgaan voordat hij opnam. Het was bijna drie uur in de nacht.

'Clint, met mij.'

'Reggie?' vroeg hij zacht en slaperig.

'Ja, met Reggie. Luister, Clint. Doe het licht aan, zet je voeten op de grond en luister goed.'

'Ik luister.'

'Het nummer van Jason McThune staat in het telefoonboek van Memphis. Bel hem op en zeg dat je het privé-nummer van Larry Trumann in New Orleans nodig hebt. Duidelijk?'

'Waarom kijk je niet in de gids van New Orleans?'

'Stel nou geen vragen, Clint. Doe gewoon wat ik zeg. Trumann staat niet in de gids.'

'Wat gebeurt er allemaal, Reggie?' Hij sprak opeens veel sneller.

'Over een kwartier bel ik je terug, Clint. Zet maar vast koffie. Dit kan een lange dag worden.' Ze hing op en knoopte de veters van haar modderige gympen los.

Mark kwam al snel weer onder de douche vandaan en scheurde een verpakking met schoon ondergoed open. Hij voelde zich nogal opgelaten toen Reggie ondergoed voor hem had gekocht, maar dat was nu volkomen onbelangrijk. Hij trok een nieuw geel T-shirt aan en zijn nieuwe maar vuile Wal-Mart jeans. Geen sokken. Volgens zijn advocaat ging hij voorlopig nergens heen.

Hij stapte de kleine badkamer uit. Reggie lag op bed, met haar schoenen uit. Haar witte sokken waren vuil en er zat gras op de omslagen van haar spijkerbroek. Mark ging op de rand van het bed zitten en staarde naar de muur.

'Voel je je wat beter?' vroeg ze.

Hij knikte en kwam zwijgend naast haar liggen. Ze trok hem dicht tegen zich aan en legde een arm onder zijn natte hoofd. 'Ik zie het niet meer zitten, Reggie,' zei hij zacht. 'Ik weet niet meer wat er met me gebeurt.'

De stoere kleine jongen die stenen door ruiten gooide, die

moordenaars en de politie te slim af was, die zonder angst door een pikdonker bos rende... die kleine jongen begon te huilen. Hij beet op zijn lip en kneep zijn ogen stijf dicht, maar hij kon de tranen niet tegenhouden. Ze drukte hem nog steviger tegen zich aan. Eindelijk brak er iets in hem. Hij begon luid te snikken, onbeheerst en zonder zich groot te houden. Hij liet de tranen komen, zonder schaamte of verlegenheid. Hij schokte over zijn hele lichaam en kneep in haar arm.

'Het geeft niet, Mark,' fluisterde ze in zijn oor. 'Alles komt weer goed.' Met haar vrije hand veegde ze de tranen van zijn wangen en klemde ze hem dicht tegen zich aan. Nu kwam het weer op haar schouders neer. Nu moest ze weer de advocaat zijn, de adviseur die doortastende besluiten nam en aan de touwtjes trok. Zijn leven lag weer in haar handen.

De televisie stond aan, maar zonder geluid. De grijs-blauwe schaduwen wierpen een vaag schijnsel door de kleine kamer met het tweepersoonsbed en het goedkope meubilair.

Jo Trumann greep de telefoon en tuurde in het donker naar de wekker. Tien voor vier. Ze gaf het toestel aan haar man, die het aanpakte en midden op het bed ging zitten. 'Hallo?' bromde hij.

'Hallo Larry, met mij. Reggie Love. Weet je nog?'

'Ja. Waar zit je?'

'Hier in New Orleans. We willen praten. Hoe sneller hoe beter.'

Bijna maakte hij een opmerking over het tijdstip van de nacht, maar hij hield zich in. Het was belangrijk, anders zou ze hem nu niet bellen. 'Goed. Wat is er aan de hand, Reggie?'

'Nou, we hebben het lijk gevonden, om maar eens wat te noemen.'

Trumann schoot overeind en trok zijn slippers aan. 'Ik luister.'

'Ik heb het lijk gezien, Larry. Een uur of twee geleden. Ik heb het met mijn eigen ogen gezien. En ik heb het geroken.'

'Waar zit je?' Trumann drukte op de knop van de recorder naast de telefoon.

'Ik bel uit een cel, dus geen geintjes, oké?'

'Oké.'

'De mensen die het lijk hebben verborgen hebben vannacht geprobeerd het weer op te graven, maar dat is niet gelukt. Een lang verhaal, Harry, dat vertel ik je later nog weleens. Maar ik durf te wedden dat ze snel een nieuwe poging zullen doen.'

'Is de jongen bij je?'

'Ja. Hij wist waar het verborgen lag. We kwamen, we zagen en we overwonnen. Als je doet wat ik zeg, kunnen jullie het lichaam vanmiddag om twaalf uur al hebben.'

'Zeg het maar. Wat dan ook.'

'Zo mag ik het horen, Larry. De jongen wil een regeling treffen. Dus moeten we praten.'

'Wanneer en waar?'

'Kom maar naar de Raintree Inn aan Veterans Boulevard in Metairie. Daar is een grillroom die de hele nacht open is. Wanneer kun je er zijn?'

'Geef me drie kwartier.'

'Hoe eerder je komt, des te sneller je het lijk in je bezit hebt.'

'Kan ik iemand meenemen?'

'Wie?'

'K.O. Lewis.'

'Is die in de stad?'

'Ja. We wisten dat je hier was, daarom is meneer Lewis een paar uur geleden hierheen gevlogen.'

Reggie aarzelde. 'Hoe wisten jullie dat ik hier was?'

'We hebben onze methoden.'

'Wie heb je afgeluisterd, Trumann? Zeg het maar. Ik wil een eerlijk antwoord.' Haar stem klonk krachtig, maar met een ondertoon van paniek.

'Mag ik je dat straks vertellen, als we er zijn?' Hij kon zich wel voor zijn kop slaan vanwege die stomme verspreking.

'Nee. Ik wil het nu horen,' zei ze op gebiedende toon.

'Ik zal het je later wel...'

'Luister, klootzak. Als je me niet meteen vertelt wie je hebt afgeluisterd, gaat de ontmoeting niet door. De waarheid, Trumann.'

'Oké. We hebben de telefoon van zijn moeder in de ziekenhuiskamer afgetapt. Dat was fout. Niet mijn schuld. Memphis is verantwoordelijk.'

'En wat hebben ze gehoord?'

'Niet veel. Je secretaris Clint belde gistermiddag en zei tegen Dianne dat jullie in New Orleans zaten. Dat is alles. Ik zweer het je.'

'Je zou toch niet tegen me liegen, Trumann?' zei ze, doelend op het bandje van hun eerste ontmoeting.

'Nee, ik lieg niet, Reggie,' zei Trumann, die aan hetzelfde bandje dacht.

Er viel een lange stilte, waarin hij alleen haar ademhaling hoorde. 'Alleen jij en K.O. Lewis,' zei ze. 'Verder niemand. Als Foltrigg ook komt, gaat het niet door.'

'Ik zweer het je.'

Ze hing op. Trumann belde onmiddellijk K.O. Lewis in het Hilton en daarna McThune in Memphis.

39

Precies vijfenveertig minuten later stapten Trumann en
Lewis nerveus de bijna verlaten grillroom van de Raintree
Inn binnen. Reggie zat te wachten aan een tafeltje in de
hoek, ver bij iedereen vandaan. Haar haar was nat en ze
had zich niet opgemaakt. Een wijd T-shirt met het paarse
logo LSU TIGERS zat in haar verschoten spijkerbroek gepropt.
Ze dronk zwarte koffie. Ze stond niet op toen ze de mannen
zag binnenkomen en er kon geen lachje af. Trumann en
Lewis gingen tegenover haar zitten.

'Morgen, mevrouw Love,' zei Lewis in een poging tot
vriendelijkheid.

'Zeg maar Reggie, oké? En het is te vroeg voor beleefdheden. Zijn we alleen?'

'Natuurlijk,' zei Lewis. Op dat moment werd het parkeerterrein in de gaten gehouden door acht FBI-agenten en de
rest was onderweg.

'Geen microfoontjes op het lichaam, in zoutvaatjes of ket-
chupflessen?'

'Nee.'

Een ober verscheen en ze bestelden koffie.

'Waar is de jongen?' vroeg Trumann.

'In de buurt. Jullie krijgen hem snel genoeg te spreken.'

'Is hij veilig?'

'Natuurlijk is hij veilig. Jullie zouden hem nog niet te pakken
kunnen krijgen als hij op straat om brood liep te bedelen.'

Ze gaf Lewis een vel papier. 'Dit zijn de namen van drie
psychiatrische klinieken die in de behandeling van kinderen
zijn gespecialiseerd: Battenwood in Rockford, Illinois; Rid-
gewood in Tallahassee en Grant's Clinic in Phoenix. We
hebben geen voorkeur.'

Hun ogen gingen langzaam van haar gezicht naar de lijst. Ze lazen hem door. 'Maar we hebben al informatie ingewonnen bij een kliniek in Portland,'zei Lewis verbaasd.

'Dat kan me niet schelen, meneer Lewis. Neem deze lijst en doe opnieuw navraag, oké? En snel. Bel Washington, haal hen uit bed en zet er haast achter.'

Hij vouwde de lijst op en legde hem onder zijn elleboog. 'U... eh, je hebt het lijk gezien?' vroeg hij. Hij probeerde enig gezag in zijn stem te leggen, maar dat mislukte jammerlijk.

Ze glimlachte. 'Ja. Nog geen drie uur geleden. Muldanno's mannen wilden het juist weghalen, maar we hebben hen op de vlucht gejaagd.'

'Wij?'

'Mark en ik.'

Ze keken haar allebei scherp aan, wachtend op meer bijzonderheden over dit vreemde, onwaarschijnlijke verhaal. De ober kwam, maar niemand lette op hem of op de koffie.

'We hoeven niets te eten,' zei Reggie kortaf, en de ober vertrok weer.

'Dit is het voorstel,' zei ze. 'Er zijn enkele voorwaarden, die geen van alle bespreekbaar zijn. Als jullie doen wat ik zeg, en snel, kunnen jullie het lijk nog vinden voordat Muldanno het weghaalt en in de oceaan dumpt. Als jullie problemen maken, heren, denk ik niet dat jullie een tweede kans krijgen.'

Ze knikten haastig.

'Bent u hiernaartoe gevlogen met een privé-jet?' vroeg ze aan Lewis.

'Ja, het toestel van de directeur.'

'Hoeveel plaatsen?'

'Een stuk of twintig.'

'Goed. Stuur het meteen terug naar Memphis om Dianne en

Ricky Sway, hun dokter en mijn secretaris Clint op te halen. Vlieg dan meteen weer terug. McThune mag ook mee, als hij wil. Wij rijden hier naar het vliegveld. Zodra Mark veilig aan boord is en het toestel is opgestegen, zal ik jullie vertellen waar het lijk ligt. Geen probleem?'

'Nee,' zei Lewis. Trumann was sprakeloos.

'De hele familie wordt opgenomen in het protectieprogramma. Eerst mogen ze de kliniek kiezen. Als Ricky is hersteld, kiezen ze een stad om te wonen.'

'Akkoord.'

'Ze krijgen een totaal nieuwe identiteit, een leuk huisje en alles wat erbij hoort. Deze vrouw moet een paar jaar thuis kunnen blijven om haar kinderen op te voeden, daarom stel ik een maandelijkse toelage voor van vierduizend dollar, gegarandeerd voor drie jaar. Plus een contant bedrag van vijfentwintigduizend dollar. Bij die brand zijn ze alles kwijtgeraakt, zoals jullie weten.'

'Natuurlijk. Dat soort dingen regelen we zo.' Lewis was zo gretig dat Reggie spijt had dat ze niet méér had gevraagd.

'Als ze op een gegeven moment wil gaan werken, krijgt ze een leuk en rustig ambtenaarsbaantje zonder veel verantwoordelijkheid, met korte werktijden en een goed salaris.'

'Die zijn er genoeg.'

'Als ze ooit willen verhuizen – wanneer en waarheen ook – krijgen ze daar toestemming voor en betaalt de FBI de kosten.'

'Dat zijn we wel gewend.'

Trumann kon een grijns niet onderdrukken.

'Ze moet een auto hebben.'

'Geen punt.'

'Ricky heeft misschien een langdurige behandeling nodig.'

'Die betalen wij.'

'Mark moet door een psychiater worden onderzocht, hoewel hij volgens mij veel normaler is dan wij.'

'Goed.'

'Dan zijn er nog een paar detailkwesties, maar die staan in de overeenkomst.'

'Welke overeenkomst?'

'De overeenkomst die op dit moment wordt uitgetypt en die zal worden ondertekend door mijzelf, Dianne Sway, rechter Harry Roosevelt en u, meneer Lewis – uit naam van directeur Voyles.'

'Wat staat er verder nog in?' vroeg Lewis.

'Ik wil een garantie dat u alles in het werk zult stellen om Roy Foltrigg te dwingen voor de kinderrechter van Shelby County, Tennessee, te verschijnen. Rechter Roosevelt heeft nog een appeltje met hem te schillen en ik weet zeker dat Foltrigg zal proberen eronderuit te komen. Als hij moet worden gedagvaard, wil ik dat de dagvaarding door u persoonlijk wordt overhandigd, meneer Trumann.'

'Met plezier,' zei Trumann met een gemeen lachje.

'We zullen doen wat we kunnen,' zei Lewis enigszins verward.

'Goed. Ga dan nu maar bellen. Zorg dat het vliegtuig vertrekt. Bel McThune en zeg dat hij Clint van Hooser ophaalt en hem meeneemt naar het ziekenhuis. Haal die afluisterapparatuur van Diannes telefoon, want ik wil met haar praten.'

'Geen probleem.' Ze sprongen overeind.

'Over een halfuur zien we elkaar hier weer.'

Clint zat op zijn oude Royal-portable te rammen. De keukentafel trilde en zijn kop koffie – de derde van die ochtend – rinkelde luid als hij op de teruglooptoets sloeg. Hij bestudeerde zijn eigen haastige hanepoten op de achterkant van een *Esquire* en probeerde zich alle eisen te herinneren die Reggie telefonisch had doorgegeven. Als hij ermee klaar

was, zou het ongetwijfeld de slordigste juridische overeenkomst zijn die hij ooit had opgesteld. Vloekend greep hij
weer naar de Tipp-ex.

Hij schrok toen er op de deur werd geklopt. Haastig streek
hij met zijn vingers door zijn ongewassen en ongekamde
haar en liep naar de deur. 'Wie is daar?'

'De FBI.'

Niet zo luid! zei hij bijna. Hij hoorde de buren al roddelen
over zijn arrestatie voor dag en dauw. Drugs, natuurlijk.

Hij opende de deur op een kier en tuurde langs de ketting
van de grendel. In de donkere hal stonden twee agenten
met slaperige ogen. 'We moesten u komen ophalen,' zei
een van hen verontschuldigend.

'Mag ik uw legitimatie zien?'

Ze hielden hun penningen omhoog. 'FBI,' herhaalde de eerste.

Clint haalde de grendel van de deur en liet hen binnen. 'Ik
ben zo klaar. Ga even zitten.'

Ze bleven verlegen in het midden van de huiskamer staan
toen hij naar zijn tafel en zijn schrijfmachine terugliep. Hij
begon langzaam te typen. Hij kon zijn eigen handschrift
niet meer lezen en formuleerde de rest maar uit zijn hoofd.
De belangrijkste dingen stonden er wel in, hoopte hij. Op
kantoor had Reggie altijd wel iets op zijn stukken aan te
merken, maar zo moest het maar. Voorzichtig trok hij het
vel papier uit de Royal en deed het in een koffertje.

'Goed. We gaan,' zei hij.

Om tien over halfzes kwam Trumann in zijn eentje weer
naar het tafeltje waar Reggie zat te wachten. Hij had twee
zaktelefoons bij zich. 'Die hebben we misschien nog nodig,' zei hij.

'Hoe kom je daaraan?' vroeg Reggie.

'Ze zijn hier afgeleverd.'

'Door je eigen agenten?'

'Precies.'

'Gewoon voor de grap... hoeveel man heb je op dit moment binnen een halve kilometer van dit motel opgesteld?'

'Dat weet ik niet. Twaalf of dertien. Dat is routine, Reggie. Misschien zijn ze nodig. We houden er een paar achter de hand om die jongen te beschermen, als je me vertelt waar hij is. Ik neem aan dat hij alleen is.'

'Ja, hij is alleen en hij maakt het uitstekend. Heb je met McThune gesproken?'

'Ja. Ze hebben Clint al opgehaald.'

'Dat is snel.'

'Eerlijk gezegd wordt zijn appartement al vierentwintig uur in het oog gehouden. We hebben onze mannen gewoon wakker gemaakt en gezegd dat ze moesten aankloppen. We hebben jouw auto wel gevonden, Reggie, maar die van Clint niet.'

'Daar rij ik in.'

'Dat dacht ik al. Heel handig, maar binnen vierentwintig uur hadden we je te pakken gehad.'

'Wees daar maar niet zo zeker van, Trumann. Jullie hebben ook acht maanden naar Boyette gezocht.'

'Dat is zo. Hoe is die jongen ontsnapt?'

'Dat is een lang verhaal. Dat vertel ik je later nog wel.'

'Jij kunt van medeplichtigheid worden beschuldigd, dat weet je?'

'Niet als jullie onze overeenkomst ondertekenen.'

'O, wij tekenen wel. Maak je geen zorgen.' Een van de telefoons ging en Trumann griste hem uit zijn zak. Terwijl hij zat te luisteren, kwam K.O. Lewis haastig naar het tafeltje met zijn eigen telefoon. Hij liet zich op zijn stoel vallen en boog zich naar voren. Zijn ogen glinsterden enthousiast. 'Ik heb met Washington gesproken. We zoeken een geschikte kliniek. Het ziet er goed uit. Directeur Voyles belt over een paar minuten. Waarschijnlijk wil hij jou ook spreken.'

'En het vliegtuig?'

Lewis keek op zijn horloge. 'Dat is net vertrokken. Het moet om halfzeven in Memphis zijn.'

Trumann legde een hand over het mondstuk. 'Ik heb McThune aan de lijn. Hij zit in het ziekenhuis op dokter Greenway en de directeur te wachten. Ze hebben rechter Roosevelt gewaarschuwd. Die is nu onderweg.'

'Wordt Diannes telefoon niet langer afgeluisterd?' vroeg Reggie.

'Nee.'

'Geen zoutvaatjes meer?'

'Geen zoutvaatjes. Alles is schoon.'

'Goed. Zeg dat hij over twintig minuten terugbelt,' zei ze.

Trumann mompelde wat in de telefoon en drukte op een knop. Een paar seconden later ging Lewis' telefoon. Hij luisterde en begon toen breed te grijnzen. 'Ja, meneer,' zei hij bijna met ontzag. 'Eén moment.'

Hij stak Reggie de telefoon toe. 'Directeur Voyles. Hij wil je spreken.'

Reggie pakte het toestel langzaam aan en zei: 'Met Reggie Love.' Lewis en Trumann keken toe als twee kinderen die op een ijsje wachtten.

Aan de andere kant van de lijn klonk een diepe, heldere stem. Hoewel directeur Voyles in zijn veertig jaar als directeur van de FBI geen warme banden met de pers had onderhouden, was hij toch weleens in het nieuws geweest. De stem klonk dus bekend. 'Mevrouw Love, u spreekt met directeur Voyles. Hoe gaat het met u?'

'Goed. En zeg maar Reggie, oké?'

'Natuurlijk, Reggie. K.O. heeft me zojuist op de hoogte gebracht en ik wil je verzekeren dat de FBI alles zal doen om de jongen en zijn familie te beschermen. K.O. heeft een volledige volmacht. We kunnen jou ook beschermen, als je dat wilt.'

'Ik maak me meer zorgen over de jongen, Denton.'

Trumann en Lewis wisselden een blik. Ze had hem Denton genoemd! Dat had nog nooit iemand gewaagd. En toch klonk het niet brutaal.

'Als je wilt kun je de overeenkomst naar mij faxen, dan zal ik haar hier ondertekenen,'zei hij.

'Dat is niet nodig, maar bedankt voor het aanbod.'

'En mijn vliegtuig staat tot je beschikking.'

'Dank je.'

'Ik beloof je dat de heer Foltrigg zijn onderonsje met de rechter in Memphis niet zal ontlopen. Wij hadden niets te maken met die dagvaardingen voor de juryrechtbank, dat begrijp je toch wel?'

'Ja, dat weet ik.'

'Veel succes, Reggie. Regelen jullie de details maar onderling. Lewis kan bergen verzetten. Bel me als het nodig is. Ik ben de hele dag op kantoor.'

'Dank je,' zei ze. Ze gaf de telefoon terug aan K.O. Lewis, de man die bergen kon verzetten.

De assistent-bedrijfsleider van de grillroom, een jongeman van hooguit negentien met een donzig snorretje en een hoge dunk van zichzelf, kwam naar het tafeltje toe. Deze mensen zaten hier nu al een uur en alles wees erop dat ze hier hun tenten hadden opgeslagen. Er lagen zelfs drie telefoons op tafel, met een stapel papieren. De vrouw droeg een sweatshirt en jeans, een van de mannen een petje en geen sokken. 'Neemt u me niet kwalijk,' zei hij kortaf, 'kan ik u soms helpen?'

Trumann keek over zijn schouder en snauwde: 'Nee.'

De man aarzelde maar kwam toen een stap dichterbij. 'Ik ben de assistentbedrijfsleider en ik wil graag weten wat u hier doet.'

Trumann knipte luid met zijn vingers en twee heren die op enige afstand aan een tafeltje een zondagskrant zaten te lezen sprongen overeind en haalden hun legitimatie tevoorschijn. 'FBI,' zeiden ze in koor, pakten de man ieder bij een arm en namen hem mee. Hij kwam niet meer terug. De grillroom was verlaten.

Een van de telefoons ging. Lewis nam op en luisterde oplettend. Reggie sloeg de zondagskrant uit New Orleans open. Onder aan de voorpagina zag ze haar eigen gezicht. De foto was afkomstig uit het register van de orde van advocaten. Daarnaast stond Marks foto uit de vierde klas. Ontsnapt. Verdwenen. Voortvluchtig. Boyette, en de rest van het verhaal. Reggie bladerde verder naar de strips.

'Dat was Washington,' meldde Lewis toen hij de telefoon weer neerlegde. 'De kliniek in Rockford zit vol. Ze bellen nu met de andere twee.'

Reggie knikte en dronk van haar koffie. De zon deed zijn eerste pogingen van die dag. Haar ogen waren rood en haar hoofd deed pijn, maar de adrenaline stroomde rijkelijk. Met een beetje geluk zou ze tegen de avond weer thuis kunnen zijn.

'Luister, Reggie, kun je ons enig idee geven hoeveel tijd het kost om bij dat lijk te komen?' vroeg Trumann heel voorzichtig. Hij wilde niet aandringen en haar niet kwaad maken, maar hij moest zijn maatregelen nemen. 'Muldanno loopt nog vrij rond, en als hij ons vóór is, is dit allemaal voor niets geweest.' Hij zweeg en wachtte op haar reactie. 'Het ligt hier in de stad, nietwaar?'

'Als je niet verdwaalt, moet je er binnen een kwartier kunnen zijn.'

'Een kwartier,' herhaalde hij langzaam, alsof dat te mooi was om waar te zijn. Een kwartier.

40

Clint had al vier jaar niet gerookt, maar nu trok hij toch zenuwachtig aan een Virginia Slim. Dianne had er ook een opgestoken. Ze stonden aan het eind van de gang en keken uit over het centrum van Memphis. De dag brak aan. Greenway was bij Ricky in de kamer. Jason McThune, de directeur van het ziekenhuis en een klein groepje FBI-agenten zaten in de kamer ernaast te wachten. Clint en Dianne hadden het afgelopen halfuur allebei met Reggie gesproken.

'De directeur van de FBI heeft zijn woord gegeven,' zei Clint. Hij trok aan het dunne sigaretje, waar nauwelijks rook uit kwam. 'Je hebt geen andere keus, Dianne.'

Ze staarde door het raam, met één arm voor haar borst en de andere bij haar mond, met de sigaret tussen haar vingers. 'Dus we pakken gewoon onze biezen? We stappen in dat vliegtuig, we vliegen naar de zonsondergang en iedereen leeft nog lang en gelukkig?'

'Zoiets ja.'

'En als ik daar nou geen zin in heb, Clint?'

'Je kunt niet anders.'

'Waarom niet?'

'Heel simpel. Je zoon heeft besloten de waarheid te vertellen en zich onder bescherming van de FBI te stellen. Of je het wilt of niet, je zult wel mee moeten. Jij en Ricky.'

'Ik wil met mijn zoon praten.'

'Je kunt met hem praten in New Orleans. Als je hem tot andere gedachten kunt brengen, gaat de zaak niet door. Reggie vertelt pas waar het lijk te vinden is als jullie veilig in het vliegtuig zitten.'

Clint probeerde druk uit te oefenen maar toch zijn meegevoel te tonen. Dianne was bang, zwak en kwetsbaar. Haar handen trilden toen ze het filter tussen haar lippen stak.

'Mevrouw Sway,' zei een zware stem achter haar. Ze draaiden zich om en zagen de edelachtbare Harry M. Roosevelt achter zich staan, gekleed in een groot, helderblauw joggingpak met het logo van de Memphis State Tigers op de borst. Het moest een maatje extra-extra-large zijn, maar toch hingen de brockspijpen vijftien centimeter boven zijn enkels. Zijn grote voeten staken in een paar oude maar zelden gebruikte trimschoenen. In zijn hand hield hij de twee pagina's van de overeenkomst die Clint had uitgetypt.

Dianne knikte tegen hem maar ze zei niets. 'Hallo, edelachtbare,' zei Clint rustig.

'Ik heb net met Reggie gesproken,' zei Harry tegen Dianne. 'Zo te horen hebben ze een heel avontuurlijke reis gehad.' Hij kwam tussen hen in staan en negeerde Clint. 'Ik heb de overeenkomst gelezen en ik ben geneigd die te tekenen. Volgens mij is het in Marks belang dat u dat ook doet.'

'Is dat een bevel?' vroeg ze.

'Nee. Ik heb niet de macht u aan deze overeenkomst te binden,' zei hij. En met een brede, warme glimlach voegde hij eraan toe: 'Maar als ik het kon, zou ik het doen.'

Ze legde de sigaret in een asbak op de vensterbank en stak haar handen diep in de zakken van haar jeans. 'En als ik weiger?'

'Dan wordt Mark teruggestuurd naar de gevangenis hier in Memphis. Wat er verder gebeurt is moeilijk te voorspellen. Uiteindelijk zal hij moeten praten. De situatie is nu nog dringender.'

'Waarom?'

'Omdat het nu vaststaat dat Mark weet waar het lijk begraven ligt. En Reggie ook. Dat kan heel gevaarlijk voor hen worden. We zijn op het punt gekomen, mevrouw Sway, waarop u een beetje vertrouwen moet hebben in de mensen om u heen.'

'Dat kunt u makkelijk zeggen.'

'Dat is zo. Maar als ik u was zou ik deze papieren tekenen en op het vliegtuig stappen.'

Langzaam pakte Dianne de papieren van zijne edelachtbare aan. 'Ik wil met dokter Greenway praten.'

Ze volgden haar door de gang naar de kamer naast die van Ricky.

Twintig minuten later werd de achtste verdieping van het St. Peter's ziekenhuis door twaalf FBI-agenten hermetisch afgegrendeld. Iedereen werd uit de wachtkamer verwijderd. Drie van de liften werden op de begane grond stilgezet. De andere werd door een agent op de achtste verdieping gereedgehouden.

De deur van kamer 943 ging open en de kleine Ricky Sway, verdoofd door pillen en diep in slaap, werd door Jason McThune en Clint van Hooser op een brancard de gang in gereden. Het was zijn zesde dag in het ziekenhuis, maar zijn toestand was nog steeds niet verbeterd. Greenway liep aan één kant naast de brancard, Dianne aan de andere. Harry volgde op een paar passen afstand en bleef toen staan.

De brancard werd in de gereedstaande lift geduwd, die naar de derde verdieping daalde waar andere FBI-agenten klaarstonden. Het was maar een klein eindje lopen naar de dienstlift, waarvan agent Durston de deur al openhield. De dienstlift stopte op de eerste verdieping, bij een volgend ploegje FBI-agenten. Ricky bewoog zich geen moment. Dianne hield zijn arm vast en holde met de brancard mee. Ze manoeuvreerden door een reeks korte gangetjes en passeerden enkele metalen deuren tot ze opeens op een plat dak uitkwamen. Een helikopter stond al te wachten. Ricky werd snel aan boord geladen, en Dianne, Clint en McThune stapten in.

Een paar minuten later landde de helikopter naast een hangar op het internationale vliegveld van Memphis. Een stuk of zes FBI-agenten bewaakten de omgeving terwijl Ricky naar een gereedstaande jet werd overgebracht.

Om tien voor zeven ging een van de telefoons op het hoektafeltje in de grillroom van de Raintree Inn. McThune nam meteen op. Hij luisterde en keek op zijn horloge. 'Ze zijn onderweg,' meldde hij toen hij het toestel neerlegde. Lewis zat weer met Washington te bellen.

Reggie haalde diep adem en glimlachte tegen Trumann. 'Het lijk ligt in cement. Je hebt hamers en beitels nodig.'

Trumann verslikte zich bijna in zijn sinaasappelsap. 'Goed. Verder nog iets?'

'Ja. Zet een paar van je mannen bij de kruising van St. Charles en Toledano.'

'Is het daar in de buurt?'

'Doe nou maar wat ik zeg.'

'Oké. Wat verder nog?'

'Over een minuutje ben ik terug.' Reggie liep naar de balie en vroeg de receptionist of er een fax voor haar was gekomen. De man kwam terug met een kopie van de twee pagina's tellende overeenkomst. Reggie las de tekst zorgvuldig door. Het typewerk was rommelig, maar de inhoud klopte. Ze liep terug naar het tafeltje. 'Laten we Mark maar halen,' zei ze.

Mark poetste voor de derde keer zijn tanden en ging op de rand van het bed zitten. Hij had zijn wasgoed en zijn nieuwe ondergoed in zijn zwartgouden Saints-tas gepakt. Er was een tekenfilm op de tv, maar hij was niet geïnteresseerd.

Hij hoorde een autoportier, daarna voetstappen en toen een klop op de deur. 'Mark, ik ben het,' zei Reggie.

Hij deed de deur open, maar ze kwam niet binnen. 'Klaar om te vertrekken?' vroeg ze.

'Ik geloof het wel.' De zon was op en hij keek over het parkeerterrein. Achter Reggie zag hij een bekend gezicht – een van de FBI-agenten met wie hij de eerste keer in het ziekenhuis had gesproken. Hij greep zijn tas en stapte naar buiten. Drie auto's stonden te wachten. Een man opende het achterportier van de middelste wagen en Mark en zijn advocaat stapten in. Het kleine konvooi vertrok in hoog tempo.

'Alles is geregeld,' zei Reggie, terwijl ze zijn hand pakte. De twee mannen voorin keken recht voor zich uit. 'Ricky en je moeder zitten in het vliegtuig. Over een uurtje zijn ze hier. Is alles goed met je?'

'Ja hoor. Heb je het hun al verteld?' fluisterde hij.

'Nog niet,' antwoordde ze. 'Pas als jij met het vliegtuig bent vertrokken.'

'Zijn dit allemaal FBI-agenten?'

Ze knikte en gaf hem een klopje op zijn hand. Opeens voelde hij zich belangrijk, achter in zijn eigen zwarte auto, omringd door agenten die hem beschermden, op weg naar het vliegveld waar hij aan boord zou gaan van een privéjet. Hij sloeg zijn benen over elkaar en ging wat meer rechtop zitten.

Hij had nog nooit gevlogen.

41

Barry ijsbeerde zenuwachtig heen en weer voor de getinte ramen van Johnny's kantoor en keek naar de sleepboten en aken op de rivier. Zijn gemene ogen waren bloeddoorlopen, niet van de drank of het nachtleven, maar omdat hij niet had geslapen. Hij had de hele nacht in het pakhuis zitten wachten op de drie mannen met het lijk van Boyd Boyette. Toen Leo en zijn makkers zonder het lichaam waren teruggekomen, had hij zijn oom gebeld.

Johnny droeg op deze mooie zondagochtend geen stropdas of bretels. Hij liep langzaam achter zijn bureau heen en weer, terwijl hij de blauwe rook uitblies van zijn derde sigaar van die dag. Een dichte rookwolk zweefde vlak boven zijn hoofd.

Het gescheld en getier lag al uren achter hen. Barry had Leo, Ionucci en de Stier uitgevloekt en Leo had teruggescholden. Maar na een tijdje was de eerste paniek gezakt. In de loop van de nacht was Leo een paar keer langs Cliffords huis gereden, steeds in een andere auto, maar hij had niets bijzonders gezien. Het lijk lag er nog steeds.

Johnny besloot vierentwintig uur te wachten en het dan nog eens te proberen. Ze zouden het huis die dag scherp in het oog houden, om met volle kracht te kunnen toeslaan zodra het donker was. De Stier verzekerde hem dat hij het lijk binnen tien minuten uit het cement kon hakken.

Gewoon rustig blijven, had Johnny zijn mannen voorgehouden. Gewoon rustig blijven.

Roy Foltrigg las de krant op de patio van zijn split-level woning in een buitenwijk. Toen hij hem uit had, stond hij op en liep op blote voeten het natte gras over, met een kop koude koffie in zijn hand. Hij had weinig geslapen. In pyjama en ochtendjas had hij in het donker op de veranda zitten wachten tot de krant werd bezorgd. Hij had Trumann gebeld, maar vreemd genoeg wist mevrouw Trumann niet waar haar man naartoe was.

Hij inspecteerde de rozenstruiken van zijn vrouw langs de schutting aan de achterkant en vroeg zich voor de honderdste keer af waar Mark Sway kon zijn gebleven. Zelf twijfelde hij er geen moment aan dat Reggie Love hem had geholpen bij zijn ontsnapping. Blijkbaar had ze opnieuw haar verstand verloren en was er met het joch vandoor gegaan. Foltrigg glimlachte bij zichzelf. Hij zou haar met plezier voor de rechtbank slepen.

De hangar lag bijna een halve kilometer van de aankomsthal, op een rustige plek tussen een rij identieke gebouwen in dezelfde saaie grijze kleur. De naam 'Gulf Air' stond in oranje letters boven de hoge dubbele deuren, die opengingen zodra de drie auto's voor de hangar stopten. De glinsterende, groen geschilderde betonvloer was smetteloos schoon. De hangar was leeg, op twee privé-jets na, die naast elkaar in een verre hoek stonden. Er brandden een paar lampen die reflecteerden in de groene vloer. Het gebouw was groot genoeg om er een stockcarrace te houden, dacht Mark terwijl hij zich opzij boog om een glimp van de twee jets op te vangen.

Nadat de deuren waren weggeschoven, lag de hele voorkant van de hangar open. Drie mannen liepen haastig langs de achtermuur, alsof ze iets zochten. Twee anderen bleven bij een deur staan. Buiten liepen een stuk of zes mannen rond, op enige afstand van de auto's die zojuist waren aangekomen.

'Wie zijn dat?' vroeg Mark in de richting van de voorbank.

'Ze horen bij ons,' antwoordde Trumann.

'Het zijn FBI-agenten,' verduidelijkte Reggie.

'Waarom zoveel?'

'We nemen geen enkel risico,' zei ze. 'Hoe lang nog, denk je?' vroeg ze aan Trumann.

Hij keek op zijn horloge. 'Een halfuur, schat ik.'

'Laten we een eindje gaan lopen,' zei ze, en ze opende haar portier. Als op een teken openden zich ook de andere elf portieren van het kleine konvooi en stapten de inzittenden uit hun auto's. Mark keek om zich heen naar de andere hangars en de aankomsthal in de verte. Voor hen uit daalde een vliegtuig naar een van de landingsbanen. Het begon nu toch interessant te worden. Nog geen drie weken geleden had hij op school een jongen uit de villawijk, die hem had gepest omdat hij nog nooit had gevlogen, een pak slaag verkocht. Ze moesten hem nu eens zien! Naar het vliegveld gebracht in een privé-limousine, klaar om te vertrekken met een privé-jet die hem zou brengen waarheen hij wilde. Geen stacaravans meer. Geen vechtpartijen met arrogante ettertjes. Geen briefjes meer aan ma, omdat zij eindelijk thuis kon blijven. Dat was toch geweldig, had hij in zijn motelkamer bedacht. Hij was naar New Orleans gekomen en was de maffia in hun eigen achtertuin te slim af geweest. Als het moest, zou hem dat nog een keer lukken.

De agenten bij de deur keken naar hem, maar sloegen meteen hun ogen neer toen hij terugkeek. Ze wilden gewoon weten wat voor vlees ze in de kuip hadden. Misschien zou hij hun straks een handtekening geven.

Hij liep achter Reggie aan de grote hangar in. De twee privé-jets trokken meteen zijn aandacht. Het waren net twee kleine, glimmende speelgoedvliegtuigen die onder een kerstboom stonden te wachten tot iemand ermee ging spelen. De een was zwart, de ander zilverkleurig. Mark kon zijn ogen er niet van afhouden.

Een man in een oranje shirt met de naam Gulf Air boven zijn borstzakje sloot de deur van een kantoortje in de hangar en kwam hun kant op. K.O. Lewis liep naar hem toe en ze praatten even op zachte toon. De man wees naar het kantoor en zei iets over koffie.

Larry Trumann hurkte naast Mark, die nog steeds naar de jets stond te kijken. 'Mark, ken je me nog?' vroeg hij met een glimlach.

'Ja, meneer. Ik heb in het ziekenhuis met u gepraat.'

'Juist. Ik ben Larry Trumann.' Hij stak zijn hand uit. Aarzelend gaf Mark hem zijn hand. Kinderen horen volwassenen geen hand te geven. 'Ik ben FBI-agent hier in New Orleans.'

Mark knikte, met zijn ogen nog steeds op de jets gericht. 'Wil je ze van dichtbij bekijken?' vroeg Trumann.

'Mag dat?' vroeg hij opeens heel vriendelijk aan Trumann.

'Natuurlijk.' Trumann stond op en legde zijn hand op Marks schouder. Langzaam liepen ze over het glimmende beton. Het geluid van hun voetstappen kaatste naar boven. Voor het zwarte toestel bleven ze staan. 'Dit is een Lear-jet,' begon Trumann.

Reggie en K.O. Lewis kwamen het kantoortje uit met grote bekers dampende koffie. De agenten die hen hadden geëscorteerd waren in de schaduw van de hangar verdwenen. Ze dronken hun tiende kop koffie van die ochtend en keken naar Trumann die samen met Mark de jets inspecteerde.

'Hij is een dappere knul,'zei Lewis.

'Ja, hij is heel bijzonder,' zei Reggie. 'Soms denkt hij als een terrorist, maar hij kan ook huilen als een kind.'

'Hij ís een kind.'

'Dat weet ik, maar zeg het niet tegen hem. Misschien wordt hij kwaad, en god mag weten wat er dan gebeurt.' Ze nam een flinke slok. 'Een heel bijzonder kind.'

K.O. blies in zijn koffie en nam een slokje. 'We hebben wat druk uitgeoefend. Er wordt een kamer voor Ricky gereedgehouden in Grant's Clinic in Phoenix. We moeten weten of dat het reisdoel wordt. De piloot belde me vijf minuten geleden. Hij moet zijn vluchtplan indienen en om toestemming vragen.'

'Goed. Dan wordt het Phoenix. Maar zorg dat het geheim blijft, oké? Schrijf hem in onder een andere naam. Mark en zijn moeder ook. En houd een paar van je mannen in de buurt. O ja, en jullie moeten de reis van zijn dokter betalen, en een paar dagen werk.'

'Geen probleem. De mensen in Phoenix weten niet wie er komt. Hebben jullie al over een permanent adres gesproken?'

'Ja, maar niet lang. Mark zegt dat hij in de bergen wil wonen.'

'Vancouver is mooi. We zijn daar vorig jaar zomer op vakantie geweest. Prachtig is het daar.'

'Maar dat is Canada.'

'Maakt niet uit. Directeur Voyles heeft gezegd dat ze zelf mogen kiezen. We hebben wel meer beschermde getuigen in het buitenland, en de Sway's zijn uitstekende kandidaten. We zullen goed voor hen zorgen, Reggie. Ik geef je mijn woord.'

De man in het oranje shirt liep naar Mark en Trumann toe en nam de rondleiding over. Hij liet de trap van de zwarte Lear-jet zakken en het drietal verdween naar binnen.

Lewis nam nog een slok gloeiend hete koffie. 'Ik moet bekennen,' zei hij, 'dat ik er niet van overtuigd was dat Mark werkelijk iets wist.'

'Clifford heeft hem alles verteld. Hij wist precies waar het lijk lag.'

'Jij ook?'

'Nee. Gisteren pas. Toen hij de eerste keer op mijn kantoor kwam, zei hij dat hij het wist, maar zonder de plek te noemen. God zij dank. Hij heeft het voor zich gehouden tot we er gistermiddag vlakbij waren.'

'Waarom zijn jullie hiernaartoe gekomen? Dat was behoorlijk riskant.'

Reggie knikte in de richting van de jets. 'Vraag het hem maar. Hij stond erop dat we het lijk zouden zoeken. Als Clifford had gelogen, dacht Mark, dan was hij uit de zorgen.'

'En dus zijn jullie hiernaartoe gereden om het lijk te zoeken? Zomaar?'

'Nou, zo simpel was het niet. Het is een lang verhaal, K.O. Ik zal het je nog weleens vertellen bij een lange maaltijd.'

'Ik ben benieuwd.'

Marks kleine hoofd verscheen in de cockpit en Reggie verwachtte half en half dat de motoren zouden starten, dat het toestel langzaam de hangar uit zou rijden, de startbaan op, en dat Mark iedereen zou verbijsteren door als een volleerd piloot op te stijgen. Ze wist zeker dat het hem zou lukken.

'Maak je je geen zorgen over je eigen veiligheid?' vroeg Lewis.

'Niet echt. Ik ben maar een eenvoudige advocaat. Waarom zouden ze achter mij aan komen?'

'Uit wraak. Je begrijpt niet hoe die mensen denken.'

'Nee, daar heb je gelijk in.'

'Directeur Voyles wil dat wij nog een paar maanden in de buurt blijven, in elk geval tot na het proces.'

'Jullie zien maar. Als ik maar niet mérk dat ik word geschaduwd, oké?'

'Goed. We hebben onze methoden.'

De rondleiding verplaatste zich naar de tweede jet, een zilverkleurige Citation. Heel even dacht Mark Sway niet langer aan lijken of gangsters die in het donker op hem loerden. De trap kwam omlaag en hij klom aan boord, met Trumann achter zich aan.

Een agent met een zendertje kwam naar Reggie en Lewis toe en zei: 'Ze komen eraan.' Ze volgden hem naar de open voorkant van de hangar, bij de auto's. Even later voegden Mark en Trumann zich bij hen. Iedereen tuurde naar de hemel in het noorden, waar een klein vliegtuig zichtbaar werd.

'Dat zijn ze,' zei Lewis. Mark kwam naast Reggie staan en pakte haar hand. Het toestel werd steeds groter toen het de landingsbaan naderde. Het was ook zwart, net als de Learjet, maar veel groter dan de vliegtuigen in de hangar. De FBI-agenten, sommigen in een pak en anderen in spijkerbroek, stelden zich in een cirkel op toen het toestel in hun richting taxiede. De jet bleef staan, dertig meter bij het groepje vandaan, en de motoren werden uitgeschakeld. Er verstreek een volle minuut voordat de deur openging en de trap werd neergelaten.

Jason McThune was de eerste die naar buiten kwam. Zodra hij op het asfalt stond, werd het vliegtuig omsingeld door een stuk of twaalf FBI-agenten. Dianne en Clint waren de volgenden. Ze sloten zich aan bij McThune, en met hun drieën liepen ze snel naar de hangar.

Mark liet Reggies hand los en rende naar zijn moeder toe. Dianne ving hem op en omhelsde hem, en een of twee verlegen seconden keken de anderen allemaal toe of staarden naar de aankomsthal in de verte.

Ze zeiden geen woord toen ze elkaar omhelsden. Mark sloeg zijn armen stevig om haar hals. Eindelijk, door zijn tranen heen, zei hij: 'Het spijt me, ma. Het spijt me zo.' Ze klemde zijn hoofd tegen haar schouder. Ze kon hem wel wurgen, maar tegelijkertijd wilde ze hem nooit meer laten gaan.

Reggie ging hen voor naar het kleine maar keurige kantoor en bood Dianne koffie aan. Ze bedankte. Trumann, McThune, Lewis en de rest stonden buiten nerveus te wachten. Vooral Trumann was gespannen. Stel dat ze van gedachten zouden veranderen? Stel dat Muldanno hen vóór zou zijn? Stel dat... Hij ijsbeerde zenuwachtig heen en weer, keek steeds naar de gesloten deur en vroeg Lewis het hemd van het lijf. Lewis dronk koffie en probeerde kalm te blijven. Het was tien over half acht. De zon scheen en de lucht was vochtig.

Mark zat bij zijn moeder op schoot. Reggie, de advocaat, was achter het bureau gaan zitten. Clint stond bij de deur.

'Ik ben blij dat je gekomen bent,' zei Reggie tegen Dianne.

'Ik had niet veel keus.'

'Nu wel. Je kunt nog op je besluit terugkomen, als je wilt. Je mag me alles vragen.'

'Besef je wel hoe snel dit allemaal is gegaan, Reggie? Zes dagen geleden kwam ik thuis en vond ik Ricky ineengerold op bed, met zijn duim in zijn mond. Daarna verscheen Mark met die agent. En nu moet ik heel iemand anders worden en naar een andere wereld vluchten. Mijn god.'

'Ik begrijp het,' zei Reggie, 'maar we kunnen het niet tegenhouden.'

'Ben je boos op me, ma?' vroeg Mark.

'Ja. Deze week geen koekjes.' Ze streelde zijn haar. Het bleef een hele tijd stil.

'Hoe gaat het met Ricky?' vroeg Reggie.

'Er is weinig verandering. Dokter Greenway probeert hem

bij te brengen, zodat hij van de vliegreis kan genieten. Maar ze moesten hem een paar slaappillen geven toen we uit het ziekenhuis vertrokken.'

'Ik ga niet terug naar Memphis, ma,' zei Mark.

'De FBI heeft contact opgenomen met een psychiatrische kliniek voor kinderen in Phoenix, die een kamer voor jullie gereedhoudt,' legde Reggie uit. 'Het is een goed ziekenhuis. Clint heeft vrijdag navraag gedaan. De kliniek staat heel goed aangeschreven.'

'Dus we gaan in Phoenix wonen?' vroeg Dianne.

'Totdat Ricky weer beter is. Daarna mogen jullie zelf kiezen. Canada, Australië, Nieuw-Zeeland – het is jullie beslissing. Maar je kunt natuurlijk ook in Phoenix blijven.'

'Laten we naar Australië gaan, ma. Daar hebben ze nog echte cowboys. Dat heb ik eens in een film gezien.'

'Jij kijkt voorlopig niet meer naar films, Mark,' zei Dianne, die nog steeds zijn haar streelde. 'Misschien zouden we hier niet zitten als jij niet zoveel films had gezien.'

'En televisie?'

'Ook niet. Van nu af aan lees je alleen nog boeken.'

Het bleef lange tijd stil in het kantoortje. Reggie had niets meer te zeggen. Clint was doodmoe en viel bijna staand in slaap. Dianne kon weer wat helderder denken, voor het eerst in een week. Hoe bang ze ook was, ze was aan die sombere kamer in het St. Peter's ontsnapt. Ze had de zon gezien en de buitenlucht opgesnoven. Ze hield haar verloren zoon in haar armen en haar andere kind zou weer beter worden. Al deze mensen probeerden haar te helpen. De lampenfabriek was verleden tijd. Werken hoefde niet meer. Goedkope stacaravans waren voorbij. Geen zorgen meer over achterstallige alimentatie en onbetaalde rekeningen. Ze kon haar jongens zien opgroeien. Ze kon lid worden van de oudervereniging. Ze kon wat kleren kopen en haar nagels lakken. Verdorie, ze was pas dertig. Met een beetje moeite en wat geld kon ze er weer aantrekkelijk uitzien. De wereld was vol aardige mannen.

Hoe donker en verraderlijk de toekomst ook leek, niets kon zo afgrijselijk zijn als de afgelopen zes dagen. Er moest toch iets gebeuren. Ze had recht op wat geluk. Je moet een beetje vertrouwen hebben, kind.

'Laten we dan maar naar Phoenix gaan,' zei ze.

Reggie grijnsde opgelucht. Ze haalde de overeenkomst die Clint had meegebracht uit haar koffertje. Harry en McThune hadden al getekend. Reggie zette haar eigen handtekening en gaf de pen aan Dianne. Mark, die genoeg had van omhel-zingen en tranen, liep naar de muur en bewonderde een rij ingelijste foto's van jets. 'Misschien wil ik wel piloot wor-den,' zei hij tegen Clint.

Reggie pakte de overeenkomst. 'Ik ben zo terug,' zei ze. Ze stapte naar buiten en trok de deur achter zich dicht.

Trumann maakte een sprong toen de deur openging. De hete koffie klotste uit het trillende bekertje en schroeide zijn rechterhand. Hij vloekte, wapperde met zijn hand en veegde hem toen aan zijn broekspijp droog.

'Kalm aan, Larry,' zei Reggie. 'Alles is geregeld. Je mag hier tekenen.' Ze stak hem de overeenkomst toe en Trumann zette een krabbel. Daarna was K.O. aan de beurt.

'Maak het vliegtuig klaar voor vertrek,' zei Reggie. 'Ze gaan naar Phoenix.'

K.O. draaide zich om en stak zijn hand op naar de agenten bij de deur van de hangar. McThune rende naar hen toe met extra instructies. Reggie verdween weer in het kantoortje en sloot de deur.

K.O. en Trumann schudden elkaar de hand en grijnsden schaapachtig. Ze keken naar de deur van het kantoor.

'En nu?' mompelde Trumann.

'Ze is advocaat,' zei K.O. 'Advocaten maken altijd problemen.'

McThune kwam naar Trumann toe en gaf hem een envelop. 'Dit is een dagvaarding voor Dominee Roy Foltrigg,' zei hij met een lachje. 'Vanochtend nog ondertekend door rechter Roosevelt.'

'Op zondagmorgen?' vroeg Trumann, terwijl hij de envelop aannam.

'Ja. Hij heeft zijn griffier gebeld en ze hebben op zijn kantoor de dagvaarding opgesteld. Hij wacht met spanning op Foltriggs komst naar Memphis.' De drie mannen grinnikten. 'Goed. De Dominee krijgt hem vanochtend nog uitgereikt,' zei Trumann.

Een minuutje later ging de deur weer open. Clint, Dianne, Mark en Reggie kwamen naar buiten en liepen naar het asfalt. De motoren draaiden al. Agenten renden haastig heen en weer. Trumann en Lewis escorteerden hen tot aan de deuren van de hangar en bleven toen staan.

K.O., de geboren diplomaat, stak zijn hand uit naar Dianne en zei: 'Veel succes, mevrouw Sway. Jason McThune zal u naar Phoenix vergezellen en de zaken daar voor u regelen. U bent absoluut veilig. Als we verder nog iets kunnen doen, laat het me dan weten.'

Dianne glimlachte vriendelijk en gaf hem een hand. Mark stak ook zijn hand uit en zei: 'Bedankt, K.O. Je hebt het me behoorlijk lastig gemaakt.' Hij grijnsde terwijl hij het zei, en iedereen vond het grappig.

K.O. lachte ook. 'Succes, Mark. En geloof me, jongen, wij zijn nog niet half zo lastig als jij.'

'Ja, ik weet het. En het spijt me.' Hij gaf Trumann een hand en hij liep weg met zijn moeder en McThune. Reggie en Clint bleven achter bij de deur van de hangar.

Opeens, half op weg naar het toestel, bleef Mark als aan de

grond genageld staan, alsof hij niet meer durfde. Hij keek Dianne na, die de vliegtuigtrap beklom. Het was de afgelopen vierentwintig uur niet één keer bij hem opgekomen dat Reggie zou achterblijven. Om de een of andere reden had hij aangenomen dat zij bij hen zou blijven tot deze ellende achter de rug was. Dat ze met hen mee zou vliegen en in de buurt van het nieuwe ziekenhuis zou blijven tot Mark veilig was. Maar nu hij daar stond – een klein figuurtje op het uitgestrekte asfalt, roerloos en verbijsterd – besefte hij dat Reggie niet mee zou gaan. Ze was achtergebleven bij Clint en de mensen van de FBI.

Langzaam draaide hij zich om en keek haar geschrokken aan toen de waarheid langzaam tot hem doordrong. Hij deed twee stappen in haar richting en bleef weer staan. Reggie liep bij het groepje vandaan en kwam naar hem toe. Ze knielde op het asfalt en keek in zijn angstige ogen.

Hij beet op zijn lip. 'Je kunt niet met ons mee, hè?' vroeg hij langzaam, met een doodsbang stemmetje. Hoewel ze uren met elkaar hadden gepraat, was dit onderwerp nooit ter sprake gekomen.

Ze schudde haar hoofd en haar ogen werden vochtig.

Hij veegde met de rug van zijn hand over zijn ogen. De FBI-agenten stonden vlakbij maar keken een andere kant uit. Dit was een van de zeldzame keren dat Mark zich er niet voor schaamde om in het openbaar te huilen. 'Maar ik wil dat je meegaat,' zei hij.

'Dat kan niet, Mark.' Ze boog zich naar voren, pakte hem bij zijn schouders en trok hem zachtjes tegen zich aan. 'Ik kan niet mee.'

De tranen stroomden over zijn wangen. 'Het spijt me zo. Jij hebt dit niet verdiend.'

'Maar als het niet was gebeurd zou ik je nooit hebben ontmoet, Mark.' Ze kuste hem op de wang en klemde haar armen om zijn schouders. 'Ik hou van je, Mark. Ik zal je missen.'

'Ik zal je nooit meer zien, of wel?' Zijn lip trilde en de tranen druppelden van zijn kin. Zijn stem brak.

Ze beet op haar tanden en schudde haar hoofd. 'Nee, Mark.'

Reggie haalde diep adem en stond op. Ze had hem het liefst willen optillen om hem mee terug te nemen naar Moeder Love. Hij had een slaapkamer op de eerste verdieping kunnen krijgen en zoveel spaghetti en ijs als hij maar wilde.

In plaats daarvan knikte ze naar het toestel, waar Dianne in de deuropening geduldig stond te wachten. Hij veegde weer over zijn wangen. 'Ik zal je nooit meer zien,' zei hij, bijna tegen zichzelf. Toen draaide hij zich om en probeerde zijn schouders te rechten, maar dat lukte niet. Langzaam liep hij naar de vliegtuigtrap. Nog één keer keek hij om, voor een laatste blik.

42

Een paar minuten later, toen het vliegtuig naar het eind van de startbaan taxiede, kwam Clint naast haar staan en pakte haar hand. Zwijgend keken ze het toestel na toen het opsteeg en boven de wolken verdween.

Ze veegde de tranen van haar wangen. 'Ik denk dat ik me hierna alleen nog met onroerend goed bemoei,' zei ze. 'Hier kan ik niet meer tegen.'

'Hij is een geweldige knul,' zei Clint.

'Het doet pijn, Clint.'

Hij kneep nog harder in haar hand. 'Dat weet ik.'

Trumann dook zwijgend naast haar op en met hun drieën tuurden ze naar de lucht. Reggie keek naar Trumann en haalde de micro-cassette uit haar zak. 'Alsjeblieft,' zei ze.

Hij pakte het bandje aan.

'Het lijk ligt in de garage achter het huis van Jerome Clifford,' zei ze, terwijl ze nog een paar tranen wegveegde. 'East Brookline nummer 886.'

Trumann draaide zich naar links en bracht een zendertje naar zijn mond.

De agenten renden naar hun auto's. Reggie en Clint bleven staan.

'Bedankt, Reggie,' zei Trumann, die opeens haast had.

Ze knikte naar de wolken in de verte. 'Je moet míj niet bedanken,' zei ze, 'maar Mark.'

Lees ook van A.W. Bruna Uitgevers B.V.

John Grisham

De jury

Vlak buiten het plattelandsstadje Clanton in de zuidelijke Amerikaanse staat Mississippi vindt een afschuwelijk misdrijf plaats. Het tienjarige negermeisje Tonya Hailey wordt ontvoerd, mishandeld en meerdere malen verkracht door twee blanke jongens. Ze overleeft het drama ternauwernood, maar haar leven is voorgoed verwoest.
Tot grote opluchting van zowel de zwarte als de blanke bevolking worden de daders snel gepakt. Maar Tonya's hevig geëmotioneerde vader heeft weinig vertrouwen in de justitie en neemt het recht in eigen hand. Hij vermoordt de twee verkrachters van zijn dochtertje.
De rollen zijn omgedraaid. Het is nu Hailey die terecht moet staan. De aanklager en de rechter zijn blank; de verdachte is zwart.
Jake Brigance, verdediger van 'kleine' criminelen als winkeldieven en dronken automobilisten, neemt de verdediging op zich. Zijn opponent is een zeer ervaren aanklager die de hele zaak wil gebruiken als publiciteitsstunt.
Maar alles draait om de mening van de jury...

ISBN 90 449 2797 3

Lees ook van A.W. Bruna Uitgevers B.V.

John Grisham

In het geding

Twee partijen maken zich op voor wat de belangrijkste rechtzaak in de sigarettenindustrie zal worden, het proces tegen 'De Grote Vier', ofwel de vier megaproducenten van tabakswaren van de VS en Canada. De uitkomst van dit proces zal bepalend zijn voor de toekomst van de hele industrie. Vandaar dat er niets aan het toeval wordt overgelaten. Beide partijen worden achter de schermen tot in details geregisseerd door experts. Door in jurykeuze gespecialiseerde bureaus bijvoorbeeld, en natuurlijk door de meest prestigieuze advocatenkantoren van het land. Maar de grootste troef is Rankin Finch, die de absolute overwinning kan garanderen. En die geen moment aarzelt om illegale activiteiten te ondernemen, zoals intimidatie van juryleden.

Alles lijkt voor honderd procent onder controle. Totdat een van de twaalf gezworenen zich op onverwachte wijze binnen de groep manifesteert. Nicholas Easter, een 27-jarige jongeman met een vaag verleden, weet zich op te werpen als vertrouwenspersoon en geestelijk leidsman van de overige juryleden. Niemand in de rechtszaal heeft vat op Nicholas en dat is wel het laatste wat de belanghebbenden, voor wie zo veel op het spel staat, kunnen tolereren…

ISBN 90 449 2912 7